# LUTHER UND DIE POLITISCHE WELT

WISSENSCHAFTLICHES SYMPOSION IN WORMS
VOM 27. BIS 29. OKTOBER 1983

# HISTORISCHE FORSCHUNGEN

IM AUFTRAG DER HISTORISCHEN KOMMISSION DER AKADEMIE DER
WISSENSCHAFTEN UND DER LITERATUR

HERAUSGEGEBEN VON

KARL ERICH BORN UND HARALD ZIMMERMANN

## BAND IX

FRANZ STEINER VERLAG WIESBADEN GMBH
STUTTGART 1984

# LUTHER UND DIE POLITISCHE WELT

## WISSENSCHAFTLICHES SYMPOSION IN WORMS
## VOM 27. BIS 29. OKTOBER 1983

Herausgegeben von

ERWIN ISERLOH und GERHARD MÜLLER

Redigiert von

JOHANNES KOCH

FRANZ STEINER VERLAG WIESBADEN GMBH
STUTTGART 1984

Gefördert durch das Kultusministerium des Landes Rheinland-Pfalz, Mainz
und durch die Stiftung Volkswagenwerk

**CIP-Kurztitelaufnahme der Deutschen Bibliothek**

**Luther und die politische Welt** : wiss. Symposion
in Worms vom 27. – 29. Oktober 1983 / hrsg. von
Erwin Iserloh u. Gerhard Müller. – Stuttgart :
Steiner-Verlag-Wiesbaden, 1984.
  (Historische Forschungen ; Bd. 9)
  ISBN 3-515-04290-3

NE: Iserloh, Erwin [Hrsg.]; GT

© 1984 by Akademie der Wissenschaften und der Literatur, Mainz
Gesamtherstellung: Schwetzinger Verlagsdruckerei GmbH, Schwetzingen
Printed in Germany

Das Umschlagbild ist entnommen aus dem zeitgenössischen Druck:
Doctor Martini Luthers offenliche Verhoer zuo Worms im Reichstag.
Red und Widerred am 17. Tag Aprilis im Jar 1521 beschechen.
Augsburg 1521

# Vorwort

Luther und die politische Welt – unter diesem Arbeitstitel sind hier die Referate zusammengefaßt, die auf dem gleichnamigen, internationalen wissenschaftlichen Symposion gehalten wurden, das auf Einladung der Akademie der Wissenschaften und der Literatur in Mainz und des Instituts für Europäische Geschichte in Mainz im Schloß Herrnsheim in Worms vom 27. bis 29. Oktober 1983 unter der Schirmherrschaft des Herrn Ministerpräsidenten Dr. Bernhard Vogel tagte. Das Symposion kreiste in mehreren Gesprächsgängen immer wieder um die eine Frage: Welche aufhellenden Akzente in der Erforschung der Reformationsgeschichte vermag die Betrachtung der politischen und gesellschaftlichen Kräfte des XVI. Jahrhunderts zu setzen?

Es mußte konstatiert werden, daß trotz aller wichtigen zeitgeschichtlichen Impulse das Augenmerk stets zurückgelenkt werden muß auf Person und Werk Luthers selbst. So jedenfalls läßt sich am besten das Ergebnis des gesamten Symposions sowie der fünf Rahmenthemen verstehen. Gleichzeitig trägt die Formulierung des Themas – Luther *und* die politische Welt – den neueren Erkenntnissen der Geschichtsschreibung Rechnung, wonach Geschichte – und das gilt für alle Geschichte – sich nur im Zusammenhang von menschlicher Aktivität und zeitgeschichtlicher Bedingtheit ereignet. Zwar haben häufig einzelne hervorragende Persönlichkeiten der Geschichte einen Impuls gegeben, der zu neuen und unerwartbaren Entwicklungen geführt hat; gleichzeitig sind diese Menschen aber immer auch »Kinder ihrer Zeit«. So zeigen die Referate deutlich gerade auch diesen Aspekt: Person und Werk des Reformators sind nicht vollständig zu würdigen, wenn nicht das vielschichtige ideen- und zeitgeschichtliche Umfeld mitberücksichtigt wird.

Es sei an dieser Stelle noch auf Formales hingewiesen: Der Charakter der mündlichen Rede ist bei den Referaten beibehalten worden, um den Eindruck des Symposions zu erhalten. Die Abkürzungen sind anhand des Abkürzungsverzeichnisses zur Theologischen Realenzyklopädie vorgenommen worden.

Ein herzlicher Dank gilt Herrn Vikar Udo Ahrens, Wolfenbüttel, für das Mitlesen der Korrekturen.

Münster und Wolfenbüttel im Januar 1984

*Erwin Iserloh*                                                           *Gerhard Müller*

# Inhaltsverzeichnis

# 1 Luthers Zwei-Reiche- und Drei-Stände-Lehre

Peter Manns

# 1.1 Luthers Zwei-Reiche- und Drei-Stände-Lehre

Die in der Überschrift angesprochenen Lehrstücke gehören zweifellos zu den schwierigsten und umstrittensten der modernen Luther-Forschung. Von daher sehe ich mich mit der bedrückenden Frage konfrontiert, wie ich ein Thema angehen soll, das sich im Rahmen eines Referates offensichtlich nicht erschöpfend behandeln läßt.

Wer die nur noch schwer zu überschauende Sekundär-Literatur zu unserem Thema auch nur einigermaßen kennt, wird mir beipflichten, wenn ich es gar nicht erst versuche, in der Art eines Forschungsberichtes über eine Diskussion zu berichten, an der sich in unserem Jahrhundert – angefangen mit Karl Barth und Karl Holl über Werner Elert, Harald und Hermann Diem, über Johannes Heckel und Paul Althaus bis hin zu Franz Lau, Wilhelm Maurer, Heinrich Bornkamm und Gerhard Ebeling[1] – so gut wie alle Autoritäten der evangelischen Theologie und Luther-Forschung beteiligt haben. Und wie soll man berichten über das Ergebnis einer Diskussion, die auf dem Höhepunkt der höchst widersprüchlichen Kontroverse zwischen Johannes Heckel und Paul Althaus einem Schlachtfeld oder einer vulkanischen Landschaft gleicht, die mit ihren zahlreichen Haupt- und Nebenkratern auch gegenwärtig jederzeit zu neuen Eruptionen führen könnte. Es genügt, an die durch Luthers Zwei-Reiche-Lehre unmittelbar tangierten Anliegen der modernen Friedensbewegung zu erinnern, um sich den Sprengstoff zu vergegenwärtigen, den unser Thema gerade im ›heißen Herbst‹ der laufenden Diskussion enthält. Der kluge Versuch Friedrich Beissers,[2] den radikalen Widerspruch zwischen den Positionen von Luther her zu beheben, ist hier nicht zu wiederholen. Die dringend notwendige Vertiefung des Ansatzes von den Quellen her läßt sich im Rahmen dieses Vortrags außerdem nicht durchführen.

Für den Verzicht auf den komplizierten und umständlichen Forschungsbericht spricht im übrigen ein anderer Gedanke. Denn kein geringerer als J. Heckel hat in seiner Erwiderung auf Paul Althaus die These vertreten, daß nicht Luther selbst, sondern erst die »Wiedergabe« seiner Lehre »durch die evangelische Theologie« jenen »Irrgarten« entstehen ließ, aus dem niemand mehr herausfindet.[3] In dieselbe Richtung weist Heinrich Bornkamm, wenn er feststellt, daß Luther mit seinen Ansätzen keinen »Lehrsatz« formulieren wollte, sondern daß »erst die moderne Debatte« – Luthers

---

[1] Statt komplizierter Einzelangaben verweise ich auf die Bibliographie der gerade von mir edierten Untersuchung: HANS-JOACHIM GÄNSSLER, Evangelium und Weltliches Schwert. Hintergrund, Entstehungsgeschichte und Anlaß von Luthers Scheidung zweier Reiche oder Regimente (VIEG 109).

[2] Zur Deutung von Luthers Zwei-Reiche-Lehre: KuD 16 (1970), S. 229–241.

[3] Im Irrgarten der Zwei-Reiche-Lehre. TEH 55 (1957), S. 3.

Absicht mißverstehend – daraus eine »Definition« gemacht hat.[4] Mehr und mehr vertreten die Forscher die These, daß Luthers Ansätze aus der »Predigt« entstanden sind,[5] und darum nicht als Lehre im strengen Sinn interpretiert werden dürfen. Freilich kommt gerade der Predigt bei Luther eine eigene Verbindlichkeit zu,[6] wie denn auch der Reformator selbst für seine als »Sermon« qualifizierte Obrigkeits-Schrift[7] verschiedentlich den Anspruch erhob, daß seit den Tagen der Apostel – Augustin ausgenommen – niemand so herrlich und nützlich über die Obrigkeit gelehrt habe wie er.[8]

Auf diesem Hintergrund finde ich dann endlich einen Hinweis, wie ich das mir gestellte Thema im Rahmen des Symposions sinnvoll angehen könnte, ohne in einer nur geistreichen Plauderei über die verschiedensten Aspekte stecken zu bleiben. Ausgehend von der Beobachtung, daß zahlreiche Untersuchungen zum Thema die Zwei-Reiche-Lehre in einem merkwürdigen Abstand zu den primären Quellen behandeln,[9] und ausgehend von der Annahme, daß auch eine Erörterung des Themas vor Spezialisten die originalen Ansätze nicht einfach voraussetzen sollte, scheint es mit sinnvoll, Luthers Zwei-Reiche- und Drei-Stände-Lehre in den wichtigsten Thesen darzustellen, um dann in einem zweiten Teil nach deren Bedeutung für das 16. Jahrhundert und für die Gegenwart zu fragen.

Wenn auch das Referat gewiß keine neuen Einsichten in die äußerst schwierigen Sachfragen vermitteln wird, so dürfte sich andererseits auf diese Weise doch zeigen lassen, daß Luthers Ansätze im Verständnis der beiden Reiche und der beiden Regimente trotz aller Aporien und Ungereimtheiten im Kern eine Plausibilität besitzen, die selbst im Blick auf moderne Verhältnisse einer uns peinlichen Aktualität nicht entbehren.

# I. Die Zwei-Reiche- und Drei-Stände-Lehre nach den Quellen

## 1. Die Zwei-Reiche-Lehre

»Von weltlicher Obrigkeit, wie weit man ihr Gehorsam schuldig sei«,[10] so lautet der Titel der Schrift, in der Luther 1522/23 erstmals in größerem Zusammenhang darlegt,

---

[4] Der Christ und die Zwei Reiche: Luther 43 (1972), S. 98.

[5] Vgl. GÄNSSLER (Anm. 1), S. 148 ff.

[6] Vgl. FRANZ LAU, Die lutherische Lehre von den beiden Reichen: LR 15 (1965), S. 466 f.

[7] WA 11,261,27.

[8] So heißt es in der Schrift »Ob Kriegsleute auch in seligem Stande sein können« aus dem Jahre 1526, WA 19, 625, 12–19: »Von dem kriegsampt und werck, wie das an yhm selbs recht und göttlich sey, gedencke ich hie auch nicht ynn die lenge zu schreiben, weil ich davon ym büchlin und weltlicher oberkeit reichlich habe geschrieben. Denn ich mich schier rhümen möchte, das sint der Apostel zeit das weltliche schwerd und oberkeit nie so klerlich beschrieben und herrlich gepreiset ist, wie auch meine feinde müssen bekennen...«. Vgl. auch WA 30/II, 110, 1 ff.

[9] Dies gilt selbst für die sonst hoch bedeutsamen Studien GERHARD EBELINGS zum Thema: Die Notwendigkeit der Lehre von den zwei Reichen, in: ders., Wort und Glaube, Tübingen I, 1960, S. 407–428; Leitsätze zur Zweireichelehre: ZThK 69 (1972), S. 541–549.

[10] WA 11, 247–279.

was später seine ›Zwei-Reiche-Lehre‹ behandelt. Für die Entstehungsgeschichte dieser Schrift und Luthers Konzeption in den Jahren 1516–1522 verweise ich auf die äußerst gründliche Untersuchung, die Hans-Joachim Gänssler eben erst vorgelegt hat.[11] Danach ist das Büchlein kein geschlossener Lehr-Traktat, sondern eine aus ursprünglich selbständigen Stücken komponierte Gelegenheitsschrift, die Luther Herzog Joachim von Sachsen, dem Bruder seines Landesherrn, widmete. Der erste Teil beruht auf Predigten, die er im Oktober 1522 vor dem Hof in Weimar gehalten hatte. Inhaltlich geht es dabei um die schon im Widmungsbrief[12] berührte und offenbar das Gewissen des Herzogs bewegende Frage, wie bei grundsätzlicher Geltung der Gebote der Bergpredigt Mt 5, 39 oder bei Paulus Röm 12, 19 für alle Christen ein »christlicher Gebrauch des Schwertes« durch die weltliche Obrigkeit überhaupt vertretbar sei. Allgemeiner formuliert, geht es Luther im ersten Teil seiner Schrift um die Begründung von Recht und Notwendigkeit weltlicher Obrigkeit und ihrer Verwaltung des Schwertes zur Aufrechterhaltung der öffentlichen Sicherheit und Ordnung.[13] Der zweite Teil – von Luther selbst als »heubtstück dieses Sermons«[14] bezeichnet – stellt sodann die Frage nach den Grenzen weltlicher und obrigkeitlicher Gewalt gegenüber »Gottes Reich und Regiment«.[15] Wie Luther schon in der Einleitung erwähnt,[16] reagieren diese Ausführungen auf die Maßnahme katholischer Fürsten, die ihren Untertanen unter Strafandrohung den Besitz und die Lektüre der Luther-Bibel untersagten. Der dritte Teil[17] enthält schließlich in der Art eines Fürstenspiegels[18] Ratschläge für eine Obrigkeit, die gern christlich sein möchte. Damit ist zugleich der Sinn der Überschrift erklärt:

Luther will einerseits erklären, daß und warum auch Christen weltlicher Obrigkeit Gehorsam schulden. Andererseits geht es ihm um den Aufweis der Grenzen des Gehorsams und der obrigkeitlichen Gewalt. Schließlich zeigt Luther, daß auch und gerade christliche Fürsten sich den Aufgaben weltlicher Obrigkeit stellen sollten. Wie nun begründet Luther im ersten Teil seiner Schrift Recht und Notwendigkeit der weltlichen Obrigkeit im einzelnen?

Luther will zunächst »das weltliche Recht und das Schwert« so begründen, daß niemand daran zweifele, »es sei durch Gottes Willen und Ordnung in der Welt«. Er beruft sich dafür auf die bekannten »sprüch« oder Schrift-Allegate Röm 13, 1 f.; 1 Petr 2, 13 f., die alle Menschen einschließlich der Christen als Untertanen zum Gehorsam gegenüber der von Gott zur Wahrung der Ordnung gesetzten Obrigkeit verpflichten.[19] Speziell auf das Schwert-Recht eingehend, zeigt Luther sodann, daß es in Gestalt der Todesstrafe für den Mörder »von Anfang der Welt« an bestand. Darum muß Gott

---

[11] Vgl. GÄNSSLER (Anm. 1), S. 52–75; S. 75–94.
[12] Vgl. WA 11, 245, 6 ff.
[13] Ebd. 247–261.
[14] Ebd. 261, 27.
[15] Ebd. 261–271.
[16] Ebd. 246 f.
[17] Ebd. 271–280.
[18] Für die vergleichbaren Fürstenspiegel der Zeit vgl. GÄNSSLER (Anm. 1), S. 32 ff.
[19] Vgl. WA 11, 247, 21–30.

eigens verfügen (Gen 4, 14 f.), daß niemand den Bruder-Mörder Kain mit dem Schwert richtet. Darüber hinaus hat Gott nach der Sintflut die Todesstrafe für Mörder Gen 9, 6 ausdrücklich eingeschärft.[20] Das Gesetz des Mose (Ex 21, 14; 23 ff.) wiederholt die Bestimmung, und Christus bestätigt Mt 26, 52 Petrus gegenüber im Garten Gethsemane eben dieses Gebot. Schließlich verweist Luther auf Johannes d.T., der Lk 3, 14 den Kriegsknechten nicht den Schwertdienst als »göttlichen Stand«, sondern lediglich die gewalttätige Erpressung der Menschen untersagt.[21] Luther folgert daraus: »So ist es gewiß und klar genug, wie es Gottes Wille ist, das weltliche Schwert und Recht zu handhaben zur Strafe der Bösen und zum Schutz der Frommen.«[22]

Damit ist jedoch für Luther die weltliche Obrigkeit und ihr Schwert-Dienst noch nicht endgültig gerechtfertigt. Er fragt sich vielmehr, ob das alt-testamentliche Gebot der Rache noch Geltung haben kann, wenn Christus es in der Bergpredigt Mt 5, 38–41 oder Paulus Röm 12, 19 und Petrus 1 Petr 3, 9 es ausdrücklich verbieten, bzw. es durch das Gebot der Feindes-Liebe Mt 5, 44 ersetzen.[23] Selbstkritisch merkt Luther an: »Diesze und der gleychen sprüche lautten yhe hart, als solten die Christen ym newen testament keyn welltlich schwerd haben.«[24] Luther erschwert sich die Antwort zusätzlich, indem er die Lösung des Problems durch die »Sophisten« der Scholastik durch die Unterscheidung von »Räten« für die »Vollkommenen« und »Geboten« für die »Unvollkommenen« als unzulässig verwirft und so an der Gültigkeit der Bergpredigt für alle Christen festhält.[25] Im Blick auf spätere Ausführungen ist es aufschlußreich, wenn Luther seine Ablehnung der scholastischen Unterscheidung begründet, indem er erklärt: »Deshalb müssen wir anders davon (d. h. von den Geboten der Bergpredigt) reden, so daß Christi Worte für jedermann bestimmt bleiben, er sei ›vollkommen‹ oder ›unvollkommen‹. Denn Vollkommenheit oder Unvollkommenheit besteht nicht in Werken, macht auch keinen besonderen äußerlichen Stand unter den Christen, sondern besteht im Herzen, in Glauben und Liebe, so daß wer mehr glaubt und liebt, der ist vollkommen, er sei äußerlich ein Mann oder Weib, Fürst oder Bauer, Mönch oder Laie. Denn Liebe und Glaube machen keine Sekten noch äußerliche Unterschiede.«[26]

Auf die falsche Zweiteilung läßt Luther jedoch unmittelbar eine andere folgen, die sich für ihn notwendigerweise aus dem Gegenüber der Christen zur ›Welt‹ ergibt. »Hie müssen wyr« – so erklärt Luther – »Adams kinder und alle menschen teylen ynn zwey teyll: die ersten zum reych Gottis, die andern zum reych der welt. Die zum reych Gottis gehören, das sind alle recht glewbigen ynn Christo unnd unter Christo. Denn Christus ist der könig unnd herr ym reych Gottis.. Und er auch darumb komen ist, das er das reych Gottis anfienge und ynn der wellt auffrichtet.« Darum habe Christus vor Pilatus erklärt (Joh 16, 36 f.): »Mein Reich ist nicht von dieser Welt, sondern wer aus der Wahrheit ist, der hört meine Stimme.« Deshalb sei im Evangelium auch immer

---

[20] Ebd. 247, 31 ff; 248, 1–15.
[21] Ebd. 248, 16–29.
[22] Ebd. 248, 29 ff.
[23] Ebd. 248, 32–36; 249, 1–6.
[24] Ebd. 249, 6 ff.
[25] Ebd. 249, 9–17.
[26] Ebd. 249, 17–23.

wieder vom Reich Gottes die Rede (Mt 3, 2; 6, 33), ja es heiße »Evangelium des Reiches Gottes«, »weil es das Reich Gottes lehrt, regiert und erhält.«[27]

Luther vertieft seine Unterscheidung, indem er vom Christen in ihrem Verhältnis zur weltlichen Obrigkeit erklärt: »Diese Menschen bedürfen keines weltlichen Schwerts noch Rechts. Und wenn alle Welt rechte Christen, das heißt rechte Gläubige wären, so wäre kein Fürst, König, Herr, Schwert noch Recht notwendig oder von Nutzen.« Denn wozu bedürften die Christen der weltlichen Obrigkeit und ihres Schwertes, wenn sie den Heiligen Geist im Herzen haben, der sie lehrt und der bewirkt, daß sie niemand Unrecht tun, jedermann lieben, und von jedermann gerne und fröhlich Unrecht, ja selbst den Tod erleiden? Wo Christen so leben, da gibt es keinen Zank und Hader, sodaß Gerichte und Richter, Strafe, Recht und Schwert ganz einfach überflüssig sind. Denn Christen tun von sich aus viel mehr, als alles Recht und alle Lehre von ihnen fordern könnten. Dasselbe meint Paulus, wenn er 1 Tim 1, 9 erklärt: »Dem Gerechten ist kein Gesetz gegeben, sondern den Ungerechten.«[28]

Der Christ bedarf also der weltlichen Obrigkeit nicht, weil er als »der Gerechte« von sich aus alles und mehr tut, als die Rechte von ihm fordern. Die »Ungerechten« hingegen – und hier charakterisiert Luther erstmals den anderen »zum Reich der Welt« gehörenden Teil der Adams-Kinder – tun nichts Rechtes, weshalb sie des Rechtes bedürfen, auf daß es sie »lehre, zwinge und dringe, recht zu handeln«. In der Kennzeichnung des Christen vertieft Luther umgekehrt den bisherigen Ansatz, indem er ihn mit dem »guten Baum« vergleicht, der von Natur aus die ihm artgemäßen »guten Früchte« trägt. Es wäre Narretei, einen »Apfelbaum« durch ein Gesetz-Buch belehren zu wollen, daß er Äpfel und keine Dornen hervorzubringen habe. In der Begrifflichkeit seiner Rechtfertigungslehre bestimmt Luther den Christen als den durch Glaube und Liebe vollendeten ›neuen Menschen‹, der des Gesetzes nicht mehr bedarf, weil es ihm zur ›Natur‹ geworden ist. So erklärt Luther: »Also sind alle Christen durch den geyst und glawben aller ding genaturt, das sie wol und recht thun mehr denn man sie mit allen gesetzten leren kan, und dürffen fur sich selbs keyns gesetzs noch rechts.«[29]

Hier drängt sich unwillkürlich die Frage auf, ob Luther dem Christen im Zusammenhang der Zwei-Reiche-Lehre eine Vollendung des ›neuen Menschen‹ einräumt, die er im Zusammenhang der Rechtfertigungslehre für die Dauer dieses Lebens als unerreichbar bezeichnet? Wir tun gut daran, das damit angesprochene Problem erst einmal stehen zu lassen, ohne es vorschnell und einseitig im Sinne eines forensisch verstandenen ›simul iustus et peccator‹ entscheiden zu wollen. Denn mag auch Luther gleich anschließend betonen, daß »kein Mensch von Natur Christ oder fromm« sei, sondern daß alle »Sünder und böse« sind, weshalb Gott es den Menschen durch das Gesetz verwehrt, ihre Bosheit dem Werke nach mutwillig zu realisieren[30], so steht jedoch andererseits fest, daß es Luther gerade in diesem Kontext um die »Ungerechten« geht, »die nicht Christen sind«, und die darum durchs Gesetz äußerlich von bösen Taten

---

[27] Ebd. 249, 24–35.
[28] Ebd. 249, 26 f; 250, 1–9.
[29] Ebd. 250, 10–20.
[30] Ebd. 250, 26 ff.

abgehalten werden müssen.[31] Dem widerspricht nicht, daß Luther unter Berufung auf
Paulus Röm 7, 7 und Gal 3, 24 dem Gesetz auch ein positives »Amt« zuerkennen kann,
sofern es uns zur Erkenntnis der Sünden verhilft, um uns auf diese Weise »zur Gnade
und zum Glauben Christi« zu treiben. Dasselbe tue Christus auch in der Bergpredigt
Mt 5, 39, wo er in Erklärung des Gesetzes lehre, daß wir dem Übel nicht widerstehen
und wie ein rechter Christ beschaffen sein solle.[32]

Luther korrigiert daher durch diese Äußerung seine erste Kennzeichnung der Christen nicht, sondern er bestätigt sie, indem er von den Nicht-Christen als dem ›zweiten
Teil der Adams-Kinder‹ erklärt: »Zum reych der wellt oder unter das gesetz aber
gehören alle, die nicht Christen sind.«[33] Luther betont gleichzeitig, daß nur wenige
wirklich glauben und »nach Christlicher art« leben, weshalb Gott der bösen Mehrheit
»ausser dem Christlichen Stand unnd Gottis reych eyn ander regiment verschafft unnd
sie unter das schwerd geworffen« hat, auf daß sie, obgleich sie es gerne möchten, nicht
ihrer Bosheit leben können, oder daß dies wenigstens nicht ohne Furcht geschieht.[34]
Auch den Nicht-Christen ist also der »christliche Stand und Gottes Reich« angeboten,
verordnet aber ist ihnen vor allem »ein ander Regiment«, von dem Luther erklärt:
»gleych wie man eyn wild bösze thier mit keten und banden fasset, das es nit beyssen
noch reyssen kan nach seyner artt..«[35]

Ohne hier auf die immer wieder diskutierte Problematik der Unterscheidung von
Reich und Regiment bei Luther einzugehen, will mir scheinen, daß seine Argumentation plausibel ist, sofern sie besagt: »Denn wo das nicht were, Syntemal alle wellt böse
und unter tausent kaum eyn recht Christ ist, würde eyns das ander fressen, das niemant
kund weyb und kind zihen, sich neeren und Gott dienen, damit die wellt wüste würde.
Darumb hat Gott die zwey regiment verordnet, das geystliche, wilchs Christen und
frum leutt macht durch den heyligen geyst unter Christo, unnd das welltliche, wilchs
den unchristen und böszen weret, dasz sie äuszerlich müssen frid halten und still seyn
on yhren danck.«[36]

So radikal und unwirklich uns das Gegenüber der beiden Reiche im Verhältnis
1 : 1000 auf den ersten Blick erscheint, in der Bestimmung der beiden Regimente
schließt Luther trotz scharfer Unterscheidung eine Zuordnung der beiden Bereiche
nicht aus, wodurch er jeden Dualismus vermeidet. Plausibel aber erscheint vor allem
was Luther aus diesem Ansatz für die Regierung der Welt folgert: Wer versucht, die
Welt nach dem Evangelium zu regieren, und wer unter dem Vorwand, daß alle durch
die Taufe schon Christen seien und das Evangelium das Schwert verbiete, die weltliche
Obrigkeit und ihr Schwert-Recht aufhebt, der verstößt in unheilvoller Weise gegen die
in dieser Welt geltende Ordnung. Denn er löst den »wilden bösen Tieren« die Fesseln,
auf daß sie uns zerreisen, und er verleitet die Taufschein-Christen zum Mißbrauch der
»evangelischen Freiheit«.[37]

---

[31] Ebd. 250, 24 ff.
[32] Ebd. 250, 29–34.
[33] Ebd. 251, 1 f.
[34] Ebd. 251, 2–8.
[35] Ebd. 251, 8 ff.
[36] Ebd. 251, 12–18.
[37] Ebd. 251, 22–18.

Hinter dieser Einsicht steht der Realismus Luthers. Denn wenn er auch nicht bestreitet, daß der wahre Christ für sich weder dem Schwert unterworfen ist noch des Schwertes bedarf, so bleibt er doch strikt bei der Forderung, daß die »Welt zuvor voll rechter Christen (sein muß), ehe du sie christlich und evangelisch regierst«. Diese Voraussetzung aber wird nach Luther nie erfüllt. »Denn die wellt und die menge ist und bleybt unchristen, ob sie gleych alle getaufft sind und Christen heissen.«[38]

Für Luther gehören also nicht nur die Nicht-Christen im strengen Sinn zum Reich der Welt, sondern auch die Getauften, die noch nicht aus der Hingabe des Glaubens und der Liebe leben. Die wenigen wahren »Christen« aber wohnen nach Luther – wie das Sprichwort sagt – »fern von eynander«....[39] Luther folgert daraus: »Darumb leydet sichs ynn der wellt nicht, das eyn Christlich regiment gemeyn werde uber alle wellt, ja noch uber eyn land odder grosse menge. Denn der böszen sind ymer viel mehr denn der frumen.«[40] Fast geräuschlos gibt Luther mit diesem Satz einer Idee oder Ideologie den Laufpaß, die seit den Tagen Konstantins und dann wieder seit Karl d. Gr. unter dem mythisch und mystisch aufgeladenen Begriff vom ›Sacrum Imperium‹ den Lauf der Geschichte bestimmt hatte. Weil die verlorene Minderheit der wahren Christen in dieser Zeit niemals die Größe eines ›Reichsvolkes‹ erlangt, kann es nach Luther niemals ein »christliches Regiment« über die Welt oder ein Land geben. Es wird später zu untersuchen sein, wie konsequent Luther diesen Ansatz durchhält, oder ihn im Zusammenhang seiner Drei-Stände-Lehre unter Berufung auf die »politia« des christlichen Fürsten dann doch modifiziert. Andererseits ist diese quasi-politisch wirkende Begründung für die Unmöglichkeit eines »christlichen Regiments« hier nur ein Nebengedanke. Vom Kontext her steht für Luther vielmehr vor wie nach das theologische Argument im Vordergrund, daß niemand die Welt mit dem Evangelium oder der Bergpredigt zu regieren vermag. Für uns liegt das aufreizend Ärgerliche der Argumentation dabei offenbar darin, daß niemand Luther ohne weiteres widerlegen kann, wenn er diesbezüglich mit umwerfender Logik erklärt:

Wer sich untersteht, die Welt mit dem Evangelium regieren zu wollen, der handelt so unsinnig, wie »wenn eyn hirtt ynn eynen stall zu samen thett wölff, lewen, addeler, schaff, und liesz iglichs frey unter dem anderen gehen und sprech: ›da weydet euch und seyt frum und fridsam unternander, der stall steht offen, weyde habt yhr gnug, hund unnd keulen dürfft yhr nicht fürchten.‹ Hie würden die schaff wol frid hallten und sich fridlich also lassen weyden unnd regirn, aber sie würden nicht lange leben noch keyn thier fur dem anderen bleyben.«[41]

Eine solche Äußerung illustriert im übrigen trefflich, warum auch die einfachen Menschen als »Predigt« sehr wohl verstehen, was sie als »Lehre« vermutlich nie begreifen würden. Auf der Basis der damit gefundenen Unterscheidung erklärt Luther nun:

»Darumb musz man dise beyde regiment mit vleisz scheyden und beydes bleyben lassen: Eyns das frum macht, Das ander das eusserlich frid schaffe und bösen wercken weret. Keyns ist on das ander gnüg ynn der wellt. Denn on Christus geystlich regiment

---

[38] Ebd. 251, 35 ff.
[39] Ebd. 251, 38.
[40] Ebd. 252, 1 ff.
[41] Ebd. 252, 4–11.

kan niemant frum werden fur got durchs welltlich regiment. So gehet Christus regiment
nicht uber alle menschen, sondern allezeyt ist der Christen am wenigsten und sind
mitten unter den unchristen. Wo nu welltlich regiment oder gesetz alleyn regirt, das
musz eytel heuchley seyn, wens auch gleych Gottis gepott selber weren. Denn on den
heyligen geyst ym hertzen wirtt niemant recht frum, er thue wie feyne werck er mag.
Wo aber das geystlich regiment alleyn regirt uber land und leutt, da wirtt der boszheyt
der zaum losz unnd raum geben aller büberey. Denn die gemeyne wellt kans nicht an
nehmen noch verstehen.«[42]

Obgleich die Logik der Formulierung nach nicht ganz lupenrein ist, liegt auf der
Hand, was Luther sagen will: Beide Regimenter müssen sauber unterschieden werden
und sollen ihrer Eigenart entsprechend zur Wirkung gelangen. Ein Regiment macht
fromm, das andere schafft äußerlich Frieden, indem es die bösen Werke abwehrt.
Luther bleibt jedoch nicht bei der Unterscheidung der Regimente und dem Hinweis auf
ihre je eigene Funktion stehen, sondern er denkt offensichtlich an deren Zuordnung
zueinander. Darauf zielt jedenfalls die freilich negative Feststellung ab, derzufolge in
der Welt kein Regiment ohne das andere genügt. Fragen wir uns positiv, wozu die
angedeutete Wechselwirkung genügen soll, so denkt Luther eindeutig an das Fromm-
Werden des Menschen vor Gott in dieser Welt. Unter diesem Gesichtspunkt lautet
Luthers Antwort: Niemand wird fromm vor Gott ohne das geistliche Regiment Christi
durch das weltliche Regiment. Denn wo das weltliche Regiment allein regiert, da
entsteht durch den Zwang des Gesetzes reine Heuchelei und bloße Werk-Gerechtig-
keit. Wo jedoch umgekehrt das geistliche Regiment allein regiert über Land und Leute,
da bricht die Bosheit aus und gibt dem Verbrechen Raum! Gewiß, was das weltliche
Regiment betrifft, so kommt Luther mit seiner Zuordnung nicht über die negative
Funktion der Beseitigung und Eindämmung von Hindernissen oder über eine sehr
entfernte und lediglich indirekte Vorbereitung hinaus. Immerhin denkt Luther an ein
notwendiges Zusammenspiel, sofern keines der beiden Regimente ohne das andere
auskommt in der Welt. Wenn Luther in diesem Zusammenhang betont, daß Christi
Regiment sich nicht über alle Menschen, sondern lediglich über die stets in der Minori-
tät verbleibenden Christen erstreckt, so besagt dies keine grundsätzliche Beschränkung
der Herrschaft Christi. Denn sofern die unter dem weltlichen Regiment lebenden
Menschen zur Frömmigkeit vor Gott berufen sind, werden auch sie dieses Ziel nur
unter dem Regiment Christi erreichen. Es wird später zu fragen sein, ob Luther den
Ansatz der Zuordnung der beiden Regimente nicht doch noch vertieft.

Hier nun setzt Luther endgültig zur Antwort auf die einleitend gestellte Frage an, ob
und warum die Christen, obgleich die Bergpredigt sie im strengen Sinn verpflichtet,[43]
dennoch die weltliche Obrigkeit und ihr Schwert-Recht im Sinne von Röm 13,1 und 1
Petr 2, 13 anzuerkennen haben und sich gehorsam in diesem Zusammenhang engagie-
ren dürfen. Luthers Antwort lautet: Die Christen unterstehen zwar der Bergpredigt
und bedürfen für sich selbst in keiner Weise des Schwert-Rechtes. Weil jedoch ein
rechter Christ auf Erden nicht sich selbst, sondern seinem Nächsten lebt und dient, so
tut er auch das, was er für sich selbst nicht braucht, was aber dem Nächsten nützlich

---

[42] Ebd. 252, 12–23.
[43] Ebd. 252, 24–38; 253, 1–16.

und nötig ist. Weil nun aber das Schwert aller Welt nötig und nützlich ist, auf daß der Friede erhalten, Sünde gestraft und den Bösen gewehrt werde, so ergibt er sich aufs allerwilligste unter des Schwertes Regiment, zahlt Steuern, ehrt die Obrigkeit, dient, hilft und tut alles nur Mögliche, um die Gewalt in Ehren und Furcht zu erhalten.[44]

Luthers These mag den Menschen unserer Tage aufreizend, blasphemisch und verlogen vorkommen. Denn die Handhabung des Schwertes als verpflichtender Liebes-Dienst der Christen zum Nutzen des Nächsten erscheint uns als teuflische Persiflage des wahren Sachverhalts. Und das Bekenntnis zur Gültigkeit der Bergpredigt für alle Christen bei gleichzeitiger Bejahung der Gewalt im Einsatz für den Nächsten halten wir für eine doppelte Moral, deren Verlogenheit nicht mehr zu überbieten ist. Bei aller Entrüstung führt aber auch hier nüchternes Nachdenken zu der peinlichen Einsicht, daß Luthers Sätze sich weder mit Schriftargumenten noch mit der Logik so ohne weiteres als satanische Verkehrung der Wahrheit erweisen lassen. Denn ist der Schutz durch das Schwert nicht doch Dienst am Frieden und von höchstem Nutzen für die, die ohne das Schwert wehrlos dem Unfrieden und Unrecht ausgeliefert wären? Und ist es wirklich ein so unerträglicher und dazu verlogener Widerspruch, daß wir für den anderen tun müssen, was uns für uns selbst verboten ist?

Unangefochten und keineswegs ohne Überzeugungskraft führt Luther aus, daß Christus die Bergpredigt sehr ernst meint und damit trotzdem nicht den Schwert-Dienst der Christen für die bedrohten Mitmenschen verbietet.[45] Auch hebt er seine Bestätigung der Schwert-Gewalt durch die weltliche Obrigkeit nicht dadurch auf, daß er selbst das Schwert nicht gebraucht,[46] genau wie er die Ehe bestätigt, ohne selbst ein Weib zu nehmen.[47] Mit der gleichen Logik zeigt Luther auf, daß der soverstandene Schwert-Dienst, gleichgültig ob in der Funktion des Henkers und Büttels oder des Richters und Fürsten, auch von Christen ausgeübt werden darf.[48] Ja, Luther geht weiter: Wenn die Verwaltung des Schwertes nicht nur Liebes-Dienst, sondern im Sinne von Röm 13, 1 »Gottes Werk« und »Gottes-Dienst« ist, so folgt für ihn daraus, daß die Christen vor allen anderen zu diesem Dienst gerufen sind.[49]

Was die Zuordnung der beiden Regimente betrifft, kann Luther daher erklären: »Also gehets denn beydes feyn mit eynander, das du zu gleich Gottis reych und der wellt reich gnüg thuest, euszerlich und innerlich, zu gleych ubel und unrecht leydest und doch ubel und unrecht straffest, zu gleych dem ubel nicht widderstehist unnd doch widderstehist.«[50]

Luther beantwortet also die schwierige Frage der Zugehörigkeit des Christen zu den beiden Reichen in Analogie zum ›simul iustus et peccator‹ der Rechtfertigungslehre. Andererseits kann Luther jedoch auch den Schwert-Dienst – und hier klingt erstmals die Drei-Stände-Lehre an – von der Schöpfungsordnung her begründen, indem er erklärt:

---

[44] Ebd. 253, 21–30.
[45] Ebd. 254, 11–26.
[46] Ebd. 258, 12 ff.
[47] Ebd. 258, 33 ff.
[48] Ebd. 255, 1 ff.
[49] Ebd. 257, 16–35; 258, 1 ff.
[50] Ebd. 255, 12–15.

»Darumb solltu das schwerd oder die gewalt schetzen gleych wie den ehelichen stand oder ackerwerck oder sonst eyn handwerck, die auch Gott eyngesetzt hatt.«[51] Luther widersteht jedoch der Versuchung, das Problem des Schwert-Dienstes für den Christen unter Berufung auf die Schöpfungs-Ordnung im Sinne des »Gottes-Dienstes« zu simplifizieren. Er harmonisiert die beiden Reiche nicht, sondern weiß sehr genau, wo die kritische Nahtstelle beider im Herzen eines jeden Christen verläuft:

»Fragistu, Wie möcht ich denn nicht fur mich selb und fur meyn sach des schwerds brauchen der meynung, das ich nicht damit das meyne suchte, sondern das das ubel gestrafft würde?« Für Luther ist dies als »wunder .. nicht unmöglich, Aber gar seltzam und ferlich«, wie er am Beispiel Samsons (Jdc 15, 11) zeigt.[52]

Luther tut sich also nicht leicht mit dem christlichen Gebrauch des Schwertes: Die »Vernunft« wird wohl vorgeben, daß sie nicht das ihre suchen wolle. Aber die Vorgabe wird im Grunde falsch sein, da ein solcher Dienst »ohne Gnade« unmöglich ist. Man muß zuerst werden wie Samson, wenn man wie Samson handeln will.[53] Es verdient Beachtung, daß Luther hier wie in der Rechtfertigungslehre an dem Axiom festhält, das besagt: »Agere sequitur esse.«[54]

Damit stehen wir beim zweiten Teil der Obrigkeitsschrift. Obgleich Luther diesen Teil für das »Hauptstück« seines »Sermons« hält,[55] läßt sich der Inhalt in knappen Sätzen referieren.

Nachdem Luther gezeigt hat, daß es die weltliche Obrigkeit auf Erden geben muß und wie dieselbe christlich und zum Heil der Seelen zu gebrauchen sei, will er nun zeigen, wie weit sich ihre Gewalt erstreckt. Denn wo sie zu weit angesetzt wird, greift sie zum unerträglichen Schaden des Menschen in Gottes Reich und Regiment. Wo sie umgekehrt zu eng angesetzt wird, straft sie zu wenig, was von Luther als falsch, wenn auch als erträglicher bezeichnet wird. Denn es ist besser, einen »Buben« am leben zu lassen, als einen »frommen Mann« zu töten.[56]

Luther geht aus von der Feststellung, daß die »zwey teyl Adamskinder«, der eine Teil »ynn Gottis reych unter Christo«, der andere »ynn der wellt reych unter der uberkeyt«, »zwyeerlei gesetz haben«. Denn ein jedes Reich muß seine Gesetze und Rechte haben, ohne die es nach der täglichen Erfahrung nicht bestehen kann.[57] Nach Luther hat nun das weltliche Regiment Gesetze, die sich nicht weiter erstrecken als »über Leib und Gut und was äußerlich ist auf Erden«. »Denn über die Seele kann und will Gott niemand lassen regieren denn sich selbst allein. Darum wo weltliche Gewalt

---

[51] Ebd. 258, 3 ff.

[52] Ebd. 261, 9–20. Über die Verwaltung des Schwertes als »Gottes Werk« und »Gottesdienst« vgl. ebd. 257, 18 ff.; 29–35; 260, 32.

[53] Ebd. 261, 20–24.

[54] Vgl. WA 56, 172, 8–15 u. ö; WA 7, 61, 18–25, wo Luther das Wesentliche der Rechtfertigung mit der priesterlichen Ordination vergleicht, indem er erklärt: So wie niemand durch Nachahmung priesterlicher Werke zum Priester wird, so wird niemand durch gerechte Werke gerecht. Nur wer zum Priester ordiniert ist, handelt priesterlich; nur wer gerechtfertigt ist, handelt gerecht.

[55] WA 11, 261, 27.

[56] Ebd. 261, 30–36.

[57] Ebd. 262, 3 ff.

sich untersteht, der Seele Gesetze zu geben, da greift sie Gott in sein Regiment, und verführt und verderbt nur die Seelen.«[58]

Was Luther mit dieser Unterscheidung von Seele und Leib meint, darf nicht im engen Sinn ausgelegt werden, als ob nicht der ganze Mensch »in Gottes Reich unter Christo« gehöre.[59] Was Luther im Sinne hat, sagt er unmißverständlich, wenn er erklärt: »Der seelen soll und kan niemandt gepieten, er wisse denn yhr den zu weisen gen himmel. Das aber kan keyn mensch thun, sondern Gott alleyn.«[60]

Es klingt recht plausibel, wenn Luther in diesem Zusammenhang erklärt, daß niemand gebieten kann, wo er keine Gewalt hat. Es wäre Unsinn, wollte jemand dem Mond gebieten, er solle scheinen, wann er es wolle, oder wenn die Leipziger den Wittenbergern oder umgekehrt gebieten wollten.[61]

Luther folgert daraus, daß es der weltlichen Gewalt unmöglich sei, jemandem zu gebieten oder mit Gewalt zu zwingen, »sonst oder so zu glewben«. »Es gehört eyn ander griff dazu, Die gewallt thutts nicht.«[62]

Ist Luthers Argumentation bis dahin ganz und gar einleuchtend, so gerät sie – wie mir scheint – im Anschluß daran für einen Augenblick ins Schlingern.

Bestimmt Luther hier doch zunächst den Glauben als ein so »heymlich, geystlich, verporgen ding«, daß er sich von daher nicht nur dem Urteil weltlicher Obrigkeit entziehe, sondern daß die Kirche selbst sich enthalte, über solch »heymliche sachen« zu richten.[63] Luther ›privatisiert‹ gleichsam in der Folge den Glauben, indem er erklärt:

»Denn so wenig als ein anderer für mich in die Hölle oder den Himmel fahren kann, so wenig kann er auch für mich glauben oder nicht glauben, und so wenig er mir Himmel oder Hölle auf oder zuzuschließen vermag, so wenig kann er mich zum Glauben oder Unglauben treiben. Weil es denn einem jeden auf seinem Gewissen liegt, wie er glaubt oder nicht glaubt, und damit der weltlichen Gewalt kein Abbruch geschieht, soll sie auch zufrieden sein und ihrer Dinge warten und lassen glauben sonst oder so, wie man kann und will, und niemand mit Gewalt dringen. Denn es ist ein freies werk um den Glauben, dazu niemand zwingen kann. Ja es ist ein göttliches Werk im Geist, geschweige daß es äußerliche Gewalt sollte erzwingen und schaffen. Daher der gemeine Spruch genommen ist, den Augustinus auch hat: Zum Glauben kann und soll man niemand zwingen.«[64]

Es fragt sich, wie weit Luthers höchst modern anmutende These von der Glaubensfreiheit im Sinne des Mottos »Gedancken sind zoll frey«[65] seinem Verständnis des Glaubens im Bereich der Kirche entspricht, und wie weit er wirklich der weltlichen

---

[58] Ebd. 262, 7–12.
[59] Vgl. hierzu EIKE WOLGAST, Die Wittenberger Theologie und die Politik der evangelischen Stände, Gütersloh 1977, S. 23 f.
[60] WA 11, 263, 3 ff.
[61] Ebd. 263, 15–20.
[62] Ebd. 264, 3 ff.
[63] Ebd. 264, 5–10.
[64] Ebd. 264, 12–23.
[65] Ebd. 264, 28 f.

Obrigkeit auch im Bereich der »cura religionis« und des »ius reformandi«[66] jede
Zuständigkeit für den Glauben untersagt.

Dennoch bleibt Luthers Anliegen auch in diesem Teil der Obrigkeitsschrift unmißverständlich deutlich, wenn er zunächst mit aller Schärfe die Vermischung der beiden
Regimente anprangert. Denn Papst und Bischöfe kümmern sich nicht mehr um die
ihnen aufgetragene Predigt von Gottes Wort, sondern sie sind weltliche Fürsten geworden und regieren mit Gesetzen, die nur Leib und Gut betreffen. Umgekehrt kümmern
sich die weltlichen Herren nicht mehr um ihren Regierungs-Auftrag, sondern sie wollen »geystlich über seelen regiren«. So hat das weltliche Regiment den gleichen Tief-
stand erreicht wie das kirchliche unter dem Regiment der geistlichen Tyrannen.[67]

Unter Berufung auf Röm 13, 1; Mt 22, 21 und Act 5, 29 unterscheidet Luther erneut
die beiden Regimente.[68] Auf dieser Basis aber weist Luther dann mit Schärfe den
Übergriff zurück, dessen sich die weltlichen Herren in Meissen, in Bayern und in der
Mark schuldig gemacht hatten, indem sie die Lektüre der Luther-Bibel verboten und
deren Einziehung unter Strafe anordneten. Luthers Stellungnahme lautet unerbittlich:
Wo sich der weltliche Herr zum Herrn des Glaubens macht, hat der Christ zu antworten: »Es gebührt Lucifer nicht, neben Gott zu sitzen ... ich will nicht gehorchen.«[69]
»Nicht eyn blettlin, nicht eyn buchstaben sollen sie überantwortten bey verlust yhrer
seligkeyt.«[70]

Obgleich Luther auch hier nur den passiven und nicht den aktiven Widerstand gegen
die weltliche Obrigkeit verlangt, bezeichnet er erstmals die Fürsten als Repräsentanten
einer gott-feindlichen Welt, die auf diese Weise »ihrem Titel und Namen genugtun«.[71]
Aber wenngleich Luther sich in diesem Zusammenhang äußerst ungünstig über die
Fürsten äußert – ein »kluger Fürst« und mehr noch ein »frommer Fürst« ist seit Anbe-
ginn der Welt ein gar »seltener Vogel«,[72] ja die Fürsten gelten ihm gemeinhin als »die
größten Narren und die ärgsten Buben auf Erden«, von denen allezeit das Böseste zu
erwarten ist[73] – bestreitet er auch hier nicht grundsätzlich ihre Gewalt. Kritik und
Anerkennung miteinander verbindend, erklärt Luther vielmehr: »Denn es sind Gottis
stockmeyster und hencker, und seyn gotlicher zorn gebraucht yhr, zu straffen die
böszen und euszerlichen fride zu hallten. Es ist eyn grosser Herr unszer Gott, Darumb
musz er auch solch edelle, hochgeporne, reyche hencker und büttel haben unnd will,
das sie reychtum, ehre unnd furcht von yederman .. haben sollen.«[74]

Nach Luther gefällt es also Gott, daß wir »seine Henker gnädige Herren heißen« und
ihnen mit aller Demut untertan sind, soweit sie »ihr Handwerk« nicht überziehen, und
daß »sie hirten ausz hencker werden wollen«. Luther meint damit die schon im ersten
Teil erwähnte Möglichkeit, daß sich der Fürst nicht nur als klug und fromm, sondern

---

[66] Vgl. WOLGAST (Anm. 59), S. 64 ff.
[67] WA 11, 265, 7–27.
[68] Ebd. 265, 28–35/266, 1–37.
[69] Ebd. 267, 3 ff.
[70] Ebd. 267, 17 ff.
[71] Ebd. 267, 25 ff.
[72] Ebd. 267, 31 f.
[73] Ebd. 268, 1 ff.
[74] Ebd. 268, 4–8.

als »Christ« erweist, was ihm als »der grossen wunder eyns und als das aller theurist zeychen gotlicher gnaden uber das selb landt« erscheint.[75] Normalerweise verläuft die Entwicklung jedoch anders, wie schon die Propheten (Jes 3, 4; Hos 13, 11) vorausgesagt haben. »Die Welt« – so meint Luther – »ist zu bösze und nicht werd, das sie viel klüger und frumer fursten haben solt. Frösch müssen storck haben.«[76]

Hier nun formuliert Luther eine letzte Objektion, indem er die unerlaubte Zwangs-Gewalt im Bereich des Glaubens von der Schutzmaßnahme einer nur äußerlichen Abwehr unterscheidet. Denn wie sollte man sonst die Menschen vor der Verführung durch »falsche Lehre« schützen und die Ketzer abwehren? Luther fragt hier sehr präzise nach dem, was er später unter dem Titel der »cura religionis« auch den christlichen Fürsten zuweisen wird. In diesem Zusammenhang aber entscheidet sich Luther anders, indem er erklärt: »Das sollen die Bischoff thun, den ist solch ampt befohlen und nicht den fursten.«[77] Luthers Anliegen ist klar: Wie der Glaube sich nicht mit Gewalt regieren läßt, so ist auch die Ketzerei nicht mit äußerer Gewalt abzuwehren. Hier muß Gottes Wort streiten, und wo es nichts ausrichtet, da wird es so bleiben, mag auch die weltliche Gewalt die Welt mit Blut erfüllen.[78] Wenngleich Luther in diesem Zusammenhang auf die Amts-Pflicht der Bischöfe verweist, weiß er, daß in dieser Welt die Bischöfe und die Fürsten ihre Pflichten versäumen, indem sie jeweils tun, was nicht ihres Amtes ist. So regieren die Bischöfe nicht die Seelen mit Gottes Wort, sondern überlassen es den Fürsten, die Seelen mit dem Schwert zu regieren. Umgekehrt kämpfen die Fürsten nicht gegen Wucher, Raub, Ehebruch und Mord, sondern überlassen es den Bischöfen, das Unrecht mit Bann-Briefen zu strafen.[79] Das Resultat besteht in der grotesken Verkehrung der Aufgaben: »Mit eyszen die seelen und Mit brieffen den leyb regirn, Das welltlich Fürsten geystlich und geystliche fursten welltlich regirn.«[80]

Luther stellt sich schließlich einer letzten Objektion, die besagt: Wenn denn unter den Christen kein Schwert sein soll, wie soll man sie dann »äußerlich« regieren? Es muß also eine Obrigkeit unter den Christen bleiben.[81]

Luthers Antwort überrascht zunächst, sofern sie besagt: »Unter den Christen soll und kann keyn uberkeyt seyn, Sondern eyn iglicher ist zugleych dem anderen unter-than ..«[82] Oder: »Es ist unter den Christen keyn uberster denn nur Christus selber und alleyn.«[83]

Luthers Antwort verliert jedoch viel von ihrer kategorialen Schärfe, wenn er auf die Gegenfrage, was denn die Priester und Bischöfe seien, schließlich repliziert: »Yhr regiment ist nicht eyn uberkeytt odder gewallt, sondern ein dienst und ampt.«[84] Auch hier wird man die Frage offen lassen müssen, ob Luther damit sein Verständnis des

---

[75] Ebd. 268, 8–14.
[76] Ebd. 268, 17 ff.
[77] Ebd. 268, 21 f.
[78] Ebd. 268, 24 ff.
[79] Ebd. 268, 32–37.
[80] Ebd. 270, 1 ff.
[81] Ebd. 270, 30 ff.
[82] Ebd. 270, 32 ff.
[83] Ebd. 271, 3 f.
[84] Ebd. 271, 11 f.

kirchlichen Amtes in abschließender Weise bestimmt. Denn die Bestreitung der obrigkeitlichen Stellung der Amtsträger im Sinne der Herrschaft über Gottes Wort und die
Gemeinde besagt noch nicht, daß sie ihren Auftrag nicht als Diener der Gemeinde,
sondern als Diener Gottes und als Boten Christi verrichten.[85]

Der dritte und letzte Teil der Obrigkeitsschrift enthält schließlich knappe Ratschläge
für die wenigen Fürsten, »die gern auch Christliche Fürsten und Herrn« sein wollen
und die in den Himmel zu kommen gedenken.[86] Daß Luthers Empfehlungen im Vergleich zu den Fürstenspiegeln der Zeit nur ein »Spiegelchen« darstellen, wie H. J.
Gänssler behauptet,[87] scheint mir der Qualität der Ratschläge nicht gerecht zu werden.
Denn obwohl Christus sich selbst damit abfindet (Lk 22, 25), daß die Fürsten dieser
Welt »mit Gewalt« herrschen, verlangt Luther im Sinne der Forderungen des ersten
Teils vom »christlichen Fürsten« den Verzicht auf diese Einstellung: »Denn verflucht
und verdampt ist alles leben, das yhm selb zu nutz und zu gutt gelebt und gesucht wirt,
verflucht alle werck, die nit ynn der liebe gehen. Dann aber gehen sie ynn der liebe,
wenn sie nicht auff eygen lust, nutz, ehre, gemach und heyl, sondern auff anderer nutz,
ehre und heyl gericht sind von gantzem hertzen.«[88]

Nicht weniger ungewöhnlich ist die Forderung, daß der christliche Fürst klüger sein
muß als seine Juristen und die zahlreichen Rechtsbücher. Denn so gut die Rechte auch
sein mögen, in der Not versagen sie alle. Darum muß der Fürst das Recht so fest in der
Hand haben wie das Schwert. Er muß aus eigener Vernunft entscheiden können, wo
das Recht in seiner ganzen Strenge anzuwenden, oder wo es zu lindern ist. Denn nur so
wird die Vernunft alles Recht regieren, und als oberstes Recht der Meister allen Rechtes
bleiben.[89] So gesehen, lebt ein Fürst, der sich durch seine Juristen und durch Rechtsbücher regieren lassen muß, in gefährlichem Stande. So der Fürst dies erkennt, kann er
sich nur wie Salomo an Gott wenden, um von ihm ein weises Herz zu erbitten. Luther
will darum dem Fürsten kein Recht vorschreiben, sondern lediglich sein Herz unterrichten, wie es im Geschäft der Regierung gesinnt und beschaffen sein soll. Wenn er
Gott sucht, wird Gott ihm die erbetene Hilfe gewiß nicht versagen.[90] Die Fürsten
sollen in allem nur an ihre Untertanen denken. Dabei sollen sie bedenken, daß ja auch
Christus, der oberste Fürst, allein darum gekommen ist, um uns zu dienen.[91]

---

[85] Vgl. Luthers Predigt zum 3. Advents-Sonntag über 1 Kor 4, 1 ff. vom 13. Dez. 1545 (WA 51,
96, 17–23; 97, 39 ff.), wo er der Sache nach wiederholt, was er in der frühen Vorlesung über den
Römerbrief, näherhin in den Scholien zu Rm 1, 1 (WA 56, 4, 1 und 157–165) über das kirchliche
Amt vorgetragen hatte. Damit widerspreche ich entschieden der These meines Freundes ERWIN
ISERLOH (KatBl. 1 (1983), S. 36 f), der behauptet, Luther habe in der Zeit von 1519 bis ca. 1530
das kirchliche Amt im strengen Sinn zugunsten des Priesterums aller Gläubigen aufgegeben. Vgl.
hierzu PETER MANNS, Amt und Eucharistie in der Theologie M. Luthers, in: PETER BLÄSER
u. a., Amt und Eucharistie, Paderborn 1973, S. 68–173.
[86] WA 11, 271, 28–31.
[87] Ebd. S. 147.
[88] Ebd. 272, 1–5.
[89] Ebd. 272, 6–17.
[90] Vgl. ebd. 272, 25–35; 273, 1–6.
[91] Vgl. ebd. 273, 7–24.

Wenn man daraufhin fragt, wer dann wohl noch Fürst sein wolle, antwortet Luther: Er lehre nicht, wie ein Fürst leben solle, sondern wie er sich als Christ zu verhalten habe, damit er in den Himmel komme. Alle Welt weiß, daß Fürsten ein seltenes »Wildbret« im Himmel sind. Luther schreibt denn auch seine Ratschläge nicht in der Hoffnung, daß viele Fürsten sie annähmen. Es genügt ihm, aufgezeigt zu haben, daß es auch einem Fürsten nicht unmöglich ist, ein Christ zu sein.[92] Nach weiteren praktischen Ratschlägen geht Luther auf die gewichtige Frage ein, wie sich Fürst und Untertanen dem Krieg gegenüber zu verhalten haben.

Luther schärft es dabei zunächst als »christlich« ein, daß kein Fürst gegen seinen Oberherrn wie König und Kaiser oder seinen Lehnsherren Krieg führen soll. »Denn der uberkeyt soll man nicht widderstehen mit gewalt, szondern nur mit bekentnis der warheyt; keret sie sich dran, ist gut, wo nicht, bist du entschuldigt unnd leydest unrecht umb Gottis willen.«[93] Ist aber der Gegner dir gleich oder geringer als du, oder handelt es sich um eine fremde Obrigkeit, so sollst du ihm zuerst Recht und Frieden anbieten, wie Mose die Kinder Israel lehrt. Geht er nicht darauf ein, so wehre dich mit Gewalt gegen Gewalt, wie Mose dies gleichalls Dtn 20, 10 eingehend beschreibt. Der christliche Fürst soll dabei jedoch nicht auf das Seine sehen und darauf, wie er Herr bleibt, sondern allein auf seine Untertanen, denen er Schutz und Hilfe schuldet.[94] Und hierin sind die Untertanen schuldig, Leib und Gut für die anderen dranzusetzen. »Und ynn solchem krieg ist es Christlich und ein werck der liebe, die feynde getrost zu würgen, zu rauben und zu brennen und alles zu thun, was schädlich ist, bisz man sie überwinde nach kriegs leufften.« Hüten soll man sich lediglich vor Sünden, daß man nicht Frauen und Jungfrauen schänden soll.[95]

Wenn jedoch ein Fürst unrecht hätte, müßte ihm dann sein Volk auch folgen? Hier antwortet Luther: »Nein. Denn gegen das Recht gebührt niemandem zu handeln, sondern man muß Gott, der das Recht haben will, mehr gehorchen als den Menschen (Act 5, 29).« Aber Luther verunklart sogleich wieder die eindeutige Entscheidung, indem er den Fall bedenkt, daß die Untertanen sich über die Rechtslage nicht im klaren sind und sich auch mit entsprechender Mühe keine Klarheit verschaffen können. In solcher Situation mögen die Untertanen ohne Gefahr für die Seelen dem Fürsten in den Krieg folgen.[96]

Soweit also in knappen Thesen formuliert die wichtigsten Ansätze der ›Zwei-Reiche-Lehre‹ Luthers. Der Reformator hat in den folgenden Jahren immer im Rückblick auf die Obrigkeitsschrift die Ansätze wiederholt und zum Teil auch vertieft. Höchst aufschlußreich ist in diesem Zusammenhang Luthers Schrift aus dem Jahre 1526 zu der Frage, »Ob Kriegsleute auch in seligem Stande sein können«.[97] Dasselbe gilt für die Türken-Schriften aus dem Jahre 1529: »Vom Kriege wider die Türken«[98] und »Heer-

---

[92] Ebd. 273, 25–37.
[93] Ebd. 277, 1–5.
[94] Ebd. 277, 5–15.
[95] Ebd. 277, 16–22.
[96] Ebd. 277, 28–33.
[97] WA 19, 623–662.
[98] WA 30/II, 107–148.

predigt wider den Türken«[99]. Leider macht der mir gesetzte Rahmen es mir unmöglich, auf diese Schriften einzugehen, so wichtig dies im Sinne meines Anliegens wäre.

Kurz zu behandeln ist allerdings die Modifikation der Ansätze, wie sie bei Luther in der Zeit nach 1525 zu beobachten ist. Nach der Obrigkeitsschrift beschränkt Luther das Amt der weltlichen Obrigkeit an sich streng auf das äußere Leben. Eine besondere geistliche Aufgabe in Gestalt der »cura religionis« kommt daher – wie E. Wolgast mit recht feststellt[100] – dem Fürsten nicht zu und wird von Luther in den entsprechenden Pflichtenkatalogen nicht erwähnt. Dennoch hat er die weltliche Obrigkeit – und zwar auf der Basis der Ansätze der Obrigkeitsschrift – auch für die Kirche und ihre Organisation in Anspruch genommen. Die von daher drohende Vermischung der Zuständigkeiten hat er durch Einschränkung der weltlichen Gewalt auf eine Hilfsfunktion zu vermeiden gesucht. An der Scheidung der Aufgabenbereiche der beiden Regimente festhaltend, hat er die Indienstnahme der weltlichen Gewalt für Gott und die Verkündigung des Evangeliums nicht als eine dauernde Ausweitung des politischen Machtbereichs verstanden. Mit dieser Annahme einer nur zeitlich befristeten, durch akuten Notstand bedingten Hilfsfunktion der Obrigkeit stand Luther – wie E. Wolgast gleichfalls mit Recht hervorhebt – gegen die Tendenzen seiner Zeit, für die ein seit den Konkordaten des 15. Jhs sich ausbauendes landesherrliches Kirchenregiment nur noch der formalen Legalisierung und der Erweiterung bedurfte. Nach Meinung der Forschung[101] hat Luther jedoch diese Tradition unter Berufung auf die spirituelle Gleichrangigkeit des weltlichen und geistlichen Standes (gründend im Priestertum aller Gläubigen) umgestaltet. Aus der selbständigen Würde und Macht weltlicher Obrigkeit in Gestalt des »christlichen Fürsten« ergab sich wie von selbst die Aufgabe, bei einem Amtsversagen der kirchlichen Autoritäten aushilfsweise an deren Stelle zu treten, um in Vertretung der christlichen Gemeinde die lebensnotwendige Reform der Kirche einzuleiten. Ausschlaggebend für den Einsatz im kirchlichen Bereich ist für Luther außer dem Amtsversagen der Hierarchie das Vorhandensein einer christlichen, d. h. evangelischen Obrigkeit.

Die dem christlichen Fürsten notfalls obliegende »cura religions« ist nach Luther – und auch dies klingt in der Obrigkeitsschrift bereits an – vornehmlich negativer Art, d. h. sie besteht in der Abwehr und im Fernhalten von Gefahren, nicht eigentlich in positiven Bestimmungen für die innere Ordnung der Kirche selbst. Das eigentliche Kirchenregiment überließ Luther der politischen Gewalt jedoch nicht. Unter diesem Gesichtspunkt stellt sich erneut die Frage, wie Luther das Kirchenregiment verstanden hat, wenn er den Priestern und Bischöfen einerseits jeden obrigkeitlichen Status abspricht, gleichzeitig aber die Autorität des kirchlichen Amtes einschärft.

Die Beteiligung der weltlichen Obrigkeit am Kirchenregiment mußte unvermeidlich – wenn auch gegen den Willen Luthers – zu einer »confusio regnorum« führen, die als unzulässige Vermischung der Zuständigkeiten letztlich der Kirche wie der Obrigkeit schwersten Schaden zufügen mußte. Einer abschließenden Wertung vorausgreifend, darf man feststellen, daß Luthers ernstgemeinter und wegweisender Versuch, die

---

[99] Ebd. 160–197.
[100] WOLGAST (Anm. 59), S. 64.
[101] Ebd. Vgl. auch GÄNSSLER, (Anm. 1), S. 59 f.

Machtbereiche von Kirche und Welt sauber zu unterscheiden, bereits hier wieder in den lebensgefährlichen Zustand der Vermischung und damit in die beklagten vor-reformatorischen Verhältnisse zurückführt. Wir werden noch zu untersuchen haben, inwiefern Luther – wie Kurt Aland behauptet[102] – diesen Rückfall selbst mitverschuldet hat, indem er die Grenzen zwischen »weltlichem Ding« und Kirchenregiment nicht beachtete.

Der Verlauf der Entwicklung nach dem Bauernkrieg und dem Regierungsantritt Kurfürst Johanns, beginnend mit der Bitte um Bestätigung der Leisniger Kastenordnung und der Errichtung der Kirchenvisitation 1528, muß in diesem Kreis nicht ausführlich behandelt werden. Wie wenig diese Entwicklung in Luthers Absicht lag, geht schon aus dessen Vorrede zur Visitationsordnung[103] hervor. Leider vermochte Luthers Bremsversuch es nicht zu verhindern, daß aus dem Notrecht immer mehr eine Einrichtung zugunsten der politischen Gewalten wurde.

Zur »cura religionis« im weiteren Sinn gehört sodann neben der Aufgabe der Wiederherstellung der äußeren Ordnung in der Kirche das bald in den Vordergrund tretende »ius reformandi«, dem Ansätze des 16. Jh. wie das »Recht, das kirchliche Leben zu reformieren« oder das »Recht, Religionen zuzulassen oder auszuschließen«[104] zu grunde liegen. Damit ist nun in der Tat der Punkt bezeichnet, an dem es weit über die bloße Hilfsfunktion hinaus institutionell zu einer Berührung der beiden Regimente kam. Zum »ius reformandi« gehört neben der Herstellung und Bewahrung der äußeren Ordnung in der Kirche die Regelung der Beziehung zu den Andersgläubigen, insbesondere zu den Schwärmern und Sektierern. Es berührt unmittelbar die Toleranz, die Luther trotz der Erfahrung mit Müntzer und den Täufern gewahrt wissen wollte, sofern er jeden Glaubenszwang als unvereinbar mit der personalen Struktur des Glaubensaktes ablehnte.

Luther hält auch später grundsätzlich am Verzicht auf jeden Bekenntniszwang fest, wenngleich er darunter freilich nicht die Freigabe der Lehre versteht. Die Obrigkeit sollte nach Luther erst dann eingreifen, wenn die geistige Auseinandersetzung in weltliche Machtkämpfe auszuarten drohte. Selbst in der Polemik gegen die Protestantenverfolgung nach 1525 hat Luther der Obrigkeit das Recht, den Bekenntnisstand festzusetzen, bestritten.[105] Nur Belehrung und Predigt durften gegen Ketzer zur Anwendung gebracht werden.

Erst die organisatorische und dogmatische Konsolidierung der »neuen Kirche«[106] und die Ausbildung evangelischer politischer Gewalten als Träger des »ius reformandi« haben dazu geführt, daß Luther angesichts der Erfahrung der sozialen Sprengkraft der Schwärmer und Täufer immer mehr auf die Aufgabe der Obrigkeit verwies, das »ius reformandi« zum Nutzen der Kirche und der wahren Lehre zum Einsatz zu bringen. Nach Eike Wolgast enthält diese Stellungnahme weder eine Abkehr von früheren Prin-

---

[102] KURT ALAND, Luther als Staatsbürger, in: Kirchengeschichtliche Entwürfe, Gütersloh 1960, S. 449 f.
[103] Vgl. WA 26, 197, 25 ff.
[104] Belege bei WOLGAST (Anm. 59), S. 66 f, Anm. 10 und 11.
[105] WA 19, 263, 10 ff. Vgl. WOLGAST, ebd. S. 68.
[106] WOLGAST, ebd. S. 69.

zipien noch bedeutet sie den Rückfall in die Corpus-Christianum-Idee. Luther akzen-
tuiere und expliziere lediglich die komplementäre Aufgabe weltlicher Obrigkeit in
Ergänzung des bloßen Verbots des Glaubenszwanges. Denn der Verzicht auf den
Glaubenszwang bedeute für Luther nicht den Verzicht auf »religionspolizeiliche Maßnahmen« überhaupt. Die obrigkeitliche Zuständigkeit ist nach Luther unter zwei Voraussetzungen gegeben: Jeder abweichende Gottesdienst ist als »impius cultus« zugleich
Gotteslästerung. Jeder Gottesdienst dieser Art führt zu Zweitracht und Unfrieden, die
zum Aufruhr führen können.

Während die eigentliche Bekämpfung der Irrlehre als solcher dem geistlichen Regiment vorbehalten bleibt, hat die weltliche Obrigkeit zur Bekämpfung der äußeren
Folgen die doppelte Handhabe: Wer nicht als Ruhestörer oder Aufrührer bestraft
werden konnte, den verfolgte man als Gotteslästerer. Dieses Verfahren erschien ein-
wandfrei, sofern Ketzerei auch reichsrechtlich verfolgt werden mußte. Außerdem ver-
stieß sie gegen das zweite Gebot des Dekalogs, wie Melanchthon in einem von Luther
mitunterzeichneten Kollektivgutachten über die »cura religions« 1531 ausführte. Man
wird Luther zugute halten, daß ihm die Täufer global als Erben Müntzers erschienen.
Gegen Häretiker aber, welche die Obrigkeit ablehnten und so »in politiam peccant«,
erschien der obrigkeitliche Einsatz gerechtfertigt. Wie ein von Melanchthon redigiertes
und von Luther mitunterzeichnetes Votum aus späterer Zeit zeigt,[107] kam man auf
diesem Wege allzu schnell zur Empfehlung der Todesstrafe für hartnäckige Konventi-
kelgründer und Prediger, während bloße Mitläufer mit der milderen Strafe der Inhaftie-
rung oder der Landesverweisung zu rechnen hatten. Für die Wittenberger lag der Sinn
der Strafe nicht allein in der Abschreckung, sondern auch im Erweis der obrigkeitlichen
Bereitschaft, das dem Fürsten anvertraute Amt ernst zu nehmen und es der göttlichen
Einsetzung gemäß auszuüben. Unter dem Gesichtspunkt der ›Zwei-Reiche-Lehre‹
wird man hier einigermaßen traurig konstatieren dürfen, daß die ursprünglich erstrebte
Unterscheidung der Gewalten unter dem Zwang der geschichtlichen Verhältnisse nur
allzu schnell über die Gewaltenvermischung wieder zu einer Lösung zurückführte, die
sich allenfalls theoretisch vom alten »ius gladii« und der Inquisition unterscheiden läßt.

## 2. Luthers Drei-Stände-Lehre

Damit stehe ich endlich bei dem zweiten hier zu behandelnden Lehrstück Luthers
und der nicht leichten Frage, was das eine Lehrstück für das andere bedeutet. Auch hier
ist einleitend dringend einzuschärfen, daß Luthers Drei-Stände-Lehre keineswegs eine
Lehre im strengen Sinne ist.

Der Sache nach spricht Luther von den Ständen in seinen Dekalogpredigten oder im
Zusammenhang seiner Neubestimmung des Begriffes »Beruf« seit 1522.[108] Von den
Ständen spricht Luther auch in seiner Obrigkeitsschrift, wo er das Schwert dem eheli-
chen Stand, dem Ackerwerk oder einem anderen Handwerk gleichstellt.[109] Auch in der

---

[107] Vgl. ebd. S. 73.
[108] Vgl. etwa WA 10/I. 2, 306, 17; vgl. auch GUSTAF WINGREN, Luthers Lehre vom Beruf,
München 1952.
[109] WA 11, 258, 3 ff.

Schrift »Ob Kriegsleute im seligen Stande sein können« von 1526 spricht Luther verschiedentlich vom Ehestand und Kriegerstand[110], und bestimmt den Soldatenstand ausdrücklich als einen »Beruf, der aus dem Gesetz der Liebe herquillet«.[111] 1529 macht
Luther in der Schrift »Vom Krieg wider die Türken« die wichtige Aussage: »Nym nu
aus der Welt weg veram Religionem, veram Politiam, veram Oeconomiam (Das ist
recht geistlich wesen, recht weltlich Oberkeit, recht haus zucht): Was bleibt uber ynn
der welt denn eitel fleisch, welt und Teuffel..?«[112]

In der Vorrede zu Justus Menius »Oeconomia Christiana« aus dem gleichen Jahr
erklärt Luther sinngemäß, daß nach dem Untergang der drei Stände die Welt zu einem
›Saustall‹ würde.[113] Am nächsten kommen Luthers Ansätze der Lehre, sofern sie der
Lehre von den drei Hierarchien[114] oder der Lehre von den drei Ständen[115] zuzuordnen
ist.

Trotzdem zeigt die zweifellos gewichtigste Äußerung Luthers über die drei Stände in
der Schrift „Vom Abendmahl Christi, Bekenntnis" aus dem Jahre 1528[116], wie schwer
es ist, die fraglichen Ansätze systematisch in Luthers Theologie einzuordnen. Luther
spricht von den drei Ständen im Zusammenhang des 2. Artikels, wo er über die Pelagia-
ner und ihrer Bestreitung der Erbsünde handelt. »Demnach verwerffe und verdamme
ich auch« - so erklärte Luther[117] - »als eitel teuffels rotten und yrrthum alle orden,
Regel, Klöster, stift und was von menschen uber und ausser der schrifft ist erfunden
und eingesetzt, mit gelübden und pflichten verfasset..« Eigentlicher Grund der Verwerfung der traditionellen Orden ist für Luther der Anspruch, durch die Befolgung der
Regel selig zu werden. In der Funktion der Bildungs-Institution würde Luther die
Klöster freudig begrüßen, da sie junge Menschen für den Dienst in der Kirche und im
weltlichen Regiment, aber auch die »weiber« für den Dienst in der Familie erziehen und
ausbilden könnten.[118]

»Aber die heiligen orden und rechte stiffte von Gott eingesetzt« - so erklärt Luther
weiter - »sind diese drey: Das priester ampt, Der Ehestand, Die weltliche oberkeit.
Alle die, so im pfarampt odder dienst des worts funden werden, sind ynn einem
heiligen, rechten, guten, Gott angenemen orden und stand, als die da predigen, sacrament reichen, dem gemeinen kasten furstehen, küster und boten odder knechte, so
solchen personen dienen.«[119]

Aber auch »wer Vater und Muter ist, haus wol regirt und kinder zeucht zu Gottes
dienst, ist auch eitel heiligthum und heilig werck und heiliger orden. Desgleichen wo

---

[110] WA 19, 624, 22–29; 654, 20–30.
[111] Ebd. 657, 26.
[112] WA 30/II, 127, 14–18.
[113] Ebd. 62, 3 f.
[114] Vgl. WILHELM MAURER, Luthers Lehre von den drei Hierarchien und ihr mittelalterlicher
Hintergrund, München 1971.
[115] Vgl. REINHARD SCHWARZ, Luthers Lehre von den drei Ständen und die drei Dimensionen
der Ethik: LuJ 45 (1978), S. 15–34.
[116] WA 26, 503–505.
[117] Ebd. 503, 35 f; 504, 10.
[118] Ebd. 504, 23–29.
[119] Ebd. 504, 30–35.

kind odder gesind den Eldern odder dem herrn gehorsam ist auch eitel heiligkeit, und
wer darynn funden wird, der ist ein lebendiger heiliger auf erden.«[120]

Dasselbe gilt schließlich vom »furst odder Oberherr, richter, amptleute, Cantzler,
schreiber, knechte, megde und alle, die solchen dienen, dazu alle, die untherheniglich
gehorsam sind: alles eitel heiligthum und heilig leben fur Gott.«[121]

Heilig sind die drei Stifte oder Orden, weil sie im Unterschied zu den von Menschen
erfundenen »Orden« »ynn Gotts wort und gebot gefasset sind«.[122] Aber nach Luther
steht über den drei Stiften oder Orden »der gemeine orden der Christlichen liebe,
darynn man nicht allein den dreyen orden, sondern auch ynn gemein einem iglichen
dürfftigen mit allerley wolthat dienet, als speisen die hungerigen, trencken die durstigen
etc, vergeben den feynden, bitten fur alle menschen auf erden, leiden allerley
böses..«[123] Luther fügt jedoch hinzu, daß keiner dieser Orden einen Weg zur Seligkeit
darstellt. Zur Seligkeit führt allein der Glaube an Jesus Christus. Anders steht es um die
Heiligkeit, die Luther streng von der Seligkeit unterscheidet. Heilig aber wird der
Christ nach Luther durch beides: durch solchen Glauben und durch solche göttlichen
Stifte und Orden.[124]

Wer Luthers ›Drei-Stände-Lehre‹ in diesem Kontext theologisch zu verstehen und
einzuordnen versucht, entdeckt zunächst keinerlei Beziehung zur »Zwei-Reiche-
Lehre«. Was Luther über die drei Stände ausführt, steht ganz und gar im Zusammenhang seiner Rechtfertigungslehre, näherhin im Zusammenhang der Zurückweisung des
Mönchtums und seiner selbstgewählten Werke als Heilsweg. Dabei geht es präzise um
das Verhältnis von Rechtfertigung und Heiligung, von Glauben und Werken. Unausgesprochen geht es aber auch um die Beziehung von »prima« und »secunda tabula legis«
in der Rechtfertigung. Denn da das Gesetz für Luther eine Einheit ist genau wie die das
Gesetz allein erfüllende Liebe zu Gott und dem Nächsten, hat es der rechtfertigende
Glaube nicht allein mit den Geboten der ersten Tafel, sondern zugleich mit den Geboten der zweiten Tafel zu tun, durch die Gott unser Leben in der Welt und in der
Mitmenschlichkeit regelt. Für Luther geht es daher auch schon bei der Rechtfertigung –
wie die wichtige Aussage in seinem Bekenntnis zeigt – um das Verhältnis des Glaubens
zur Weltwirklichkeit.

Schwierig wird es jedoch, wenn man Luthers Stände- oder Hierarchien-Lehre als
einen Versuch betrachtet, mit dem er ähnlich wie durch die Zwei-Reiche-Lehre das
Verhältnis des Glaubens zur Weltwirklichkeit zu klären versucht. Die Überlegungen
von Franz Lau[125] zeigen gut, wie schnell man auf diesem Weg zu einer höchst fragwürdigen Verdoppelung des Kirchenbegriffs kommt: Die Ecclesia der drei Hierarchien
oder Stände erscheint aus dieser Sicht als »Teil der Gesellschaft« und als »Institution«,
sodaß die Kirche »im theologischen und soziologischen Sinn« voneinander unterschei-

---

120 Ebd. 505, 1–5.
121 Ebd. 505, 5 ff.
122 Ebd. 505, 8.
123 Ebd. 505, 11–15.
124 Ebd. 505, 16–20.
125 LAU (Anm. 6), S. 465, 482 f. Andererseits hält jedoch auch LAU (S. 477) die Aufteilung der
beiden Reiche auf Gesetz und Evangelium für undurchführbar.

den werden muß. Obgleich Unterscheidung natürlich noch keine Trennung bedeutet, vermag ich nicht einzusehen, was eine solche Verdoppelung soll und wie sie sich aus Texten wie dem zitierten rechtfertigen läßt. Zu demselben Ergebnis führt naturgemäß die Verbindung der Stände-Lehre mit der Zwei-Reiche-Lehre. Denn wenn die Obrigkeit und ihr Schwertrecht – gründend in der Schöpfungsordnung Gottes – dem Ehestand gleichgestellt wird, dann gibt es auch eine Ecclesia im Welt-Reich. Fr. Beisser sieht hier den Grund für die Ausbildung radikal widersprüchlicher Ansätze bei Johannes Heckel und Paul Althaus, deren Grundlage sich jeweils bei Luther selbst finde und aus dem Zusammenhang seiner Theologie geklärt werden müsse. Heckel folge den Texten, die es mit der Gerechtigkeit vor Gott und der Frage nach unserer Seligkeit zu tun haben, Althaus hingegen folge den späteren Texten, die das weltliche Regiment aus Gottes Schöpfungsordnung zu verstehen suchen. Die Frage nach dem weltlichen Regiment entspreche dabei der Frage, »ob Gottes Gesetz gut sei«, eine Frage, die natürlich nur bejaht werden kann, solange das Gesetz als Heilsweg ausgeschlossen bleibt.[126]

Von daher hat man denn auch immer wieder versucht, das Verhältnis der beiden Reiche zueinander in Analogie der Beziehung zwischen Gesetz und Evangelium zu bestimmen.[127] Dabei glaubt man für den Widerspruch in Luthers Konzeption der beiden Reiche eine Entsprechung zu finden in der Spannung, die zwischen »usus theologicus« und »usus civilis legis« besteht und die denn auch den beiden Reichen zugeordnet werden.[128] Überzeugender scheinen mir die Ausführungen Oswald Bayers[129] über die ganz und gar theologische Bedeutung der »Weltlichkeit« bei Luther und die drei Stände als grundlegende Lebensformen der Weltwahrnehmung.

Alles in allem gilt jedoch auch von der Drei-Stände-Lehre, daß ihre theologische Interpretation und die Deutung ihrer Beziehung zur Zwei-Reiche-Lehre gezwungen und künstlich wirken, und daß sie darum längst nicht die Überzeugungskraft und Plausibilität erreichen, die ich der ›Predigt‹ Luthers über dieses Thema ohne Einschränkung zuerkenne.

Was den »Irrgarten« als theologische Konstruktion betrifft, so will mir als katholischem Luther-Forscher scheinen, daß die verwirrenden Differenzierungen ihren Grund haben in den Aporien einer Rechtfertigungslehre, für die wiederum nicht Luther, sondern die Theologie verantwortlich zeichnet.[130]

---

[126] Vgl. BEISSER (Anm. 2), S. 237 f.

[127] Ebd.

[128] Ebd. und S. 239; vgl. EBELING (Anm. 9), S. 423 ff.

[129] Zugesagte Welt in der Verschränkung der Zeiten. Luthers Verständnis der Schöpfung: ZW 54 (1983), S. 199 ff.

[130] Vgl. hierzu KLAUS HAENDLER, Luthers Zwei-Reiche-Lehre in der Gegenwart: LM 3 (1964), S. 554 ff.

# II. Zur Bedeutung von Zwei-Reiche- und Drei-Stände-Lehre

## 1. Luthers Bedeutung für seine Zeit

Wie leider immer bei solchen stoff- und problemreichen Referaten bleibt für die abschließende Betrachtung und die Beurteilung nur wenig Zeit. Immerhin sei der Versuch unternommen, in knappen Thesen die Bedeutung zu umreißen, die Luthers Ansätzen unmittelbar zukam.

Wer das Anliegen seiner Zwei-Reiche-Lehre aus der Situation verstehen will, tut gut daran von den »drei Fronten« auszugehen[131], denen Luther sich gegenüber sah:

(1) Erstens opponiert er gegen die päpstliche Verhältnisbestimmung von Kirche und Reich, die in Gestalt der kanonistischen Zwei-Schwerter-Lehre die weltliche Obrigkeit nicht nur um ihre gott-unmittelbare Selbständigkeit gebracht, sondern sie auch verteufelt hatte.

(2) Zweitens kämpft Luther gegen eine unbeschränkte Gesetzgebungsgewalt weltlicher Obrigkeit und gegen ihre selbstherrlichen Eingriffe in das kirchliche Leben.

(3) Drittens kämpft Luther gegen Bestrebungen, die unter Berufung auf die Bergpredigt eine Befreiung von der weltlichen Ordnung erstreben.

Es gelingt Luther dabei die geschichtlich wegweisende und bahnbrechende Leistung, beide Bereiche sauber zu unterscheiden und so das gefährliche Übel der permanenten Vermischung wenigstens grundsätzlich auszuschalten. Es gelingt ihm weiter, auf diese Weise die weltliche Obrigkeit aus ihrer kirchlichen Abhängigkeit zu befreien und ihr die in der Schöpfungsordnung gründende Selbständigkeit und Würde zurückzuerobern. Wie Ulrich Duchrow aufgezeigt hat,[132] ist Luther in seinen Ansätzen gewiß durch Augustins »duo civitates« oder durch die mittelalterliche Unterscheidung der »zwei Imperien«[133] inspiriert. Aber die Eigenart des augustinischen Einflusses schließt die selbständige Verarbeitung desselben durch Luther nicht aus, wobei die Klärung dieser Frage[134] für die Sache nicht von ausschlaggebender Bedeutung zu sein scheint.

Obgleich es Luthers Unterscheidung nicht an Schärfen fehlt – man denke an die Gegenüberstellung von Christi Reich und Weltreich im Verhältnis 1 : 1000 – vermeidet er jedoch grundsätzlich die Trennung. Es fehlt auch nicht an legitimen Ansätzen der Verbindung, sofern die Christen als Vertreter der drei Stände in Gottes Auftrag für die Erhaltung und Entfaltung der Welt verantwortlich tätig werden. Der gängige Vorwurf, Luther habe für den Dienst an der Welt kein rechtes Verständnis, ist für mein Empfinden ungerecht. Denn die »secunda tabula« und die Vernunft sind nicht die schlechteste Ausweisung zur Verwaltung der Welt. Auch muß Luthers eschatologischer Hinweis auf unsere Pilgerschaft – »Pilger sind wir, aber keine Landstreicher«! – sich keineswegs lebensfeindlich und weltverneinend auswirken.

---

[131] Vgl. GÄNSSLER (Anm. 1), S. 10 ff.

[132] Christenheit und Weltverantwortung, Stuttgart 1970, S. 441 ff.

[133] GEORG KRETSCHMAR, Die zwei Imperien und die zwei Reiche, in: Ecclesia und Res Publica, hg. v. GEORG KRETSCHMAR und BERNHARD LOHSE, Göttingen 1962, S. 89 ff.

[134] Vgl. HEINRICH BORNKAMM, Luthers Lehre von den zwei Reichen im Zusammenhang seiner Theologie, Gütersloh 1970, S. 18 ff.

Auch unter dem zweiten Gesichtspunkt gelingt es Luther zunächst, Übergriffe der weltlichen Obrigkeit in die Kirche wirksam abzuweisen. Aber hier kommt es schließlich doch auf Dauer zu den bereits angedeuteten ernsten Schwierigkeiten. Es gelingt Luther nicht, die beiden sauber unterschiedenen Bereichen ebenso klar wieder miteinander zu verbinden. Verschärft durch geschichtliche Gründe kommt es hier zu der bereits beklagten »confusio regnorum« und ihren bedauerlichen Folgeerscheinungen. Luther wollte diese Entwicklung der Dinge nachweislich nicht. Nichtsdestoweniger wird man ihn von der geschichtlichen Verantwortung für die spätere Entwicklung nicht frei sprechen können. Bei unserem Urteil über Luther sollten wir jedoch bedenken, daß niemand bis auf den heutigen Tag das Problem allseitig und im Vollsinn gelöst hat.

Auch unter dem dritten Gesichtspunkt scheint mit Luthers Lösungsversuch keineswegs grundsätzlich verfehlt. Sein Kampf gegen den Versuch der Schwärmer und Täufer, sich unter Berufung auf die Bergpredigt von der weltlichen Obrigkeit zu befreien, verläuft zwar nicht ohne bedauerliche Härten. Der Grundsatz aber, daß sich die Welt nicht mit der Bergpredigt regieren läßt, verdient volle Anerkennung. Und auch das Festhalten an der Bergpredigt für die Christen bei gleichzeitiger Ermächtigung zum christlichen Gebrauch des Schwertes ist keineswegs ein Trick und führt nicht in die »doppelte Moral«; so oft dies Luther auch unterstellt wurde.

## 2. Luthers Bedeutung für die Gegenwart

So einig sich die Forscher darin sind, die Bedeutung der beiden Lehrstücke für die Theologie der Gegenwart zu behaupten, so einig sind sie sich umgekehrt darin, daß eine solche Bedeutung für Fragen und Probleme unserer politischen Welt nicht mehr behauptet werden kann. Obgleich dies angesichts des tiefgreifenden Wandels der Situation vom 16. Jh. bis heute naheliegt, bin ich der Überzeugung, daß Luthers Positionen für unsere modernen Lebens- und Überlebensprobleme dennoch eine höchst aktuelle Bedeutung zukommt. Das Peinliche dieser Aktualität liegt darin, daß Luthers Ansätze seiner Zwei-Reiche-Lehre und seiner Stellungsnahme zu Krieg und Frieden denkbar radikal den Anliegen widersprechen, für die gegenwärtig immer mehr Kirchenmänner und Politiker aus allen Konfessionen zusammen mit den Vertretern der Friedens-Bewegung auf die Straße gehen.

Nicht um die Diskussion weiter anzuheizen und zu verschärfen, sondern um die Anliegen sachgemäß zu vertiefen, stelle ich nachstehend die Sätze Luthers zusammen, die auch heute um des Friedens willen von allen Beteiligten bedacht werden sollten. Im einzelnen handelt es sich um die folgenden Sätze:

(1) Unverändert gültig und bedeutsam für unsere Situation scheint mir die These Luthers, die besagt: Man kann die Welt nicht mit dem Evangelium oder der Bergpredigt regieren. Wer dies versucht, handelt wie ein Hirte, der seine Schafe mit Wölfen, Löwen und Adlern in einen Stall zusammengibt, und ihnen dabei in sträflichem Optimismus die folgende Ansprache hält: Weide habt ihr genug, raus und rein könnt ihr, – vertragt euch also und laßt es euch gut gehen. So gut die Rede gemeint sein mag, die Schafe werden die Utopie ihrer Hirten umgehend mit dem Leben bezahlen.

(2) Unverändert gültig ist sodann Luthers These, wonach die Obrigkeit im Auftrage Gottes das Schwert führt zur Bestrafung der Bösen und zur Wahrung der lebensnotwendigen Ordnung. Solange Sünde und Tod unser Leben in dieser Welt bedrohen, gehört aber nach Luther auch der Krieg zu den furchtbaren Eventualitäten, den die Obrigkeit nach Kräften zu vermeiden, den sie aber auch zu führen hat, wenn es zum Schutz der Bürger und zur Wiederherstellung des Friedens notwendig ist. Eine entsprechende Vorbereitung auf den Krieg gilt Luther als unerläßliche Voraussetzung für die Sicherung des Friedens. Den aus der Situation der Notwehr geführten Krieg begreift Luther als Werk der Liebe, als Dienst am Nächsten und als Gottesdienst.

(3) Unverändert gültig erscheint sodann Luthers Warnung vor Aufruhr und Umsturz. Der »Pöfel« schreit ständig nach solchen Verbesserungen, ist aber im Grunde mit der bloßen Veränderung zufrieden. Leichter sind Tyrannen zu ertragen als die permanente Revolution. Luther verdeutlicht sein Anliegen durch das Gleichnis vom Bettler und den Fliegen.[135]

(4) Unverändert gültig ist schließlich Luthers Überzeugung, daß die Christen in dieser Welt Pilger und Fremdlinge sind. Ihr Einsatz in der Welt beschränkt sich darauf, den Zehr-Pfennig für die Herberge zu verdienen. Im übrigen leben sie wie auf Abbruch. Sie sind frei von jedem Stress, die Welt in das verlorene Paradies umgestalten zu müssen. Untersagt ist ihnen vor allem, das »Reich« mit dem Schwert zu errichten, wie Thomas Müntzer und der Papst dies versucht hatten.[136]

---

[135] WA 19, 639, 16–30.
[136] Vgl. Luthers Predigt über 1 Petr 2, 11 ff am Sonntag Jubilate 1544: WA 49, 390 ff.

Heiko A. Oberman

# 1.2 Thesen zur Zwei-Reiche-Lehre[1]

Der den Thesen jeweils folgende Kurzkommentar umfaßt teilweise die auf der Wormser Tagung von mir in freier Rede vorgetragenen ›Erläuterungen‹; teilweise ist auch die in der darauffolgenden Diskussion vorgebrachte Kritik mit besonderem Dank an die Beteiligten verarbeitet.

**These 1:** Johannes Heckel ist darin Recht zu geben, daß erst die *Wiedergabe* von Luthers Lehre durch die evangelische Theologie zum »Irrgarten der Zwei-Reiche-Lehre« geführt hat. Keinen Ausweg, sondern nur eine Scheinlösung bietet die These, daß die Zwei-Reiche-Lehre eine Erfindung der nachreformatorischen Dogmatik sei. Hört man auf die ältere katholische Reformationsforschung, so ist sie gar einer Konstruktion Karl Barths zuzuschreiben.

*Kommentar:* Im Folgenden ist davon abgesehen, die unverändert reichlich fließende Sekundärliteratur anzuführen. Eine Ausnahme jedoch muß gemacht werden: Sie gilt den Werken von Johannes Heckel zum Thema der Zwei-Reiche-Lehre, die Martin Heckel – mit Recht – wieder neu herausgegeben hat.[2] Sowohl durch die eigene Forschungsleistung als auch durch die von ihm angeregte Kritik markieren die Arbeiten Johannes Heckels eine bis heute gültige Zäsur in der Auslegungsgeschichte: Regierendes Zentrum der Zwei-Reiche-Lehre ist die »lex charitatis«; ihre ethische Weisung ist mit dieser lateinischen Kodierung tatsächlich richtig ausgezeichnet.

Der Ausweg aus dem Irrgarten der Zwei-Reiche-Lehre Luthers ist damit allein aber noch nicht zu finden. Er kann nur gefunden werden, wenn das mir für diese Tagung vorgegebene Thema ›Zwei-Reiche- und Drei-Stände-Lehre‹ grundsätzlich auf den ersten Teil beschränkt und eben nicht von Anfang an mit der Drei-Stände-Problematik gekoppelt wird. Wie verheerend diese Koppelung wirkt, ist an dem damit einhergehenden Versuch der älteren katholischen Forschung abzulesen, die Zwei-Reiche-Lehre Luthers in die Zwei-Regimenten-Lehre aufzulösen. Luthers eigener Denkrahmen wird dadurch ›entmythologisiert‹ – und somit verdrängt. Erwin Iserloh hat in der Diskussion die Argumentationslinie gewählt, daß die Forschung sich nicht für die Zwei-Reiche-Lehre, sondern nur die die Zwei-Regimenten-Lehre zu interessieren habe, weil die Zwei-Reiche-Lehre bereits biblisch und mittelalterlich vorgeprägt sei und *somit* (!)

---

[1] Da der Vortrag des Herrn Kollegen MANNS mir nicht rechtzeitig vorgelegen hat, sind die folgenden Thesen nicht als Erwiderung und schon gar nicht als Kritik zu verstehen.

[2] JOHANNES HECKEL, Lex Charitatis. Eine juristische Untersuchung über das Recht in der Theologie Martin Luthers, hg. von MARTIN HECKEL, Köln ²1973. Siehe jetzt auch MARTIN HECKEL, Luther und das Recht. Zur Rechtstheologie Martin Luthers und ihren Auswirkungen auf Kirche und Reich. In: Neue Juristische Wochenschrift 36 (1983), S. 2521–2527.

nicht zu Luthers ›Eigengut‹ zu rechnen wäre. Diese Zielsetzung geht von der irrigen Reduktionshypothese aus, daß nur *Sondergut* als *Eigengut* Luthers anzusprechen sei.

**These 2:** Die Zwei-Reiche-Lehre ist zu einfach, als daß man sie der systematischen Theologie überlassen dürfte. In ihrem historischen Kontext aufgespürt, ist sie einleuchtend und fundamental, modernen Denkkategorien aber zuwider. Zunächst lehrt sie nichts anderes als den Kampf zwischen Gottes Macht und Teufelsheer.

*Kommentar:* Wie wenig die Abwehr systematischer Überfremdung als Vorwurf ›contra omnes‹ verstanden werden darf, geht bereits daraus hervor, daß neben Johannes Heckel eine weitere Ausnahme vom Vorsatz zu machen ist, Sekundärliteratur nicht zu erwähnen. Die Beiträge von Gerhard Ebeling[3] weisen den Weg, wie systematische Theologie in rechter Weise mit der Zwei-Reiche-Lehre umzugehen hat:

Wo der historische Tatbestand die Interpretation nicht reguliert, erliegt die Übersetzungsaufgabe den Zwängen moderner Anwendung und Sinngebung – ob nun philosophischer, politischer oder religiöser Provenienz –, wie die Geschichte der Behandlung des Themas reichlich belegt. Der Historiker darf und muß offenhalten, ob der Sinn ›seiner‹ Geschichtsschreibung nicht eben in dem Ergebnis besteht, daß es überhaupt keine moderne ›applicatio‹ gibt. Eben deshalb ist hier auf das Schlußergebnis vorzugreifen, daß die ›applicatio‹ der Zwei-Reiche-Lehre de facto nicht in Frage zu stellen ist, daß sie vielmehr erst unter Absehung des Verwendungspotentials recht ersichtlich wird.

**These 3:** Es gibt drei jeweils verschiedene, verlockende aber verstellende und die Forschung bislang blockierende Barrieren. Die erste ist systematisch-theologischer Provenienz, verbunden mit Problemen terminologischer Natur; die beiden anderen sind profangeschichtlicher beziehungsweise theologiegeschichtlicher Art.

*Kommentar:* Wie wenig nur ein Forschungsbereich für die heutige Sprachverwirrung verantwortlich zu machen ist, geht aus der Bestimmung jener »drei Mauern der Romanisten« hervor, die den Irrgarten der Zwei-Reiche-Lehre zur scheinbar uneinnehmbaren Festung gemacht haben. Die Systematiker sind bei ihrer unverzichtbaren Übersetzungsaufgabe von den Historikern im Stich gelassen worden.

**These 4:** Auf die *systematisch-theologische* Barriere stößt man dort, wo die Zwei-Reiche-Lehre mit der Drei-Stände-Lehre zu einer theologischen Einheit verknüpft wird.

**These 5:** Tatsächlich ist die Drei-Stände-Lehre nichts anderes als einer der verschiedenen »usus« der Zwei-Reiche-Lehre. Als mittelalterliche Gesellschaftsanalyse ist die Stände-Lehre ihrem Sachgehalt nach überholt. Als Konkretion der Lehre vom Priestertum aller Gläubigen bleibt sie jedoch ihrer Intention und Substanz nach ungebrochen relevant. Denn die Stände-Lehre durchbricht das Monopol der Priester und Mönche zugunsten des Gottes-Dienstes eines jeden Berufes: »Alles eitel heiligthum und heilig leben vor Gott.«[4]

---

[3] GERHARD EBELING, Die Notwendigkeit der Lehre von den zwei Reichen. In: ders., Wort und Glaube, Tübingen I, ³1967, S. 407–428; ders., Umgang mit Luther. Tübingen 1983, S. 131–201.

[4] WA 26, 505, 7; 1528.

*Kommentar zu den Thesen 4 und 5:* Bei der weitverbreiteten Ablehnung von Luthers Zwei-Reiche-Lehre spielt durchgehend eine große Rolle, daß der Reformator die für ihn in der Schrift bezeugte – und von der historischen ›Erfahrung‹ bestätigte – Lehre mit einer mittelalterlich patriarchalischen Gesellschaftsanalyse *verbunden* hat. Tatsächlich aber steht die Zwei-Reiche-Lehre selbst nicht in ursächlichem Zusammenhang mit einer solchen Staatsauffassung. Nicht die Verkoppelung, sondern die Unterscheidung des theologisch Bleibenden vom geschichtlich Vergangenen ist die legitime und unverzichtbare systematische Aufgabe. Kritik an der vergangenen Stände-Lehre trifft Luthers Zwei-Reiche-Lehre grundsätzlich nicht – solange nicht zugleich die Lehre vom Priestertum aller Gläubigen mitverworfen wird.

**These 6:** Zu einer irreführenden terminologischen Barriere bei der Erschließung der Zwei-Reiche-Lehre führt der übliche Einstieg in Luthers Schrift »Von weltlicher Oberkeit«. In der Regel treibt das von Luther verwendete Vokabular in den Irrgarten der Interpretation. Bei sorgfältiger Durchsicht der Forschungsliteratur zeigt sich, daß die Interpreten der Gefahr erliegen, die Bedeutungsvarianten von »Reich« nicht zu erkennen und Luthers Begriffsmischung von »Reichen« und »Regimenten« nicht wahrzunehmen. Die Quellen werden deshalb bereits terminologisch überfragt oder sogar falsch befragt.

*Kommentar:* Die für das Thema so verlockende Schrift »Von weltlicher Oberkeit, wie weit man ihr Gehorsam schuldet« (1523) erweist sich nicht nur als Gefährdung, sondern ebenso als Chance für die Forschung. Sie ist eben deshalb so ergiebig, weil sie den Interpreten zwingt, terminologisch zu scheiden, was Luther selbst nicht konsequent unterschieden hat, nämlich die Begriffe »Reich« und »Regiment«. Die Zweideutigkeit entspringt nicht dem Begriff »Regiment«, sondern der Bezeichnung »Reich«, die – folgt man der Genesisvorlesung von 1535–45 – noch um eine dritte Bedeutung zu bereichern ist: (1) »Reich« ist »Reich Gottes« oder »Reich des Teufels«. (2) »Reich« steht für »Reich der Welt« als Gottes Reich zur Linken (iustitia civilis), unterschieden vom Gottesreich zur Rechten (iustitia fidei). (3) »Reich« ist schließlich auch die Übersetzung von »regnum« als eines der lateinischen Synonyme für die Stände, die verschiedentlich auch als »ordines«, »status« etc. bezeichnet werden können. Diese dritte Bedeutungsebene jedoch hat bislang keine verwirrende Rolle gespielt, sie kann deshalb außer Betracht bleiben.

Angesichts der von Luther gestifteten Sprachverwirrung ist eine Sprachregelung vonnöten. Es empfiehlt sich, zwischen »Reich« und »Bereich« zu unterscheiden, um Gottesreich und Teufelsreich unverwechselbar gegenüber Gottes Bereichen zur Rechten und zur Linken eigens benennen zu können. Die Zwei-Reiche-Lehre betrifft zunächst den Kampf zwischen den *Reichen*, also zwischen Gottes Macht und Teufelsheer. Das rechte Verständnis und die rechte Zuordnung der zwei *Bereiche* Gottes, in denen er durch Gesetz und Evangelium auf je verschiedene Weise regiert, ist zentraler Angriffspunkt des Teufels in seinem Großkampf gegen das Gottesreich.

Zur Zwei-Reiche-Lehre gehört somit beides: zuerst und vornehmlich die Lehre vom Kampf des Gottesreiches mit dem Teufelsreich; und als Konsequenz damit verbunden die Lehre von der Unterscheidung der Bereiche zur Linken und zur Rechten Gottes.

**These 7**: Eine *historische* Barriere entsteht dort, wo die Obrigkeitsschrift zwar umsichtig und richtig gedeutet wird, die Hauptaussage über die Grenzen des Gehorsams aber ideengeschichtlich isoliert wird und deshalb nicht wirklich erfaßt werden kann.

Grundlegend ist der Dauerkonflikt mit dem sächsischen Herzog; dieser Streit aber wird durchweg nur als literarische Eingangsfrage anfänglich gestreift. Damit wird die nächst greifbare geschichtliche Matrix der Zwei-Reiche-Lehre, eben die beständigen Herrschaftsstreitigkeiten zwischen Kursachsen und herzoglichem Sachsen, ausgeblendet, weil angeblich für die theologische Deutung der Lehre irrelevant.

*Kommentar:* So, wie die Obrigkeitsschrift *theologisch* nicht isoliert werden darf von der drei Jahre früher erschienenen fundamentalen Freiheitsschrift (1520) und den ihr vorausgehenden Sermonen (1519), so darf sie auch *historisch* nicht isoliert werden von ihrem unmittelbaren politischen Kontext: Luther war eingespannt in die territorialen Auseinandersetzungen zwischen Kursachsen und herzoglichem Sachsen und stand vor der unausweichlichen Aufgabe, den ständig an den ›Grenzen‹ sich entzündenden Konflikt um das landesherrliche »ius reformationis« zu schlichten und wenn möglich zu klären.

Diese Barriere der Isolierung zeitigt Wirkung in zweifacher Weise: *Unhistorisch* bleibt die übliche theologische Deutung von Luthers Zwei-Reiche-Lehre ideengeschichtlich konzentriert und löst sich weitgehend von der konkreten politischen Situation. Auch *historisch* führt die Nichtberücksichtigung des geschichtlichen Umfeldes in die Irre: Luthers Ausgangspunkt sind die universalen Herrschaftsansprüche des Papsttums, sein Ziel ist die Befreiung der Kirche aus der babylonischen Gefangenschaft. Roms Kirchenstaat ist kein Sonderfall, sondern exemplarisch für die Vermischung der beiden Bereiche, die in Deutschland politisch konkret wird in Städten, Bistümern und eben auch Territorien.

**These 8**: Die zum Teil bewußt unklare Grenzziehung zwischen Herzogtum und Kurfürstentum Sachsen – Ergebnis der Leipziger Hauptteilung (1485) – wollte ursprünglich in einer Reihe von Fällen die *Verflechtung* feudaler Pflichten der Untertanen und die *Überschneidung* von Herrschaftsrechten der Fürsten sichern: Sachsen sollte eben nur aufgegliedert, nicht zerteilt werden. Verfassungsrechtlich hat diese Konzeption den Streit unter den Wettinern vorprogrammiert; er konnte durch die Religionsfrage nur noch verschärft werden.

*Kommentar:* Am 28. Dezember 1527 formuliert Luther in dem für die Teilungssituation Sachsens typischen Streitfall der Gebrüder von Einsiedel einen Lösungsvorschlag, der die drohende gewaltsame Auseinandersetzung zwischen Herzog Georg und Kurfürst Johann abwenden soll. Luther beruft sich auf den Leipziger Vertrag als Basis einer friedlichen Lösung: Es sind vertraglich aufgeteilte Fürstentümer; das hat zur Folge, »daß ein jeglicher in seinem Fürstentum sollt gläuben lassen, wie er möcht ...«.[5] Der berühmte Satz des Augsburger Religionsfriedens »cuius regio, eius religio« ist somit die reichsrechtliche Fassung von Luthers sächsischer Lösung: Jeder Fürst darf die Religionspolitik in seinem Territorium bestimmen.

---

[5] WA. B 4, 306, 19 f.; 1527.

Diese Lösung ist als solche somit nicht, wie oft behauptet, erst das ungewollte Ergebnis der später angeblich gegen Luther durchgesetzten Fürstenreformation.

**These 9:** »Zwei-Reiche-Lehre« entzündet sich an der Frage nach den Pflichten und Grenzen des Gehorsams, politisch sucht sie geistliche und weltliche Gewalt zu entflechten, und historisch ist sie in den Rahmen des sächsischen Landesstreits hineinzustellen. Dann zeigt sich, daß Luthers Zwei-Reiche-Lehre als Lehre von den zwei Bereichen gezielt politische Theologie ist.

*Kommentar:* Im Falle der Gebrüder von Einsiedel wurden die Grundsätze der Obrigkeitsschrift territorialpolitisch angewendet. Auch dem Herzog Georg, Feind des Evangeliums, wird die göttliche Autorität seiner Herrschaft nicht bestritten. Auf seinem Gebiet müssen die Brüder das herzogliche »ius circa sacra« erdulden, allerdings ohne die Unterdrückungspolitik des Evangeliums durch Georg zu rechtfertigen.

**These 10:** Das dritte und zugleich mächtigste Bollwerk gegen ein rechtes Verständnis der Zwei-Reiche-Lehre bildet die *dogmengeschichtliche* Einordnung. Kein Forscher geht an der augustinischen Ausgangsposition Luthers vorbei: Die Lehre von den zwei »*civitates*« bildet die Grundform der Zwei-Reiche-Lehre. Zu Unrecht aber wird lobend als das entscheidend Neue herausgehoben: Luther habe den ›Dualismus‹ Augustins überwunden.

*Kommentar:* Insofern mit ›Dualismus‹ der Gegensatz zwischen Gottes Reich und Satans Reich gemeint ist, gilt genau das Gegenteil: Luther hat den Dualismus Augustins nicht überwunden, sondern biblisch verschärft. Er hat sich sogar bis an die Grenze einer Verneinung der Omnipotenzlehre vorgewagt. Es gibt bei Luther keine Erörterung zum Problem der zwei Reiche, wo nicht die Chaosmacht des Teufels mitbedacht ist: »Oh, der Teufel hats trefflich böse im Sinn.«[6]

**These 11:** Der Gegensatz zwischen Gottes Reich und Satans Reich ist nicht nur ein Merkmal des angeblich noch Augustin verhafteten jungen Luther. Der Widerstreit der Reiche ist bleibende, zentrale Leitlinie bei der Ausarbeitung der Unterscheidung der zwei Bereiche.

*Kommentar:* Es ist Stellung zu beziehen gegen die oft nur unterschwellige, implizite, aber deshalb um so gefährlichere Deutung der zwei Reiche – Gottes und des Teufels – als ›mittelalterliche Durchgangsphase‹ des jungen Luther. Die Auslegung des Vaterunsers vom September 1528 – eine der wichtigsten Vorarbeiten für den großen Katechismus – wird eingeleitet mit einem traditionskritischen Eingangssatz: »Itzt wollen wir den verstand geben, wie ein iglicher das vater unser verstehen sol. Ego olim dum eram etiam doctor, non intellexi.« Im Jahre 1512 hatte Luther den Verstehenshorizont des Vaterunsers noch nicht erfaßt. Im folgenden heißt es jetzt unmißverständlich: »In pater noster vides duo esse regna contraria: Satanae et mundi regnum contra dei.«[7]

Die Schau vom Großkampf der beiden Reiche wird offenkundig auch an Luthers Widmungsinschrift in die prachtvoll gedruckte »Windsheimer« Bibel. Wohl im Jahre 1536 schenkt Luther ein Exemplar dieser 1535 in Wittenberg gedruckten Lufft-Bibel

---

[6] WA 18, 332, 28; 1525.
[7] WA 30/I, 46, 26–28; 47, 28 f.

nicht zufällig einem Politiker, nämlich dem Ansbacher Kanzler Georg Vogler. Auf dem ersten Blatt faßt Luther als Widmung an den Kanzler die Basis seiner politischen Theologie in kürzester Form zusammen:

Joh. XIX [18, 36]
»Mein Reich ist nicht von dannen« –
das ist: Mein reich ist nicht ein
welltlich Reich. Warumb?
Darumb Das ym Weltlichen Reich das
mehrer teyl sich halten nach des teuffels
reich Wie ps. 2. [, 1 f.] stehet: »Warumb toben
die heiden und die volcker tichten unnutzs
Die könige etc. Aber mein reich
helltet sich gantz nach Gott, wider den
teuffel.

Joh. XI [11, 25]
Ich bin das leben und aufferstehung
Wer an mich gleubet, der sol leben
wenn er gleich stirbet
Domino Georgio Vogler Amicissimo fratri
Martinus Luther Doctor[8]

**These 12.** Es gibt bei Luther keine Entwicklung *weg* vom sogenannten dualistischen Streit zwischen Gott und Satan hin zur Unterscheidung zwischen Gesetz und Evangelium, zwischen Gottes Reich und Weltreich.

*Kommentar:* Die Unterscheidung der verschiedenen Reiche, einmal zwischen Gottes Reich im Gegensatz zum Satansreich und das andere Mal die Unterscheidung in Bereiche von Evangelium und Gesetz, gehört bei Luther untrennbar zusammen. Die Unterscheidung der Bereiche ist gottgesetzt, sie wird vom Satan immer bedroht und unterwandert. Evangelium und Gesetz werden von ihm gezielt vertauscht, und eben auf diese Weise drohen beide Bereiche Gottes, Glaube und Welt, Evangelium und Gesetz, dem Satansreich anheimzufallen.

**These 13:** Was die Unterscheidung von Reichen und Bereichen betrifft, so besteht der durchweg behauptete Gegensatz zwischen Luther und Calvin nicht.

*Kommentar:* Bei der Berufung auf den Genfer Reformator wird leicht übersehen, daß Johannes Calvin, noch bevor er in Buch IV seiner »Institutio« zur Unterscheidung der »administrationes« kommt, in Buch III – bei der Behandlung der »libertas christiana« wie Luther zwischen den Begriffen »Regiment« und »Reich« frei wechselnd – die Bereiche ebenso klar wie Luther unterscheidet.

Zusammenfassend kann er bereits 1536 die notwendige Unterscheidung zwischen »duplex regimen« und »regnum« rhetorisch und poetisch eindrucksvoll bestimmen:

---

[8] Eine vorzügliche Kopie der Widmung verdanke ich DR. MICHAEL SCHLOSSER, Bibliothekar der Stadtbibliothek Bad Windsheim. Siehe jetzt auch: Die Luther-Bibel von 1535 in der Stadtbibliothek Bad Windsheim. Faksimile des Porträts Martin Luthers und der Widmung an Georg Vogler, Bad Windsheim 1983. Die Transskription des Eintrages im Windsheimer Faksimile löst die letzte Zeile auf: Martinus Luther d [donavit].

»Alterum vocare nobis liceat ›regnum spirituale‹, alterum ›regnum politicum‹. Haec autem duo, ut partiti sumus, seorsum singula dispicienda semper sunt … Sunt enim in homine veluti mundi duo, quibus et varii reges et variae leges praeesse possunt.«

In der Ausgabe des Jahres 1543 fügt er als Erläuterung hinzu: »Hac distinctione fiet, ne, quod de spirituali libertate docet Evangelium, perperam ad politicum ordinem trahamus…«[9]

**These 14:** Da es bis in die jüngsten Diskussionen über Abrüstung und Nachrüstung hinein gang und gäbe ist, den mittelalterlichen Luther durch den modernen Calvin zu überwinden, ist festzuhalten, daß Calvin die Analyse der zwei Geltungsbereiche, »libertas coram Deo« und »libertas coram hominibus«, von Luther ohne Abstriche übernommen hat, und zwar so, wie sie der Wittenberger in der Freiheitsschrift und in der Obrigkeitsschrift ausgelegt hatte.

*Kommentar:* Der Satan regiert nach Calvin in einem von Gott eingegrenzten und zugleich kontrollierten Raum »sub Dei manu et imperio«[10]. Was bei Calvin fehlt, ist der *endzeitliche* Dualismus, der bis zum Ende bedingungslose und pausenlose Kampf zwischen Gottesreich und Satansreich. Das ist eine Grunddifferenz, die für alle »loci« erhebliche Folgen zeitigt.

**These 15:** Luthers Zwei-Reiche-Lehre hat ein doppeltes Ziel: Einmal geht es um die Entflechtung von geistlicher und weltlicher Gewalt, das andere Mal um die Legitimation der Obrigkeit als gottgesetztes Amt in einer vom Teufel bedrohten Schöpfung.

*Kommentar:* Das Ziel der Entflechtung entspringt der Frage, wie weit man der Obrigkeit Gehorsam schuldig sei. Luthers Antwort ist in ihrer Unterscheidung eindeutig: Der Christ »für sich« bedarf keines Gesetzes, eben deshalb auch keiner Obrigkeit. Der »Christ für andere« aber braucht Gesetz und Obrigkeit, wie Gott sie in seiner bewahrenden Liebe für die Menschheit verordnet hat.

Zum zweiten antwortet die Zwei-Reiche-Lehre seit dem Ende des Jahres 1527 auf die Herausforderung durch die Täufer, die ebenfalls die von Gott gesetzte Autorität der Obrigkeit in Frage stellen, die – genauso wie der Papst – Gesetz und Evangelium vertauschen. Gegen alte und neue Schwärmer ist zu lehren: Im Bereich des Glaubens gilt absolute Passivität – ohne des Gesetzes Werke. Im Bereich der Welt hingegen ist absolute Aktivität gefordert. Hier ist der Glaube ein »emsig Ding«.

**These 16:** Dieses doppelte Ziel gegen eine doppelte Front erklärt, wie Luther im Rückblick auf seinen Lebensweg sagen kann, daß seit dem Zeitalter der Apostel kaum ein anderer »so herrlich und nützlich« über die Obrigkeit gelehrt habe wie er.

*Kommentar:* Genau hier – und erst hier – liegt die Verbindung von Zwei-Reiche- und Drei-Stände-Lehre, wo Luthers politische Theologie konkret Stellung nimmt zu Fragen der gesellschaftlichen und politischen Ordnung. Als politischer Theologe ist ihm der Ehrentitel »Doctor bonorum operum« nicht streitig zu machen.

**These 17:** Durch die Vermischung der zwei Regimente bedroht das Satansreich sowohl Kirche als Welt.

---

[9] Institutio III, 19, 15.
[10] Institutio I, 18, 1.

*Kommentar:* Der Satan bewirkt jene perverse Verwechslung, die den Christen zur
›gnadenlosen‹ Aktivität im Bereich des Glaubens treibt und ihn zum ›frommen‹ Rückzug aus der Welt verführt. Die Verwechslung der Bereiche führt zur Verachtung der
Schöpfung, zum Chaos in der Welt, zum Aufruhr in der Gesellschaft.

**These 18:** Mit Blick auf die Bedeutung der Zwei-Reiche-Lehre heute ist schließlich
auf zweierlei Ergebnis der historischen Arbeit hinzuweisen: Der Christ wird in den
Dienst der Welt gestellt, die Welt wird zugleich entteufelt und auf diese Weise säkular.

*Kommentar:* Der Dienst des Christen in der Welt bezieht sich für Luther auf die
Erhaltung von Recht und Schutz für Mensch und Schöpfung, beide immer vom Satan
bedroht. Im Glauben ist der Christ für Zeit und Ewigkeit geborgen. Der Glaube
beschenkt den Christen mit Freiheit und macht ihn liebesfähig, allerdings ohne ihn mit
einem Wissensvorsprung auszustatten im Umgang mit Familie und Erziehung, mit
Wirtschaft, Politik und Staat. Der Christ ist verwiesen auf die Koalition mit Nichtchri-
sten, die bereits für Luther die große Mehrheit im »Corpus Christianum« bilden. Der
wahre Christ ist nur ein seltener Vogel, eine »rara avis«.

Die Verschärfung des augustinischen »Dualismus« führt zu einer grundlegenden,
eben reformatorischen Umwertung von Welt, Weltlichkeit und weltlichem Dienst.
Nicht nur die Obrigkeit wird in unmittelbare Beziehung zu Gott gestellt, sondern das
weltliche Amt als solches. Der Dualismus führt bei Luther nicht zur Verteufelung der
Welt, sondern zur Verweltlichung, d. h. Entdiabolisierung der Welt im Dienste Gottes.
Im Spiegel der dämonischen Zerstörermacht des Satans werden beide Bereiche, Evangelium und Gesetz, Glauben und Werk, Versöhnung und Schöpfung, unter Gottes Fürsorge und im Bereich der Welt zugleich unter menschliche Sorge gestellt – dem Teufel
zum Trotz: Halte fest an Christus, gegenwärtig und mächtig – überall im Himmel wie
auf Erden. Verhöhne und verspotte den Teufel in seinem ganzen grausigen Herrschafts-
anspruch. – »Invocato Christo ubique praesente et potente, insulta et ride ferociam et
arrogantiam eius [= Sathanae]...«[11]

---

[11] WA. B 4, 205, 17 f.; 1527.

# 2 Luther und die Fürsten

Eike Wolgast

# 2.1 Luther und die katholischen Fürsten

Luther hat es immer als sein besonderes Verdienst angesehen, der weltlichen Gewalt wieder zu ihrem Recht und Eigengewicht gegenüber dem geistlichen Stand verholfen zu haben: »Ich (habe) von der weltlichen öberkeit also herlich und nützlich geschrieben..., als nie kein lerer getan hat sint der Apostel zeit (Es were denn S. Augustin), des ich mich mit gutem gewissen und zeugnis der Welt rhümen mag.«[1] Deutlich wird seine Neubewertung insbesondere durch die Kontrastierung mit dem bisherigen Urteil über die Obrigkeit als »heidenisch, menschlich ungötlich ding, als were es ein ferlicher stand zur seligkeit.«[2] Weltliche Obrigkeit war für Luther vor allem – neben den reichsstädtischen Magistraten – mit monarchischer Herrschaft gleichbedeutend. Zwar wußte er durchaus, daß die fürstliche Regierungsform nicht die einzige Möglichkeit war, Gottes Ordnung in der Welt aufrechtzuerhalten,[3] aber sie war seinem Anschauungs- und Erfahrungsbereich gemäß die übliche und entsprach im übrigen auch seinem Verständnis von Befehl und Gehorsam am ungebrochensten.

## I. Luthers Vorstellungen vom fürstlichen Amt und seine Beziehungen zu altkirchlichen Fürsten

Um Luthers Auffassung vom Fürstenamt kurz in Erinnerung zu rufen: Der Fürst amtiert als Diener Gottes,[4] das ius gladii ist ihm von Gott verliehen. Damit steht die weltliche Gewalt ebenso unter Gott wie die geistliche, beide haben unterschiedliche Aufgabenbereiche, für die sie jeweils gleichermaßen von Gott legitimiert sind. Der weltlichen Herrschaft ist die umfassende Sorgepflicht für das Gemeinwohl übertragen, sie soll die Schöpfung Gottes gegen Chaos und Unordnung beschützen durch Friedenswahrung und Kriegführung, Rechtsprechung und Sozialfürsorge; zudem hat sie, wenn der Fürst Christ ist, als Glied der christlichen Gemeinde Hilfsfunktionen für den

---

Die Anmerkungen beschränken sich auf die notwendigsten Angaben und beanspruchen keine Vollständigkeit.

[1] WA 30/II, 110, 1 ff.
[2] Ebd. 109, 7 f.
[3] Vgl. etwa WA 6, 292, 9 ff.
[4] Bis hin zur Zuspitzung gegenüber Karl V.: »Principes terreni« als »imagines coelestis [principis]«; WA. B 2, 176, 17 f.

geistlichen Lebensbereich zu leisten, indem sie die äußeren Bedingungen für die Wortverkündigung schafft.

Zur Erfüllung dieser Aufgaben – bis auf die »cura religionis« – mußte der Amtsinhaber nicht unbedingt Christ sein. Auch die nichtchristliche Obrigkeit war für Luther
rechtmäßige Obrigkeit. Weltliche Herrschaft sollte von der Vernunft, nicht vom Glauben geleitet werden. Dennoch hat Luther sich, wie es seinem Selbstverständnis als
Seelsorger entsprach, vorwiegend an den christlichen – und christlich war in seinem
Verständnis gleichbedeutend mit evangelisch – Fürsten gewendet, wenn er die Aufgaben weltlicher Obrigkeit erörterte.[5] Über die Möglichkeit des Christseins der Fürsten
hat er allerdings zeitlebens eher skeptisch geurteilt: »Geredt nu eyn furst, das er klug,
frum odder eyn Christen ist, das ist der grossen wunder eyns und das aller theurist
zeychen gotlicher gnaden uber das selb landt«, stellte er 1523 fest, als in der Tat der
evangelische Fürst noch eine Seltenheit war.[6] Aber auch 1540 fiel das Urteil nicht besser
aus: »Hohe Fürsten stende..., wo eyner oder zween Christlich sind, die sind Wilt pret
im Himmel, die andern alle bleiben helle brende mit dem teuffel.«[7]

Dem christlichen Fürsten empfahl Luther, sein Amt unter vier Orientierungen zu
führen: der Orientierung auf Gott mit Vertrauen und Gebet und mit Ausrichtung auf
Christus als Vorbild seines Handelns, auf die Untertanen mit Liebe und christlichem
Dienst, auf die Räte und Großen mit Vernunft und Verstand, auf die Übeltäter mit
angemessener Strenge.[8] Aufgabe des ordentlich berufenen Predigers war es, die Fürsten
an ihre Pflicht zu erinnern und Versäumnisse öffentlich zu strafen.[9] Diese doppelte
Aufgabe, Unterrichtung des Gewissens und Tadel bei Fehlverhalten, zu der er sich
durch den Auftrag Mt 28, 19 f. legitimiert sah, hat Luthers Verhältnis zu den Fürsten
seiner Zeit bestimmt.

Luthers politisches Denken basierte auf dem »schwachen Territorialstaat des
16. Jahrhunderts«[10] im Gegensatz zum zentralisierten Großstaat Westeuropas. Sein
unmittelbarer Anschauungsbereich erstreckte sich auf den mitteldeutschen Raum, vor
allem die seit 1525 evangelischen Territorien Kursachsen und Hessen sowie die bis 1539
katholischen Territorien Kurbrandenburg und Sachsen, daneben das Hochstift Magdeburg. In Absprache mit dem zweiten Referenten zum Rahmenthema »Luther und die
Fürsten« geht es im folgenden um Luthers Beziehungen zu den katholischen Fürsten.
Daß diese Beziehungen von vornherein anders, weit weniger positiv waren als zu den
evangelischen Fürsten, liegt auf der Hand. Luther erscheint hier häufig nur noch als

---

[5] Insbesondere der dritte Teil von »Von weltlicher Obrigkeit« wendet sich ausdrücklich an den
christlichen Fürsten; vgl. WA 11, 271, 27 ff.

[6] Ebd. 268, 11 ff.; vgl. auch ebd. 267, 30 f.; 273, 34 ff.

[7] WA 51, 406, 26 ff.; der Vergleich mit dem Wildbret als Bezeichnung der Seltenheit begegnet
auch schon 1523; vgl. WA 11, 273, 31.

[8] Vgl. ebd. 273, 7 ff.

[9] Vgl. WA 31/I, 196, 4 ff.; vgl. auch WA 30/III, 129, 24 ff.

[10] HAJO HOLBORN, Machtpolitik und lutherische Sozialethik: ARG 57 (1966), S. 24. Nicht
eingegangen wird im folgenden auf Luthers Vorstellungen vom Verhältnis Kaiser-Fürst und deren
Wandel; vgl. dazu EIKE WOLGAST, Die Wittenberger Theologie und die Politik der evangelischen
Stände, Gütersloh 1977 (QFRG 47), S. 40 ff.; WOLFGANG GÜNTER, Martin Luthers Vorstellung von der Reichsverfassung, Münster 1976 (RGST 144), S. 31 ff.

Kontroverstheologe und Polemiker, vor allem wenn seine Versuche, altkirchliche Fürsten für die neue Lehre zu gewinnen oder sie wenigstens zur Freigabe der evangelischen Predigt in ihrem Territorium zu bewegen, vergeblich geblieben waren. Von Respekt vor Amt und Rang war dann nicht mehr viel zu spüren. Allerdings hat sich Luther immer entschieden gegen den Vorwurf zur Wehr gesetzt, seine Angriffe auf Person und bestimmte Regierungsakte eines Fürsten untergrüben dessen Autorität als weltlichen Landesherrn. Er mußte jedoch bei seinen Polemiken häufig ein beträchtliches Maß an Differenzierungsvermögen voraussetzen, von dem keineswegs sicher war, daß jeder seiner Leser oder Hörer auch wirklich darüber verfügte. Luther war sich jedenfalls sicher, daß, wenn er Georg von Sachsen als »des Teufels Apostel« bezeichnete, der »sampt seinen helffern für unsern augen (des wir gewis sein müssen) verdampt, jnn abgrund der hellen feret«, er dessen Qualität als »löblicher ehrlicher Fürst des Reichs« nicht antastete.[11] In der Tat widersprach es Luthers Obrigkeitsbegriff, zum aktiven Widerstand gegen die altkirchlichen Fürsten wegen ihrer Glaubensüberzeugung oder ihrer weltlichen Handlungen aufzurufen; nur gewissenszwingenden Befehlen wie der Ablieferung von evangelischem Schriftgut oder der Kommunion unter einer Gestalt durfte nicht gehorcht werden. Die Folgen des Ungehorsams und der Verweigerung waren mit Bekenntnis der Wahrheit ohne Gewaltanwendung hinzunehmen.

Eine Sondergruppe im altkirchlichen Teil des deutschen Reichsfürstenstandes bildeten die Bischöfe, die als Inhaber von Spiritualia und Temporalia eine in der römischen Kirche und in der Staatenwelt des 16. Jahrhunderts einmalige Doppelstellung einnahmen. Dieser zweifache Status als weltlicher Landesherr und geistlicher Oberhirte warf grundsätzliche Probleme auf, denen sich Luther zu stellen hatte.

Die Beziehungen Luthers zu den altkirchlichen Fürsten werden im folgenden vor allem am Beispiel Georgs von Sachsen und daneben an den geistlichen Fürsten, insbesondere Albrecht von Mainz, erörtert. Georg und Albrecht waren Gegenstand besonders intensiver Auseinandersetzung für Luther; beide haben sich unterschiedlich zur Herausforderung durch Luther und die reformatorische Bewegung verhalten. Mit Georg und Albrecht traf Luther zugleich Angehörige der zwei wichtigsten Dynastien seines politischen Umfelds – von Wittenberger Angriffen mußten sich Wettiner und Hohenzollern in mehr oder weniger großer Familiensolidarität mitbetroffen fühlen.

Die Berührungspunkte Luthers mit anderen katholischen Fürsten sind sehr viel geringer gewesen als mit Sachsen und Mainz. Bei Bischöfen fehlen sie nach der Anfangszeit der Reformation naturgemäß ganz, zu Joachim I. von Brandenburg waren die Beziehungen bestimmt durch das Auftreten Luthers gegen dessen persönliches Fehlverhalten in der Hornung-Affäre, nicht wegen seiner Maßnahmen gegen die Ausbreitung der Reformation in seinem Territorium. Heinrich von Braunschweig-Wolfenbüttel ist erst überraschend spät in Luthers Blickfeld getreten, dann aber in »Wider Hans Worst« um so massiver angegriffen worden; in der Trias »Papst, Heinz und Mainz« gehörte er seither als »Mordbrenner« zu den altkirchlichen Standardfeinden der Reformation in der Polemik Luthers. Die Herzöge von Bayern lagen, obwohl entschlossene Gegner der Reformation, fast ganz außerhalb seines Blickfelds.

---

[11] WA 38, 99, 24 f.; 112, 13 ff.

## II. Georg von Sachsen

Die Beziehungen zwischen Luther und Georg von Sachsen haben einen sich stetig steigernden feindlich-aggressiven Verlauf genommen.[12] Dabei schienen zunächst die Voraussetzungen für ein Zusammenwirken durchaus gegeben zu sein. Wie Luther erkannte Georg die schweren Schäden der Kirche und hatte schon seit Beginn seiner Regierung die »cura religionis« und die landesherrliche Verantwortung für das Seelenheil seiner Untertanen ernsthaft wahrgenommen. Von dieser Voraussetzung her beurteilte er Luthers Romkritik und Reformverlangen durchaus positiv, zumal er auf diesem Felde selbst tätig war; seine für den Reichstag 1521 aufgestellten Gravamina übten scharfe Kritik an den römischen Finanzpraktiken, am Verkauf des Ablasses – durchaus mit theologischer Begründung: Verkauf von Gnade, die doch mit Fasten, Beten und Werken der Nächstenliebe erlangt werden solle – und an den Übergriffen der geistlichen Gerichtsbarkeit.[13] Wie andere Landesfürsten bemühte er sich angesichts des Versagens der kirchlichen Amtsträger, episkopale Funktionen an sich zu ziehen und die notwendigen Reformen in seinem Lande selbst durchzuführen, insbesondere die Übertretung des Zölibats und regelwidriges Klosterleben zu strafen. Ein Beispiel: Im Juni 1517 befahl er seinem Amtmann auf dem Schellenberg, zwei Pfarrern das Konkubinat zu verbieten: »Dann abwol der bischof (von Meißen) dorinn nicht sehen wolde, so werden dannoch wir geursacht, also doreyn zu sehen, das solche unzucht von pristern in unserm furstentum nicht gestattet nach zugesehen wurde.«[14] Da das immer wieder von ihm geforderte Konzil ausblieb, hat der Herzog noch in seinen letzten Lebensjahren, unbeeinflußt durch die Proteste der Prälaten auf den Landtagen, die Klöster seines

---

[12] Die Stellung Georgs zur Reformation ist bis 1527 vorzüglich dokumentiert; vgl. FELICIAN GESS (Hg.), Akten und Briefe zur Kirchenpolitik Herzog Georgs von Sachsen, Leipzig I.II, 1905–1917. Über Georg von Sachsen vgl. NDB 6 (1964), S. 224 ff. (ELISABETH WERL); OTTO VOSSLER, Herzog Georg der Bärtige und seine Ablehnung Luthers, in: ders., Geist und Geschichte, München 1964, S. 9 ff. (zuerst in HZ 184/1957, S. 272 ff.); zuletzt mit erschöpfender Zusammenstellung der Literatur: GÜNTER WARTENBERG, Luthers Beziehungen zu den sächsischen Fürsten, in: HELMAR JUNGHANS (Hg.), Leben und Werk Martin Luthers von 1526 bis 1546, Berlin-DDR I, 1983, S. 562 ff. sowie TRE XII (1984), S. 385 ff. (HELMAR JUNGHANS). Zur Auseinandersetzung Luther-Georg vgl. die Zusammenstellung der einschlägigen Texte bei HERMANN KUNST, Evangelischer Glaube und politische Verantwortung. Martin Luther als politischer Berater, Stuttgart 1976, S. 288 ff. Vgl. auch WA 58, 275 ff. (Zitatezusammenstellung).
[13] Vgl. DRTAJR 2, S. 662 ff. Bei GESS (Anm. 12) I und II finden sich zahlreiche Beispiele für die Bemühungen Georgs um die Einschränkung der geistlichen Gerichtsbarkeit, besonders drastisch 1502 die zeitweilige Temporaliensperre für den Bischof von Meißen wegen Mißbrauchs der geistlichen Gerichtsbarkeit, vgl. Gess I, S. LXVI Anm. 1.
[14] Gess (Anm. 12) I, S. 16.

Landes visitieren lassen, und zwar durch eine Kommission aus Laien.[15] Aber alle Reformen Georgs blieben erklärtermaßen im Rahmen der kirchlichen Ordnung, sie wollten diese Ordnung nicht sprengen, sondern festigen und gegen Angriffe widerstandsfähiger machen.[16] Georg sah auch Luther zunächst als Reformer innerhalb der kirchlichen Ordnung,[17] begrüßte daher dessen Thesen gegen den Ablaß[18] und setzte gegen die theologische Fakultät und den zuständigen Bischof die Abhaltung der Leipziger Disputation durch.[19] Zwar ist er durch Luthers Eintreten für Hus und durch Johann Ecks Vorwurf des Hussitismus gegen Luther während der Debatte aufgeschreckt worden, beruhigte sich aber, als Luther ihm in einem vertraulichen Gespräch auf seine Aufforderung, gegen die böhmischen Utraquisten zu schreiben, um sich von der Verdächtigung der Sympathie mit ihnen zu reinigen, eine solche Schrift zusagte.[20] Noch die kirchen- und romkritischen Passagen der Adelsschrift hat Georg positiv aufgenommen.[21]

Der Bruch des Herzogs mit Luther vollzog sich Ende 1519/Anfang 1520, nachdem Luther nicht nur nicht gegen die Böhmen geschrieben, sondern im »Sermon von dem hochwürdigen Sakrament des heiligen wahren Leichnams Christi und von den Bruderschaften« für die Kelchgewährung an Laien eingetreten war. Die Verhängung des Bannes war für Georg verbindlich; trotz seiner antikurialen Kritik sah er in Rom die letztlich zuständige Instanz für einen Urteilsspruch in theologischen Streitfragen. Seit Luther als Ketzer rechtskräftig und ordnungsgemäß verurteilt war, gab es für ihn keinen Zweifel mehr. Er entschied sich für die Frömmigkeit, die den Zusammenhang mit der Kirche nicht aufgab, und damit gegen Luther. Sein abschließendes Urteil hat Georg Ende 1521 zusammenfassend formuliert: Die »Martinische lere, doraus er leret und predigt« ist »durch unsern allerhailigsten vater den babest, auch ksl. mt., u.

---

[15] Vgl. FELICIAN GESS, Die Klostervisitationen des Herzog Georg von Sachsen, Leipzig 1888, S. 27 ff. Die Visitation begann 1535, erst 1537 wurde auf Wunsch der Prälaten den beiden Leipziger Juristen ein Geistlicher zugeordnet. Zu Georgs Klosterreformen vor 1517, die im Zusammenwirken mit dem zuständigen Bischof erfolgten, nachdem die Kurie seine Bitten von 1500 und 1503, eigenständige Klostervisitationen vornehmen zu dürfen, abgeschlagen hatte, vgl. ebd. S. 8 ff.; vgl. auch INGETRAUT LUDOLPHY, Die Ursachen der Gegnerschaft zwischen Luther und Herzog Georg von Sachsen: LuJ 32 (1965), S. 30 ff.

[16] Dem widerspricht nicht, daß Georg notfalls auch ohne Mithilfe der zuständigen geistlichen Autoritäten vorging, wie besonders die Klostervisitation seit 1535 zeigt.

[17] Vgl. noch GEORGS Vorrede zu EMSERS Übersetzung des NT, 1. Aug. 1527: »Wiewol Luther die sach örstlich anfing mit eym scheyn eyner vormeynten reformation und besserung der mißbreuche...« (GESS [Anm. 12] I, S. 776). Noch in der Proposition für den Ausschußtag Jan. 1539 spricht der Herzog davon, daß Luther, das Werkzeug des Teufels, »ersthlich um etzlicher mißbreuche willen sich unndderstannden, darwiedder zu schreiben, als gesch es aus evangelischem eiffer« (WOLDEMAR GOERLITZ, Staat und Stände unter den Herzögen Albrecht und Georg 1485–1539, Leipzig–Berlin 1928, S. 552).

[18] Vgl. ELISABETH WERL, Herzog Georg von Sachsen, Bischof Adolf von Merseburg und Luthers 95 Thesen: ARG 61 (1970), S. 66 ff.

[19] Vgl. die Aktenstücke bei GESS (Anm. 12) I, S. 52 ff.

[20] So Georg selbst 1525 in seinem Brief an Luther; vgl. WA. B 3, 648, 91 ff.

[21] Vgl. GESS (Anm. 12) I, S. 139.

allergn. h., zu lesen, zu leren verpoten, als ketzerisch offentlich verbrant und von vilen hochgerumten universiteten untüchtig und verdamlich erkant.« Ihre Anhänger bringen nur vor, »das vor vil hundert jaren ketzerisch und verdamlich ... gehalten, als den glauben under beyder gestalt communiciren und den rechten Pigkartglauben anzunemen, und wollen also allen gehorsam in der Christlichen kirchen und amten der hailigen messe zerstoren.«[22] Die Gewissensskrupel als Enkel Georg Podiebrads sollten bei dieser Entscheidung nicht allzu hoch veranschlagt werden;[23] unabhängig von diesem persönlichen Moment gab es im Meißener Land eine alte Tradition der Hussitenfurcht und der Sorge vor dem geistlichen Einfluß aus Böhmen.[24]

Gegen die reformatorische Bewegung sprachen bei Georg auch sein ausgeprägter Sinn für Ordnung, Recht und Herkommen; Luther schien nur Chaos, Verachtung der Normen und Zerstörung der Grundlagen menschlichen und staatlichen Zusammenlebens zu bringen. Von Luthers theologischem Neuansatz blieb Georg offensichtlich ganz unbeeindruckt; er fühlte sich in der Kirchenfrömmigkeit sicher und verfügte über ein eigenes konsistentes Reformkonzept, mit dem er selbstbewußt dem von ihm abgelehnten subjektiven Anspruch eines Einzelnen, der gegen die ganze Kirche recht zu haben behauptete, entgegentrat.[25]

Fraglos beeinflußten auch politische Erwägungen Georgs Entscheidung gegen die Reformation, vor allem die bei den Albertinern traditionelle Treue zum Hause Habsburg. Welche Bedeutung die Rivalität zur ernestinischen Verwandtschaft gehabt hat, ist schwer auszumachen. Luther hat sich in seinem Kampf gegen Georg jedenfalls nicht als Exponent der kurfürstlichen Politik gefühlt, umgekehrt hat der Herzog die Situation 1522/23 – entgegen Luthers späteren Beschuldigungen[26] – offensichtlich nicht ausgenutzt, um die Verwandten wegen der abweichenden Religion zu seinen Gunsten von

---

[22] Ebd. S. 227; an Rat und Gemeinde zu Döbeln, die er beschuldigte, einen evangelischen Prediger angehört zu haben, »der doch wieder in klaydung noch platen befunden und fur ein priester nit anzusehen gewest, auch eyn grossen bart treget, enlicher eim strauchdieb dann einem priester.« Daß Luthers Sache nach Bann und Acht nicht mehr »offen«, sondern als Ketzerei verurteilt sei, hat Georg noch 1525 gegenüber dem neuen Kurfürsten Johann hervorgehoben; vgl. ebd. II, S. 322.

[23] Bei ELISABETH WERL, Herzogin Sidonia von Sachsen und ihr ältester Sohn Herzog Georg: HerChr 2 (1959), S. 8 ff. wird unter starker Zuhilfenahme von Vermutungen und psychologischen Ausdeutungen auf diese Skrupel wegen des ketzerischen Vaters bzw. Großvaters abgehoben, ohne daß die zitierten Briefe Sidonias an ihren Sohn dafür eine Stütze bieten. Sichtbar wird aus diesem Briefwechsel die sehr massiv-materielle Frömmigkeit der Herzogin, die in dieser Weise nicht auf Georg übergegangen ist.

[24] Vgl. ALBRECHT LOBECK, Das Hochstift Meißen im Zeitalter der Reformation, Köln 1971, S. 46 ff. 54. 56. 61.

[25] Auf die Bedeutung des eigenständigen Reformkonzepts für das Selbstbewußtsein Georgs gegenüber Luther hat vor allem VOSSLER (Anm. 12), S. 23 ff. hingewiesen. – Im Dezember 1518 hat der Herzog den Kurfürsten vor der »groß vermessenheit« Luthers gewarnt, der seine Lehre durch den Druck verbreite, »gleich als wer ni keiner gwest, der disses vorstanden, als her, und het nimant dy gnad ghat, dy warheyt zcu sagen, den her« (GESS [Anm. 12] I, S. 111).

[26] Vgl. WA. TR 2, 74, 7 f.; 498, 10 f.

der Kurwürde zu verdrängen.[27] Die zahlreichen nachbarlichen Reibungen zwischen den sächsischen Territorien sind aber durch die Konfessionsspaltung fraglos vertieft und über den je aktuellen Anlaß hinaus bis aufs Grundsätzliche zurückgeführt worden, denn territoriale Zugehörigkeit umstrittener Gebietsteile entschied auch über deren Konfession. Damit war jedesmal das religiöse Interesse der Streitbeteiligten herausgefordert. Daß die Universität Wittenberg als Trägerin der neuen Lehre die Konkurrenz zu Leipzig darstellte, hat dagegen vermutlich keine oder höchstens eine sehr nebensächliche Rolle bei der Glaubensentscheidung des Herzogs gespielt.

In den Auseinandersetzungen zwischen Georg und Luther, die Ende 1519 begannen und bis in die dreißiger Jahre dauerten, trafen zwei unterschiedliche Legitimationen aufeinander: das reformatorische Selbstbewußtsein Luthers, gestützt auf sein Doktorat und sein Amt als Prediger des Wortes Gottes, und das landesfürstliche Selbstbewußtsein Georgs, der an den Ordnungen der Kirche festhielt und sich verpflichtet wußte, Schaden von Land und Leuten fernzuhalten. Ein Ausgleich zwischen diesen beiden Ansprüchen war von vornherein nur durch die Kapitulation einer Seite denkbar.

Die Auseinandersetzungen entzündeten sich zumeist an Äußerungen Luthers, die ihrerseits aber häufig durch Maßnahmen Georgs hervorgerufen worden waren. Auf sehr verschiedenartige Weise versuchte der Herzog sein Territorium gegen die reformatorische Bewegung abzuschirmen.[28] Abtrünnige und verheiratete Priester wurden verhaftet und dem zuständigen Bischof übergeben – gelegentlich offensichtlich zu dessen

---

[27] In den Planitz-Berichten ist zwar mehrfach seit Anfang 1523 von der Gefahr der Aberkennung der Kurwürde die Rede, nirgends aber davon, daß Herzog Georg dies zu seinen Gunsten betreibe. Nur Ferdinand und seine Berater planten angeblich im Juli 1523, durch Kaiser und Papst den Kurfürsten Friedrich »zu entseczen von der cuhr und herzog Yorgen zuzueigen«; ERNST WÜLCKER/HANS VIRCK (Hg.), Des kursächsischen Rathes Hans von der Planitz Berichte aus dem Reichsregiment in Nürnberg 1521–1523, Leipzig 1899, S. 477. Andere Pläne gingen dahin, die sächsische Kur an das Haus Österreich zu bringen; vgl. ebd. S. 330. In einer Unterredung mit Planitz hat Georg im Juli 1523 diesen benachrichtigt, man erwäge, »das man die cuhr vom haus Sachsen nemen ... und einem anderen zueigenen wolde« wegen der Unterstützung Luthers; vgl. ebd. S. 485. Noch zu Ende 1524 läßt Herzog Georg seinen Vetter von Praktiken unterrichten, ihn der Kurwürde zu entsetzen; vgl. GESS (Anm. 12) I, S. 767.

[28] Vgl. GESS (Anm. 12) I und II, passim. GÜNTER WARTENBERG, Die Leipziger Religionsgespräche von 1534 und 1539, in: GERHARD MÜLLER (Hg.), Die Religionsgespräche der Reformationszeit, Gütersloh 1980 (SVRG 191), S. 35, weist zu Recht darauf hin, daß Georgs Politik, die Unterdrückung der evangelischen Bewegung zu verbinden mit Reformen der alten Kirche, eine Vorwegnahme der Methoden der Gegenreformation bedeute; vgl. auch VOSSLER (Anm. 12), S. 9: Sachsen als »Geburtsland der Gegenreformation«. Herzog Georg hat 1521 Friedrich dem Weisen gegenüber seine Aktivität gegen die neue Lehre, deren Frucht es sein werde, daß »zcu letczt ... och got mit seynen heyligen nicht sicher sein« werde, gerechtfertigt: »Bsorg, unsser her got wert von den, dy es billich weren solten und nicht thun, groß rach fordern«; GESS (Anm. 12) I, S. 207. Daß er seine selbstgewählte Aufgabe nicht aus Streitlust übernommen hatte, zeigt seine Auskunft gegenüber dem Bischof von Straßburg Aug. 1525: »Ich hab gdocht, ich wold gern frid haben, so macht mich dy luterisch sach zcu eynem kriger, got weis, mit wessen lost«; ebd. II, S. 374.

Verlegenheit;[29] entsprechendes geschah mit ausgetretenen Mönchen. Untertanen, die evangelische Prediger hörten oder ausgelaufene Ordensangehörige begünstigten, mußten mit Geld- oder Haftstrafe rechnen, ebenfalls Fastenbrecher und Sakramentsverweigerer.[30] Universitäten, auf denen Irrlehren vorgetragen wurden, durften von sächsischen Untertanen nicht besucht werden.[31] Evangelische Adlige sollten gezwungen werden, ihre im Herzogtum Sachsen gelegenen Besitzungen und Lehen aufzugeben und auszuwandern.[32] Allerdings hat Georg niemals jemanden wegen seiner abweichenden Glaubensüberzeugung getötet; Haft, Geldbuße und Landesverweisung blieben die strengsten Strafen.

Neben die Repressionen traten positive Maßnahmen, um das alte Kirchenwesen zu stützen und durch Reformen den Kritikern das Wasser abzugraben. Durch die Heiligsprechung Bennos von Meißen sollte die Frömmigkeit vertieft werden, die Untertanen wurden zur Osterkommunion angehalten, und der Erfolg wurde kontrolliert. 1535 kam eine durchgreifende Klostervisitation in Gang. Der Herzog zeigte sich – und das beweist, wie ernst ihm die Sache war – auch durchaus bereit, selbst wirtschaftliche Nachteile für sein Land in Kauf zu nehmen, wenn es um die Fernhaltung fremder Lutheraner oder die Landesverweisung evangelisch gewordener Untertanen ging.[33]

Herzog Georg ist selbst gegen Luther literarisch tätig gewesen,[34] daneben ließ er Cochlaeus, Emser u.a. gegen die reformatorische Bewegung schreiben. Bei den reichlichen gegenseitigen Beschuldigungen, die sich in Traktaten und Briefen finden, fühlte sich Georg besonders von dem Vorwurf Luthers betroffen, er sei ein Evangeliumsfeind und Tyrann, während Luther sich vor allem gegen den Vorwurf der Aufruhrpredigt,

---

[29] Vgl. Albrecht von Mainz zu Johann von Sachsen, Nov. 1524: »Das man die pfaffen myr gefanen brynhet, das geschich an meyn geheis und sich es auch nit gern und ich mus mich besorgen vorm babst und keyser«; GESS (Anm. 12) I, S. 768; vgl. auch ebd. 392 f.

[30] Evangelische Gesinnung, die sich in Predigthören oder Unterstützung evangelischer Geistlicher zeigte, wurde mit Gefängnis bis zu vier Wochen oder mit Geldbuße bestraft; besonders drastisch vgl. ebd. I, S. 503. 514. Übertretung der Fastengebote brachte 1523 vier Wochen Gefängnis bei Wasser und Brot ein (ebd. S. 554).

[31] Vgl. ebd. I, S. 269 ff. (gedrucktes Ausschreiben vom 10. Febr. 1522).

[32] So 1532. Im Gegenzug verhängte Johann Friedrich von Sachsen dieselbe Maßnahme über katholische Adlige seines Gebiets. Der Streit wurde durch Kompromiß beigelegt; vgl. WA. B 7, 384 Anm. 4.

[33] 1524 klagten die Leipziger Buchdrucker und -verkäufer über den Niedergang ihres Gewerbes durch das Verbot lutherischer Bücher: »Denn welchs man gerne kouft und darnach die frage ist, mussen sie nit haben noch vorkaufen; was sie aber mit großen houfen bey sich liegen haben, dasselbig begert nymands und wenn sie es auch umbsust geben wolten«; GESS (Anm. 12) I, S. 641 (Rat der Stadt Leipzig an Herzog Georg, 7. Apr. 1524). 1524 und 1525 verweigerte Georg das Geleit für lutherische Kaufleute aus Magdeburg, die zur Leipziger Messe ziehen wollten; vgl. ebd. I, S. 737 f.; II, S. 402. Offenbar als Strafe Gottes dafür, daß Luther ungehindert unchristliche Dinge predige und schreibe, sah Georg den Verfall der Bergwerke an; vgl. WÜLCKER-VIRCK (Anm. 27), S. 73; vgl. auch ebd. S. 91 f.

[34] Vgl. dazu erschöpfend HANS BECKER, Herzog Georg von Sachsen als kirchlicher und theologischer Schriftsteller: ARG 24 (1927), S. 161 ff. Die Urteile BECKERS sind allerdings von konfessioneller Voreingenommenheit getrübt.

den Georg mit Vorliebe erhob, verwahrte. Letztlich hielt jeder den anderen für des Teufels Werkzeug.

Die Initiative zu den aktuellen Konflikten lag fast jedesmal beim Herzog, der gegen Äußerungen Luthers intervenierte und damit häufig massive Reaktionen von Wittenberger Seite hervorrief. Dabei schlug er, vor allem in der Frühzeit, mehrere Wege nebeneinander ein. Er beschwerte sich beim Kurfürsten, erkundigte sich bei Luther selbst nach der Richtigkeit eines Sachverhaltes und rief außerdem das Reichsregiment an. Die Beschwerden beim Landesherrn Luthers waren zumeist von einem Appell an die dynastische Solidarität begleitet,[35] und in der Tat hat Luther die Kurfürsten durch seine Polemik gegen Georg mehrfach in Verlegenheit gebracht und zum Eingreifen veranlaßt. So wurde ihm 1529 untersagt, ohne vorherige Zustimmung des Hofes irgendetwas gegen Herzog Georg drucken zu lassen;[36] ebenso wurde er, um den Konflikt von 1531 zu schlichten, nach dem ersten Grimmaer Spruch ersucht, nicht weiter in der bisherigen Weise gegen Georg zu Felde zu ziehen.[37] Der zweite Grimmaer Machtspruch 1533 verbot dann allgemein alle Schmähbücher und Schmähbriefe gegen die Fürsten und ihre Untertanen sowie »andere beschwerliche Handlungen«[38]. Selbst Johann Friedrich, der weit weniger als seine Vorgänger bereit war, dynastische Solidarität zu üben, mahnte Luther 1534, Herzog Georg »namhaftig anzuziehen soviel muglich (zu) verschonen.«[39] Luther ist, wenn der Herzog sich unmittelbar oder über den Kurfürsten an ihn wandte, mehrfach ausgewichen, weil er sich Georg gegenüber nicht zur Rechenschaft verpflichtet fühlte, aber auch, weil er nicht bereit war, Irrtümer zuzugeben oder überspitzte Formulierungen zurückzunehmen, die ihm in der Hitze der Polemik unterlaufen waren.[40]

Daß die Beschwerden beim Reichsregiment erfolglos blieben, hat Georg zu bitteren Worten über die Feigheit der Fürsten veranlaßt.[41] »Was sollen wir die Turcken vorjagen, so wir einem armen monch nicht widerstehn konnen? Wie sal ein arm man zu recht kommen, so ein keyserlich regiment nicht recht bekomen kan?«[42] Der Untätigkeit des Regiments stellte er die eigene Aktivität gegenüber: »Uns dunkt, gottes ehre, unsers herren, und unser eygen ehre umb eynes armen ausgelaufen monchs willen zu verges-

---

[35] Vgl. als Beispiel an Kurfürst Friedrich, 27. Jan. 1523: »... als unsers vettern, obersten haubt des hauses zu Sachssen«; GESS (Anm. 12) I, S. 452; vgl. auch ebd. 486.

[36] Vgl. WA. B 5, 7 f.; 8, 10 ff.

[37] Die Schlichtung von Verstimmungen zwischen Ernestinern und Albertinern in der »causa Lutheri« hatte Friedrich von Sachsen schon 1523 vorgeschlagen; vgl. GESS (Anm. 12) I, S. 498. 1531 wurde Luther auf Beschwerde Georgs hin angewiesen, heftige, scharfe Schriften gegen den Herzog zu unterlassen; vgl. WA. B 6, 72, 2 ff. Zum 1. Grimmaer Machtspruch vgl. GEORG MENTZ, Johann Friedrich der Großmütige, Jena II, 1908, S. 465.

[38] Vgl. ebd. S. 465 ff.

[39] WA. B 7, 146, 18 f.

[40] In den Auseinandersetzungen über das Missive an Hartmut von Kronberg (1522), den Mainzer Ratschlag (1526), den Brief an Wenzeslaus Linck (1528), die Kleine Antwort (1533; wegen des angeblichen Eides für die Evangelischen).

[41] Vgl. GESS (Anm. 12), I, S. 327 ff. (an den Statthalter Pfalzgraf Friedrich, 4. Juni 1522); vgl. auch ebd. S. 343 f. 397.

[42] Ebd. S. 328.

sen, das solt uns als eynem Kristenman ganz schwer zu erdulden sein.«[43] Er protestierte
gegen die alles Handeln lähmende vermeintliche Magie des Namens Luthers und wies
auf sich selbst hin als Beispiel dafür, daß Luther bei entschiedenem Vorgehen durchaus
zu bekämpfen sei.

Zur ersten deutlichen Verurteilung Luthers durch Georg[44] kam es Ende 1519, als der
sächsische Herzog Luthers »Sermon vom hochwürdigsten Sakrament ...« Kurfürst
Friedrich gegenüber als »fast (= sehr) Pregisch ... und im grunt vil ketczerey und
ergerniß« mit sich bringend beurteilte. Georg war offensichtlich enttäuscht und betroffen, wie wenig Luther seine Zusage von Leipzig, sich von den Utraquisten abzugrenzen, gehalten hatte. Er warnte daher Luthers Landesherrn: »Wan a.l. meint, a.l. het
awern doctor zcu Witenberg, so wer her bischoff ader heresyarcha zcu Prage.«[45] Georg
unterrichtete auch die zuständigen Bischöfe, mit dem Erfolg, daß Johann VII. von
Meißen als erster Bischof in Deutschland ein Verbot über eine Schrift Luthers aussprach.[46]

Luther ist sich über die prinzipielle Gegnerschaft Herzog Georgs gegen ihn offenbar
nicht gleich im klaren gewesen. Erst Ende 1520 erkannte er: »Dux Georgius totus in me
insanit.«[47] Unter der Bezeichnung »die Wasserblase N« beschuldigte er ihn dann 1522
auch öffentlich der Evangeliumsfeinschaft und der Seelenverderbnis.[48] Im Gegenzug
schlug Georg erstmals den Weg ein, Luther selbst über die Authentizität des Textes zu
befragen.[49] Dessen Antwort brach bereits durch ihren scharf polemischen und ganz
unehrerbietigen Anfang alle Verständigungsmöglichkeiten ab: »Auffhoren zu toben
und zu wüeten widder Got und seynen Christ anstatt meynes diensts zuvor. Ungnedi-
ger fürst und herr!«[50] Die von Georg verlangte Auskunft erteilte er nicht. Alle Bemühungen des Herzogs, Luther wegen seiner Vorwürfe zur Rechenschaft ziehen zu lassen, führten zu keinem Erfolg, obwohl er Kurfürst, Reichsregiment und auch Albrecht
von Mansfeld bemüht hat.[51] Die sächsischen Räte hatten ihrem Herrn schon im Januar
1523 die Vergeblichkeit seiner Anstrengungen vor Augen geführt. Der Kurfürst werde
sich unter Hinweis auf Luthers besonderen Gerichtsstand als Geistlicher verweigern,

---

[43] Ebd. S. 397.

[44] Im folgenden werden nur die wichtigsten Stadien der Auseinandersetzungen behandelt.

[45] GESS (Anm. 12) I, S. 110 f. (27. Dez. 1519); die Antwort Friedrichs (ebd. S. 114 f.) bestand
in der üblichen kursächsischen Argumentation: Luthers Sache sei rechtlich noch nicht entschieden, finde durchaus auch Beifall in der Öffenlichkeit, er selbst sei unzuständig.

[46] Vgl. ebd. S. 116; LOBECK (Anm. 24), S. 54 ff.

[47] WA. B 2, 211, 36; vgl. auch ebd. 205, 15 ff.; 206, 4 f.; 218, 5.

[48] Vgl. WA 10/II, 55, 22 ff. Dazwischen liegt Georgs Klage beim Reichsregiment wegen Schmähung der Fürsten in Luthers »Von beiderlei Gestalt des Sakraments zu nehmen« (vgl. WA 10/II,
11 ff.; vgl. GESS [Anm. 12] I, S. 315 ff.; WÜLCKER-VIRCK [Anm. 27], S. 150. 157), die Einrei-
chung der Antwort Luthers an Heinrich VIII. (vgl. WA 10/II, 188 ff.), als deren Folge Georg
außenpolitische Verwicklungen befürchtete, die zu Aufruhr im Reich führen könnten (vgl. GESS
S. 336. 375; WÜLCKER-VIRCK, ebd. S. 202. 244. 263) und das Verbot von Luthers Neuem
Testament für das Herzogtum Sachsen (GESS ebd. S. 386 f.).

[49] Vgl. WA. B 2, 642.

[50] WA. B 3, 4, 5 f.

[51] Vgl. GESS (Anm. 12) I, S. 470 ff.

der zuständige Bischof darauf verweisen, daß Luther Ordensangehöriger sei, Luthers Ordensvorgesetzter Link sei schlimmer als jener, den Papst erkenne Luther schon gar nicht als Richter an.[52]

Auch nach dem Bauernkrieg, der in seinen Augen die Folge der neuen Lehre war, gelang es Georg nicht, Luther, der von ihm der geistigen Urheberschaft am Aufruhr bezichtigt wurde, den Schutz des Kurfürsten, jetzt Johann, zu entziehen und diesen mit Philipp von Hessen zur alten Kirche zurückzuführen.[53]

Luther registrierte die folgenden antireformatorischen Aktivitäten Georgs, die im Dessauer Bündnis gipfelten, sehr genau. »Dux Georgius mortuo Friderico putat se omnia posse.«[54] Obwohl aber durch den Bauernkrieg die Fronten geklärt zu sein schienen, hat Luther gerade 1525 den Versuch gemacht, wichtige Protagonisten der altkirchlichen Sache für sich zu gewinnen oder wenigstens zur Duldung der evangelischen Predigt zu bewegen. Wichtiges Movens bei diesem Schritt ist die eschatologische Naherwartung Luthers in diesem Jahr gewesen: »Den michs fast ansihet, als solte got unser herre unser eyn teil gar bald von hynnen nemen.«[55] Hinzu trat seine pastorale Verantwortung, die Pflicht des Seelsorgers, sich auch um seine Feinde zu kümmern. Im Mai 1525 wandte er sich an Albrecht von Mainz, damit dieser durch Aufgaben des geistlichen Standes die Strafe Gottes, die im Bauernaufstand sichtbar wurde, abwende.[56] Im September folgte die Bitte um Vergebung an Heinrich VIII. von England.[57] Im Dezember schließlich richtete er ein Versöhnungsangebot an Georg von Sachsen, um ihm »nach eynmal fruntlich und demutig zu ersuchen.«[58]

Luther versuchte nicht, Georg zu bekehren, sondern ihn dazu zu bewegen, die Verfolgung »meiner Lehre«, wie er betont sagte,[59] einzustellen. Ohne etwas zurückzunehmen, bat er den Herzog um Verzeihung, daß er ihn »mit hartter scharffer schrifft angetastet« habe,[60] und erklärte sich bereit, alles zu tun, »außgenommen meyne lere, dy

---

[52] Vgl. ebd. S. 419 f. – Noch ehe dieser Fall abgeschlossen war, beschwerte sich Georg erneut beim sächsischen Kurfürsten, diesmal über die Vorwürfe gegen ihn in »Von weltlicher Obrigkeit«; vgl. GESS (Anm. 12) I, S. 486 f.; WÜLCKER-VIRCK (Anm. 27), S. 416.

[53] Vgl. WALTER FRIEDENSBURG, Zur Vorgeschichte des Gotha-Torgauischen Bündnisses der Evangelischen, Marburg 1884, S. 114 ff.; ders., Der Reichstag zu Speier 1526 im Zusammenhang der politischen und kirchlichen Entwicklung Deutschlands im Reformationszeitalter, Berlin 1887, S. 56 f. Vgl. auch Georgs Appell an Johann bei GESS (Anm. 12) II, S. 322. – Schon im Juni 1525 beschwerte sich Georg erneut über eine Schrift Luthers, diesmal »Von dem Greuel der Stillmesse« (vgl. WA 18, 22 ff.), in der gegen die Geistlichen gehetzt und dadurch Anlaß zu neuem Aufruhr geboten werde; vgl. GESS ebd. S. 301; vgl. auch ebd. S. 321, 329 f. Im Oktober 1525 beschwerte er sich über Luthers Vorrede zu Karlstadts »Entschuldigung« (vgl. WA 18, 436 ff.); vgl. GESS, ebd. S. 405 ff.

[54] WA. B 3, 556, 19 ff.

[55] Ebd. 642, 16 ff. (an Georg von Sachsen, 21. Dez. 1525).

[56] Vgl. dazu unten S. 59.

[57] WA. B 3, 563 f.

[58] Ebd. 641 ff. Luther wurde zu diesem Brief durch den herzoglichen Rat Otto von Pack veranlaßt; vgl. WA 23, 31, 13 f. und WA. TR 3, 658, 37.

[59] WA. B 3, 642, 27; ebenso 642, 46 und 643, 57.

[60] Ebd. 642, 8 f.; vgl. auch 643, 58 ff.: »Suche gnad, worynne ich mich vorwarlost habe an e.f.g., es sey mit schrifften ader worten.«

selbige kan ich nit lassen fur meynem gewyssen«.[61] Im Gegenzug zu der erbetenen
Verzeihung machte Luther zwei Zusagen: seinerseits Vergebung dessen, was der Herzog ihm angetan habe, und das Versprechen, bei Christus für die bisherigen Handlungen Georgs gegen Gottes Wort Vergebung zu erbitten. Allerdings zeigte er auch die
Alternative dieses Angebots auf, wenn er auf die Kraft des Gebets gegen den Herzog
hinwies.

Daß Georg durch Luthers Schreiben für die Freigabe der Evangeliumspredigt zu
gewinnen war, konnte eigentlich nicht ernsthaft erwartet werden, zumal Luther selbst
voraussetzte, daß Georg seine Lehre nicht für Gottes Wort hielt.[62] Bekehrte sich Georg
aber nicht, war für ihn kein Anlaß zur Duldung der neuen Lehre gegeben. Luther
rechnete allerdings auf die mögliche Einsicht des Herzogs, daß er durch Verfolgung der
abweichenden Lehre sein Seelenheil gefährde, und hat von dieser Voraussetzung her
seinen Schritt fraglos ernst gemeint.[63]

Allerdings führte Luthers Appell lediglich zu einem neuen Steigerungsgrad der Kritik
Georgs. Zugleich machte die Antwort, die im Aufbau Luthers Brief abschnittsweise
folgte, nun ihrerseits den Versuch, Luther zur Selbsterkenntnis und zur Umkehr zu
bewegen.[64] Sich selbst verstand Georg als Diener Christi, dem es nicht gleichgültig sein
konnte, ob ihm durch falsche Predigt seine Herde mit Leib und Seele entwendet werde,
nachdem aus Wittenberg ein »Ganerbenhaus aller abtrunniger unser land« geworden
sei.[65] Als Früchte des von Luther vertretenen Evangeliums – »deyn ewangelium«, wie
mehrfach absichtlich betont wird, im Kontrast zum »ewangelium Cristi, . . . wie das die
Cristlich kirch angenomen hat«[66] – sah Georg nur die Zerstörung aller religiösen Bindungen sowie der kirchlichen und sozialen Ordnungen. Die Wirkung von Luthers
Gebet gegen ihn ließ den Herzog unbeeindruckt.

Aber Georg nahm nicht nur eine scharfe Abrechnung vor, blieb nicht im Negativen
stecken, sondern eröffnete Luther einen Ausweg aus der selbstverschuldeten Gefährdung seines Seelenheils, indem er ihn zur Rückkehr in die alte Kirche aufforderte, um
dann mit Augustinus ein erwähltes Licht der Christenheit, ein wirklicher Apostel und
Evangelist zu werden, welche Rolle ihm jetzt fälschlich von seinen Anhängern zugeschrieben würde. Luthers Versprechen aufnehmend, versprach Georg seinem Gegner
bei Bekehrung ewige Seligkeit, gewährte Verzeihung und sagte zu, sich beim Kaiser für
ihn zu verwenden.

Luther wie der Herzog haben 1525 mit Ernst und Nachdruck die eigene Sache
geführt; beide erklärten sich bereit, das Vergangene ruhen zu lassen und einen Neuan-

---

[61] Ebd. 643, 57 f.
[62] Ebd. 642, 39 f.
[63] Vgl. an HAUSMANN, 20. Jan. 1526: »Spe quidem bona scripsi Duci Georgio«; WA. B 4,
18, 4.
[64] Vgl. WA. B 3, 646 ff. Die Antwort übertrifft Luthers Brief (82 WA-Zeilen) um fast das
Dreifache (213 WA-Zeilen).
[65] Ebd. 648, 70 f.
[66] Ebd. 650, 51 f.

fang zu machen. Nur wurde von der Gegenseite jeweils verlangt, die eigene Position aufzugeben. Daran mußte die Verständigung auch 1525 scheitern.[67]

Nachdem Georg 1528 erstmals eine eigene Schrift gegen Luther – wenn auch pseudonym – zum Druck gegeben hatte, in der er die Konkomitanz gegen die Kelchforderung verteidigte, [68] ist es im gleichen Jahr zu einem ersten öffentlichen Austausch von Kampfschriften gekommen.[69] Der Streit wurde ausgelöst durch Bemerkungen Luthers in einem Privatbrief, in dem er eine Mitschuld des sächsischen Herzogs am angeblichen Breslauer Bündnis behauptete und scharfe Angriffe gegen die »sanguisugae insatiabiles« richtete.[70] Substantiell Neues findet sich in dieser Auseinandersetzung kaum noch. Die Bereitschaft zur Sachlichkeit fehlt auf beiden Seiten, die Urteile übereinander sind nur noch Beschimpfungen. Für Georg war Luther ein abtrünniger Mönch, ein verzweifelter ehrloser meineidiger Bösewicht, ein öffentlicher und vorsätzlicher Lügner; Luther nannte den Herzog einen unruhigen Mann von moabitischem Stolz und Hochmut, einen unruhigen Teufel, »organum istud Satanae inquietum et nocentissimum, homicida, sanguinarius latro, daemon, hostis tyrannissimus«[71]. Luther trat Georg 1528 mit großem Selbstbewußtsein entgegen und verwahrte sich unter Berufung auf die Beschlüsse von Speyer I gegen die Bezeichnung als Ketzer.

Auch die beiden letzten von Georg ausgelösten Kontroversen – 1531 über Luthers »Warnung an seine lieben Deutschen« und die »Glossa auf das vermeinte kaiserliche Edikt«[72], 1533 über die Ausweisung Leipziger Evangelischer[73] – zeigten nur wieder die

[67] BECKER (Anm. 34), S. 178 urteilt unrichtig, wenn er meint, Georg habe Luthers ehrliches Streben nach Frieden nicht verstanden und nicht verstehen wollen. Beide Partner verstanden einander nicht.

[68] Unter dem Namen von Augustin Alfeld, dem Franziskanerguardian von Halle; vgl. GESS (Anm. 12) II, S. 818 ff.; BECKER (Anm. 34), S. 200 ff.: »Wider Luthers Tröstung an die Christen zu Halle …«. Davor liegt Georgs Beschwerde über Luthers Manuskript von »Wider den Ratschlag der Mainzer Pfafferei Unterricht und Warnung«, in dem Luther behauptet hatte, der Aufruhr des Bauernkriegs sei aus den Gebieten gekommen, in denen das Evangelium am meisten verfolgt werde (vgl. WA 19, 279, 7 ff.); vgl. GESS (Anm. 12) II, S. 563 u.ö. Georg ging der Sache fast ein Jahr nach; vgl. noch ebd. S. 742. 744.

[69] Vorwort zur Publikation der Briefe Luthers an Linck und Georg (BECKER [Anm. 34], S. 223 ff.); Luthers »Von heimlichen und gestohlenen Briefen« (vgl. WA 30/II, 25 ff.); Georgs »Ein kurzer Bericht … auf etzliche neue rasende Lügen …« (vgl. BECKER, ebd. S. 232 ff. und WA 30/II, 11 ff.).

[70] WA. B 4, 484, 12 f.

[71] In den in Anm. 69 zitierten Schriften sowie WA. B 4, 628, 14 f.; 629, 24; 5, 9, 13.

[72] Georgs Protest bei Kurfürst Johann (WA 30/III, 413); »Wider des Luthers Warnung an die Deutschen, daß sie dem Kaiser nicht sollen gehorsam sein« (anonym erscheinen, aber von Georg verfaßt) (vgl. BECKER [Anm. 34], S. 251 ff.; WA 30/III, 416 ff.); »Wider den Meuchler zu Dresden« (vgl. WA 30/III, S. 446 ff.). Zur Flut von Vorwürfen und Beschimpfungen in Luthers Schrift vgl. die Zusammenstellung bei KUNST (Anm. 12), S. 303. Zur Kontroverse vgl. zuletzt MARK U. EDWARDS, Luther's Last Battles. Politics and Polemics, 1531–46, Ithaca–London 1983. S. 44 ff.

[73] Beschwerde Georgs über Luthers Brief an die Leipziger Evangelischen (vgl. WA. B 7, 449 ff.); »Verantwortung der aufgelegten Aufruhr« (vgl. WA 38, 96 ff.); Streitschriften von Johannes Cochlaeus; »Kleine Antwort auf Herzog Georgen nächstes Buch« (vgl. WA 38, 140 ff.). Zur Kontroverse vgl. zuletzt EDWARDS (Anm. 72), S. 51 ff.

Unerbittlichkeit der Gegnerschaft und das Bemühen, dem Einfluß der anderen Seite auf die öffentliche Meinung entgegenzuwirken. Dazu dienten vor allem die bereits vielfach bekannten Vorwürfe: Schmähung des Kaisers und Aufruhrhetze einerseits, Evangeliumsfeindschaft und Kriegshetze andererseits. Der Grimmaer Spruch 1533 bewirkte ein Aufhören der öffentlichen Polemik, an deren Ende auf beiden Seiten nur noch blanker Haß, Verachtung und Hohn gestanden hatte.

Die Regententugenden Georgs hat Luther aber immer vorurteilslos gewürdigt: »Habet pacem et bene constitutam Politiam«; »praeditus melioribus virtutibus quam reliqui.«[74] Die Pflicht zum Gehorsam gegen Georg als weltlichen Herrn in seinem Kompetenzbereich hat er ohnehin niemals bestritten. Das Ende der Familie Georgs verstand Luther als Gottesgericht; er blieb unversöhnlich: »So er (Georg) nicht ist in der hell, so ist Caiphas auch nicht drinnen und ist gar kein hell. Denn ille mortuus summus persecutor evangelii et in summo odio et invidia et malitia fraterna.«[75]

Mit Georgs Tod zerfiel das alte Kirchenwesen in Sachsen bzw. wurde von seinem Nachfolger Heinrich beseitigt, nachdem die Ritterschaft den Herzog noch kurz vor dessen Tod gebeten hatte, bei der Kurie die Erlaubnis zu Kelch und Priesterehe einzuholen.[76] Georg hatte die Bitte zwar weitergeleitet, war aber selbst ablehnend geblieben. Er hielt es noch 1539 für möglich, im Zusammenwirken von weltlicher und geistlicher Obrigkeit die Ketzerei zu unterdrücken, wenn nur »von allen Teilen nicht gehunken wurde«, wollte aber die Stände nicht vor den Kopf stoßen, weil er ihre Hilfe benötigte,

---

[74] WA 40/III, 461, 28 f.; WA. TR 5, 420, 25; vgl. auch WA 36, 234, 2; 38, 99, 24. Zu Georg als vorbildlichem Landesfürsten vgl. außer der in Anm. 12 genannten Literatur ERICH BRANDENBURG, Moritz von Sachsen, Leipzig 1898, S. 109 ff. (Zustand des Herzogtums unter Georg); KARLHEINZ BLASCHKE, Sachsen im Zeitalter der Reformation, Gütersloh 1970 (SVRG 185), passim; HEINZ SCHEIBLE, Fürsten auf dem Reichstag, in: FRITZ REUTER (Hg.), Der Reichstag zu Worms von 1521, Köln-Wien ²1981, S. 390 ff. Vgl. auch den oft zitierten Nachruf seiner evangelischen Schwiegertochter Elisabeth vom 25. Apr. 1539: »Sey heyssen h. yorgen selgen nich anders dan ein foursten das frettes (= Friedens), sprechgen, er hab yn gutten frett yn dissem land gehalten. Dorumb haben sey ym alles gern gegeben.«; zitiert bei Werl (Anm. 23), S. 17 f.

[75] WA. TR 4, 569, 22 ff.

[76] Auf dem Ausschußtag 1537 argumentierte die Ritterschaft sehr pragmatisch, daß Bauern, die durch ihre Geistlichen zur neuen Lehre verführt wären, ausgewiesen würden, neue aber, die sich den Religionsverordnungen des Herzogs unterwerfen wollen, nicht zu bekommen wären. »Doraus wolt letzlich volgen, das die ritterschaft muste die communion zweyerley gestalt zulassen oder verhengen, das ire guether wuste liegen blieben.« Der Herzog wurde aufgefordert, die Bischöfe an ihre Amtspflicht zu erinnern; sie sollten für »tuchtige fromme priester« sorgen, »damit ire [sc. der Ritter] underthanen der gaystlichen unfleiß halber nit in vorterb gefurt, ader aber genediglich nachgeben, das ditzfall der einfaltige pauersman unvorweyst geduldet«; vgl. GOERLITZ (Anm. 17), S. 467 f. Anm. 3. Im Januar und März 1539 baten die Adelsvertreter erneut um Freigabe des Laienkelchs; vgl. ebd. S. 471 ff. 552 ff. Vgl. auch LUDWIG CARDAUNS, Zur Kirchenpolitik Georgs von Sachsen, vornehmlich in seinen letzten Regierungsjahren: QFIAB 10 (1907), S. 144 ff.; ARC 3, S. 40; NBD I/4, S. 544 f. (Bericht des Cochlaeus).

um das Land auch bei einem Regierungswechsel im Nürnberger Bund zu halten.[77] Luther glaubte 1539 nach den ersten Erfolgen der Reformation im Herzogtum, Georg sei »hin weg gangen wie ein traum, als hetts der Welt getreumet, quod vixit«.[78] Die zur Abgrenzung von den Ernestinern und von Luther als ihrem kirchenpolitischen Vertreter betriebene betont eigenständige Kirchenpolitik im Herzogtum führte ihn dann aber schon 1540 zu der Erkenntnis, daß Georgs Geist am Dresdener Hof noch lebendig sei.

## III. Die Zukunft der geistlichen Fürstentümer

War Herzog Georg unter den weltlichen katholischen Reichsfürsten die herausragende Gestalt und ein lebenslanger Gegner, so ist für Luther auf der Seite der geistlichen Fürsten Albrecht von Mainz und Magdeburg der hauptsächliche Widerpart gewesen.[79] Hier stellte sich aber anders als bei der Auseinandersetzung mit dem weltlichen altkirchlichen Fürsten die Frage nach der Zukunft der geistlichen Fürstentümer überhaupt. Sie hat Luther, der von der Trennung der beiden Reiche als Herrschaftsweisen Gottes und von der Anschauungswirklichkeit seiner Zeit ausging, sein Leben hindurch beschäftigt, ohne daß er sich offensichtlich immer bewußt gewesen ist, welche Bedeutung die Doppelfunktion des deutschen Hochklerus für die Verfassung und Organisation des Reiches gehabt hat.[80]

---

[77] Georg an die Bischöfe; vgl. OSWALD ARTHUR HECKER, Religion und Politik in den letzten Lebensjahren Herzog Georgs des Bärtigen von Sachsen, Leipzig 1912, S. 20. Georg war erbittert über die Haltung seiner Landstände: »Wo der Unverstand und die Kleinmütigkeit bei seinen Untertanen nicht befunden worden, Gott würde ihnen seinen frommen unschuldigen Sohn zu einem Regenten nicht so zeitlich genommen haben, denn vielleicht sei er des Landes oder die Landschaft sein nicht wert gewesen.«; ebd. S. 20. Der letzte Sohn Georgs, Herzog Friedrich, war am 26. Febr. 1539 gestorben.

[78] WA. DB 3, 556, 34 ff.

[79] Für Albrecht von Mainz stellt sich die Quellen- und Literaturlage nicht annähernd so günstig dar wie für Georg von Sachsen; vgl. als jüngsten zusammenfassenden Überblick GUSTAV ADOLF BENRATH, in: TRE II, S. 184 ff. Wichtig vor allem HANS VOLZ, Erzbischof Albrecht von Mainz und Martin Luthers 95 Thesen: JHKGV 13 (1962), S. 187 ff.; FRANZ SCHRADER, Kardinal Albrecht von Mainz, Erzbischof von Magdeburg, im Spannungsfeld zwischen alter und neuer Kirche, in: ders., Reformation und katholische Kirche, Leipzig 1973, S. 11 ff. Eine Beschreibung der Beziehungen Luther – Albrecht anhand der schriftlichen Zeugnisse vgl. bei KUNST (Anm. 12), S. 329 ff. sowie bei SCOTT H. HENDRIX, Martin Luther und Albrecht von Mainz. Aspekte von Luthers reformatorischem Selbstbewußtsein: LuJ 49 (1982), S. 96 ff. Eine knapp-präzise Darlegung der Beziehungen Luther – Albrecht vgl. bei BERND MOELLER, Luthers Stellung zur Reformation in deutschen Territorien und Städten außerhalb der sächsischen Herrschaften, in: HELMAR JUNGHANS (Hg.), Leben und Werk Martin Luthers von 1526 bis 1546, Berlin – DDR I, 1983, S. 586 ff.

[80] Das Folgende ist als erste Skizze einer in Arbeit befindlichen Studie über das Problem des geistlichen Fürstentums in der Reformation zu verstehen.

Die weltliche Funktion der Bischöfe war allerdings schon vor Luther nicht unangefochten geblieben, die Frage nach der Zukunft der Hochstifte schon im 15. Jahrhundert gestellt worden.[81] Luther hat das Problem des weltlichen Amtes der Bischöfe immer nur eher nebenbei im Blick gehabt. Seinem religiösen Ansatz entsprechend, galt seine ungeteilte Aufmerksamkeit dem geistlichen Amt. Seit seinem öffentlichen Hervortreten hat er zeitlebens scharfe Kritik an der Nichterfüllung oder der höchst mangelhaften Wahrnehmung der eigentlichen bischöflichen Pflichten durch die gegenwärtigen Amtsinhaber geübt.[82] Die Schuld für diesen Zustand schrieb er der Verbindung von geistlichen und politischen Funktionen und der Bevorzugung der angenehmeren fürstlichen Aufgaben durch die Amtsinhaber sowie der damit verbundenen Verweltlichung und Veräußerlichung des Lebens der Prälaten zu.[83] Unter ausdrücklichem Hinweis auf den hohen Klerus verwarf Luther auch die Vorstellung eines besonderen geistlichen Standes, der in der Gegenüberstellung von Klerus und Laien höhere Dignität und größere Wertigkeit vor Gott beanspruchte.[84]

Für Luther war das geistliche Fürstentum seiner Zeit ein Sonderfall in der Konzeption der zwei Reiche Gottes. Bei sorgfältiger Trennung beider Funktionen bestand für die Bischöfe wie für alle anderen Amtsträger die Möglichkeit der »persona duplex in eodem homine«[85], nur trat hier statt der üblichen Trennung in ›persona publica‹ und ›persona privata‹ eine andere ein: ›episcopus‹ und ›princeps‹. Trotz der prinzipiellen Vereinbarkeit hat Luther aber die weltliche Herrschaft stets als Gefährdung der geistlichen Aufgabe bewertet; die Ausübung weltlicher Funktionen band Kräfte, die von den pastoralen Aufgaben abzogen. Die geistliche Aufgabe hatte aber – dem göttlichen Auftrag an das bischöfliche Amt entsprechend – eindeutig im Vordergrund zu stehen, während Luther bei den Bischöfen seiner Zeit die umgekehrte Rangfolge feststellte: erst weltliche Herrschaft, dann geistliches Amt; schlimmer noch: Ausnutzen der Mittel des geistlichen Amtes zur Festigung und Ausweitung der weltlichen Herrschaft. Damit kam es zur gefährlichen Vermischung der Kompetenzen beider Bereiche (confusio regnorum), die zum Untergang aller Ordnung führen mußte.

---

[81] Vgl. etwa die Reformatio Sigismundi, hrg. von HEINRICH KOLLER, Stuttgart 1964 (MGH.Staatsschriften 6), S. 230 ff. Vgl. die zusammenfassende Darstellung bei JOHANN BAPTIST SÄGMÜLLER, Die Idee der Säkularisation des Kirchengutes im ausgehenden Mittelalter: ThQ 99 (1917/18), S. 253 ff. Vgl. jetzt auch VOLKER PRESS, in: TRE XI, S. 715 ff.

[82] Die Kritik zieht sich durch alle Schriften Luthers hindurch; in der Frühzeit findet sie sich besonders massiv in »Von den guten Werken« (vgl. WA 6, 204 ff.) und »Wider den falsch genannten geistlichen Stand« (vgl. WA 10/II, 105 ff.).

[83] Wenn Luther den Bischöfen vorwirft, sie wollten »Fürsten und Herren« sein, so ist dabei zumeist nicht eindeutig, ob er dabei ihr faktisches Leben oder ihren rechtlichen Status meint.

[84] Vgl. vor allem WA 10/II, 105 ff. (Wider den falsch genannten geistlichen Stand des Papstes und der Bischöfe, 1522).

[85] So WA. B 5, 493, 47; vgl. dazu unten S. 55.

Trotz seiner Kritik an den Amtsinhabern hat Luther institutionell die bischöfliche Kirchenverfassung erhalten wollen.[86] Wie rasch sich aber auf diesem Felde ein Wandel vollzog und das territorialstaatliche Denken sich durchsetzte, zeigte sich 1539, als der Brandenburger Bischof Matthias von Jagow den Übertritt Joachims II. zur evangelischen Konfession mitvollzog.[87] Die Gelegenheit eines evangelischen Bischofs wurde in Wittenberg, das zur Diözese Brandenburg gehörte, keineswegs wahrgenommen, um sich wieder der traditionellen geistlichen Jurisdiktion zu unterstellen und die alten Ordnungsverhältnisse zu restituieren. Offensichtlich ist diese Möglichkeit in Kursachsen nicht einmal erwogen worden, so sehr hatte sich bereits die Vorstellung vom Fürsten als Notbischof für die Kirche seines Territoriums verfestigt. Die Gewalt über die Landeskirche wie früher einem außerhalb des eigenen Territoriums ansässigen Prälaten zu übertragen, der – wie im Fall Brandenburgs – noch dazu fast landsässig war, d. h. der Aufsicht eines anderen Fürsten unterstand, schied bereits zwanzig Jahre nach dem Zusammenbruch des alten Kirchenwesens für selbstbewußte Landesherren offensichtlich aus. Ein anderes Verhalten hätte eine Minderung der landesfürstlichen Rechte bedeutet, die durch das »ius reformandi« und die »cura religionis« gerade erst einen willkommenen Zuwachs erfahren hatten. Ähnlich stand es im Fall des Bistums Naumburg. Auch die Besetzung des Naumburger Stuhles mit einem evangelischen Bischof 1542 ist nicht dazu benutzt worden, dessen Diözesanbefugnisse auf die kirchenorganisatorisch »herrenlosen« Teile Kursachsens auszudehnen.[88] Die prinzipielle Anerkennung der bischöflichen Kirchenverfassung war, wie sich zeigte, ohne Realitätsbezug.

Luthers Urteil über die Zukunft der geistlichen Fürstentümer hat sich im Verlauf der Ausbreitung und Entwicklung der reformatorischen Bewegung gewandelt. Dabei lassen sich drei Phasen unterscheiden.[89]

*1. Phase:* In den frühen zwanziger Jahren hat Luther in fundamentaler Kritik am geistlichen Fürstentum die praktische Unmöglichkeit, beide Funktionen des bischöflichen Amtes nebeneinander sachgemäß auszuüben, hervorgehoben und die weltliche Herrschaft der Bischöfe strikt abgelehnt: In dieser Welt ist »eynem bisschofflichen standt nichts ungleycher ..., jha mehr entkegen unnd widderstrebt, denn ewr welltlicher standt, furstlich leben und weßen«.[90] Zwar wurde von ihm auch damals die theoretische Möglichkeit nicht ausgeschlossen, weltliches und geistliches Amt nebeneinander

---

[86] Die Wertung des Bischofsamtes bei Luther ist im Zusammenhang mit der Confessio Augustana in den letzten Jahren erneut mehrfach erörtert worden; vgl. vor allem BERNHARD LOHSE, Luther und das Augsburger Bekenntnis, in: ders./OTTO HERMANN PESCH (Hg.), Das Augsburger Bekenntnis von 1530, München-Mainz 1980, S. 154 ff. Vgl. auch ERWIN ISERLOH und BERNHARD LOHSE, in: KARL LEHMANN/EDMUND SCHLINK (Hg.), Evangelium – Sakramente – Amt und die Einheit der Kirche, Freiburg-Göttingen 1982 (Dialog der Kirchen II), S. 13 ff. 80 ff.; ERWIN ISERLOH und HARDING MEYER, in: ERWIN ISERLOH (Hg.), Confessio Augustana und Confutatio, Münster 1980, S. 473 ff. 489 ff.

[87] Über ihn vgl. GUSTAV ABB/ GOTTFRIED WENTZ (Hg.), Das Bistum Brandenburg, Berlin-Leipzig I, 1929 (GermSac. I. 1), S. 56 ff.

[88] Über Naumburg vgl. unten S. 57.

[89] Vgl. die Zusammenstellung bei GÜNTER (Anm. 10), S. 98 ff. 147 ff.

[90] WA 8, 502, 6 ff.

zu führen,[91] aber mit großem Nachdruck sind die Gefährdungen herausgestellt worden: »Warumb wiltu deyn seele ewiglich verderben umb tzeytlicher ehre willen?«[92] Luthers radikale Schlußfolgerung ging denn auch dahin, daß, wer jemandem ein Bistum verschaffe, diesen zum Teufelsdiener mache, wer Nachgeborene mit einer geistlichen Karriere versorge, um das Land ungeteilt zu erhalten, Seelenmord begehe.[93] Damit war die Vereinbarkeit beider Funktionen letztlich in Abrede gestellt.

Von seiner Bewertung des geistlichen Fürstenamtes und dessen Handhabung durch die Bischöfe seiner Zeit her hat Luther 1523 die Umwandlung der Hochstifte in weltliche Herrschaften vorgeschlagen, da die Bischöfe ohnehin »ym grund der warheyt welltliche herrn mit eym geystlichen namen« seien.[94] Eine andere Möglichkeit, die dem geistlichen Amt unzuträgliche Doppelstellung zu beenden, sah er in der Aufteilung der Pfründen und Lehen der Prälaten nach dem Tode der gegenwärtigen Inhaber unter die Erben und Verwandten, sofern sie bedürftig wären, und den gemeinen Kasten.[95] Auf die organisatorischen Schwierigkeiten beider Arten von Säkularisierung ist Luther in diesem Zusammenhang ebensowenig eingegangen wie auf die rechtlichen Probleme. Nicht überall waren die Bedingungen für eine Umwandlung geistlichen Besitzes so günstig wie in Preußen, das außerhalb des Reiches lag und wo die besondere Struktur der Ordensherrschaft es ohne große Schwierigkeiten möglich machte, Ordensritter in »landsessen, amptleute odder sonst nütze leutt« umzuwandeln.[96] Ob aber der einzelne Ritter aus dem Kirchengut Landbesitz zu eigen erhalten oder das Ordensland, wie es 1525 geschah, als ganzes dem Hochmeister zufallen sollte, der es dann zu Lehen ausgab, hat Luther bei seinem Vorschlag nicht geklärt.[97]

Einen Höhepunkt erreichten Luthers Vorstellungen von einer Radikallösung des Problems der geistlichen Fürstentümer 1525, als er den ranghöchsten Geistlichen des Reiches, Albrecht von Mainz und Magdeburg, zur Heirat und zur Säkularisierung seiner Hochstifte aufforderte, um auf diese Weise den geistlichen Stand, der Gott und den aufständischen Bauern gleichermaßen verhaßt sei, demonstrativ zu zerstören.[98] Was er 1523 allgemein formuliert hatte, schlug Luther jetzt einem der geistlichen Fürsten konkret vor: weltliche Herrschaft unter Verzicht auf die geistliche Funktion; wer diese übernehmen sollte, blieb offen. Das Problem der Erblichkeit, das sich mit der

---

[91] Zu erschließen aus der Bemerkung: »Laß du bistum und fürstenthum faren, kanstu nicht Bischofflich drynnen faren.« (WA 10/II, 154, 32 f.).
[92] Ebd. 154, 33 f.
[93] Vgl. ebd. 155, 3 ff.
[94] WA 12, 14, 18 f.
[95] Vgl. ebd. 14, 20 ff.
[96] WA 12, 232, 27. So wie Luther den Deutschen Orden in seiner Doppelfunktion als Priester- und Ritterorden als Musterbeispiel der »confusio regnorum« verstehen mußte, erhoffte er von der Säkularisierung gerade dieser Institution eine Signalwirkung für die wünschenswerte Neuordnung der Kirche; vgl. ebd. 232 ff.
[97] Am Ordensland zeigte sich die rechtliche Problematik der Säkularisierung. Das Land war dem Orden, nicht dem Hochmeister verliehen worden, der es 1525 als Eigentum in Anspruch nahm.
[98] Vgl. WA 18, 408 ff. Die preußischen Bischöfe gingen 1525 bzw. 1527 den umgekehrten Weg; sie verzichteten auf ihre Temporalien gegen Entschädigung und behielten ihr geistliches Amt.

Gründung einer Dynastie stellte, hat Luther nicht berührt, aber aus dem Verweis auf das Vorbild Albrechts von Preußen, der das Ordensland für sich, seine Nachkommen und seine Verwandten von Polen zu Lehen genommen hatte, ließ sich folgern, daß auch Albrecht von Mainz die Gründung einer erblichen Landesherrschaft nahegelegt wurde. Die politischen Folgen, die die Bildung eines solchen weltlichen Territorialkomplexes aus den Hochstiften Mainz, Magdeburg und Halberstadt in Mitteldeutschland mit sich gebracht hätte, und die Machtverschiebung, die gerade für die Wettiner bedrohlich geworden wäre, wenn dieser umfangreiche Besitz auf Dauer in der Hand der hohenzollernschen Rivalen blieb, hat Luther nicht berücksichtigt. Ebensowenig hat er sich die nicht unwichtige Frage nach dem Verfügungsrecht des gegenwärtigen Amtsinhabers über den Hochstiftsbesitz gestellt. Die Selbstsäkularisierung bedeutete den Umsturz wesentlicher Bestandteile des Reichsaufbaus, die Dynastiegründung mit Erbanspruch schloß eine Revolutionierung der politischen Landkarte des Reiches ein. An beides war in der Realität nicht zu denken. Luther hat denn auch diesen spektakulären Vorschlag nicht wiederholt, 1526 stattdessen einen früheren Vorschlag modifiziert erneut vorgelegt, um das Ziel der Säkularisierung zu erreichen: Der Hochstiftsbesitz sollte dem Reich anheimfallen und zu weltlicher Herrschaft an die Würdigsten unter den gegenwärtigen Amtsinhabern, die auf ihre geistliche Funktion zu verzichten hatten, ausgegeben werden.[99] Wieder blieb die Frage offen, ob an Erblichkeit oder nur an Besitz auf Lebenszeit gedacht ist.

2. *Phase:* Herausgefordert durch den Augsburger Reichstag, hat sich Luther 1530 erneut mit dem Problem der weltlichen Herrschaft der Bischöfe beschäftigt. Dabei sind seine bisherigen Stellungnahmen über die prinzipielle Vereinbarkeit und praktische Unvereinbarkeit beider Funktionen schärfer formuliert worden, indem er jetzt die Vorstellung der »persona duplex in eodem homine«[100] auf den geistlichen Fürsten angewendet hat. »Eadem persona non possit esse episcopus et princeps ... Personas impermixtas sicut et administrationes volo, etiamsi idem homo utramque personam gerrere possit.«[101] Bei klarer Trennung des Handelns in beiden Bereichen konnte, wie Luther als Beispiel anführte, Konrad von Thüngen durchaus Bischof von Würzburg und Herzog von Franken sein; als letzterer hatte er über seine Untertanen als cives Befehlsgewalt, nicht aber über sie als Christen. Allerdings stand hinter diesen der Realität entgegenkommenden Formulierungen in der Situation von 1530 ein beträchtliches Maß an Taktik und Zweckbedingtheit: »Nolo enim episcopos turbare, si qui boni inter eos essent.«[102] War von Luther bisher die Säkularisierung der Hochstifte als beste, ja fast einzige Möglichkeit gefordert worden, um die ›confusio regnorum‹ und die Vernachlässigung der geistlichen Amtspflichten zu beenden, hat er den Bischöfen 1530 beide Funktionen zugestanden. Im Austausch gegen diese Anerkennung sollten die Prälaten aber bereit sein, mit der Wortverkündigung die wichtigste Aufgabe des geistlichen Amtes an evangelische Prediger zu übertragen und diese Predigt zu fördern und

---

[99] Vgl. WA 19, 446, 4 ff.
[100] WA. B 5, 493, 47.
[101] Ebd. 492, 17 ff.
[102] Ebd. 492, 20 f.

mit bischöflichem Zwang zu schützen.[103] Die Predigtaufgabe des geistlichen Amtes
wurde von Luther gewissermaßen dezentralisiert; an einen geistlichen Koadjutor hat er
offensichtlich auch 1530 nicht gedacht.

Auch in der Confessio Augustana ist die Vereinbarkeit beider Ämter des Bischofs
nicht bestritten worden. In Artikel 28 wurde aber ihr unterschiedlicher Ursprung und
ihre verschiedenartige Legitimation nachdrücklich hervorgehoben und zum weltlichen
Regiment, das aus »menschlichen kaiserlichen Rechten, geschenkt von römischen Kaisern und Königen«, herrührt, in Abwehr jeder möglichen Vermischung der Amtsaufga-
ben festgestellt: »... gehet das Ambt des Evangeliums gar nichts an.«[104] Im Entwurf
dieses Artikels hatte Melanchthon die Vereinbarkeit geistlicher und weltlicher Funktionen mit dem gewagten Vergleich abgedeckt, daß auch die Apostel bürgerliche Berufe
ausgeübt und daneben Verkündigungsaufgaben erfüllt hätten.[105]

*3. Phase:* Erst gegen Ende der dreißiger Jahre hat Luther die Frage nach der Zukunft
des geistlichen Fürstentums wieder aufgegriffen, sich nun aber für eine konservative
Lösung entschieden und die früher von ihm geforderte Säkularisierung aufgegeben. Die
Änderung seiner Haltung ist vermutlich aus der Erfahrung herzuleiten, daß das Kir-
chengut in den evangelischen Territorien und Städten zersplittert und zu nicht geringen
Teilen zweckentfremdet verwertet wurde; vielleicht kam eine vertiefte Einsicht in den
Verfassungsaufbau des Reiches, der ihm erstmals im Oktober 1530 im Zusammenhang
mit dem Widerstandsrecht vermittelt worden war,[106] hinzu. Dennoch beließ auch die
Entscheidung, die Hochstifte zu erhalten, nur äußerlich alles beim alten. Luthers neues
Konzept war mit einem Funktionswandel des weltlichen Besitzes der Bischöfe verbun-
den. Während 1530 festgestellt worden war, daß die weltliche Herrschaft der Bischöfe
das Predigtamt nicht betreffe, wurde jetzt der weltliche Besitz für Kirche und Schule in
Anspruch genommen. Die Hochstifte verloren damit ihren Charakter als normale
Reichsstände und wurden gewissermaßen zu Kirchen- und Schulstaaten. Nur was nicht
für diese Zwecke benötigt wurde, sollte zu »gemeinem weltlichen nütz (wie billich)«
verwendet werden.[107]

---

[103] Vgl. WA 30/II, 342, 24 ff. Kaum zutreffend ist, daß Luthers Lösungsvorschlag von 1530 »auf
die früher von ihm entwickelte Konzeption vom neugläubigen Landesfürsten als ›Notbischof‹
hinauslief«; so GÜNTER (Anm. 10), S. 114.

[104] BSLK, S. 123; vgl. zur Literatur oben Anm. 86.

[105] Vgl. THEODOR KOLDE, Die älteste Redaktion der Augsburger Konfession mit Melanchthons Einleitung, Gütersloh 1906, S. 28; vgl. dazu WILHELM MAURER, Historischer Kommentar zur Confessio Augustana, Gütersloh I, 1976, S. 81 f. Melanchthon hat den Vergleich,
beschränkt auf Paulus als Apostel und Weber, 1537 in einer Quaestio wiederholt; vgl. CR 3,
Sp. 471.

[106] Zur sog. Torgauer Wende vgl. WOLGAST (Anm. 10), S. 173 ff.

[107] Vgl. WA. B 8, 304, 25 ff. Weitere Äußerungen Luthers Ende der dreißiger Jahre vgl. ebd.
310, 12 ff. (Entwurf für Nikolaus Hausmann an Bischof Johann VIII. von Meißen); 360, 11 ff.
(Entwurf für Kaspar Zeuner an dens.). Vgl. auch ebd. 432, 21 f. (an Georg von Anhalt): »Nam
sicuti sepius T.C. testatus sum me non optare ruinam Episcopatuum, sed reformationem.« Vgl.
auch WA 53, 254, 22 ff. Im Gegensatz zu Luther hat Bucer an der Säkularisierung – wenn auch
ohne Erbrecht – festgehalten; vgl. dazu ausführlich noch immer DIETRICH KÖHLER, Reforma-
tionspläne für die geistlichen Fürstentümer bei den Schmalkaldern, Berlin 1912 (Diss. phil.
Greifswald), S. 80 ff. 136 ff. 191 ff.

Allerdings blieb dieser Vorschlag Theorie auch dort, wo er hätte verwirklicht werden können. Bei der Einsetzung eines evangelischen Bischofs in Naumburg wurde das Hochstift nach außen bewußt unangetastet gelassen und jede Veränderung, Umwidmung oder Verkürzung der weltlichen Gerechtsame vermieden. Der Bischof Amsdorf wurde in die ungeteilte Herrschaft eingesetzt, das Bistum Naumburg sollte unzerrissen und ein »frey Corpus bleiben, wie zuvor, mit aller seiner gerechtigkeit«.[108] In der Praxis war der als ›praefectus episcopalis‹ die weltliche Verwaltung des Hochstifts führende Stiftshauptmann aber ein kurfürstlicher Beamter. Dennoch, die rechtlich zweifelhafte Investitur Amsdorfs zwang den Kurfürsten, mindestens nach außen hin auf die günstige Gelegenheit zu verzichten, die schleichende oder offene Mediatisierung, von der Naumburg seit Jahrzehnten betroffen war, weiter voranzutreiben. In anderer Form wiederholte sich damit die Situation, vor der Georg von Sachsen 1538 gestanden hatte, als er gleichfalls den Mediatisierungsprozeß seiner Landesbistümer Meißen und Merseburg durchkreuzen mußte, indem er beide Bischöfe als selbständige Mitglieder in den Nürnberger Bund aufnehmen ließ, um die katholische Partei seines Landes über seinen Tod hinaus zu stärken.

Für die altgläubigen Bischöfe erneuerte und präzisierte Luther 1542 seinen Vorschlag von 1530, gegen Zusicherung ihrer weltlichen Herrschaft die pastoralen Funktionen durch evangelische Prediger erfüllen zu lassen. Als Parallele aus der Kirchengeschichte zog er das Beispiel des Bischofs Valerius heran, der Augustin mit der Wahrnehmung der Predigtaufgabe betraut hatte.[109] Die Bestellung eines Koadjutors für die geistlichen Angelegenheiten, wie sie 1544 bei der Neubesetzung des Bistums Merseburg im albertinischen Sachsen vorgenommen wurde[110], hat Luther offensichtlich auch diesmal nicht vorgesehen. Für den einen Koadjutor traten bei ihm die evangelischen Prediger insgesamt ein.

Die Wittenberger Reformation von 1545 kehrte dann, um den Religionsausgleich zu fördern, zur Lösung der »persona duplex in eodem homine« zurück: »Weltliche herrschaft haben, ist nicht sünd, obgleich schwer ist, zugleich weltliche und geistliche regirung zu tragen.«[111] Die Doppelstellung der geistlichen Fürsten war damit auch von evangelischer Seite her nochmals bestätigt worden.[112]

---

[108] WA 53, 258, 28 f. Zu Theorie und Praxis der evangelischen Bischofsherrschaft in Naumburg vgl. PETER BRUNNER, Nikolaus von Amsdorf als Bischof von Naumburg, Gütersloh 1961 (SVRG 179), S. 78 ff. 101 ff.

[109] Vgl. WA 53, 253, 21 ff.

[110] Bezeichnenderweise führte bei dieser Funktionenteilung der weltliche Administrator August offiziell die eigentlichen Bischofsaufgaben, während Georg von Anhalt zum Koadjutor für die geistlichen Angelegenheiten bestellt wurde. Bugenhagen empfahl 1544, als er das Bistum Cammin ablehnte, da er sich der weltlichen Verwaltung nicht gewachsen fühlte, einen Bischof zu wählen, der zu Predigt und Visitation fähig sein müsse. »Talis episcopus potest et debet apud se fovere eruditum praedicatorem sive theologum, quem homines libenter audiunt, et sit adiutorio episcopo in officio episcopali.« (WA. B 10, 719, 95 f.).

[111] EKO 1, S. 219.

[112] Im Gegensatz zur Straßburger Reformation, die von Bucer stammt; vgl. SECKENDORF III, S. 541.

## IV. Albrecht von Mainz

Der geistliche Reichsfürstenstand verkörperte sich für Luther vor allem in Albrecht von Mainz, der für ihn der Prototyp des pflichtvergessenen und weltlichem Leben hingegebenen Prälaten war. Die Kritik Luthers an den Bischöfen konzentrierte sich auf Albrecht einmal, weil dieser seiner besonderen Verantwortung als ranghöchster Geistlicher des Reiches nicht gerecht wurde; zum andern lag seine Amtsführung im Erzbistum Madgeburg im unmittelbaren Beobachtungs- und Anschauungsbereich Luthers. Seine vermittelnde Reichs- und Konfessionspolitik, die der evangelischen Partei wenigstens zeitweise nicht unbeträchtlich entgegenkam[113], hat Luther niemals in ihrem Wert gewürdigt. 1532 unterstützte er allerdings die Friedensbemühungen der Kurfürsten von Mainz und Pfalz, ohne sie aber Albrecht persönlich zugute zu halten oder sich an ihn zu wenden. Dabei war Albrecht geraume Zeit hindurch keineswegs ein so eindeutiger und entschiedener Gegner der Reformationsbewegung wie Georg von Sachsen, zumindest ergriff er bei weitem nicht so scharfe Maßnahmen wie jener, um die Durchsetzung der neuen Lehre im Hochstift Magdeburg zu verhindern. Allerdings war er in seiner Aktionsfreiheit durch seine hohen Schulden, deren Begleichung er von den Landständen mit Konzessionen in konfessionellen Fragen erkaufen mußte, beeinträchtigt.[114]

Dagegen bot der Erzbischof als Person durch einen fragwürdigen Lebenswandel, als Landesfürst durch spektakuläre Fehlgriffe – besonders in der Affäre Schönitz – eine bequeme Zielscheibe der Kritik. Dennoch ist bis 1530 das Urteil Luthers über Albrecht trotz mancher Zwischenfälle insgesamt nicht unfreundlich gewesen. Noch 1541 hat er eingeräumt: »Und ich mag das auch sagen, das mir kein Herr, auch mein eigen Gnedigsten Herrn Churfürsten zu Sachssen nicht so gnedig allzeit geantwortet und so viel zu gut gehalten hat, als der Bisschoff Albrecht. Ich dachte fur war, Er were ein Engel. ... Ich meine ja, ich sey auch beschissen in meinem hohen vertrawen auff solchen bösen menschen.«[115]

---

[113] So hatte Albrecht sich 1521 geweigert, das Wormser Edikt gegenzuzeichnen, 1530 war er in Augsburg für die Verlesung der CA eingetreten; vgl. auch die Vermittlerrolle Kurmainz' 1532 und 1538/39 sowie Albrechts Konzessionen gegenüber Magdeburg und Erfurt 1525 bzw. 1530. Bezeichnenderweise wurden von Vertretern der 12 Kapitel der Erzdiözese Mainz in ihrem Hilferuf an Karl V. von Nov. 1525 als gewünschte Exekutoren zwar Köln, Trier, Pfalz, Brandenburg, Bayern, Sachsen, Jülich-Kleve und Erzherzog Ferdinand genannt, nicht aber Mainz; vgl. WA 19, 271, 20 ff. Vgl. auch AUGUST PHILIPP BRÜCK, Die Instruktion Kardinal Albrechts von Brandenburg für das Hagenauer Religionsgespräch 1540: AMRhKG 4 (1952), S. 275 ff. Hier werden Laienkelch und Zölibatslockerung gefordert, letzteres allerdings nicht für bereits ordinierte Priester. Albrechts Religionspolitik wurde nicht so sehr von Sympathie für die neue Lehre geleitet als vielmehr außerhalb seiner Territorien von der Einsicht in die Notwendigkeit, das Reich zusammenzuhalten; im Hochstift Magdeburg wurde sie diktiert von der Rücksicht auf die mächtigen Stiftsstände und großen Städte.

[114] Bei seinem Bruder Joachim I. von Brandenburg war die ebensogroße finanzielle Misere allerdings kein Hinderungsgrund für entschiedenes Vorgehen gegen die reformatorische Bewegung.

[115] WA 51, 538, 12 ff.

Zu einer ersten Krise wäre es allerdings fast schon Ende 1521 gekommen, als Luther mit großem Selbstbewußtsein von der Wartburg aus den Erzbischof ultimativ aufforderte, den Plan einer Reliquienausstellung in Halle aufzugeben und die Verfolgung verheirateter Priester einzustellen. Für den Fall der Weigerung drohte er mit einer öffentlichen Streitschrift.[116] Im Zusammenhang mit der Verfolgung der evangelischen Bewegung in Miltenberg 1524 hat Luther zwar vom »infelix homo« und der »tyrannis Episcopatus« gesprochen[117], aber Albrecht gegenüber versichert, er glaube immer noch, »E.K.F.G. sei nicht der Meinung, als etliche Wölfe und Löwen an E.K.F.G. Hofe sein.«[118] Vermutlich hat sich Luther hier in nicht geringem Maß taktisch geschickt verhalten wollen, um Albrecht die Gelegenheit zum Rückzug zu bieten, so wie er 1527 das Mainzer Domkapitel für den Mord an Georg Winkler verantwortlich gemacht hat, während er Albrecht, wenn auch zweifelnd, entlastete: »Ich hore den Bischoff zu Mentz höchlich rhumen als unschuldig, welchs ich auch von hertzen wündsche, und las es so sein.«[119] Als der Erzbischof aber 1528 verlangte, zu Ostern das Abendmahl sub una zu nehmen, hat Luther dies als unzulässigen Eingriff in das Gewissen der Untertanen scharf verurteilt und Albrecht in einem Privatschreiben an seine Anhänger in Halle als einen Tyrannen, der selbst gegen Gottes Gebot verstoße und Ungehorsam der Gläubigen gegen Gott verlange, angeklagt.[120]

Zweimal hat Luther sich in entscheidenden Situationen an Albrecht von Mainz als Primas Germaniae gewandt. 1525 appellierte er an ihn, sich zu verheiraten und seine Hochstifte zu säkularisieren.[121] Albrecht sollte ein Beispiel geben, um durch sein Vorbild die anderen Prälaten zu dem gleichen Schritt zu bewegen. 1530 forderte er ihn als den »fürnemesten und hohesten Prelaten in Deudschen landen«[122] in einem gedruckten

---

[116] Vgl. WA. B 2, 405 ff. Luther hatte bereits eine Streitschrift abgefaßt, die aber auf Verlangen des kurfürstlichen Hofes nicht gedruckt worden war; vgl. GOTTFRIED G. KRODEL, »Wider den Abgott zu Halle«. Luthers Auseinandersetzungen mit Albrecht von Mainz im Herbst 1521: LUJ 33 (1966), S. 9 ff.

[117] WA. B 3, 236, 14 f.

[118] Ebd. 244, 25 f. Um so schärfer zog Luther gegen »die Meintzischen tempelknecht und seeljeger«, »die elende meyntzische hurnknecht und mastbeuch« zu Felde; WA 15, 76, 16 f. 29 f.

[119] WA 23, 407, 15 f. Luther war von Albrechts Rat Johann Rühel gebeten worden, Albrecht zu schonen; vgl. WA. B 4, 238, 1 ff. Bei begründeter Vermutung hätte sich Luther allerdings kaum abhalten lassen, Albrecht verantwortlich zu machen. In der späteren Polemik gegen ihn hat er seine damalige Zurückhaltung selbst sehr bedauert; vgl. WA. B 7, 218, 66 ff.; 369, 6 ff.

[120] Vgl. WA. B 4, 444 f.

[121] Vgl. oben S. 54 f.; das Schreiben war auf Bitten Rühels abgefaßt worden; vgl. WA. B 3, 505, 44 ff. Luther hatte Rühel die Veröffentlichung freigestellt; vgl. ebd. 522, 5 ff. Der Text wurde erst 1526, und zwar zuerst in Nürnberg, gedruckt. Ob aus der Publikation ein Einverständnis Albrechts mit Luthers Vorschlag zu folgern ist, wie KUNST (Anm. 12), S. 335 meint, muß dahingestellt bleiben. Daß die Lutheraner das Gerücht von der Heiratswilligkeit Albrechts verbreiteten, berichtet Campegio im Mai 1525 nach Rom; vgl. PETRUS BALAN (Hg.), Monumenta reformationis Lutheranae ex tabulariis secretioribus S. Sedis 1521–1525, Regensburg 1884, S. 465; vgl. auch GEORG MARTIN THOMAS (Hg.), Martin Luther und die Reformationsbewegung in Deutschland vom Jahre 1520–1532 in Auszügen aus Marino Sanuto's Diarien, Ansbach 1883, S. 108 f.

[122] WA 30/II, 398, 19 f.

Sendschreiben auf, in Augsburg für eine ›pax politica‹ und für Freigabe der evangelischen Predigt zu sorgen. Daß der Kardinal sich dieser Aufgabe versagte und 1531 nach
seiner Rückkehr nach Halle mit der Verfolgung von Lutheranern begann, führte zum
endgültigen Bruch Luthers mit Albrecht: »Post comicia [1530] Satan intravit sicut in
Judam.«[123] Seither polemisierte er offen von der Kanzel gegen ihn und sparte nicht mit
groben Worten und Invektiven.[124] Aber noch 1538 hat Luther an die kirchenleitende
Funktion Albrechts erinnert und ihre Vernachlässigung durch den Kardinal beklagt,
wenn er im Zusammenhang mit dem Schutz der Hochstifte vor Säkularisierung und
Zweckentfremdung erklärte, »der leidige man Cardinal zu Hall« könne hier viel bewir-
ken, wenn er nur seine Pflicht tun wolle. »Aber der Teuffel reitet yhn, das er nach der
armen kirchen und nachkomen nichts fraget.«[125]

Das zweifelhafte Rechtsverfahren gegen den Kardinalsgünstling Hans von Schönitz
1535 veranlaßte Luther zu einer neuen Auseinandersetzung, in deren Verlauf er zweimal an Albrecht geschrieben hat, um ihn unumwunden des Mordes an Schönitz zu
bezichtigen – »mit allem Frevel und Mutwillen von E.K.F.G. erwurget und gehen-
ket«[126] – und ihn jetzt auch für den Tod Winklers 1527 verantwortlich zu machen.
Obwohl Luther in seinem ersten Schreiben Mitte 1535[127] angekündigt hatte, Albrecht
künftig sich selbst und Gottes Gericht zu überlassen, »weil ich doch keiner Besserung
hoffen soll«[128], wandte er sich Anfang des nächsten Jahres nach Einsicht in die Papiere
Schönitz' nochmals an ihn[129], um eine öffentliche Streitschrift gegen ihn anzukündigen.
Beide Schreiben sind voller Polemik, Verachtung und Anklage. Albrecht wird mit Kain
verglichen, Luther sieht sich selbst als Elias, der von Gott erweckt ist als »ein gemeiner
Teufel über Euch römische Teufel, Morder und Bluthunde.«[130] Von der üblichen und
herkömmlichen Distanz zum vornehmsten Reichsfürsten ist jetzt ebenso wenig mehr
etwas zu spüren wie im Kampf Luthers mit Georg von Sachsen, knapp daß noch die
Albrecht zukommende Anrede »E.K.F.G.« benutzt wird.

Ihren vehementen Höhepunkt erreichten die Auseinandersetzungen mit Albrecht in
der Kanzelabkündigung gegen Simon Lemnius 1538 und der einzigen unmittelbaren

---

[123] WA 30/III, 402, 8 f. innerhalb der Notizen für einen offenen Brief an die Evangelischen in
Halle gegen Albrecht, der aber vom Hof untersagt wurde. Luther fügte sich dem Verbot; vgl.
WA. B 6, 91, 12 ff. Daß 1530/31 zum Schlüsseljahr für Luthers Urteil über Albrecht von Mainz
wurde, geht auch aus WA. TR 5, 694, 20 ff. hervor.

[124] Bereits 1531 nannte Luther ihn in einem Wortspiel »die hellische brautt und Ertzschalk
Bischoff zu Mentze«; WA 30/III, 401 Anm. 2. Er schlug damit einen Ton an, der sich in der
Folgezeit immer weiter verschärfte. 1534 betete er öffentlich gegen den Kardinal; vgl. WA. B 7,
143, 14 ff. Eine Zusammenstellung der Urteile Luthers über Albrecht vgl. WA 58, 182 ff.;
WA. B 15, 7.

[125] WA. B 8, 305, 30 ff. Vgl. auch Luthers Predigt vom 16. Juni 1538: »Wenn er [sc. Albrecht]
wol wolt, tum posset servire Christo ut summus pontifex in Germania. Sed wollen halten ire Eide,
den sie dem Babst gethan.«; WA 46, 439, 1 ff.

[126] WA. B 7, 369, 39 f.

[127] Ebd. 216 ff.

[128] Ebd. 219, 94.

[129] Ebd. 368 ff.

[130] Ebd. 369, 18 f.

Streitschrift Luthers »Wider den Bischof zu Magdeburg, Albrecht, Kardinal« 1539.[131] Nachdem es zum Streit zwischen den Schmalkaldener Bundesfürsten und Heinrich von Braunschweig-Wolfenbüttel gekommen war, hat Luther in den folgenden Jahren mit der bequemen Alliteration »Mainz und Heinz« auch Albrecht immer wieder in seine Polemik gegen die Feinde des Evangeliums einbezogen. Im Streit zwischen Johann Friedrich von Sachsen und dem Magdeburger Erzbischof seit 1534 um die Rechte des Burggrafenamtes in Halle vertrat er die kursächsischen Ansprüche in einer extremen Auslegung und unterstützte die Intransigenz Johann Friedrichs.[132] Neben der Sorge für das evangelische Kirchenwesen leitete ihn dabei sehr deutlich sein unterdessen vertiefter Haß auf Albrecht.[133] Den Wunsch des Kurfürsten, 1542 nach Beendigung des Braunschweiger Feldzugs zur militärischen Besetzung Halles religiös legitimiert zu werden, lehnte Luther allerdings ab[134], wenn ihn dazu auch fraglos nicht Sympathie für den Erzbischof veranlaßte. Sein Nachruf auf Albrecht 1545 war eindeutig: »Gerne hätte ich den Cardinal zu Mentz selig gesehen, Aber da war kein hören, und ist also dahin gefaren, Gott behüte alle menschen für solcher Fart.«[135]

Albrecht von Mainz war von ganz anderem persönlichen Zuschnitt als Georg von Sachsen und hat seine landesfürstlichen Aufgaben wie in anderen Bereichen, so auch hinsichtlich der »cura religionis« offenbar bei weitem nicht so verpflichtend aufgefaßt wie der Herzog.[136] Wieweit ihn die Mitregierung seiner Domkapitel an aktivem Handeln gehindert hat, läßt sich schwer ausmachen, mehr eingeschränkt hat ihn fraglos die Abhängigkeit von den Stiftsständen, auf die er in seiner finanziellen Dauermisere angewiesen war. Auch gegenüber Luther hat Albrecht ein anderes Verfahren gewählt als der sächsische Herzog. Er hat sich nie in eine Polemik mit ihm eingelassen oder literarische Verteidiger mobilisiert; Luthers Einfluß auf die öffentliche Meinung im Reich ist von ihm nach der ersten Erfahrung von 1517 immer ernstgenommen und respektiert worden. Während er 1520 dessen Aufforderung, seiner Verantwortung gerecht zu werden, noch ausweichend beantwortet und Luther zur Bescheidenheit ermahnt hatte,[137] reagierte er auf Luthers Ultimatum von der Wartburg sehr entgegenkommend, wenigstens was den Ablaß betraf; über das Problem der verheirateten Priester schwieg er.[138] Zeitweise scheint er Luther sogar geschätzt zu haben, wenn er denn Herzog Johann von

---

[131] WA 50, 348 ff. 386 ff. Als Zweck der Schrift gab Luther an: »Ob ich kund dem Cardinal hie mit das gewissen rüren zur busse. Denn so gram bin ich keinem Menschen, das ich jm wolt gönnen, eine stunde unter Gottes zorn zu sein, geschweige denn ewiges verdamnis« (ebd. 429, 15 ff.). Zur Auseinandersetzung Luthers mit Albrecht aus Anlaß der Schönitz-Affäre vgl. zuletzt erschöpfend EDWARDS (Anm. 72), S. 166 ff.

[132] Zu Luthers Stellung in diesem Streit vgl. WOLGAST (Anm. 10), S. 253 ff.

[133] Dieser Haß schlägt sich 1541/42 in den Briefen und Gutachten Luthers über das Burggrafenamt nieder, bis hin zum Urteil: »diabolissimus diabolus« (WA. B 10, 149, 12).

[134] Vgl. dazu WOLGAST (Anm. 10), S. 257 f.

[135] WA 54, 391, 17 ff. In »Wider das Papsttum zu Rom« hatte Luther 1545 nochmals öffentlich gegen Albrecht polemisiert; vgl. WA 54, 217, 24 ff.

[136] Diese Aussage muß allerdings mit dem Vorbehalt gemacht werden, daß, anders als für Georg von Sachsen, die Quellenlage für die Territorialpolitik Albrechts sehr ungünstig ist.

[137] Vgl. WA. B 2, 53 ff.

[138] Vgl. ebd. 421. Luthers kritische Stellungnahme vgl. ebd. 428 ff.

Sachsen im November 1524 seine wirkliche Meinung gesagt hat: »Er günne Martino
Lutter gutz yn seinem herzen, und er predige und schreybe die warheit.«[139] Auch das
angesichts aller Umstände doch höchst merkwürdige Geldgeschenk Albrechts an Luther zu dessen Hochzeit spricht mindestens nicht für erbitterte Gegnerschaft, selbst
wenn es nur Ausdruck des Dankes dafür gewesen sein sollte, daß Luther 1524 einen
Aufruhr in Magdeburg hatte verhindern helfen.[140]

Bis in die Schönitz-Affäre hinein hat Albrecht immer wieder versucht, Luther durch
Entgegenkommen zu neutralisieren, öffentliche Polemik gegen sich durch Interventio-
nen von Mittelsmännern am kurfürstlichen Hof oder in Wittenberg abzuwenden.
Anders als Georg von Sachsen konnte Albrecht 1536, um eine von Luther angekündigte
Streitschrift zu verhindern, die Familiensolidarität der Hohenzollern aufbieten, die
beim sächsischen Kurfürsten vorstellig wurden; Albrecht von Preußen hat sich zusätzlich in mehreren Briefen bei Luther für seinen Onkel verwendet.[141] Das Vorgehen hatte
zunächst Erfolg, wenn Luther auch Einspruch dagegen erhob, daß die Polemik gegen
ein Mitglied der Familie die ganze Dynastie berühre.[142] Erst durch das Lob Lemnius'
auf Albrecht erneut gereizt, ließ er sich dann 1539 nicht mehr von der Veröffentlichung
abhalten.

Indem er die von ihm zeitlebens als Hauptgegner des Evangeliums angesehenen
deutschen Fürsten noch einmal zusammen nannte, hat Luther angesichts der Abgren-
zungspolitik Moritz' von Sachsen Anfang 1546 feststellen müssen: »Nunc dux Georgius et Moguntinus etiam mortui regnabunt Dresdae.«[143] Diese Einsicht bedeutete
zugleich, daß seine Auseinandersetzungen mit den altkirchlichen Fürsten ergebnislos
geblieben waren. Weder hatten diese seine Lehre angenommen noch hatten sie wenigstens die evangelische Predigt zugelassen. Auch die Erwartungen, die Luther sein
Leben lang auf Karl V. gesetzt hatte, erkannte er 1546 endgültig als Illusion: »Caesar
est aversus totus, et quod hactenus dissimulavit, nunc prodit.«[144] Angesichts der allgemeinen Stagnation und der Widerstände von allen Seiten ist offensichtlich auch Luthers
bisher uneingeschränktes Vertrauen auf die Selbstdurchsetzungskraft des Wortes Gottes ohne menschliches Zutun schwächer geworden und hat neben einer gewissen Resignation vor allem wachsender Ungeduld und steigendem Zorn Platz gemacht. Dies

---

[139] GESS (Anm. 12) I, S. 768.

[140] Auf dieses Motiv wies mich freundlicherweise GÜNTER MÜHLPFORDT – Halle hin; vgl.
auch GESS (Anm. 12) I, S. 768.

[141] Vgl. WA 50, 391 f.

[142] Vgl. WA. B 7, 611, 18 ff.

[143] WA. B 11, 253, 15 f.

[144] Ebd. 253, 7 f. – Auf das Verhältnis Luther – Karl V. ist im vorliegenden Zusammenhang
nicht eingegangen worden, da der Kaiser für Luther weit oberhalb der Fürsten stand – unbeschadet seiner tatsächlichen verfassungsrechtlichen Stellung. Luther hat Karl V. eigentlich immer positiv gesehen; die kritischen Äußerungen Ende 1530 in einer Vorlesung blieben vorübergehend; vgl.
WOLGAST (Anm. 10), S. 173 f. Reformationsfeindliche Maßnahmen wurden stets dem Einfluß
übelwollender Berater zugeschrieben, insbesondere war Ferdinand für Luther der negative Gegen-
pol zu Karl V. Die lange Abwesenheit Karls in den zwanziger und seine Ausgleichspolitik in den
dreißiger Jahren gaben Luther die Möglichkeit, vor sich selbst und öffentlich die Illusion des guten

äußerte sich in vehementen Streitschriften nach allen Seiten, gegen Papst und Juden, Türken und Sakramentierer, schlechte Christen und fürstliche Verfolger des Evangeliums. Die furiosen Polemiken sind sicher auch durch eine gewisse Furcht vor dem Untergang des neuentdeckten Evangeliums in Deutschland mitbestimmt,[145] aber diese Furcht ist doch immer weit weniger stark ausgeprägt als die Zuversicht auf die Nähe des Jüngsten Tages. Am Ende blieb für Luther angesichts der Verfinsterung des politischen Horizonts 1546 nur die auf Ps 145, 7 (Vg.) gestützte Aufforderung und Erwartung: »Orationem tuam cum nostra coniunge, ut intret in conspectum Dei, qui iudicium facit in iniuriam patientibus.«[146]

---

und wohlwollenden Kaisers aufrechtzuerhalten. Als Grund dieses Irrtums über Stellung und Politik Karls V. läßt sich vermuten, daß Luther den übergeordneten Bezugspunkt im Rahmen der weltlichen Ordnung vor sich selbst und anderen unangetastet lassen wollte, so lange es irgend ging. Eine Polemik gegen den Kaiser oder gar die Absage an ihn mußte vielfach – vielleicht auch für Luther selbst – als Wille zur Sprengung des Reiches und zur Aufkündigung der Zusammengehörigkeit verstanden werden. Erst der konfessionelle Bürgerkrieg 1546/47 ermöglichte bzw. erzwang dann die eindeutige Trennung von Karl V., manifestiert im Absagebrief Johann Friedrichs von Sachsen und Philipps von Hessen. Zur Aussparung Karls V. in der Reihe der Evangeliumsverfolger hat vermutlich auch die geschichtstheologische Weltsicht der »Vier-Monarchien-Lehre« beigetragen. »Das Deudsche Kaiserthum ... mus bleiben bis an Jüngsten tag, wie schwach es jmer sey, denn Daniel leuget nicht« (WA DB 11/II, 7, 5 ff.). Das schwache Reich durch Angriffe auf den Kaiser möglicherweise vorzeitig zum Einsturz zu bringen, mußte untunlich und als Eingriff in Gottes Handeln erscheinen. Zu Luthers Urteilen über Karl V. vgl. die Zusammenstellung in WA 58, 13 ff. Zum Verständnis von Kaiser und Reich bei Luther vgl. WOLGAST (Anm. 10), S. 84 ff.; GÜNTER (Anm. 10), S. 31 ff.

[145] Den sehr bedenkenswerten Hinweis auf das Element der Angst beim späten Luther verdanke ich GOTTFRIED SEEBASS – Heidelberg.

[146] WA. B 11, 253, 23 f.

Gerhard Müller

# 2.2 Luther und die evangelischen Fürsten

Bekanntlich hat Luther sich für einen Mansfelder gehalten. Es gibt verschiedene Briefe an seine Grafen, die die Reformation angenommen und in ihrem Land eingeführt haben. Luther hat auch einige Briefe an sie gerichtet,[1] aber ungleich gewichtiger ist sein Verhältnis zu seinen Kurfürsten. Da wir uns hier beschränken müssen, soll deswegen kurz davon gesprochen werden, bevor wir uns seinem Verhältnis zu Landgraf Philipp von Hessen, dem zweiten Bundeshauptmann des Schmalkaldischen Bundes, zuwenden. Denn über Luthers Verhältnis zu den sächsischen Kurfürsten gibt es bereits verschiedene Arbeiten,[2] während seine Kontakte mit Philipp von Hessen noch weniger bearbeitet sind.

Wir wissen, daß die Stellung Friedrichs des Weisen zur Reformation von entscheidender Bedeutung gewesen ist. Dieser Kurfürst hat den direkten Kontakt mit Luther gemieden[3] und im wesentlichen über seinen Sekretär Spalatin mit dem Wittenberger Professor verhandelt. Ihr »Verhältnis« war »überaus diffizil, ja es grenzte, wie man gesagt hat, ans ›Gespenstische‹«.[4] Wichtig ist aber, daß Luther die vorsichtige Zurückhaltung seines Kurfürsten als berechtigt anerkannt hat. Ihm war bewußt, daß er als Geächteter seinen Landesherrn in erhebliche Probleme hineinbringen konnte. Deswegen hat er ihn auch nie gedrängt, sich deutlich zu entscheiden.[5] Er empfand wohl das Verhalten Friedrichs als eine deutliche Parteinahme für seine eigene Position.[6] Dennoch hat Luther Friedrich dem Weisen auch direkt geschrieben. Vom Kurfürsten gibt es lediglich vier dienstliche Briefe an seinen Professor, während Luther sich immerhin

---

[1] Das Verhältnis Luthers zu den Mansfelder Grafen hat anschaulich geschildert HERMANN KUNST, Evangelischer Glaube und politische Verantwortung. Martin Luther als politischer Berater seiner Landesherren und seine Teilnahme an den Fragen des öffentlichen Lebens, Stuttgart 1976, S. 16–34.

[2] Zu Friedrich dem Weisen vgl. zuletzt INGETRAUT LUDOLPHY, Luther und sein Landesherr Friedrich der Weise: Luther 54 (1983) S. 111–124; zu Johann und Johann Friedrich vgl. GÜNTHER WARTENBERG, Luthers Beziehungen zu den sächsischen Fürsten, in: Leben und Werk Martin Luthers von 1526 bis 1546, hg. von HELMAR JUNGHANS, Göttingen 1983, S. 549–561. 917–924.

[3] Vgl. INGETRAUT LDOLPHY, Haben sie tatsächlich nie miteinander gesprochen? Luther und sein Landesfürst Friedrich der Weise: Luther 53 (1982) S. 115–121.

[4] BERND MOELLER, Eine Reliquie Luthers, in: Jahrbuch der Wissenschaften in Göttingen für das Jahr 1982, S. 33–56, Zitat S. 46.

[5] KUNST (Anm. 1), S. 36.

[6] LUDOLPHY (Anm. 3), S. 118–120.

siebenunddreißigmal an ihn gewendet hat.[7] Wichtiger aber ist, daß in den entscheidenden frühen Jahren Luther und Spalatin sich gegenseitig auf dem laufenden hielten.

In der Öffentlichkeit mußte dagegen bekannt werden, daß Luther seine »Operationes in Psalmos« seinem Kurfürsten 1519 widmete.[8] Nun waren solche Widmungen
üblich. Auch war 1519 Luther ja weder gebannt noch geächtet. Dasselbe gilt für die
Widmung der »Tessaradecas consolatoria« vom Jahr 1520.[9] Die Widmung der lateinischen Adventspostille vom Jahr 1521[10] fällt dagegen schon in die kritische Zeit. Demnach hat Luther es sich nicht nehmen lassen, auch als Geächteter seinen Kurfürsten in
aller Öffentlichkeit anzureden. Dabei blieb es, wobei hier nur noch an seinen »Brief an
die Fürsten zu Sachsen von dem aufrührischen Geist« aus dem Jahr 1524 erinnert
werden soll.[11] Aus Luthers Verhalten wird deutlich, daß er zwar persönlich den Kurfürsten nicht belasten wollte, daß er aber in der Sache um Verständnis bei seinem
Landesherrn warb, ja ihn auch kritisierte, wenn er dies – etwa in bezug auf Friedrichs
Wittenberger Reliquiensammlung – für erforderlich hielt.[12] Dabei ist ihm offenbar
nicht verborgen geblieben, daß Kurfürst Friedrich tatsächlich weise handelte, wenn er
sich in die Entwicklung der reformatorischen Bewegung nicht direkt einschaltete. Dies
entsprach auch Luthers Meinung, der annahm, daß das Wort Gottes sich aufgrund der
Verkündigung durchsetzen werde.

Kurfürst Johann war fünf Jahre jünger als sein älterer Bruder. Mit ihm ist Luther in
direkte Verbindung gekommen. Es gab auch keinen Anlaß, dies zu ändern, als Johann
seinen Bruder in der Regierung ablöste. Denn die Reformation hatte sich nun bereits
ein Stück weit entwickelt, und man hatte sich auch daran gewöhnt, daß in Wittenberg
Bücher und Schriften geschrieben wurden von einem Mann, der seit Jahren gebannt
war. Johann hatte auch schon seinen Bruder in seiner Religionspolitik unterstützt, so
daß eine grundsätzliche Änderung nach dem 5. Mai 1525 – dem Todestag Friedrichs des
Weisen – nicht eintrat.[13] Gibt es auch nur einen einzigen Brief Luthers an Johann vor
dessen Regierungsübernahme,[14] so ist doch die Widmung von Luthers Schrift »Von
weltlicher Obrigkeit, wieweit man ihr Gehorsam schuldig sei« von 1523 an Johann ein
deutliches Signal. Denn Luther behauptet in seiner Vorrede, daß dieses Buch auf den
Wunsch Johanns hin erschienen sei.[15] Mindestens entfaltet Luther sein Konzept der
Befugnisse und der Grenzen weltlicher Obrigkeit vor den Augen und Ohren Herzog
Johanns, dem er damit andeutete, welche Regierungspolitik er gegebenenfalls einschla-
gen solle.

---

[7] KUNST (Anm. 1), S. 35.

[8] Gedr. WA 5, 19–673; eine kritische Neuausgabe der »Operationes« ist im Erscheinen; es liegt
vor: D. Martin Luther, Operationes in Psalmos 1519–1521, Tl. II, hg. von GERHARD HAMMER
und MANFRED BIERSACK, Köln/Wien 1981 (Archiv zur Weimarer Ausgabe der Werke Martin
Luthers, Bd. II).

[9] Gedr. WA 6, 104–134.

[10] Gedr. WA 7, 463–537.

[11] Gedr. WA 15, 210–221.

[12] Vgl. MOELLER (Anm. 4), S. 47–51.

[13] Vgl. KUNST (Anm. 1), S. 98–101.

[14] Gedr. WA.B 3, 267.

[15] Gedr. WA 11, 245–280.

Beide Fürsten werden aber nicht nur persönlich in Briefen angeredet oder in der Öffentlichkeit durch Vorreden von Schriften angesprochen, sondern sie werden auch in Luthers Vorlesungen erwähnt. Es war seine Exegese von Kohelet aus dem Jahr 1526, die Luther die Möglichkeit gab, im Bilde Salomos als »eines weisen Herrschers, der von der Würde und Verantwortlichkeit seines Amtes überzeugt ist und doch die Ohnmacht und Nutzlosigkeit seiner Bemühungen anerkennt«,[16] den ein Jahr vorher verstorbenen Friedrich vorgestellt zu finden. »Mit den Augen Salomos gesehen«, ist Deutschland »ein unbeständiges, undankbares, ständig auf Neues versessenes Land. Gott hat ihm das Evangelium verkündigen lassen, und anfänglich hat es sich ihm begierig zugewandt. Inzwischen aber hat es ihm mit Ekel den Rücken gekehrt und sich den Sakramentierern angeschlossen; wer weiß, wohin der Ekel es noch treiben wird? So leicht vergessen die Menschen das Gute, das sie empfangen haben.« Besonders die deutschen Fürsten werden von Luther getadelt. Sie regieren nicht, sondern »fressen und saufen; das kulturelle Leben verfällt, das Land wird zur Wüste.« Luther verweist auf die vielen ergebnislosen Reichstage, auf denen von den Fürsten nichts bewirkt worden ist.[17]

Aber Kurfürst Friedrich wird von Luther als leuchtendes Gegenbeispiel genannt. Seinen Studenten erklärt der Wittenberger, daß Friedrich seinen Beinamen wohlverdient trage und daß er ein guter Schüler »des weisen Salomo« sei. Luther lobt die »Bescheidenheit und Sparsamkeit« Friedrichs. Dieser hat dem niederen Adel nicht zuviel freie Hand gelassen und dadurch auch auf kulturellem Gebiet Positives leisten können. Dies meint Luther schon 1526 für das Werk Friedrichs sagen zu können![18] Wenn Friedrich also als ein neuer Salomo geschildert wird, dann wird dadurch dem verstorbenen Kurfürsten ein hohes, ja möglicherweise sogar unangemessenes Lob gezollt. Aber Luther stattet hier offenbar gewissermaßen so etwas wie eine Dankesschuld jenem Fürsten gegenüber ab, der, obwohl im Hintergrund stehend, schützend seine Hand über die Bemühungen seines Wittenberger Professors gehalten hat. Luther geht damit nicht an die Öffentlichkeit, aber sagt seinen Studenten, welche hohe Achtung er vor der Person und dem Werk des Verstorbenen hat.

Während Luther in dieser Vorlesung von Friedrich namentlich spricht, hat er im Jahr 1530/31 in seiner Vorlesung über das Hohelied den Namen des regierenden Kurfürsten Johann nicht genannt. Und dies geschieht nicht etwa deswegen, weil er das Hohelied mit Hilfe der Christusmystik Bernhards von Clairvaux erklärt, sondern weil er von dem regierenden Fürsten offenbar namentlich nicht sprechen will. Aber indirekt ist von Johann durchaus die Rede. Denn Luther deutet das Hohelied als »ein politisches Buch«, als »ein Gesangbuch, das in hymnischer Form Gottes Walten mit seinem Volk und dessen Verhältnis zu Gott beschreibt«.[19] Es ist ein Friedensreich, das im Hohenlied vorgestellt wird. In ihm gilt Gottes Wort, das »von allen geglaubt und befolgt wird«.

---

[16] WILHELM MAURER, Der kursächsische Salomo. Zu Luthers Vorlesungen über Kohelet (1526) und über das Hohelied (1530/31), in: Antwort aus der Geschichte. Beobachtungen und Erwägungen zum geschichtlichen Bild der Kirche. WALTER DRESS zum 65. Geburtstag, Berlin o. J. (1969), S. 100.

[17] Vgl. ebd. S. 102.

[18] Vgl. ebd. S. 102 f.

[19] Vgl. ebd. S. 104.

Das Wort Gottes »ist der Liebeskuß«, mit dem er sein Volk »begnadete und durch den er Frieden stiftete«. Dieses salomonische Friedensreich »besitzt nicht nur ein weltliches, sondern auch ein geistliches Regiment … Das göttliche Wort ist sein einziger Schatz«.[20]

Während unter vielen Fürsten »tyrannisches Regiment, in den Städten Tumult und zuchtloses Freiheitsstreben« herrschen, müht man sich in Kursachsen um die Verwirklichung des göttlichen Friedenswillens. Luther meint, »nach Salomos Vorbild« seien »Visitationen durchzuführen, die sowohl im kirchlichen wie im staatlichen Bereich die Bösen und das Böse ans Licht bringen, aber auch das dort gewirkte Gute dankbar erkennen lassen«. Hier wirken »gute Lehrer in Staat und Kirche, die Schulen stehen in Blüte. In den Städten bringt das Wort – trotz der Schwärmer – seine Frucht. Auf die Predigt antwortet das Gebet der Gemeinden«.[21]

Man kann fragen, ob Luther hier nicht selbst ins Schwärmen geriet. Sind die Dinge wirklich so, wie er sie zeichnet, oder handelt es sich dabei eher um ein Wunschbild? Der Reformator weiß, daß »alles … im Verborgenen (geschieht), aber unaufhaltsam«. So kann Luther sagen, daß der Glaubende gewiß sei, »daß Gott uns liebt und das Herzogtum Sachsen«.[22] Wenn dieses Land auch schwach ist, so ist es doch »geschmückt mit Gaben der göttlichen Liebe«. Wir müssen uns klarmachen, daß Luther so nach dem Augsburger Reichstag redet. Während die Politiker meinten, ein Bündnis gegen einen Angriff schließen zu müssen, ist Luther der festen Zuversicht, daß das Wachstum der Kirche nicht gehindert werden kann. »Wir werden als Friedensstörer hingestellt, der Kaiser und die Fürsten vertrauen auf ihre Macht, wir sind ihnen schutzlos preisgegeben. Aber wir stehen da wie eine Rose ohne Dornen, wir haben Gottes Wort und das ist unser Schutz.« Dabei ist es vor allem die Beharrlichkeit des regierenden Kurfürsten, die dies erreicht hat. Indem Johann in Augsburg seinen evangelischen Glauben bekannte, hat er eine entscheidende Tat getan. Zwar sind dadurch nicht alle Menschen in Sachsen fromm geworden, aber es sammelt sich doch eine Gemeinde, die auf Gottes Wort hört. In Augsburg hat Johann einen herberen Tod erlitten, als es der körperliche Tod sein kann. Er erscheint damit als das Bild des evangelischen Landesfürsten, der »sich an das evangelisch verstandene Wort Gottes gebunden weiß«. Er hat zwar nicht selbst das Evangelium zu predigen, »wie König Salomo das einst tat«, aber er hat durch die Beachtung des Gesetzes und durch die Möglichkeit der Verkündigung des Evangeliums neue Regierungsmöglichkeiten eröffnet, die es zu bewahren gilt. Insofern kann man mit Wilhelm Maurer fragen, ob es sich beim evangelischen Landeskirchentum »nicht nur um eine Notlösung gehandelt hat, die ihm (Luther) durch die Verhältnisse aufgezwungen war, sondern daß er dieses Regiment dankbar bejaht hat.« »Wenn das Hohelied der Lobpreis der Gemeinde für den ihr geschenkten Gottesfrieden darstellt und König Salomo dabei der Vorsänger ist, so spielt Kurfürst Johann mit seinem Augsburger Bekenntnis diese Rolle gleichsam nach. Er mahnt seine Untertanen, daß sie gehorsam und glaubensvoll seinem Beispiel

---

[20] Vgl. ebd. S. 105.
[21] Vgl. ebd. S. 107.
[22] Vgl. ebd. S. 107 f.

folgen und in Dankbarkeit gegen Gott das Geschenk der reinen Lehre und des Friedens annehmen sollen.«[23]

Es ist sicher frag-würdig, ob Luther hier in der Aktualisierung seiner Exegese zu weit geht und ob er vielleicht sogar die erheblichen Eingriffe des Staates in die Kirche damit lediglich nachträglich legitimiert. Jedoch bleibt festzuhalten, daß dies nur dort möglich ist, wo Gottes Wort beachtet wird. Das gilt für den Herrscher im Hinblick auf das Gesetz und zugleich auch im Hinblick auf die Ermöglichung der Verkündigung des Evangeliums. Wo dies beides vorhanden ist, da ist offenbar eine Staatsform erreicht, die grundsätzlich akzeptiert werden kann.

Wir müssen zugleich auch beachten, daß diese Erwägungen für Studenten entwickelt wurden; erst 1539 – sieben Jahre nach Johanns Tod – wurde die Vorlesung über das Hohelied von Veit Dietrich zum Druck gegeben.[24] Aber Luther hat damals am Text nichts geändert, sondern offenbar seine grundsätzliche Stellungnahme für nach wie vor möglich und wiederholbar gehalten.

Betrachtet man seine Leichenpredigten auf Friedrich und Johann, dann fällt auf, daß er sie dort nicht mit Salomo vergleicht, daß er zwar im Hinblick auf Friedrich vom »lieben Landsfürst und Heupt«[25] redet, daß auch Johann als »unser lieber herr und vater«[26] bezeichnet wird, daß aber zugleich doch auch Grenzen im Hinblick auf die Amtsführung Johanns deutlich gemacht werden. Wenn Luther bei dieser Gelegenheit über Johann sagt: »Ob er da neben zu weilen im regiment gefeilet hat, wie sol man jm thun? ein Fuerst ist auch ein Mensch und hat alleweg zehen teuffel umb sich her, wo sonst ein mensch nur einen hat«,[27] dann deutet er damit an, daß es auch Kritik an der Regierung des Verstorbenen gibt. Lediglich das Verhalten Johanns in Augsburg wird mehrfach rühmend in Erinnerung gebracht,[28] während es über Friedrich heißt, »das er einen feinen, festen glauben an Christum, unsern HErrn gehabt hat und im rechten erkentnis des Euangelij ... verschieden ist«.[29] In den offiziellen Traueransprachen geht Luther also nicht so weit wie in seinen Vorlesungen.

Mit Johann Friedrich, dem dritten sächsischen Fürsten, der hier noch zu erwähnen ist, verband Luther manches. Johann Friedrich hatte ihn bereits im Alter von 17 Jahren im Dezember 1520 als seinen »gaystlichen vater«[30] angeredet, und Luther hat es sich dann auch nicht nehmen lassen, auf den Kurprinzen bereits während der Regierungszeit seines Vaters Einfluß zu nehmen. So schrieb er etwa bei den Packschen Händeln oder bei den Auseinandersetzungen über den Nürnberger Religionsfrieden an ihn, wobei er faktisch das wiederholte, was er schon dessen Vater gesagt hatte.[31] Luther

---

[23] Vgl. ebd. S. 108–112.

[24] Vgl. WA 31/II, IX–XIII.

[25] WA 17/I, 196, 15.

[26] WA 36, 242, 31.

[27] WA 36, 245, 20–22.

[28] Vgl. z. B. WA 36, 246, 11–17. 28–30.

[29] WA 17/I, 199, 31 f und 200, 19.

[30] WA.B 2, 237, 2.

[31] Vgl. WA.B 4, 451–453 und WA.B 6, 325–327 sowie 332; vgl. auch GERHARD MÜLLER, »Niemand soll sein eigener Richter sein«. Luthers Gedanken zu Aufruhr, Krieg und Frieden: LM 22 (1983) S. 512–517.

wollte ihn also veranlassen, auf seinen Vater einzuwirken, damit in dem Sinne entschieden würde, wie er vorgeschlagen hatte. Die Aussichten dazu waren nicht ungünstig, hatte Johann Friedrich doch bereits im Jahr 1520 sich bei seinem Onkel Friedrich zugunsten Luthers ausgesprochen.[32] Luther hatte dem jungen Adligen dann das »Magnificat« gewidmet, dessen Auslegung dazu helfen möchte, daß wir »ym ewygen leben loben unnd singen mugenn ditz ewige Magnificat«.[33] Allerdings hat Johann Friedrich dann doch im Laufe seiner Regierungszeit eigene Akzente gesetzt und sich nicht so eng an Luthers Rat gehalten, wie dies sein Vater Johann getan hat.[34] Aber grundsätzlich blieb das gute Verhältnis vorhanden, weil auch Johann Friedrich sich nicht in die Verkündigung des Evangeliums einmischte und in seiner politischen Regierung sich an das hielt, was Luther als dem Willen Gottes angemessen empfand.

Insofern wird man den Reformator nicht einfach einen Fürstendiener nennen können, obwohl uns seine Aussagen über den kursächsischen Salomo hier und da nicht unbedenklich erscheinen. Es ist Luther auch nicht gelungen, sich politisch an allen Stellen durchzusetzen – ich brauche hier nur daran zu erinnern, daß entgegen seinem Ratschlag ein politischer Bund geschaffen und ein Widerstandsrecht gegen den Kaiser proklamiert wurde[35] –, aber gerade dieses Spannungsverhältnis zeigt, daß beide Seiten sich gewichtig einbrachten und ihre Stellungnahmen nicht ohne Rücksichtnahme auf die andere Seite erfolgen konnten.

Mit Philipp von Hessen war Luther nicht so eng in Berührung wie mit seinen eigenen Landesherren. Aber Philipps Entscheidung für die Reformation und sein Platz unter den evangelischen Fürsten mußten Luther doch dazu veranlassen, hier besonders auf der Hut zu sein. Es sind 36 Briefe Luthers an Landgraf Philipp aus den Jahren 1526–1545 erhalten und 27 Schreiben des Landgrafen an den Reformator aus derselben Zeit. Wir müssen diese Korrespondenz ein wenig verfolgen, wenn wir unter der Fragestellung nach Luther und den evangelischen Fürsten dieses Beispiel herausstellen.

Hier zeigt sich nun, daß die Einführung der Reformation in Hessen zu einer ersten Phase im Briefwechsel zwischen Philipp einerseits und Luther oder auch Luther und Melanchthon andererseits führte. Aus dem September 1526 ist ein Schreiben des Landgrafen an die beiden Wittenberger erhalten, in dem er für Ratschläge dankt, aber weitere Fragen stellt, um deren Beantwortung er bittet. So meint der Landgraf, daß ihm der Rat Luthers und Melanchthons gefalle, »zweispaltige Prediger nit zu leiden«.[36] Allerdings stehe doch im Neuen Testament, daß man Unkraut und Weizen zugleich aufwachsen lassen solle. Was bedeutet denn dies für sein Verhalten gegenüber den Predigern? Auch fragt er, wie er sich gegenüber den Mönchen und Priestern in seinem Land verhalten solle, die sich jeder Diskussion entziehen, damit er »ihnen gegen Gott und dem Nächsten Recht tue, wie einer Obrigkeit zusteht«.[37] Schon jetzt beschäftigt

---

[32] Vgl. WA.B 2, 237f.

[33] Die Auslegung des Magnificat gedr. WA 7, 544–604; Zitat 545, 30f.

[34] So Dr. KARLHEINZ BLASCHKE in seinem Beitrag zum Internationalen Lutherforschungskongreß in Erfurt 1983.

[35] Vgl. GERHARD MÜLLER, Luthers Beziehungen zu Reich und Rom, in: Leben und Werk (Anm. 2), S. 378–386. 852–855.

[36] WA.B 4, 113, 10f.

[37] Ebd. 25–27.

ihn die Frage, wie er sich verhalten soll, wenn er wegen des Evangeliums mit Krieg bekämpft werden sollte. Daß er sich für seine Person nicht wehren solle, das könne er akzeptieren, aber wie müsse er sich im Hinblick auf seine Untertanen verhalten? Auch nach der Verwendung der Klostergüter fragt er die Wittenberger. Er schlägt vor, diejenigen Mönche und Nonnen in den Klöstern zu belassen, die dies wollen. Aber auch denjenigen, die den Austritt vorzögen, müßte »ein Auskommen« gegeben werden. Das Restliche könne man dann für Notfälle verwenden oder auch für Schulen verbrauchen. Wenn es schließlich noch heißt, Luther und Melanchthon möchten auf Zwingli und Ökolampad achten und sie möchten etwas »widder den neuen Irrsal ausgehen« lassen,[38] so wird deutlich, daß Philipp hier noch auf der Seite der Wittenberger steht. Allerdings muß wie bei allen Briefen von Fürsten gefragt werden, inwieweit hier persönliche Meinungen vorliegen und ob nicht Ratgeber formulierten, die die Auffassung ihres Landesherrn nicht völlig trafen. Aber alle Briefe, die im Namen der Fürsten herausgingen und die von ihnen unterschrieben wurden, wird man doch als ihrer Auffassung mindestens nicht widersprechend interpretieren dürfen.

Eine unmittelbare Antwort auf diese Anfragen Philipps ist nicht bekannt. Der Briefwechsel ist nur sehr lückenhaft erhalten. Aber die hessische Reformationsgeschichte zeigt in ihrem Verlauf den Einfluß des Wittenberger Rates. Dies kann hier jetzt nicht im einzelnen nachgezeichnet werden.[39]

Geht man chronologisch vor, dann begegnet man im November 1526 einem Brieffragment Luthers an Philipp, das aus dem unmittelbaren Zusammenhang der Einführung der Reformation herausfällt, weil hier die Frage beantwortet wird, ob denn ein Christ mehr als eine einzige Frau nehmen dürfe. Luther ist der Meinung, daß dies nicht möglich sei. Der Hinweis auf die alten Väter, von denen im Alten Testament berichtet wird, überzeugt ihn nicht, weil jeder Christ ein unmittelbares göttliches Wort haben müsse, wenn er in einem solchen Fall eine andere Entscheidung zu treffen für richtig halte, als es der Tradition der Christen entspricht. Luther verweist darauf, daß auch Isaak, Joseph, Mose und viele andere nur *eine* Ehefrau gehabt hätten, so daß er »sonderlich den Christen« rät, nicht mehr denn eine Ehefrau zu nehmen.[40] Damit wird ein Thema aufgenommen, das bekanntlich später erhebliche Konsequenzen nach sich zog.[41]

Mit der Einführung der Reformation in Hessen hat dagegen Luthers Brief vom 7. Januar 1527 zu tun, in dem er vorschlägt, die »Reformatio ecclesiarum Hassiae« nicht einzuführen. Er rät, sie nicht zu drucken, weil »so ein hauffen gesetze« ihm nicht

---

[38] Ebd. 113, 28–114, 74.

[39] Zu Philipp vgl. zuletzt VOLKER PRESS, Landgraf Philipp der Großmütige von Hessen, in: SCHOLDER/KLEINMANN (Hg.), Protestantische Profile, Königstein/Ts. 1983, S. 60–77; vgl. auch die nützliche Zusammenstellung von FRITZ WOLFF, Luther in Marburg, Marburg 1983 (Marburger Reihe H. 19).

[40] Vgl. WA.B 4, 140, 1–17.

[41] Philipp hat sich mit diesem Problem auch noch in seinen Glossen zum Regensburger Buch befaßt, vgl. GERHARD MÜLLER, Landgraf Philipp von Hessen und das Regensburger Buch, in: Bucer und seine Zeit, hg. von MARIJN DE KROON und FRIEDHELM KRÜGER, 1976 (VIEG 80), S. 101–116.

angemessen erscheint.[42] Luther empfiehlt, sich statt dessen an das Vorbild des Mose zu halten, der die vorhandenen Gesetze aufgeschrieben und verordnet habe. Er schlägt vor, daß der Landgraf die Pfarreien und die Schulen »mit guten personen versorgt« und diesen Leuten befiehlt, was sie tun sollen. Die Pfarrer sollen in kleinen Gruppen »eine eintrechtige weise« suchen, und man solle dann die Erfahrung abwarten und sie schließlich zuletzt zusammenfassen und rechtlich ordnen. Luther meint, daß früh eingeführte Gesetze »sellten wol geraten«. Etwas vorzuschreiben und dies dann auch auszuführen, seien zwei ganz unterschiedliche Dinge. Der Reformator ist der Meinung, daß sich aus den Gesetzen der hessischen Ordnung viele als änderungsbedürftig erweisen werden, so daß man sie klugheitshalber gar nicht erst einführen solle. Umgekehrt solle man mit wenigem anfangen und dies dann ausbauen.[43] Bekanntlich hat dieser Rat seine Wirkung nicht verfehlt. Die »Reformatio ecclesiarum Hassiae« wurde nicht rechtlich eingeführt, und Hessen schloß sich dem kursächsischen Prinzip der Einführung der Reformation mit Hilfe von Visitationen an.[44] Man kann an dieser Stelle also einen gewichtigen Einfluß Luthers konstatieren. Seinem Einspruch ist es zu verdanken, daß sich die Reformation in den wichtigsten protestantischen Ländern nicht unterschiedlich entwickelte. Ich meine, daß die Berücksichtigung dieses Schreibens Luthers von ganz großer Bedeutung ist. Hier erfolgte eine unmittelbare Einwirkung, wie sie in dieser Gewichtigkeit später in der hessischen Reformationsgeschichte m. E. nicht mehr zu greifen ist.

Luther hat auch Philipp von Hessen eine Schrift gewidmet, und zwar im Jahr 1529 diejenige »Vom Kriege wider die Türken«,[45] aber darauf können wir hier nicht eingehen, weil die Türkenfrage sonst insgesamt behandelt werden müßte.

Wichtig ist natürlich das sogenannte Marburger Religionsgespräch. Bekanntlich geht es auf Philipps Initiative zurück, der eine Verständigung der Theologen für erforderlich hielt, um seine weitgespannten politischen Pläne verwirklichen zu können.[46] Luther machte in seinem Schreiben vom 23. Juni 1529 an den Landgrafen deutlich, daß er erhebliche Bedenken gegen das Vorhaben des Landgrafen hat. Aber er erklärt sich dennoch bereit zu kommen.[47]

In dem Verlauf des Gespräches beriefen sich Zwingli und Ökolampad für ihre Auffassung über das Abendmahl auf die Kirchenväter. Luther und Melanchthon machten sich deswegen die Mühe, Aussagen zusammenzustellen, die nach ihrer Meinung für die Auffassung einer Realpräsens Christi im Abendmahl bei den Kirchenvätern sprechen.[48] Aber bekanntlich scheiterte das Gespräch. Die umstrittene Frage konnte nicht zur Zufriedenheit beider Seiten geklärt werden. Luther behauptete im Mai 1530, daß die

---

[42] WA.B 4, 157, 9–14.

[43] Vgl. ebd. 157, 14–158,41.

[44] Vgl. GERHARD MÜLLER, Franz Lambert von Avignon und die Reformation in Hessen, 1958 (VHKHW 24,4), S. 43–47.

[45] Gedr. WA 30/II, 107–148.

[46] Vgl. dazu auch die Quellen in: Andreas Osiander der Ältere, Gesamtausgabe, Gütersloh, III 1979, S. 391–444.

[47] Vgl. WA.B 5, 101 f.

[48] Gedr. ebd. 155–160.

Gegner an vielen Stellen nachgegeben hätten, daß sie wohl auch gar nicht mehr ihre Meinung vorbrächten, wenn sie sich nicht darauf bereits festgelegt hätten.[49] Philipp hat sich an dieser Stelle weder bei Luther noch bei Zwingli durchsetzen können. Luther seinerseits hatte arge Bedenken gegenüber dem Landgrafen, der sich bereits 1528 bei den Packschen Händeln nicht so verhalten hatte, wie das der Reformator für einen evangelischen Fürsten für angemessen hielt.[50]

Im Zusammenhang mit den Packschen Händeln ist kein Schriftwechsel zwischen Luther und Philipp bekannt. Aus den Briefen, die Luther an seinen Kurfürsten richtete, wird aber deutlich, daß er den Gedanken eines Präventivkrieges strikt ablehnte, den der hessische Landgraf befürwortete. Luther fand, daß dadurch das Wort Gottes Schaden leiden würde, so daß er gegenüber der Politik des Landgrafen seit dieser Zeit erhebliche Reserven besaß. Die Religionspolitik des Hessen konnte ihn auch nicht befriedigen, wollte Philipp doch einen theologischen Kompromiß erreichen, der mit den Marburger Artikeln geschaffen zu sein schien, die aber dann doch keine Basis für eine Verständigung bildeten. Seit 1528/29 gibt es deswegen zwischen dem Wittenberger Professor und dem Landgrafen von Hessen erhebliche Spannungen. Aber sie kommen nicht ohne einander aus, so daß jeder von ihnen die Initiative ergriff und an den anderen schrieb, wenn er dies für erforderlich hielt.

So geschah es etwa im Dezember 1529, als Philipp sich an Luther wandte und ihm vorschlug, in Kursachsen sein Konzept der Politik gegenüber dem Kaiser zu vertreten. Nach der Ablehnung der Speyrer Protestation und nach der Gefangennahme der Appellationsgesandtschaft müsse man Maßnahmen des Kaisers zur Unterdrückung des Evangeliums befürchten. Um dem zu begegnen, schlägt Philipp vor, daß die protestantischen Stände die Türkenhilfe verweigern. Da diese Stände erheblich zur Abwehr der Türken beizutragen hätten, würde dies politisch erheblichen Druck hervorrufen. Der Kaiser müsse dann den Evangelischen den Frieden zusagen und auch erklären, daß das Evangelium weiterhin verkündigt werden könne. Offenbar fürchtet Philipp, daß Kursachsen aus seiner traditionellen Freundschaft gegenüber Habsburg heraus eher eine Verständigung als eine Konfrontation mit dem Kaiserhof sucht. Weitsichtig entwickelt deswegen Philipp seinen Plan, daß man Druck auf Habsburg ausüben müsse, um nicht in heikle politische Situationen zu geraten.[51]

Luther kam jetzt in eine schwierige Lage. Der Bote des Landgrafen sollte seine Antwort zurück mitnehmen[52] – er mußte also in ganz kurzer Zeit zu den Vorschlägen Philipps Stellung nehmen. Er tat dies ausweichend. Seine Erfahrungen mit der Politik Philipps im Jahr 1528 veranlaßten ihn, die Pläne Hessens nicht in Bausch und Bogen zu bejahen. Er erklärte lediglich, er sei von Kurfürst Johann nicht um Rat gefragt worden, wisse auch nichts von den Verhandlungen über die Türkenhilfe. Aber er wolle »das beste helffen raten«.[53] Diese Antwort ist um so bemerkenswerter, wenn man sich klar

---

[49] Vgl. ebd. 330–332.

[50] Luther riet damals, Kursachsen solle Hessen nicht folgen, wenn Philipp einen Krieg beginne, vgl. WA.B 4, 423, 87–89.

[51] Vgl. WA.B 5, 197–199.

[52] Vgl. ebd. 203, 5 f.

[53] Vgl. ebd. 203 f.

macht, daß Luther bereits einige Monate später, nämlich während des Augsburger
Reichstages genau jene politische Verständigung – nämlich eine Art Friedenszusage
durch den Kaiser – befürwortete,[54] die auch Philipp vorschwebte. Allerdings – und das
ist der Unterschied – meinte Luther, diese politische Einigung im Wege der Vereinbarung herstellen zu können, während Philipp die Anwendung von massivem Druck für
erforderlich und für vertretbar hielt.

Hatte in diesem Fall Philipp die Initiative ergriffen, so ging die nächste Gesprächsrunde von Luther aus. Der Wittenberger wurde nämlich von Melanchthon während des
Augsburger Reichstages 1530 gebeten, an den Landgrafen wegen der Abendmahlsfrage
zu schreiben. Melanchthon befürchtete, daß Philipp die oberdeutschen Städte unterstützen könnte, die Bedenken gegenüber der kursächsischen Abendmahlslehre hatten.
Es hat ein wenig gedauert, bevor Luther der an ihn herangetragenen Bitte nachkam. Er
tat dies in einem umfänglichen Schreiben, in dem er jene bereits vorgetragenen Äußerungen über das Marburger Gespräch machte. Er meinte, Philipp sei »mitten unter den
Wolfen, auch ohn Zweifel nicht gar frei von bösen Geistern«,[55] so daß er sich hüten
möge, Neues zu lehren. Er selbst habe zwar auch aufgrund von saurer Arbeit Neues
gesagt, aber er habe dafür helle Bibeltexte besessen, die den Gegnern fehlten.[56] Am 22.
Mai schrieb Melanchthon an Luther, daß Philipp wohl mit Kursachsen zusammenge-
hen werde, aber Luther möge unbedingt schreiben.[57] Melanchthon behauptete, die
Verzögerung des Lutherbriefes an den hessischen Landgrafen habe es ihm unmöglich
gemacht, selbst an Luther zu schreiben.[58] Diese Frage drohte also die Gemeinsamkeit
der Wittenberger Kollegen zu gefährden! Nachdem aber Philipp von Hessen sich dem
sächsischen Bekenntnis angeschlossen hatte, waren Melanchthons Sorgen beseitigt. Mir
erscheint es fraglich, daß dazu Luthers Brief wesentlich beigetragen hat. Vielmehr hat
Philipp wohl hauptsächlich aus politischen Gründen eine möglichst breite Front befür-
wortet und sich deswegen zusammen mit anderen zur Annahme des sächsischen
Bekenntnisses verstanden.

Während des Augsburger Reichstages hatte Philipp Gelegenheit, nochmals an den
Reformator heranzutreten. Nachdem er den Reichstag vorzeitig verlassen hatte, hörte
er, daß bei den Ausgleichsverhandlungen zu viel nachgegeben werde. Er schrieb deswegen an Luther, er möge standhaft bleiben, eventuell Kursachsen verlassen und nach
Hessen kommen. Philipp meinte also, daß die kursächsische Politik sogar zu einem
Bruch der protestantischen Gruppe führen könnte. Um Fehler in Augsburg zu vermeiden, schrieb er direkt an Luther,[59] der ihn aber am 11. September beruhigen konnte.
Der Reformator teilte mit, er habe dreimal nach Augsburg geschrieben, wo inzwischen
die Verhandlungen abgebrochen worden seien. Die Vorschläge, die Philipp für so
bedenklich gehalten hatte, seien nicht angenommen worden.[60] In der Tat war auch

---

54 Vgl. MÜLLER (Anm. 35), S. 384 f.
55 WA.B 5, 330, 35 f.
56 Vgl. ebd. 330–332.
57 Vgl. ebd. 336, 33 f.
58 Vgl. ebd. 365, 1 f.
59 Vgl. ebd. 600 f.
60 Vgl. ebd. 619 f.

aufgrund einer Intervention Luthers das Gespräch im August nicht zu einem befriedi-
genden Ergebnis gebracht worden. Kurfürst Johann hatte sich an Luther gewandt und
sein Urteil erbeten, das scharf ausfiel. Aber sicher hat nicht nur Luthers Urteil hier eine
wichtige Rolle gespielt, sondern auch der Widerspruch Hessens und anderer Stände,
wie z. B. Nürnbergs.[61] Jedoch bleibt hier ein Zusammenwirken von Luther und Philipp
festzuhalten, bei dem in einer wichtigen Angelegenheit der Landgraf den Theologen um
Mitwirkung bat und ihm zusicherte, bei negativen Konsequenzen für ihn aufzu-
kommen.

Den nächsten Anlauf zur Weiterführung des Briefwechsels unternahm wieder Philipp von Hessen, als er im Oktober 1530 an Martin Luther schrieb.[62] Er bat den
Reformator, weiterhin hart zu bleiben und sich an die Deutschen zu wenden, nachdem
der Reichstag in der Religionsfrage keine befriedigende Lösung gefunden hatte. Luther
bedankte sich für diese »Vermahnung«, erklärte sich auch bereit, den Gegnern zu
widerstehen, wenn diese keinerlei Lösungsvorschläge akzeptierten. Er beruhigte aber
den Landgrafen auch dahingehend, daß »die unsrigen« – worunter doch vorwiegend
Kursachsen zu verstehn sein wird – auch nicht bereit seien, »viel zu weichen«. Aber er
versprach, sich der Sache weiterhin anzunehmen.[63] Schon wenige Tage darauf wiederholte Philipp seine Bitte, daß Luther »ein Vermahnung an alle Gläubigen dis Reichstags
halben« ausgehen lassen möchte. Er bot ihm an, benötigte Unterlagen zu übersenden,[64]
falls – was Philipp wohl nicht für unmöglich hält – Luther nicht seitens des kursächsischen Hofes entsprechend informiert würde. Luthers Mahnung sollte wohl dahin
gehen, deutlich zu machen, daß die evangelische Seite eine gerechte Sache vertritt und
daß sie nicht bereit ist, Unannehmbares zu akzeptieren. Luther hatte sich selbst schon
mit diesem Gedanken befaßt und dann ja auch seine »Warnung an seine lieben Deutschen« zu Papier gebracht.[65]

Der zweite Brief Philipps, der erhalten ist, während wir den Wortlaut des ersten
nicht kennen, macht aber nun deutlich, daß es dem Landgrafen auch darum geht,
Luther inhaltliche Vorschläge zu machen. Er meint, sich erinnern zu können, daß
Luther während der Packschen Händel schriftlich seinem Kurfürsten erklärt habe, daß
man sich wehren dürfe, wenn man angegriffen werden sollte. Dieses Recht gelte auch
gegenüber dem Kaiser. Offenbar hat Philipp erfahren, daß Luther ein solches Widerstandsrecht nicht akzeptiert, denn er bittet den Reformator, ihm seine Meinung über
diese Frage mitzuteilen. Zugleich unterläßt er es aber nicht, ihm bereits seine eigenen
Erwägungen vorzutragen. Er meint, erstens gebe es seit der Zeit des Neuen Testamentes und der Apostel keinen Fall, daß eine Obrigkeit, die ein Land erblich besitze und
die den Glauben angenommen habe, von einer größeren verfolgt worden sei. Zum
anderen läge es rechtlich bei den deutschen Fürsten so, daß sie Erbherren seien und

---

[61] Vgl. GERHARD MÜLLER, Die Anhänger der Confessio Augustana und die Ausschußver-
handlungen, in: Confessio Augustana und Confutatio. Der Augsburger Reichstag 1530 und die
Einheit der Kirche, hg. von ERWIN ISERLOH, 1980 (RGST 118), S. 243–257.

[62] »Dieses Schreiben Philipps fehlt« (WA.B 5, 651, Anm. 1).

[63] Vgl. ebd. 651, 5–13.

[64] Vgl. ebd. 653, 1–5.

[65] Gedr. WA 30/III, 276–320.

damit Freiheit besitzen. Der Kaiser habe nie das Recht besessen, Untertanen eines Fürsten mit Gewalt gefangen zu nehmen, so daß auch die evangelischen Prediger von ihren Fürsten berechtigterweise geschützt werden könnten. Philipp verweist darauf, daß die Kaiser nicht einmal Steuerhoheit haben, so daß sie keinen einzigen Gulden von sich aus von den deutschen Ständen fordern können. Drittens handele es sich um eine gegenseitige Verpflichtung, insofern nämlich, als der Kaiser den Fürsten gelobt und geschworen habe, während umgekehrt die Fürsten nicht allein dem Kaiser, sondern zugleich dem Reich ihren Eid abgelegt hätten. Wenn der Kaiser sich nicht an seinen Schwur halte, so könne er »nit mehr for ein rechten Kaiser angesehen werden, sondern for ein Friedbrecher, zuvoran dweil er kein Erbkaiser, sondern ein gewählter Kaiser ist.« Viertens habe der Kaiser auf allen Reichstagen erklärt und dies auch aus Spanien geschrieben, daß er in der Religionssache kein Richteramt besitze, sondern daß hier ein Konzil entscheiden müsse. Deswegen könne er jetzt kein Richteramt in Anspruch nehmen, gegen das man keine Gegenwehr besitze. Fünftens schließlich werde der Kaiser auch nicht von allen Ständen unterstützt, wie dies teilweise behauptet werde, sondern in Wahrheit gebe es neben den evangelischen Ständen auch manche andere, die dem Kaiser in dieser Frage nicht zustimmen.[66]

Diese eindringliche Stellungnahme macht deutlich, daß Philipp weniger ein Gutachten von Luther erwartet, als daß er seinerseits den Reformator von der Richtigkeit seiner eigenen politischen Anschauung und seiner eigenen Rechtsauffassung überzeugen will. Es geht jetzt darum, ob sich die evangelischen Stände zusammenschließen dürfen, um gegebenenfalls mit Gewalt einem Angriff des Kaisers zu widerstehen. Nachdem Luther hiergegen große Bedenken hat, versucht Philipp, ihn mit historischen und rechtlichen Argumenten zu überzeugen. Nachdem der Brief abgeschlossen ist, wird noch eine Nachschrift hinzugefügt, in der Philipp auf das Alte Testament verweist, aus dem hervorgehe, daß Gott die Seinen nie verlassen und nie ein Land habe untergehen lassen, das auf ihn getraut habe. Auch habe Gott den Böhmen geholfen, obwohl diese ebenfalls dem Kaiser untertan seien, ja obwohl der König von Böhmen ja einer der vornehmsten Kurfürsten sei. Dennoch hätten diese sich »gegen Kaiser und Reich« gewehrt, »und Gott hat ihn Sieg und Uberwindung geben. So hoffe ich auch zu Gott, so wir nur unverzagt uf ihn trauen«. Philipp verweist noch auf andere, denen Gott gegen Kaiser geholfen habe,[67] woraus deutlich wird, wie wichtig ihm diese Frage ist und für wie wesentlich er die Stellung Luthers ansieht.

Luther hat sofort auf diesen Brief geantwortet. Er konnte Philipp mitteilen, daß er bereits in Kürze ein Büchlein ediert, worin er über den Abschied und das Verhalten der Fürsten in Augsburg sprechen will. Zurückhaltender ist er dagegen im Hinblick auf die Forderung Philipps, ein Widerstandsrecht gegen den Kaiser zuzugeben. Luther meint, er hoffe, daß es um dieser Religionssache willen kein Blutvergießen geben werde. Als Geistlicher möchte er sich nicht schriftlich äußern, er habe aber seine Meinung seinem Kurfürsten mitgeteilt, die dem Landgrafen gewiß unverborgen bleiben werde. Luther deutet an, daß man in all jenen Stücken nachgeben solle, in denen dies möglich sei. Der

---

[66] Vgl. WA.B 5, 653, 6 – 655, 94.
[67] Vgl. ebd. 655, 96 – 107.

Landgraf möge sich daran nicht stoßen, weil es dann sehr viel leichter sei, in den grundsätzlichen Fragen die notwendige Position beizubehalten.[68]

Aus diesem Briefwechsel wird deutlich, daß Philipp von Hessen Luther für einen so wichtigen Ratgeber hält, daß er sich direkt an ihn wendet, um ihn zu einer ihm genehmen politischen Aussage zu bewegen, wenn ihm dies erforderlich oder wenigstens nützlich erscheint. Luther seinerseits kann es sich nicht leisten, dem Landgrafen nicht zu antworten. Aber in der Sache hält er sich an den Punkten zurück, an denen er Bedenken hat. Sein Gesprächspartner ist an dieser Stelle der eigene Kurfürst. Jedenfalls läßt sich in all' diesen Diskussionspunkten keine vorschnelle Nachgiebigkeit Luthers gegenüber Fürsten aus dem eigenen religionspolitischen Lager konstatieren.

Erst im September 1531 ist uns wieder ein Brief Philipps an Luther erhalten, der gleichzeitig aber auch an Gregor Brück geht. In diesem Schreiben wird von der Ehescheidungsangelegenheit Heinrichs VIII. von England berichtet,[69] worauf Luther rasch geantwortet hat. Hier kommt es aber zu keiner Aussprache über die Sache, weil Luther gemeinsam mit Dr. Brück das Schreiben Philipps beantworten will.[70] Es ist unbekannt, ob dies geschehen ist. Dies ist zwar wahrscheinlich, aber überliefert ist ein solcher Brief nicht.

Wichtiger als dieser Vorgang, der eine Episode bleibt, ist Philipps Engagement in der Abendmahlsfrage. Nachdem es ihm 1529 nicht gelungen war, eine Verständigung zwischen den Wittenbergern und den Schweizern zu erreichen, unternimmt er im Jahr 1534 einen neuen Versuch. Jetzt will er mit Hilfe von Martin Bucer und Philipp Melanchthon eine Einigung in der Abendmahlsfrage fördern, die sich nach wie vor als hinderlich zwischen den evangelischen Gruppen erweist. Deswegen schreibt Philipp auch an Luther. Er bittet ihn, zu einer Beilegung dieser Streitfrage beizutragen – also nicht nur auf kirchenpolitischem, sondern auch auf theologischem Gebiet wirbt der Landgraf um Luthers Unterstützung.[71] Luther antwortet darauf sehr verbindlich. Er erklärt, daß auch er eine Verständigung mit den oberdeutschen Theologen wünscht,[72] aber er hat doch im Hinblick auf manche von ihnen recht starke Bedenken. Das gilt besonders für Augsburg. Noch deutlicher wird Luther im Dezember 1534, als er dem Landgrafen mitteilt, daß er zwar eine Verständigung in der Abendmahlsfrage wünsche, daß er aber dabei nichts tun könne, was gegen sein Gewissen sei: »Ausgeschlossen mein gewissen sol nichts sein, das ich nicht gern leiden vnd thun wil. Aber das gewissen kan ich nicht also verstecken, da ichs nicht kund widergewinnen, Vnd der Rewel ist ein schwerer würm ym hertzen.«[73]

Philipp nimmt diesen Brief positiv auf, weil er ihm Luthers Neigung zu einer Verständigung entnimmt. Der Landgraf teilt Luther mit, daß Melanchthon und Bucer miteinander in Kassel verhandeln und daß dabei der Straßburger Theologe die Meinung der Augsburger Prediger vorträgt. Nochmals erklärt Philipp, er hoffe, daß Luther eine

---

[68] Vgl. ebd. 660, 4 – 661, 31.
[69] Vgl. WA.B 6, 198.
[70] Vgl. ebd. 201.
[71] Vgl. WA.B 7, 103.
[72] Vgl. ebd. 110.
[73] Ebd. 128, 7 – 10.

Verständigung fördern werde.[74] Der Landgraf wendet also alle seine Kraft an, um Luther von negativen Schritten abzuhalten. Doch dieser entgegnet eher zurückhaltend. Er schreibt am 30. Januar 1535, daß die Verhandlungen nicht überstürzt durchgeführt werden dürften.[75] Dem muß Philipp sich fügen. In einem kurzen Schreiben vom 15. Februar 1535 teilt der Landgraf mit, daß wohl die Verhandlungen jetzt unterbrochen werden müßten.[76] Es ist Philipp also nicht gelungen, ohne eine genügende theologische Klärung die Zustimmung Luthers zu einer Einigung des Protestantismus in Deutschland zu erreichen. Was in Kassel 1534/35 nicht gelang, das wurde in Wittenberg 1536 erzielt, und zwar in dem Sinne, in dem Luther es für erforderlich hielt.[77] Daran ist Philipp aber nicht unmittelbar beteiligt, so daß es darüber keine Briefe zwischen dem Fürsten und dem Theologen gibt.

Statt dessen trägt im Jahr 1536 Philipp den Wittenberger Theologen ein anderes Problem vor: die Wiedertäufer-Frage. Der hessische Landgraf erklärt, bisher habe er die Täufer immer ausgewiesen – was ja auch kursächsische Politik war. Aber nun seien sie heimlich wieder zurückgekehrt und träten weiterhin für ihre Meinung ein. Philipp will sie offenbar nicht wegen des übertretenen Verbotes hinrichten lassen, verspricht sich aber wohl auch nicht viel von einer erneuten Ausweisung, sondern meint, wie man sich besonders gegenüber jenen verhalten solle, die aktiv die neue Lehre verbreiten. In diesem Fall wurde nicht Luther allein um Rat gefragt, sondern mit ihm zusammen Melanchthon, Jonas, Bugenhagen und die anderen Theologieprofessoren zu Wittenberg.[78] Daraus wird deutlich, daß Hessen sich jetzt nicht mit einem persönlichen Rat Luthers begnügt, sondern sich umfassend beraten lassen will. In der Tat wurden auch weitere Gutachten von Hessen erbeten.[79] Die Antwort, die aus Wittenberg kam, ist von Luther, Bugenhagen, Melanchthon und Cruciger verfaßt worden.[80] Aus dieser Anfrage kann man m. E. folgern, daß die Dominanz, die Luther als Ratgeber für Philipp besessen hatte, jetzt zurückgetreten ist. Es ist zu fragen, ob sich damit ein Wandel andeutet, der auf eine Reduktion des Einflusses des älteren Luther in bezug auf Hessen schließen ließe, möglicherweise auch darüber hinaus.

Erst im November 1538 hat Luther wieder an Philipp geschrieben. Die Thematik war die gleiche. Philipp hatte Martin Bucer nach Wittenberg geschickt, um Luther für das hessische Konzept der Täuferbehandlung zu gewinnen. Aber der Reformator hält nach wie vor nichts von Gesprächen mit den Täufern und läßt sich in seiner Meinung auch durch Bucer nicht umstimmen, sondern mahnt, die Täufer aus dem Land zu verweisen.[81] Luther hat sich damit aber in Hessen nicht durchsetzen können. Auch dies spricht dafür, daß seine Autorität in diesen Jahren bei Philipp erheblich abgenommen

[74] Vgl. ebd. 144 f.

[75] Vgl. ebd. 157 f.

[76] Vgl. ebd. 159 f.

[77] Vgl. ERNST BIZER, Studien zur Geschichte des Abendmahlsstreits im 16. Jahrhundert, Gütersloh 1940 = Darmstadt 1962, S. 96 – 130.

[78] Vgl. WA.B 7, 417 f.

[79] Vgl. ebd. 417.

[80] Gedr. WA 50, 8 f.

[81] Vgl. WA.B 8, 324 f.

hat, wenn man dies mit der Zeit um 1527 und auch um 1530 vergleicht, wo der
Landgraf entweder auf Luther hört oder aber sich sehr intensiv um ihn bemüht, weil er
Luthers Einfluß hoch einschätzt.

. Doch bald kam eine weitere Frage, bei der Landgraf Philipp die Wittenberger
schlecht übergehen konnte, nämlich die Frage seiner Nebenehe. Es ist hier nicht der
Ort, auf diese Angelegenheit angemessen einzugehen.[82] Uns kann dabei nur interessieren, daß Philipp die Wittenberger Theologen und auch andere ins Vertrauen zog und
ihren Rat erbat. Luther, Melanchthon, Bucer und andere rieten damals dem Landgrafen
zu einer heimlichen Nebenehe.[83] Philipp hat am 5. April 1540 Luther geantwortet und
ihm für den Ratschlag gedankt, den dieser zusammen mit anderen erteilt habe. Luther
ist hier wieder derjenige, den Philipp als Sprecher und wichtigsten Mitverfasser ansieht.
Der Landgraf berichtet von seiner erfolgten Trauung mit Margarete von der Sale,
erklärt auch, daß er Luthers Rat befolgt und diese Nebenehe so gut wie möglich
geheim halten will.[84] Der Wittenberger hat sofort geantwortet und darum gebeten,
auch seinen Ratschlag geheim zu halten.[85] Offenbar fürchtete er, daß es zu Schwierigkeiten kommen könnte, wenn sein Name im Zusammenhang mit Philipps Doppelehe
in dem Sinne genannt würde, daß er diese geduldet oder gar empfohlen habe. Der
hessische Landgraf hat Luther einen Monat später eine Weinsendung zukommen lassen, die allgemein mit diesem Ratschlag des Reformators in Verbindung gebracht wird.
Luther selbst hat in seinem Dank vom 24. Mai 1540 nicht gesagt und auch nicht
angedeutet, worauf er die Freundlichkeit Philipps zurückführt.[86]

Bereits im Juni mußte Philipp aber Luther mitteilen, daß seine Doppelehe nicht
geheimgehalten worden ist. Er bittet den Reformator, Herzog Heinrich von Sachsen
mitzuteilen, wie die »Dispensation« zustande gekommen ist. Auch möge Luther den
sächsischen Herzog bitten, die Mutter von Philipps zweiter Frau wieder freizulassen.
Philipp meint, Heinrich sei ja »dem Euangelio verwandt«, so daß Luther auf ihn
einwirken möge. Bereits einige Tage später mußte der hessische Landgraf wieder Luther um Unterstützung bitten. Der für ihn wichtigste theologische Ratgeber soll ihn
nun im Hinblick auf den ihm erteilten Beichtrat schützen. Philipp erklärt, daß sein
Schritt als eine Ausnahme gedacht sei, aber schließlich habe er sich doch lediglich an die
ihm gewährte Dispens gehalten.[87] Jedoch kam die Angelegenheit nicht zur Ruhe, sondern die Dinge überstürzten sich. Bereits einen Tag nach diesem Brief mußte Philipp
Luther und Melanchthon mitteilen, daß er sich überlegt, ob er sich öffentlich rechtfertigen muß. Er hält den ihm erteilten Beichtrat für die entscheidende Legitimation seines
Schrittes und fordert sie auf, ihn zu unterstützen und zu verteidigen. Gleichzeitig droht
er aber auch, daß er, falls sich die Wittenberger anders verhalten, den von ihnen
unterschriebenen Beichtrat publizieren wird – was Luther ja gerade hatte vermeiden

---

[82] Vgl. z. B. WILHELM MAURER, Luther und die Doppelehe Landgraf Philipps von Hessen:
Luther 24 (1953) S. 97 – 120.

[83] Vgl. WA.B 8, 639 – 643.

[84] Vgl. WA. B 9, 83.

[85] Vgl. ebd. 90.

[86] Vgl. ebd. 118.

[87] Vgl. ebd. 146 f.

wollen.[88] Die Ratgeber müssen nun in aller Öffentlichkeit für das einstehen, was sie als seelsorgerlichen Zuspruch und erst in zweiter Linie als Beratung verstanden hatten. Am 18. Juli schreibt Philipp wieder an Luther und zwar eigenhändig, woraus deutlich wird, wie wichtig ihm die Angelegenheit ist. Zwar wurde der Brief dann von einem Schreiber abgeschrieben, weil Philipp – mit Recht! – von sich sagt, daß er »von handtschrifft ein böser Maler« sei.[89] Luther verteidigt sich bereits sechs Tage später, indem er meint, er sperre sich wegen des Landgrafen gegen die Veröffentlichung des Beichtrates.[90] Schon drei Tage später antwortet Philipp, daß er wohl wisse, daß Luther und Melanchthon ihn vor dem weltlichen Recht nicht beschirmen können, daß er aber nötigenfalls auf einer Veröffentlichung des Beichtrates bestehen müsse. Der Landgraf versichert Luther seines Vertrauens mit den Worten: »Ich hab an ewer person keinen mangell vnnd halt euch for einen Mann, der vff Gott sicht.«[91] Philipp deutet an, daß er die Ratgeber des sächsischen Kurfürsten für diejenigen hält, die es Luther nicht erlauben, ihn so zu unterstützen, wie dieser das wohl von sich aus gerne täte. Er meint: »Ich wolte, das ich ein stunde bei euch were, wir wolten vns wol mit einander vertragen. Ich wünschte auch, das alsdann dj Jenigen so mich gegen euch anderst angebenn, daselbst zugegen stunden.«[92] Zugleich bittet Philipp den Reformator, ihm seinen letzten Brief wieder zurückzuschicken.[93] Luther hat dies offenbar nicht sofort getan, so daß ihn Philipp am 18. August mahnte,[94] der dem am 22. August nachkam und erklärte, er habe bisher den Brief nicht zurückgeschickt, weil er keine zuverlässigen Boten gehabt hätte.[95]

Es sollte nicht lange dauern, bis Fürsten sich mit Philipp wegen seiner Nebenehe in Verbindung setzten. Der Landgraf zog wiederum Luther und Melanchthon ins Vertrauen und bat um ihren Ratschlag, was er antworten solle, wenn man ihn entsprechend unter Druck setze.[96] Luther antwortete, daß nicht nur Philipp, sondern auch er selbst von Kurfürst Joachim II. von Brandenburg angefragt worden sei, und rät dem Landgrafen, sich stärker zu wehren, wenn er nochmals angegangen werden sollte.[97] Philipp bedankte sich am 4. Oktober und meinte, er sehe, »Das irs trewlich vnd woll mit vns meynet«.[98] Aber trotz solch höflicher Wendungen, wie sie auch in Luthers Antwortschreiben vom 20. Oktober 1540 vorkommen,[99] hat doch diese Diskussion ihr Verhältnis erheblich belastet.

Dies wird auch daraus deutlich, daß der Briefwechsel erst im Jahr 1542 fortgesetzt wird. Wieder ist es Philipp, der sich an Luther und Melanchthon wendet. Er bittet sie,

---

[88] Vgl. ebd. 148 – 150.
[89] Vgl. ebd. 183 – 189.
[90] Vgl. ebd. 200 – 203.
[91] Ebd. 208, 89 f.
[92] Ebd. 208, 91–93.
[93] Vgl. ebd. 209, 124–133.
[94] Vgl. ebd. 216 f.
[95] Vgl. ebd. 217.
[96] Vgl. ebd. 227 f.
[97] Vgl. ebd. 233 f.
[98] Ebd. 241,9.
[99] Vgl. ebd. 248.

sich bei Kurfürst Johann Friedrich für Vergleichsvorschläge einzusetzen.[100] Dabei handelt es sich um die sogenannte Wurzener Fehde, in der Johann Friedrichs Gegner der Schwiegersohn Philipps, Moritz von Sachsen, gewesen ist. Luther hat dem entsprochen, wie er ja auch in einem öffentlichen Brief die Gegner zur Einigung anhalten wollte.[101] Luther bat seinerseits Philipp von Hessen, seinen Schwiegersohn zu veranlassen, nicht zur Gewalt zu greifen, bevor die Streitfrage entschieden sei.[102]

Dieser Brief Luthers an Philipp war unabhängig von demjenigen des Landgrafen geschrieben worden. Sofort nach Erhalt des Eilbriefes Philipps hat Luther der Bitte des Landgrafen entsprochen und an seinen Landesherrn Johann Friedrich geschrieben.[103] Am gleichen Tag teilte Philipp Luther mit, daß er sich um Vermittlung zwischen den fürstlichen Gegnern bemühe, aber er bat ihn zugleich auch, sich nicht in der Doppelehe gegen ihn mißbrauchen zu lassen. Auch dieses Thema war also noch nicht erledigt![104]

Luther antwortete bereits einen Tag später und gab seiner Freude Ausdruck, daß Philipp sich um eine Beilegung der Streitigkeiten um Wurzen bemühte, was dann auch von Erfolg gekrönt war. Der Reformator verschwieg aber nicht, daß er Herzog Moritz für den Schuldigen in dem Streit hielt. Was die Doppelehe angeht, so hat sich Luther, wie er dem Landgrafen mitteilt, über das unnütze Gewäsch Johannes Lenings geärgert, während er im übrigen keinen »widderwillen« empfinde.[105]

In weiteren Briefen geht es im wesentlichen um den Schmalkaldischen Bund, wobei Luther den beiden Bundeshauptleuten rät, sich nicht mit der evangelischen Partei in Metz zu verbinden, weil dies böse Folgen haben könnte.[106] Philipp seinerseits berichtete Luther von der »eroberung des braunschweigischen landes«, ohne allerdings Einzelheiten mitzuteilen.[107] Philipp bedankte sich auch in diesem Schreiben für Luthers Buch »Von den Juden und ihren Lügen«,[108] welches er gelesen habe und das ihm sehr gut gefalle, besonders in den Punkten, in denen klar dargelegt werde, daß Christus – der Messias – gekommen sei. Der Landgraf fährt fort: »Und wunschen deswegen von Gott, das er euch und andere leut, so seiner christlichen kirchen mit schreiben und lehren mugen nutz sein, zu verpreiterung seines gotlichen nahmens lange zeit erhalte und bewahre.«[109] Aber die freundlichen Worte können nicht darüber hinwegtäuschen, daß nicht mehr Luther allein als der entscheidende Theologe angesehen wird, vielmehr stehen neben ihm auch andere, deren Publikationen in Hessen für wichtig gehalten werden.

---

[100] Vgl. WA.B 10, 38 f.
[101] Der Brief ist aber 1542 nicht publiziert worden; Luther sandte ihn dem kursächsischen Altkanzler Gregor Brück, der ihn an Philipp von Hessen weiterschickte, vgl. ebd. 31; gedruckt ist das Schreiben ebd., 32 – 36.
[102] Vgl. ebd. 41.
[103] Vgl. ebd. 42 f.
[104] Vgl. ebd. 44.
[105] Vgl. ebd. 45 f.
[106] Vgl. ebd. 194 f.
[107] Vgl. ebd. 258 f.
[108] Gedr. WA 53, 417 – 552.
[109] WA.B 10, 259, 7 – 10.

Eine Verbesserung des Verhältnisses zwischen Luther und Philipp deutet sich an, wenn der Reformator für Johann Richius eintritt, dem eine Lektur in Marburg zugesagt worden sei.[110] Philipp hat diesem Wunsch Luthers in einem Brief vom 11. August 1543 entsprochen.[111] Auch um ein persönliches Anliegen handelt es sich, wenn die Wittenberger Theologen den Landgrafen am 13. Dezember 1544 bitten, sich für den Nürnberger Patrizier Hieronymus Baumgartner einzusetzen,[112] der sich in Gefangenschaft befindet. Aber es geht hierbei, wie wir es sehen, wiederum nicht um große Politik, sondern um Einzelanliegen, die Kontakte hervorrufen. Diese Angelegenheit hat Philipp und die Wittenberger noch in weiteren Briefen beschäftigt.[113]

Wichtiger ist, daß Philipp von Hessen gegenüber der »Wittenbergischen Reformation«, die auf Melanchthon zurückgeht, Bedenken hatte. Die Wittenberger antworten im Jahr 1545, wobei allerdings nicht Luther als Hauptgesprächspartner des Hessen anzusehen ist.[114] Das ist anders, als der Landgraf dem Reformator am 12. März 1545 ein Pamphlet in italienischer Sprache über Luthers angeblichen Tod übersenden konnte.[115] Luther bedankte sich dafür und erklärte, er werde diese Äußerungen in Italienisch und Deutsch drucken lassen, um zu bezeugen, daß er den Text kennt. Das ist auch geschehen.[116] In dem Brief, in dem Luther Philipp diesen Plan ankündigt, kann er ihm zugleich mitteilen, daß seine Arbeit über das »Papsttum zu Rom« kurz bevorsteht,[117] worin er ja Karl V. gegen Papst Paul III. in Schutz nahm.[118]

Die letzten Briefe, die zwischen Luther und Philipp gewechselt worden sind, sind wieder keine persönlichen Schreiben, sondern betreffen die Wittenberger Theologen insgesamt. Diese verwenden sich nämlich in einem Brief vom 29. Oktober 1545 für die Stadt Helmstedt,[119] worauf der Landgraf freundlich antwortete, daß er sich deswegen mit Johann Friedrich und seinen anderen Verbündeten in Verbindung setzen wolle.[120]

In der Korrespondenz ist – so läßt sich insgesamt feststellen – Philipp weitgehend der Aktive, der sich mit Anfragen an Luther wendet. Umgekehrt bedeutet dies ja auch immer die Überwindung des Standesunterschiedes, der von Luther durchaus als selbstverständlich empfunden wurde. So fragte er sich etwa 1530, ob er nicht von sich aus zu häufig an Kurfürst Johann schreibe.[121] Aber auch an Philipp von Hessen hat Luther sich gelegentlich von sich aus gewandt, wobei sein Einfluß am größten in der Einfüh-

---

[110] Vgl. ebd. 353 f.

[111] Vgl. WA.B 12, 355.

[112] Vgl. WA.B 10, 696 f. – H. Baumgarten hatte 1524 sein Auge auf Katharina von Bora geworfen, aber eine Ehe war damals dann doch nicht zustande gekommen. Katharina wurde dann im Juni 1525 Luthers Frau, vgl. GERHARD MÜLLER, Käthe und Martin Luther, in: ders., Zwischen Reformation und Gegenwart, Hannover 1983, S. 32.

[113] Vgl. WA.B 11, 10 f; 38 f; 43 f.

[114] Vgl. ebd. 42.

[115] Vgl. WA.B 12, 359.

[116] Gedr. WA 54, 191 – 194.

[117] Vgl. WA.B 11, 58.

[118] Diese Schrift Luthers ist gedruckt WA 54, 206 – 299.

[119] Vgl. WA.B 11, 212 – 214.

[120] Vgl. ebd. 217 f.

[121] Vgl. WA.B 5, 530, 5 – 7.

rungsphase der Reformation in Hessen gewesen ist, während die sachliche Auseinandersetzung um politische Fragen nach dem Augsburger Reichstag ihren Höhepunkt erreichte. Trotz mancher Meinungsverschiedenheiten auf politischem wie auf theologischem Gebiet bleiben aber die Kontakte zwischen Luther und dem Landgrafen erhalten. Erst während der letzten Jahre von Luthers Leben werden umfassendere Probleme nicht mehr so wie früher behandelt.

Eine ähnliche Entwicklung läßt sich wohl auch im Hinblick auf Luthers Landesherren konstatieren. Auch hier ist sein Einfluß besonders groß während der Einführung der Reformation, nämlich während der Regierungszeit Kurfürst Johanns. Jedoch sind Luthers Kontakte selbstverständlich auch mit Johann Friedrich sehr eng, ohne daß er allerdings seine Meinung so weitgehend durchzusetzen vermag, wie dies während der Regierungszeit von dessen Vater der Fall gewesen ist.

Obwohl sich Luther des Standesunterschiedes zu den Fürsten bewußt war, hat er seine Meinung nicht verschwiegen. Auch gegenüber Philipp von Hessen fürchtete er Widerspruch nicht. Dadurch vermochte er zur Entwicklung der Reformationsgeschichte beizutragen und die politische Welt in einem für einen Theologieprofessor ungewöhnlichen Maße zu beeinflussen.

# 3 Luther und die Städte

Wolfgang Reinhard

# 3.1 Luther und die Städte

Das mir gestellte Thema »Luther und die Städte« ist keineswegs deckungsgleich mit dem klassischen »Reichsstadt und Reformation«,[1] denn es ist weiter und enger zugleich. Weiter insofern es nicht auf *Reichs*städte beschränkt bleibt, sondern auch Landstädte miteinbezieht sowie mehr oder weniger autonome Kommunen ohne den Status einer Reichsstadt wie Danzig oder Hamburg, Göttingen oder Münster,[2] Vor allem die Arbeiten der Tübinger Gruppe[3] und die Veröffentlichungen von Schilling[4] haben gezeigt, wie fruchtbar diese Ausweitung der ursprünglichen Fragestellung Moellers geworden ist. Vor der naheliegenden Einbeziehung ganz Europas[5] und späterer Phasen der Reformation[6] bewahrt uns aber die Begrenzung der Untersuchung auf den ersten Reformator und seine konkrete Interaktion mit Städten, wie sie vor allem in seinem Briefwechsel ihren Niederschlag gefunden hat.[7] Nur diese Einengung und Konkretisierung des Gegenstandes eröffnet mir überhaupt die Chance, statt eines weiteren

---

[1] BERND MOELLER, Reichsstadt und Reformation, Gütersloh 1962 (SVRG 180). Ich verzichte darauf, meinen Text nachträglich dem anschließend abgedruckten Ko-Referat von BERND MOELLER anzupassen, auch dort, wo ich seine Einwendungen für berechtigt halte.

[2] Vgl. GEORG SCHMIDT, Der Städtetag in der Reichsverfassung. Eine Untersuchung zur korporativen Politik der Freien und Reichsstädte in der ersten Hälfte des 16. Jhs., Tübingen 1981, Diss. phil., S. 24–198. Ich danke für die Erlaubnis zur Benutzung des Manuskripts.

[3] DIETER DEMANDT/HANS-CHRISTOPH RUBLACK, Stadt und Kirche in Kitzingen. Darstellungen und Quellen zu Spätmittelalter und Reformation, Stuttgart 1978 (Spätmittelalter und Frühe Neuzeit 10); INGRID BÁTORI/ERDMANN WEYRAUCH, Die bürgerliche Elite der Stadt Kitzingen. Studien zur Sozial- und Wirtschaftsgeschichte einer landesherrlichen Stadt im 16. Jhdt., Stuttgart 1982 (Spätmittelalter und Frühe Neuzeit 11); HANS-CHRISTOPH RUBLACK, Gescheiterte Reformation. Frühreformatorische und protestantische Bewegungen in den süd- und westdeutschen geistlichen Residenzen, Stuttgart 1978 (Spätmittelalter und Frühe Neuzeit 4).

[4] Vor allem HEINZ SCHILLING, Die politische Elite nordwestdeutscher Städte in den religiösen Auseinandersetzungen des 16. Jhs., in: WOLFGANG J. MOMMSEN u. a., Stadtbürgertum und Adel in der Reformation, Stuttgart 1979, S. 235–308.

[5] Vgl. die Anregung von ERICH HASSINGER in: BERND MOELLER, Stadt und Kirche im 16. Jhdt., Göttingen 1978 (SVRG 190), S. 178; ferner die Forschungen von GOTTFRIED SCHRAMM zu polnischen Städten, vgl. ders., Reformation und Gegenreformation in Krakau, in: ZOF 19, (1970), S. 1–41 und die dort S. 1, Anm. 1 angegebenen weiteren Veröffentlichungen dieses Autors.

[6] Vgl. CASPAR VON GREYERZ, The late city reformation in Germany. The case of Colmar, 1522–1628, Wiesbaden 1980 (VIEG 98).

[7] Luther hatte Kontakte zum preußisch baltischen Raum sowie vereinzelt nach Venezien und Ungarn; mehr läßt sich seinem Briefwechsel nicht entnehmen.

Forschungsberichts[8] einen Originalbeitrag mit bescheidenem zusätzlichem Erkenntnisgewinn zustandezubringen.

Doch bevor ich mit der Untersuchung des Lutherbriefwechsels beginne, muß ich mir eine Vorfrage stellen: Welchem sozialen Milieu ist Luther eigentlich zuzuordnen? Seine Rolle als Reformator stellt ihn ja nicht automatisch jenseits des Gegensatzes von Bürger und Bauer, von Stadt und Land. Nein, Luther war Städter. Bereits eine flüchtige Durchsicht der Tischreden läßt erkennen, daß offensichtlich die Stadt die für ihn selbstverständliche Umwelt war, denn er spricht kaum von ihr, und wenn, dann positiv.[9] Die Äußerungen über die Bauern dagegen zeugen trotz gelegentlicher »romantischer« Ausnahmen[10] von einer tiefsitzenden Abneigung, die offenbar nicht ausschließlich auf seine Erfahrungen im Bauernkrieg zurückzuführen ist, tauchen darin doch die typischen antibäuerlichen Klischees des damaligen Städters auf.[11] Luther hat ja von klein auf sein ganzes Leben in Städten verbracht. Daß er Landwirtschaft als gottgefälligste Wirtschaftsform proklamierte,[12] will nicht viel heißen – schließlich waren auch die Physiokraten keine Bauern! Ebensowenig Luthers bekannte Abneigung gegen Kaufmannschaft und Geldgeschäft. Luther war dennoch Bürger, aber eben Kleinbürger. Das klingt pejorativ, will aber nur besagen, daß dem Kleinunternehmersohn Martin Luther wie der Mehrzahl der damaligen Stadtbewohner die Lieblingsbeschäftigungen des gleichzeitigen Großbürgertums fremd und suspekt geblieben sind. Dennoch war Luther im städtischen Milieu zu Hause, es war das seinige.

Meine Untersuchung der Interaktion Luthers mit dem städtischen Milieu anhand seines Briefwechsels[13] beschränkt sich im Unterschied zu der Arbeit von Brecht[14] nicht auf die offizielle Korrespondenz des Reformators mit Predigern und Obrigkeiten, sondern berücksichtigt auch die Privatkorrespondenz mit Personen in jenen Städten, mit denen Luther offiziell korrespondiert hat.[15]

---

[8] Bisher liegen vor: HANS-CHRISTOPH RUBLACK, Forschungsbericht Stadt und Reformation, in: MOELLER (Anm. 5), S. 9–26; GERHARD MÜLLER, Reformation und Stadt. Zur Rezeption der evangelischen Verkündigung, Wiesbaden 1981 (AAWLM.G 11/1981); CASPAR VON GREYERZ, Stadt und Reformation. Stand und Aufgaben der Forschung (masch.) 1982. Bei der Aufarbeitung meiner Untersuchung konnte ich den wichtigen Beitrag von EIKE WOLGAST, Luthers Beziehungen zu den Bürgern, in: HELMAR JUNGHANS, Leben und Werk Martin Luthers von 1526 bis 1546. Festgabe zu seinem 500. Geburtstag, Göttingen I, 1983, S. 601–612 noch nicht benutzen.

[9] WA. TR 3, 382, Nr. 3534 sowie 415, Nr. 3564.

[10] WA. TR 5, 5, Nr. 5197.

[11] WA. TR 1, 17, Nr. 50; 2, 282, Nr. 1967; 477, Nr. 2471; 598, Nr. 2672; 600, Nr. 2680; 604, Nr. 2699; 5, 528, Nr. 6189. Vgl. ERNST WALTER ZEEDEN, Deutsche Kultur in der frühen Neuzeit, Frankfurt 1968 (HKuG), S. 59–61.

[12] Von Kaufhandlung und Wucher (1524), in: WA 15, 293–322.

[13] Dabei wird bei der Quantifizierung nicht zwischen Auslauf und Einlauf unterschieden, denn die Überlieferungslücken lassen eine solche Unterscheidung willkürlich erscheinen.

[14] MARTIN BRECHT, Luthertum als politische und soziale Kraft in den Städten, in: FRANZ PETRI, Kirche und gesellschaftlicher Wandel in deutschen und niederländischen Städten der werdenden Neuzeit, Köln–Wien 1980 (Städteforschung A 10) S. 1–22.

[15] Hingegen werden Korrespondenten nicht berücksichtigt, die in Städten leben, mit denen Luther keine offiziellen Schreiben gewechselt hat. Stichproben lassen nämlich in diesen Fällen höchstens ausnahmsweise stadtbezogene Inhalte erwarten.

Da nach diesen Kriterien insgesamt 69 Städte zu berücksichtigen sind, ist ein quanti-fizierender Überblick unvermeidlich.[15a] Die Weimarer Ausgabe enthält nach meiner Rechnung insgesamt 3599 Briefe und briefähnliche Äußerungen von und an Martin Luther. Davon gehört ein knappes Viertel – 891 Stück oder 24,8% – zu der Interaktion mit Städten im eben umschriebenen Sinn. Auch in quantitativer Hinsicht sind eben die wichtigsten Briefpartner Luthers an Fürstenhöfen zu finden. Die umfangreichste Kor-respondenz überhaupt ist diejenige mit Georg Spalatin, die trotz beträchtlicher Verlu-ste[16] immer noch 440 Stücke umfaßt, an zweiter Stelle kommt Kurfürst Johann Fried-rich mit 315 Nummern.[17] Versucht man, die städtischen Partner Luthers erst einmal geographisch zu sortieren, dann erweisen sich die oberdeutschen Reichsstädte und die kursächsischen Landstädte als die mit Abstand wichtigsten Gruppen mit 291 bzw. 269 Stücken, davon 57 bzw. 50 Nummern offizielle Korrespondenz mit Amtsträgern. Daneben ergeben sich sechs weitere Gruppen von weit geringerem Gewicht, die zum Teil sogar als »Anhängsel« der beiden großen aufgefaßt werden können: die Schweizer Städte einerseits, die Städte des Herzogtums Sachsen und die städtische Klientel Sach-sens andererseits, ferner Städte in Nachbarterritorien Sachsens, in Mittel- und West-deutschland zwischen Braunschweig und Soest sowie die Seestädte zwischen Bremen und Riga. Der Anteil der offiziellen Korrespondenz liegt in den meisten dieser Grup-pen relativ hoch – Luther hatte hier weniger »private« Bekannte.

Anders verhält es sich mit den beiden Fällen, in denen mit Abstand die umfangreich-ste Korrespondenz vorliegt, der kursächsischen Stadt Zwickau mit 12 offiziellen und 143 privaten Schreiben und der Reichsstadt Nürnberg mit 10 bzw. 129 Stücken. *Nürn-berg* liegt zwar runde 300 km südlich von Wittenberg, aber an einer wichtigen Han-delsstraße, die über Leipzig in die oberdeutschen Kernlande des Reiches führt. Dar-überhinaus war Nürnberger Kapital im thüringischen und sächsischen Bergbau enga-giert.[18] Luthers auffallend intensive Beziehungen zu dieser führenden Reichsstadt[19] kamen auf zwei Wegen zustande, über das Nürnberger Kloster seines Ordens einer-seits, über Nürnberger Mitglieder der Universität Wittenberg andererseits. Der Nürn-berger Konvent der Augustinereremiten hatte zusammen mit dem Erfurter die strengste Richtung der Ordensreform vertreten; Luther war für diese Sache über Nürnberg nach Rom gereist.[20] 1512–1517 wirkte der Generalvikar Johann von Staupitz im Nürnberger Kloster. Seine aufsehenerregenden Predigten gegen Werkgerechtigkeit und Ablaß machten ihn zum Wegbereiter Luthers. Mehr noch, daß er einen religiösen Zirkel

---

[15a] Zum folgenden vgl. die Tabelle »Luthers Korrespondenz mit Städten«, S. 90.

[16] Vgl. IRMGARD HÖSS, Georg Spalatin 1484–1545. Ein Leben in der Zeit des Humanismus und der Reformation, Weimar 1956, S. 51.

[17] Nach KURT ALAND, Hilfsbuch zum Lutherstudium, Witten ³1970.

[18] Vgl. HERMANN KELLENBENZ in: GERHARD PFEIFFER, Nürnberg. Geschichte einer euro-päischen Stadt, München 1971, S. 187; vgl. WA. B 6, 543, Nr. 2060.

[19] Grundlegend zur Geschichte Nürnbergs heute PFEIFFER (Anm. 18), vgl. auch: GERALD STRAUSS, Nuremberg in the sixteenth century. City politics and life between Middle Ages and modern times, Bloomington 1976.

[20] Vgl. MARTIN BRECHT, Martin Luther. Sein Weg zur Reformation 1483–1521, Stuttgart 1981, S. 105.

*Luthers Korrespondenz mit Städten*
davon in ( ) die Zahl der offiziellen Schreiben

| | Briefe | davon städt. Milieu Anzahl | in % | Kur.tum Sachsen | Hzg.tum Sachsen | sächs. Klientel | Nachbarn Sachsens | oberdeut. Reichsst. | Schweiz | mittel- u. westd. Städte | Küstenstädte |
|---|---|---|---|---|---|---|---|---|---|---|---|
| vor 1522 | 448 | 88 | 19,6 | 4 | | 34 | 5 | 42 | 3 | | 1 |
| 1522 | 117 | 31 | 26,5 | 21 (8) | | 3 | | 5 | | 1 | |
| 1523 | 140 | 37 | 26,5 | 14 (3) | | | 4 (2) | 13 (4) | 2 | | 4 (3) |
| 1524 | 117 | 32 | 27,4 | 7 | | 3 (1) | 2 (2) | 13 (1) | 3 | 1 (1) | 3 (1) |
| 1525 | 145 | 38 | 26,3 | 8 (2) | | 5 (3) | 2 (1) | 20 (4) | | | 3 (3) |
| 1526 | 106 | 24 | 22,8 | 10 | | 2 (2) | 1 | 11 (1) | | | |
| 1527 | 131 | 37 | 28,2 | 12 (2) | | 6 (1) | 6 (5) | 12 | | | 1 |
| 1528 | 177 | 58 | 32,8 | 24 | | 4 (1) | 9 (6) | 15 | | | 6 (2) |
| 1529 | 147 | 47 | 32,0 | 25 (4) | | 1 | 2 (1) | 13 (2) | | 2 | 5 (1) |
| 1530 | 259 | 53 | 20,5 | 19 (1) | 1 | | 1 | 29 | | 1 (1) | 3 |
| 1531 | 128 | 56 | 43,8 | 24 (3) | 2 (1) | | 1 (1) | 15 (1) | 1 | 10 (5) | 4 (3) |
| 1532 | 95 | 26 | 27,4 | 7 (3) | 5 (2) | | | 6 (4) | | 8 (6) | 4 (3) |
| 1533 | 91 | 50 | 54,9 | 18 (1) | | | | 19 (9) | | | 5 (5) |
| 1534 | 94 | 18 | 19,1 | 11 (1) | 1 (1) | | | 4 (1) | | | |
| 1535 | 121 | 40 | 33,0 | 8 (3) | 1 | | 2 (2) | 28 (9) | 4 | 2 (2) | 1 |
| 1536 | 148 | 41 | 29,0 | 8 (6) | | 4 (2) | | 24 (11) | 5 (4) | | |
| 1537 | 85 | 22 | 25,9 | 3 (2) | 4 (1) | 6 (4) | | 7 (1) | 6 (2) | | 1 (1) |
| 1538 | 82 | 20 | 24,4 | 1 (1) | 3 (1) | | 3 (3) | 4 (3) | 1 | | |
| 1539 | 146 | 31 | 21,2 | 12 (3) | 2 | 1 | 1 | 11 | | 1 | 1 |
| 1540 | 142 | 21 | 14,8 | 8 (1) | 2 | 2 | | 5 | | 1 (1) | 2 (2) |
| 1541 | 140 | 11 | 7,9 | 1 | 1 | | 1 (1) | 6 | | | 1 (1) |
| 1542 | 137 | 29 | 21,2 | 7 (2) | | 7 | | 9 (3) | 4 (3) | | 2 |
| 1543 | 127 | 34 | 26,8 | 10 (2) | | 6 (1) | 4 (2) | 8 | 1 | 3 | 1 |
| 1544 | 105 | 21 | 20,0 | 2 | | 8 (3) | 2 (1) | 5 | | 2 | 2 (1) |
| 1545 | 122 | 24 | 19,7 | 8 (2) | | 3 (1) | 2 (2) | 6 | | 5 (3) | |
| 1546 | 32 | 2 | 6,3 | 1 | | | | | | | 1 |
| | 3599 | 891 | 24,8 | 269 (50) | 27 (7) | 64 (19) | 42 (29) | 291 (57) | 27 (9) | 36 (19) | 50 (25) |

prominenter Bürger um sich sammelte, die »Sodalitas Staupitziana«, der neben Hieronymus Ebner ein Nützel, zwei Tucher und zwei Fürer aus dem in Nürnberg allein maßgebenden Patriziat sowie der Ratskonsulent Christoph Scheurl, der Ratsschreiber Lazarus Spengler und der Maler Albrecht Dürer angehörten. Als seinen Nachfolger hat Staupitz bei seinem Weggang 1517 den Wittenberger Prior Wenzel Link, einen engen Freund des Subpriors Luther, an das Nürnberger Kloster versetzt.[21]

Doch Luthers erster Nürnberger Korrespondent ist der Jurist Scheurl, der 1507–1512 Professor in Wittenberg gewesen war,[22] aber erst jetzt Anfang 1517 – offenbar auf Anregung von Staupitz – Luther um seine Freundschaft bittet.[23] Durch seine Beziehungen nach Wittenberg erhält Scheurl Ende 1517 die Ablaßthesen; der Staupitzkreis sorgt für Übersetzung, Drucklegung und weitere Verbreitung.[24] Scheurl bemüht sich, Verbindungen Luthers zu maßgebenden Familien des Patriziats herzustellen; er drängt ihn, dem mächtigen Hieronymus Ebner doch eine Schrift zu widmen.[25] Dann aber versucht Scheurl zu vermitteln, Luther mit Eck zu versöhnen, ihn zur Mäßigung anzuhalten,[26] bis er sich schließlich ganz von ihm abwendet.[27]

Luthers Briefwechsel mit Wenzel Link dauert vom Frühjahr 1518 mit unterschiedlicher Intensität bis zu Luthers Tod 1546. Von 1525 bis zu seinem Tod war Link als Prediger am Neuen Spital in Nürnberg tätig.[28] Diese Korrespondenz ist voll aufschlußreicher privater Herzensergießungen des Reformators, spricht von gegenseitigen Aufmerksamkeiten und Geschenken.[29] Aber Link wird auch über die Entwicklung der »Luthersache« und über Luthers Theologie auf dem laufenden gehalten und bisweilen mit dem richtigen Lancieren von Lutherschriften befaßt.[30] Darüberhinaus dient er als Informant und Vermittler in persönlichen wie politischen Angelegenheiten.[31]

Als Luther im Herbst 1518 nach Augsburg geladen war, stieg er auf der Hin- und Rückreise im Nürnberger Kloster ab.[32] Er lernte die politische Prominenz des Staupitz-

---

[21] Ebd. S. 169; WILHELM REINDELL, Doktor Wenzeslaus Linck aus Colditz 1483–1547, Marburg 1892, S. 50, 57–80; vgl. HÖSS (Anm. 16), S. 146; BERNHARD KLAUS, Veit Dietrich. Leben und Werk, Nürnberg 1958: EKGB 32, S. 35; F. VON SODEN/J. K. F. KNAAKE, Christoph Scheurl's Briefbuch. Ein Beitrag zur Geschichte der Reformation und ihrer Zeit. I. Briefe 1505–1516, Potsdam 1867, S. 101.

[22] SODEN/KNAAKE (Anm. 21).

[23] WA. B 1, 84–87, Nr. 32 u. 33.

[24] Vgl. CLEMENS HONSELMANN, Urfassung und Drucke der Ablaßthesen Martin Luthers und ihre Veröffentlichung, Paderborn 1966, S. 89–92; WA. B 1, 151–153, Nr. 62.

[25] Ebd. 107, Nr. 47; 115, Nr. 49; 272–278, Nr. 122.

[26] Ebd. 182–184, Nr. 82.

[27] Vgl. MUMMENHOFF, Scheurl, Christoph, in: ADB II, Leipzig 1890, S. 145–154.

[28] KLAUS (Anm. 21), S. 37.

[29] So schreibt Luther am 1. Dezember 1530 von seinen Endzeiterwartungen an Link (WA. B 5, 691, Nr. 1757) oder er dankt noch am 17. Januar 1545 im Namen seiner Frau für Quittensaft (WA. B 11, 20–22, Nr. 4069).

[30] WA. B 4, 435, Nr. 1247; 495, Nr. 1294; 5, 467, Nr. 1640; 488, Nr. 1654.

[31] WA. B 6, 506, Nr. 2038; 532, Nr. 2054 u. ö.

[32] Laut NAGEL, Die persönlichen Beziehungen Dr. Martin Luthers zu Nürnberg, in: Nürnberger Gedenkbuch der 400jährigen Gedächtnisfeier der Geburt Dr. Martin Luthers, Nürnberg 1883, S. 135 soll er sogar öffentlich gepredigt haben.

Kreises persönlich kennen.[33] Damals wurden aus den »Staupitzianern« die »Martinia-
ner«.[34] Auch der maßgebende Nürnberger Humanist Willibald Pirckheimer lud Luther
in sein Haus ein und pflegte die Verbindung mit ihm.[35] Später hat er sich wie andere
Humanisten der älteren Generation wieder von der evangelischen Bewegung abge-
wandt.[36] Doch den Ausschlag sollte geben, daß der Ratsschreiber Lazarus Spengler
zum tiefüberzeugten Lutheranhänger geworden und es bis zu seinem Tode 1534 geblieben ist.[37]

Damit lag die Sache des Evangeliums in Nürnberg in guten Händen. Durchaus im
Rahmen der kirchenpolitischen Tradition der Stadt,[38] aber unter offensichtlichem Einfluß der Lutheranhänger fielen seit 1521 Personalentscheidungen von zentraler strategischer Bedeutung: Die Propsteien der beiden Hauptkirchen St. Sebald und St. Lorenz
wurden mit den in Wittenberg ausgebildeten Patriziersöhnen Georg Pesler und Hector
Pömer besetzt. Nun konnte der evangelisch gesinnte Andreas Osiander die Prediger-
stelle an St. Lorenz erhalten, während auf diejenige an St. Sebald durch Vermittlung
Luthers Dominicus Schleupner aus Neiße berufen wurde. Auch im Hl. Geist-Spital
und bei den Augustinern wurde evangelisch gepredigt. Damit war eine innovatorische
Elite vorhanden, die die Dinge weitertrieb. Predigt und liturgische Neuerungen, Volksbewegung mit radikalen Tendenzen und behutsam taktierende Politik des Rats, der
durch reichspolitische Rücksichten in seiner Bewegungsfreiheit behindert war, führten
schließlich 1525 zum Glaubensgespräch und der anschließenden Reformation, der
Übernahme der Kirchenhoheit durch den Rat und der Einrichtung eines evangelischen
Kirchenwesens. Zur Rechtfertigung wurden zunächst auch Schriften Zwinglis neben
denjenigen Luthers herangezogen.[39] In dieser wie in anderer Hinsicht unterscheidet
sich der Ablauf im »erzlutherischen« und patrizischen Nürnberg weniger vom reichs-

---

[33] Die Familie Ebner ließ seinem Kloster als Dank für die Widmung der Auslegung des
110. Psalms ein neues Meßgewand verehren: WA. B 1, 287–289, Nr. 127.

[34] Vgl. NAGEL (Anm. 32), S. 136.

[35] Vgl. PFEIFFER (Anm. 18), S. 157 u. WA. B 1, 347, Nr. 154.

[36] Vgl. PAUL DREWS, Willibald Pirckheimers Stellung zur Reformation. Ein Beitrag zur Beurteilung des Verhältnisses zwischen Humanismus und Reformation, Leipzig 1887; JOSEF PFAN-
NER, Die »Denkwürdigkeiten« der Caritas Pirckheimer (aus den Jahren 1524–1528), Landshut
1962.

[37] Vgl. HANS VON SCHUBERT, Lazarus Spengler und die Reformation in Nürnberg, Leipzig
1934 (QFRG 17). Luther selbst hat Spengler in seiner bekannten Äußerung über die Bedeutung
der Ratsschreiber für die Reformation in WA.TR 5, 132, Nr. 5426 ein schönes Denkmal gesetzt.

[38] Vgl. HÖSS in: PFEIFFER (Anm. 18), S. 137–146; GOTTFRIED SEEBASS, Stadt und Kirche in
Nürnberg im Zeitalter der Reformation, in: MOELLER (Anm. 5), S. 68–71; MÜLLER (Anm. 8),
S. 6–9.

[39] Vgl. GERHARD PFEIFFER, Die Einführung der Reformation in Nürnberg als kirchenrechtli-
ches und bekenntniskundliches Problem: BDLG 89 (1952), S. 112–133; behutsamer Andreas
Osiander der Ältere. Gesamtausgabe, hg. v. GERHARD MÜLLER, Gütersloh I, 1975, S. 217 u.
240.

städtischen Normalfall mit stärker zwinglianischer und zünftischer Ausrichtung, als Moeller 1962 angenommen hatte.[40]

Ein Studium in Wittenberg wurde hinfort in Nürnberg besonders geschätzt. 1518–1522 war Hieronymus Baumgartner dort immatrikuliert, wichtig nicht nur, weil er 1533 zum Bürgermeister und als Kirchpfleger zum eigentlichen Regenten der Nürnberger Kirche aufstieg,[41] sondern auch, weil ihn zarte Bande mit Luther verknüpften. Nur der Einspruch seiner Familie verhinderte 1523 eine Liebesheirat Baumgartners mit Katharina von Bora, 1524 mahnte Luther ihn noch zuzugreifen, bevor er von Mitbewerbern verdrängt würde,[42] 1530 grüßt er ihn von seiner ehemaligen »Flamme«.[43] Wiederholt bittet Luther ihn um Unterstützung oder verweist andere an ihn.[44] 1544 tröstet er Baumgartners Frau, weil ihr Mann auf der Heimreise vom Reichstag einem Wegelagerer in die Hände gefallen war.[45]

1522 schickte Spengler seinen Sohn Lazarus junior zum Studium nach Wittenberg, zusammen mit dem von ihm protegierten Veit Dietrich, einem begabten jungen Mann aus bescheidenen Verhältnissen. Dietrich machte in Wittenberg nicht nur akademische Karriere, sondern war 1528–1534 Hausgenosse Luthers, Protokollant seiner Tischreden 1531–1533, Sammler seiner Briefe, vertrauter Begleiter auf die Coburg im Reichstagsjahr 1530 und Vorsteher der Luther-Burse im Grauen Kloster, bis ihn ein Konflikt mit Frau Luther aus dem Hause trieb. Als Prediger an St. Sebald in Nürnberg war er dann ab 1535 ein weiterer vertrauter Briefpartner Luthers,[46] wie er vorher in der Umgebung des Reformators die Rolle eines Agenten seiner Vaterstadt und vor allem Spenglers übernommen hatte. Durch ihn läßt Spengler Luther aus Nürnberger Sicht über Vorgänge in Stadt und Reich informieren, durch ihn erfährt er seinerseits, was sich in Wittenberg abspielt.[47] Außerdem wird Dietrich in Personalpolitik eingeschaltet, besonders was Nürnberger Studenten in Wittenberg angeht.[48]

Nürnberger empfehlen Luther ihre Studenten,[49] Luther empfiehlt Studenten für Stipendien des Rats[50] und setzt sich in vielfacher Hinsicht für sie und andere ein: Ein

---

[40] MOELLER (Anm. 1), S. 27. Zur Reformation in Nürnberg außer den bereits genannten Veröffentlichungen noch wichtig: ADOLF ENGELHARDT, Die Reformation in Nürnberg: Mitteilungen des Vereins für Geschichte der Stadt Nürnberg 33 (1936), S. 88–250; GERHARD PFEIFFER, Quellen zur Nürnberger Reformationsgeschichte. Von der Duldung liturgischer Änderungen bis zur Ausübung des Kirchenregimentes durch den Rat (Juni 1524–Juni 1525), Nürnberg 1968 (EKGB 45); GÜNTER VOGLER, Nürnberg 1524/25. Studien zur Geschichte der reformatorischen und sozialen Bewegung in der Reichsstadt, Berlin 1978, Diss. B. (masch.).

[41] KLAUS (Anm. 21), S. 38; OTTO PUCHNER, Baumgartner, Hieronymus, in: NDB I, Berlin 1953, S. 664.

[42] WA. B 3, 357, Nr. 782.

[43] WA. B 5, 640, Nr. 1728.

[44] KLAUS (Anm. 21), S. 39.

[45] WA. B 10, 604–607, Nr. 4009.

[46] KLAUS (Anm. 21) passim.

[47] MORITZ MAXIMILIAN MAYER, Spengleriana, Nürnberg 1830, S. 69–168 passim.

[48] KLAUS (Anm. 21), S. 60, 74, 114–124.

[49] Ebd. S. 118; WA. B 1, 287–289, Nr. 127; 384, Nr. 172.

[50] WA. B 1, 345, Nr. 153; 347, Nr. 154; 3, 413, Nr. 813; 6, 14, Nr. 1771; 10, 303, Nr. 3871.

Ratsstipendiat soll mit seinem Vater versöhnt werden,[51] evangelische Glaubensflüchtlinge suchen Unterhalt,[52] ein Waisenknabe muß versorgt werden.[53] Empfehlungen sind ein wesentlicher Anteil frühneuzeitlicher Interaktion zwischen Mächtigen; Luthers erste offizielle Schreiben an den Nürnberger Rat aus den Jahren 1524/25 sind ebenfalls von dieser Art.[54]

Auch das nächste Schreiben an den Rat ist halbprivater Natur, es richtet sich gegen Nürnberger Raubdrucke von Lutherschriften zum Schaden der Wittenberger Druckereien.[55] Luther kennt ja die Bedeutung Nürnbergs als Zentrum des Buchdrucks[56] und nutzt sie bewußt, indem er seine dortigen Freunde entsprechend einsetzt.[57] 1529 gibt er bei dem Humanisten Eobanus Hessus[58] eine lateinische Versfassung seiner eigenen Auslegung des 118. Psalms in Auftrag.[59] 1535 läßt er durch Link eine Sammlung der populären deutschsprachigen Druckproduktion Nürnbergs anstellen, offensichtlich als Vorbild für den weiteren Ausbau der Wittenberger Presse.[60]

Politisch nimmt Luther zunächst nur indirekt Einfluß. 1522 versucht er, über Link an den Rat heranzukommen.[61] Dann aber eröffnet das Vertrauen Spenglers einen neuen vielversprechenden Weg. Dessen Gutachten für den Rat sollen sich häufig bis in den Wortlaut hinein an einschlägigen Aussagen Luthers orientieren.[62] 1525 hat Spengler anscheinend das gesamte Aktenmaterial des Prozesses gegen die »drei gottlosen Maler«[63] nach Wittenberg geschickt und von Luther den Rat erhalten, sie als weltliche Aufrührer »Allstedtischen Geistes« zu bestrafen.[64] 1526 nimmt Luther für seinen Kurfürsten zur kaisertreuen Politik Nürnbergs Stellung,[65] in der kritischen Lage von 1531 belehrt er Spengler über seine veränderte Haltung zum Widerstand gegen den Kaiser.[66] Zur Ordnung der Nürnberger Kirche äußert er sich bereits 1528 an Spengler,[67] bevor

---

[51] WA. B 5, 200, Nr. 1505.

[52] WA. B 3, 467, Nr. 851; 6, 548, Nr. 2065.

[53] WA. B 9, 527–529, Nr. 3676.

[54] WA. B 3, 413, Nr. 813; 467, Nr. 851.

[55] Ebd. S. 577–579, Nr. 924; damit soll wohl zugleich dem Müntzer-Drucker Hergot eins ausgewischt werden; parallel dazu ein Schreiben an Spengler ebd. 612, Nr. 943.

[56] Vgl. FRITZ SCHNEBÖGL in: PFEIFFER (Anm. 18), S. 218–221.

[57] WA. B 4, 435, Nr. 1247; 495, Nr. 1294; 5, 467, Nr. 1640; 488, Nr. 1654.

[58] CARL KRAUSE, Helius Eobanus Hessus. Sein Leben und seine Werke, 2 Bde., Gotha 1879, S. 97.

[59] WA. B 5, 201–203, Nr. 1506; 549, Nr. 1686.

[60] WA. B 7, 163, Nr. 2181.

[61] WA. B 2, 478–480, Nr. 462.

[62] NAGEL (Anm. 32), S. 139.

[63] Georg Pentz sowie Barthel und Sebald Beham, vgl. THEODOR KOLDE, Hans Denck und die gottlosen Maler von Nürnberg: BBKG 8 (1902), S. 1–31. 49–72; VOGLER (Anm. 40), S. 290–360.

[64] WA. B 3, 432–433, Nr. 824.

[65] WA. B 4, 76–78, Nr. 1011 a. Vgl. KARL SCHORNBAUM, Zur Politik der Reichsstadt Nürnberg vom Ende des Reichstags zu Speier 1529 bis zur Übergabe der Augsburgischen Konfession 1530: Mitteilungen des Vereins zur Geschichte der Stadt Nürnberg 17 (1906), S. 178–245.

[66] WA. B 6, 35–37, Nr. 1781; 55–57, Nr. 1796. Vgl. OSIANDER (Anm. 39) IV, S. 158–206.

[67] WA. B 4, 533–537, Nr. 1307.

ihm 1532 der Entwurf der Kirchenordnung offiziell zur Begutachtung vorgelegt wird.[68] Ein zweiter, von Privatbriefen flankierter amtlicher Briefwechsel folgte 1533, als Osiander einen Konflikt um die Privatbeichte entfesselt hatte.[69] Schließlich ergeht 1540 auf den Wink des sächsischen Kurfürsten ein Schreiben der Wittenberger Theologen an den Nürnberger Rat, das diesen von vornherein auf eine ablehnende Haltung zu dem vom Kaiser geplanten Religionsgespräch festlegen soll.[70] Auch wenn die Nürnberger sich je länger desto weniger blindlings nach Luthers Auffassungen gerichtet haben, dank Spengler und anderen Freunden konnte der Reformator seine Autorität in dieser Reichsstadt doch in beträchtlichem Umfang direkt oder indirekt zur Geltung bringen.[71]

Seine Korrespondenz läßt erkennen, daß dies in keiner anderen Reichsstadt der Fall gewesen ist. Briefliche Kontakte in bemerkenswertem Umfang hat es ohnehin nur mit Straßburg und Augsburg gegeben. In *Straßburg* handelt es sich bei den 68 Briefen fast nur um zwei Gruppen. Die größere Hälfte besteht aus Korrespondenz mit den dortigen Reformatoren, besonders Martin Bucer und Wolfgang Capito. Nach Luthers Überzeugung hat nämlich sein Intimfeind Karlstadt 1524 den aufkommenden Abendmahlsstreit nach Straßburg getragen. Eine Anfrage der dortigen Prediger[72] beantwortet Luther mit einem Sendschreiben an die Gemeinde »wider den schwermer geyst«, der sie zum Bildersturm, einem falschen Abendmahlsverständnis und der Erwachsenentaufe verleiten möchte.[73] Die Straßburger schicken schließlich einen regelrechten »Botschafter« in Sachen Abendmahl zu Luther,[74] bedroht von dem Urteil aus Wittenberg: »Summa, alter utros oportet esse Sathanae ministros, vel ipsos, vel nos«.[75]

Zum zweitenmal beginnt die Korrespondenz mit den Straßburger Reformatoren, als es nach dem Augsburger Reichstag von 1530 um die vor allem von Bucer betriebene Einheit des evangelischen Lagers geht.[76] Sie erreicht 1535–1537 zur Zeit der Wittenberger Konkordie ihren Höhepunkt, als Straßburg an der Spitze der oberdeutschen Städtegruppe die Versöhnung mit den Schweizern anstrebt.[77]

Die zweite Hälfte der Straßburger Korrespondenz Luthers beschränkt sich nahezu ausschließlich auf eine Person, den Humanisten und Juristen Nikolaus Gerbel

---

[68] WA. B 6, 335–342, Nr. 1947 u. 1949. Vgl. OSIANDER (Anm. 39) V, S. 37–181.

[69] WA. B 6, 446–448, Nr. 2008; 453–456, Nr. 2010; 502–506, Nr. 2037; 518–521, Nr. 2048; 527–530, Nr. 2052; 530–532, Nr. 2053; 543, Nr. 2060. Vgl. OSIANDER (Anm. 39) 5, 335–356; 375–380; 412–496.

[70] WA. B 9, 38–44, Nr. 3438; 50–59, Nr. 3444.

[71] SEEBASS (Anm. 38), S. 80. 81. 85. Bereits Spengler hatte sich in der Abweisung innerprotestantischer Heterodoxie als ziemlich konsequenter Lutheraner erwiesen, vgl. MÜLLER (Anm. 8), S. 29–33.

[72] WA. B 3, 381–390, Nr. 797.

[73] WA. 15, 391–397.

[74] WA. B 3, 603–612, Nr. 942 mit Beilagen.

[75] Ebd. 605.

[76] WA. B 5, 566–572, Nr. 1696; 6, 24–26, Nr. 1776; 29–33, Nr. 1779.

[77] Damals schreibt Luther auch an den Rat (WA. B 8, 7–9, Nr. 3126) das einzige Mal, abgesehen von einem Gutachten an die »Dreizehner« zur Verwendung der Kirchengüter (WA. B 8, 325, Nr. 3275).

(ca. 1485–1560), der sich früh zum Anhänger Luthers entwickelt hatte[78] und dem Reformator schließlich so nahe stand, daß er Pate von Luthers erstem Sohn Johannes wurde.[79] Gerbel erscheint in seinen ersten Briefen als eine Art Sprecher der frühen Straßburger Lutheranhänger, der infolge seiner Nebentätigkeit als Verlagskorrektor auch die Aufgabe hatte, evangelische Schriften in der Druckerstadt Straßburg, die ein wichtiges Einfallstor für Propaganda in Frankreich gewesen ist,[80] zu placieren.[81] Doch seit dem Besuch Karlstadts mausert sich Gerbel zum Aufpasser, der nicht nur über gefährliche Entwicklungen nach Wittenberg berichtet,[82] sondern auch Irrtümer der Straßburger Prediger denunziert.[83] Hat er dadurch den theologischen Gegensatz zwischen Straßburg und Wittenberg weiter angeheizt? Werden deswegen nach der Konkordie keine Briefe mehr zwischen ihm und Luther gewechselt?[84]

In *Augsburg* dürfte Luther eine ganze Reihe von ihm persönlich nahestehenden Vertrauensleuten besessen haben: seinen ehemaligen Doktoranden Johann Frosch, Karmelitenprior und dann bis zu seinem Weggang 1530/31 evangelischer Prediger bei St. Anna,[85] den Prediger Stephan Agricola 1525–1531,[86] Caspar Huber 1525–1544, seit 1535 als Helfer und Prediger,[87] den reichen Hans Honold, der 1538 Patrizier wurde, bis zu dessen Tod 1540[88] und schließlich Johann Forster, seinen Wittenberger Schüler, der 1535–1539 als Vorkämpfer des orthodoxen Luthertums in Augsburg wirkte.[89] Obwohl zumindest Huber und Honold regelmäßig über die besorgniserregenden Fortschritte der Zwinglianer nach Wittenberg berichtet haben sollen,[90] befindet sich unter den 44 erhaltenen Briefen von und nach Augsburg keine ausgedehnte Korrespondenz mit ihnen. Neben Privatangelegenheiten[91] geht es vor allem um die 1532/33 von Huber und

---

[78] Wie genau, ist unbekannt, vgl. WILHELM HORNING, Der Humanist Dr. Nikolaus Gerbel. Förderer lutherischer Reformation in Straßburg (1485–1560), Straßburg 1918 (Beiträge zur Landes- und Volkskunde von Elsaß-Lothringen und den angrenzenden Gebieten 53); JEAN ROTT, L'humaniste strasbourgeois Nicolas Gerbel et son diaire (1522–1529): BPH 1946/47 (1950), S. 69–78.

[79] WA. B 4, 63, Nr. 1004.

[80] Ebd. 187–190, Nr. 1093.

[81] WA 12, 56; WA 14, 471–473; vgl. GEORGES LIVET/FRANCIS RAPP, Histoire de Strasbourg des origines à nos jours II, Straßburg 1981, S. 367, 390 sowie MIRIAM USHER CHRISMAN, Lay Culture, Learned Culture. Books and Social Change in Strasbourg, 1480–1599, New Haven 1982.

[82] WA. B 3, 378–381, Nr. 796; 461, Nr. 846; 4, 187–190, Nr. 1093.

[83] WA. B 3, 458–460; Nr. 845, 4, 103–107, Nr. 1030; 490–492, Nr. 1290.

[84] Zuletzt WA. B 7, 328, Nr. 2275, 27. November 1535.

[85] FRIEDRICH ROTH, Augsburgs Reformationsgeschichte, 4 Bde., München 1901–1911, III, S. 540.

[86] Ebd. S. 539.

[87] Ebd. S. 542.

[88] Vgl. ebd. II, S. 105 u. ö.

[89] Ebd. S. 540; WILHELM GERMANN, Dr. Johann Forster der Hennebergische Reformator, ein Mitarbeiter und Mitstreiter D. Martin Luthers, Meiningen 1894 (Neue Beiträge zur Geschichte des deutschen Altertums 12).

[90] ROTH (Anm. 85), II, S. 100–106.

[91] WA. B 4, 477, Nr. 1281; 5, 644, Nr. 1731.

Honold vorgelegte Frage, ob man angesichts des in Augsburg herrschenden Zwinglianismus das lutherische Abendmahl in aller Stille empfangen solle.[92]

Luther hat sich im Falle Augsburgs mehr als anderswo mit offiziellen Schreiben für seine Sache engagiert; bei 14 von 44 Briefen handelt es sich um Korrespondenz mit dem Rat, den Kirchpflegern oder dem Predigerkollegium. Schon 1523 hat er einen offenen Trostbrief an die evangelischen Augsburger gerichtet, die wegen der ersten Priesterheirat in Bedrängnis geraten waren.[93] Doch maßgebende Figuren der Augsburger Oligarchie waren infolge ihrer sozialen Verflechtung nicht nach Wittenberg, sondern nach Straßburg sowie indirekt über Memmingen und Konstanz nach Zürich orientiert.[94] Zwingli selbst scheint seine informellen Kontakte nach Augsburg besser gepflegt zu haben als Luther die seinigen.[95] 1531 gewann die zwinglianische Richtung die Wahlen.[96] Luther fühlte sich von den »Augsburger Judassen« verraten,[97] während diese ihrerseits ihn nicht nur als neuen Papst verabscheuen, sondern sogar das Gerücht verbreiten, er habe sich von ihrer eigenen konservativen Partei bestechen lassen.[98] 1533 kommt es zu einem gereizten Schlagabtausch Luthers mit dem Rat, weil nach seiner Meinung die zwinglianischen Prediger den gemeinen Mann mit der Behauptung betrögen, sie seien mit ihm in der Abendmahlslehre einig.[99]

Doch nachdem der Rat unter dem Druck des Volkes in der günstigen Konstellation von 1534 offiziell das evangelische Kirchenwesen eingeführt hatte, kam es darauf an, für Augsburg den Schutz des Schmalkaldischen Bundes zu erhalten.[100] Dazu mußte Luther gewonnen werden. Man bediente sich des Präzeptors des seit 1534 in Witten-

---

[92] WA. B 6, 244, Nr. 1894; 492–494, Nr. 2030; 507–509, Nr. 2039.

[93] WA 12, 224–227.

[94] Es gibt ein Indiz dafür, daß der maßgebende Augsburger »Zwinglianer« Ulrich Rehlinger, Bürgermeister 1523–1535, nicht nur mit Jakob Sturm von Straßburg verwandt war, sondern sogar dort aufgewachsen ist (Mitteilung von Peter Steuer/Augsburg). Für die Verflechtung über Memmingen ist vor allem die Familie Ehinger wichtig, die nicht nur mit der Konstanzer Führungsgruppe versippt ist (Blarer!), sondern auf diesem Weg auch Kontakte mit Straßburg knüpfen kann, vgl. J. MÜLLER, Die Ehinger von Konstanz: Zeitschrift für Geschichte des Oberrheins 59 (1905), S. 19 u. ö. sowie FRIEDRICH DOBEL, Memmingen im Reformationszeitalter III, Augsburg 1877.

[95] Vgl. EMIL EGLI/GEORG FINSLER/WALTHER KÖHLER, Zwinglis Briefwechsel I–V, Leipzig 1911–1935 (Huldreich Zwinglis sämtliche Werke VII–XI = CR. XCIV–XCVIII), I, S. 572, Nr. 232; S. 606, Nr. 246; II, S. 54, Nr. 291; S. 197–200, Nr. 340; S. 360–364, Nr. 383; S. 418–419, Nr. 404, 405; S. 471, Nr. 426; S. 497, Nr. 438; S. 640, Nr. 500; S. 688, Nr. 520; S. 700, Nr. 524; S. 715 f., Nr. 527; S. 726–728, Nr. 532; S. 737, Nr. 537; S. 764, Nr. 547; III, S. 16 f., Nr. 574; S. 50, Nr. 589; S. 82, Nr. 603; S. 133–137, Nr. 619; S. 328, Nr. 675; S. 344, Nr. 681; S. 383, Nr. 697; S. 503, Nr. 736; S. 555, Nr. 760; S. 608–610, Nr. 781; IV, S. 525, Nr. 1002; S. 617 f., Nr. 1042; V, S. 5, Nr. 1055; S. 8, Nr. 1056; S. 17 f., Nr. 1060; S. 179, Nr. 1112; S. 195, Nr. 1116; S. 252, Nr. 1136; S. 295, Nr. 1155; S. 298, Nr. 1157; S. 335, Nr. 1166; S. 400, Nr. 1191; S. 435, Nr. 1207; S. 491, Nr. 1228; S. 508 f., Nr. 1235; S. 627, Nr. 1283; S. 648, Nr. 1293.

[96] ROTH (Anm. 85), II, S. 8–22.

[97] Ebd. S. 101.

[98] Ebd. S. 126.

[99] WA. B 6, 510–512, Nr. 2041; 539, Nr. 2058; 547, Nr. 2064.

[100] Was 1533 gescheitert war.

berg studierenden jüngeren Hans Honold, eines gewissen Jodocus Neuheller, von dem bekannt war, daß er dem schwierigen Reformator nahestand und mit ihm umgehen konnte. Auf dessen Rat ging eine Augsburger »Gesandtschaft« zu Luther, um einen Wittenberger Prediger zu erbitten. So kam Forster nach Augsburg.[101] 1536 entschieden sich die Augsburger für die Wittenberger Konkordie, obwohl beide Seiten schwere Bedenken unterdrücken mußten.[102] Als Forsters Aggressivität zu neuen Konflikten um das Abendmahl führte, konnte Luther anscheinend nur mühsam von einem Bruch mit Augsburg zurückgehalten werden[103] – politische Rücksichten dominierten inzwischen![104]

Der Fall Augsburg ist weit eher als der Fall Nürnberg exemplarisch für die personell wie sachlich vorwiegend punktuellen Beziehungen Martin Luthers zu den *Reichsstädten und den Schweizer Städten im Süden sowie den freien Städten im Norden*. Probleme des Buchdrucks tauchen nur in der vierten wichtigen Druckerstadt, in Basel, auf.[105] In Ausnahmefällen treten Luther nahestehende Personen als Schrittmacher auf, so Jakob Propst in Bremen[106] und Johannes Heß in Breslau.[107] Häufiger ermahnt Luther Einzelpersonen oder ganze Gemeinden mehr oder weniger unaufgefordert, am Evangelium festzuhalten: 1522 Henning Tappen in Goslar,[108] 1523 Johann Schwanhausen in Bamberg,[109] 1543 Pankratius Klemme in Danzig,[110] beziehungsweise 1523 die Gemeinden von Worms[111] und Regensburg,[112] 1524 Miltenberg,[113] 1527 Crossen im Brandenburgischen[114] und noch 1545 Hammelburg.[115] Natürlich leistet er vielfach Hilfe bei der Einführung der Reformation durch die städtischen Obrigkeiten, am häufigsten durch Bemühungen um geeignetes Personal, so in Danzig 1525,[116] in Regensburg 1525[117] und

---

[101] WA. B 7, 195–198, Nr. 2203; 210–212, Nr. 2211; 212, Nr. 2212; 220, Nr. 2216; 252, Nr. 2236; 254–258, Nr. 2237 u. 2238; 291–295, Nr. 2254–2257.

[102] Ebd. 258–266, Nr. 2239; 404, Nr. 3017; 420, Nr. 3029; 460–462, Nr. 3044; 465, Nr. 3047; 474–476, Nr. 3051; 491, Nr. 3059; 491–493, Nr. 3060.

[103] WA. B 8, 268–276, Nr. 3250 u. 3251; 316–318, Nr. 3271.

[104] Politik bestimmte auch das Gutachten WA. B 10, 666–672, Nr. 4036 vom Oktober 1544, das der sächsische Kurfürst bei den Wittenberger Theologen angefordert hatte, weil Augsburg sich in seiner Angst vor einem neuen Reichstag an ihn gewandt hatte. Mit Argumenten abzuwenden versuchen, sonst aber über sich ergehen lassen, lautete der Ratschlag.

[105] WA. B 10, 160, Nr. 3802; 217, Nr. 3823.

[106] An den 11 Briefe Luthers 1524–1546 erhalten sind.

[107] Es gibt 18 Lutherbriefe 1520–1543 an ihn.

[108] WA. B 2, 618, Nr. 551.

[109] WA. B 3, 40, Nr. 589.

[110] WA. B 10, 272–274, Nr. 3854.

[111] WA. B 3, 138–140, Nr. 651.

[112] Ebd. 141, Nr. 652.

[113] WA. 15, 69–78.

[114] WA. B 4, 192–194, Nr. 1095.

[115] WA. B 11, 106, Nr. 4117.

[116] WA. B 3, 434–436, Nr. 826; 483–486, Nr. 861.

[117] Ebd. 490, Nr. 864.

1542,[118] in Mühlhausen in Thüringen 1526[119] und 1544,[120] in Hamburg 1528[121] und vielleicht auch 1533,[122] in Frankfurt am Main 1525[123] und 1535,[124] in Lübeck 1530,[125] in Göttingen 1530/31[126] und 1544,[127] in Lüneburg 1535,[128] in Soest 1531/32,[129] in Reval 1531/32[130] und 1540,[131] in Braunschweig 1531[132] und 1543–1545,[133] in Kitzingen 1534,[134] in Amberg 1538/39[135] und 1544/45[136] sowie in Riga 1540.[137] Mit dieser reformatorischen Personalpolitik dürfte zumindest ein Teil der Empfehlungen zusammenhängen, die Luther kraft seiner Autorität gegenüber Städten ausspricht oder von ihnen erhält; zu nennen wären Nördlingen 1523,[138] Schwabach 1524,[139] Memmingen 1531,[140] Rothenburg 1533,[141] Ulm 1539,[142] Siegen 1540,[143] Görlitz 1541,[144] Breslau 1543[145] und Bayreuth 1545.[146]

Darüberhinaus versucht Luther, eine Art von theologischer Beratung oder Kontrolle auszuüben, er nimmt Berichte entgegen, beantwortet Anfragen oder proklamiert Richtlinien, so im Falle Riga 1523,[147] 1524,[148] 1537,[149] in Ulm 1523,[150] Kiel 1528,[151]

---

[118] WA. B 10, 181–183, Nr. 3811; 208–210, Nr. 3818 u. 3819; 223, Nr. 3829.

[119] WA. B 3, 102, Nr. 1029; 107, Nr. 1031.

[120] WA. B 10, 610–613, Nr. 4012; 618–620, Nr. 4015.

[121] WA. B 4, 600–602, Nr. 1349.

[122] WA. B 6, 459, Nr. 2014; 471, Nr. 2023.

[123] WA. B 3, 518, Nr. 879 = 12, 65, Nr. 4227 a.

[124] WA. B 7, 324, Nr. 2272.

[125] Vgl. WA. B 5, 668–674, Nr. 1744.

[126] Ebd. 701, Nr. 1763; 6, 10–11, Nr. 1767 u. 1768; 57–58, Nr. 1797 u. 1798.

[127] WA. B 10, 524, Nr. 3966.

[128] WA. B 7, 276, Nr. 2246.

[129] WA. B 6, 305–307, Nr. 1932; 315, Nr. 1936; 319, Nr. 1939; 389, Nr. 1976.

[130] Ebd. 33, Nr. 1780; 88, Nr. 1812; 346, Nr. 1951.

[131] WA. B 12, 302, Nr. 4277.

[132] WA. B 6, 202, Nr. 1871.

[133] WA. B 10, 298–301, Nr. 3869 u. 3870; 393, Nr. 3911; 11, 180, Nr. 4154; 197, Nr. 4160.

[134] WA. B 7, 1–4, Nr. 2077; 14, Nr. 2084.

[135] WA. B 8, 312, Nr. 3268; 318, Nr. 3272; 331, Nr. 3278; 376, Nr. 3304.

[136] WA. B 10, 661, Nr. 4033; 11, 25, Nr. 4071.

[137] WA. B 9, 220, Nr. 3527.

[138] WA. B 3, 154, Nr. 658.

[139] Ebd. 261, Nr. 725.

[140] WA. B 6, 144, Nr. 1839 = 12, 138, Nr. 4246.

[141] Ebd. 423, Nr. 1996.

[142] WA. B 8, 410, Nr. 3322.

[143] WA. B 9, 101, Nr. 3470.

[144] Ebd. 465, Nr. 3639.

[145] WA. B 10, 346, Nr. 3893.

[146] WA. B 11, 176, Nr. 4151.

[147] WA. 12, 77–80.

[148] WA. 15, 360–378.

[149] WA. B 8, 134, Nr. 3182.

[150] WA. B 3, 31–34, Nr. 585.

[151] WA. B 4, 381–384, Nr. 1223; 410–412, Nr. 1239; 453, Nr. 1261; 454, Nr. 1262.

Lübeck 1530,[152] Braunschweig[153] und Rostock 1531,[154] Kempten 1533[155] und Dinkelsbühl 1535.[156] Zwischen 1524 und 1534 war ihm die Abwehr von »Schwärmern« aller
Art und des angeblich von ihnen unvermeidlich ausgelösten Aufruhrs ein besonders
wichtiges Anliegen. Empfänger einschlägiger Warnungen waren Mühlhausen 1524,[157]
Nördlingen 1525,[158] Breslau 1525,[159] Reutlingen 1526,[160] Goslar 1529,[161] Memmingen
1529,[162] Frankfurt,[163] Münster,[164] Soest,[165] sämtliche 1532 und Regensburg 1534.[166]
Luther hat sich aber auch mit Ratschlägen und Gutachten zu praktischen Fragen geäußert, zu den Problemen der Verwendung des Kirchenguts und der Rechte verbleiben-
der altkirchlicher Institutionen in Regensburg schon 1519,[167] in Stettin 1523[168] und
1541,[169] in Riga 1524,[170] in Bremen 1533,[171] in Frankfurt 1535[172] sowie in Kiel 1544,[173]
zur neuen Kirchenordnung und zum weltlichen Regiment in Göttingen 1531,[174] in
Bremen 1533[175] und in Hannover 1535.[176] In den dreißiger Jahren ging es ihm schließlich vor allem um die Herstellung und Durchsetzung der Wittenberger Konkordie.

[152] WA. B 5, 220, Nr. 1520.
[153] WA. B 6, 155–156, Nr. 1849–1850.
[154] Ebd. 223, Nr. 1883.
[155] WA. B 12, 140–149, Nr. 4249.
[156] WA. B 7, 319, Nr. 2268.
[157] WA 15, 238–240.
[158] WA. B 3, 451, Nr. 839.
[159] Ebd. 544, Nr. 903.
[160] WA. 19, 118–125.
[161] WA. B 5, 92–94, Nr. 1432.
[162] Ebd. 12, Nr. 1376 = 12, 101, Nr. 4232; 5, 73, Nr. 1422.
[163] WA 30, 554–571.
[164] WA. B 6, 398–403, Nr. 1983 u. 1984.
[165] Ebd. 305–307, Nr. 1932; 397, Nr. 1982.
[166] WA. B 7, 84–86, Nr. 2126.
[167] WA. B 1, 573, Nr. 229; 598, Nr. 233.
[168] WA. B 3, 12–14, Nr. 570.
[169] WA. B 12, 306–309, Nr. 4279 a.
[170] WA 15, 360–378.
[171] WA. B 6, 428–431, Nr. 1999.
[172] WA. B 7, 164–166, Nr. 2182.
[173] WA. B 10, 603, Nr. 4008.
[174] WA 30, 250 f.
[175] WA. B 6, 516, Nr. 2046.
[176] WA. B 7, 164–166, Nr. 2182.

Ungeachtet seiner Vorbehalte hat Luther deswegen mit Basel,[177] Esslingen,[178] Frankfurt,[179] Isny,[180] Reutlingen,[181] St. Gallen,[182] Ulm,[183] und Zürich[184] korrespondiert.

Die zeitliche Verteilung des Briefwechsels mit städtischen Partnern entspricht diesem
Bild. Bei den Oberdeutschen sind Schwerpunkte in den kritischen Jahren der ersten
»Schwärmer« und des Bauernkriegs zwischen 1523 und 1525 festzustellen, zur Zeit des
Augsburger Reichstags 1530 und in den Jahren der Konkordie 1535–1539. Im Norden
hingegen liegen die Schwerpunkte zwischen 1528 und 1533 einerseits, zwischen 1540
und 1545 andererseits, bedingt durch die »Verspätung« der Reformation in diesem
Raum.[185] Generell ist aber ein Absinken der Kontakte mit freien Städten in Luthers
letzten Lebensjahren festzustellen.

Bekanntlich hat Luther in seinen Äußerungen den Städten kaum Konzessionen
gemacht, vielmehr seinen theologischen und politischen Standpunkt mit allem Nachdruck, ja nicht selten sogar mit übertriebener Schroffheit deutlich gemacht.[186] Doch
lassen sich nichtsdestoweniger drei Phasen seines Verhältnisses zu freien Städten aller
Art identifizieren. In den zwanziger Jahren setzt er offenbar beträchtliche Hoffnungen
auf städtische Gemeinden. Dies sind die Jahre seiner in Nachahmung der Paulusbriefe
abgefaßten offenen Sendschreiben, mit denen er nicht nur vor falscher Lehre warnen,
sondern mehrfach auch eine neue Ordnung aus dem Geist des Evangeliums anregen
möchte.[187] Vom Sonderfall Halle abgesehen[188] liegt nur das Schreiben an die Stadt

---

[177] Ebd. 556–558, Nr. 3088; 608–610, Nr. 3114; 8, 43–45, Nr. 3137; 149–153, Nr. 3191;
238–240, Nr. 3239.

[178] WA. B 7, 242, Nr. 2229; 297, Nr. 2259.

[179] Ebd. 479, Nr. 3053.

[180] Ebd. 618–620, Nr. 3122.

[181] Ebd. 538, Nr. 3080.

[182] Ebd. 514–519, Nr. 3073; 595–599, Nr. 3109.

[183] Ebd. 247, Nr. 2233; 272, Nr. 2243; 296, Nr. 2258; 572–574, Nr. 3096; 574–578, Nr. 3097;
591, Nr. 3105. Vgl. WERNER-ULRICH DEETJEN, Licentiat Martin Frecht, Professor und Prädi-
kant (1494–1556), in: HANS EUGEN SPECKER/GERHARD WEIG, Die Einführung der Reformation
in Ulm, Ulm 1981, S. 300.

[184] WA. B 12, 241–275, Nr. 4268; 8, 149–153, Nr. 3191; 207, Nr. 3222; 211–214, Nr. 3224;
223, Nr. 3229; 241, Nr. 3240.

[185] Vgl. FRANZ LAU, Der Bauernkrieg und das angebliche Ende der lutherischen Reformation
als spontaner Volksbewegung, in: WALTHER HUBATSCH, Wirkungen der deutschen Reformation
bis 1555, Darmstadt 1967 (WdF CCIII), S. 68–100.

[186] Vgl. BERND MOELLER, Stadt und Buch. Bemerkungen zur Struktur der reformatorischen
Bewegung in Deutschland, in: MOMMSEN (Anm. 4) S. 25–39; BRECHT (Anm. 14).

[187] *1522:* Epistel an die Kirche zu Erfurt (WA 10/II, 164–168), *1523:* An die Christen in Riga,
Reval und Dorpat (WA 12, 147–150), An die Christen im Niederland (ebd. 77–80), An die
Gemeinde zu Esslingen (ebd. 154–159), An die Christen zu Augsburg (ebd. 224–227), *1524:* An
die Christen zu Riga und Livland (WA 15, 360–378), An Miltenberg (ebd. 69–78), An Rat und
Gemeinde von Mühlhausen (ebd. 238–240), *1525:* An die Christen zu Bremen (WA 18, 224–226),
An den Rat von Erfurt (ebd. 534–540), An die Christen zu Straßburg (WA 15, 391–397), *1526:* An
die Christen zu Reutlingen (WA 19, 118–125).

[188] WA 23, 402–431 vom September 1527.

Frankfurt im Jahre 1532 jenseits von 1526.[189] Dieses Schreiben an Frankfurt ist aber im Ton – verglichen mit früheren Parallelen – um ebensoviel aggressiver, wie es resignierter ist. Soweit Luther in den dreißiger Jahren überhaupt noch mit den freien Städten rechnet und sie für die Konkordie zu gewinnen sucht, setzt er nur noch auf die städtischen Obrigkeiten. Je länger desto mehr verliert er aber überhaupt das Interesse an den freien und Reichsstädten, nicht zuletzt, weil die demokratischen Komponenten ihrer Verfassungen sie für die Behauptung der Reformation untauglich machen, »denn ich weis wol, das der Pöbel vons Evangelii wegen nicht leiden will«.[190] Offensichtlich hat er beizeiten erkannt, daß der Erfolg seiner Bewegung nicht von den Städten, sondern von den Fürsten abhing. Wir können daher mit Recht von seinen Beziehungen zu den sächsischen Städten ein anderes Bild erwarten.

Zunächst dürfen wir nicht übersehen, daß Luther als Geächteter im Reich nicht reisen konnte, wohl aber in Sachsen. Wir müssen also mit persönlichen Kontakten zu den *sächsischen Städten* rechnen, die keinen Niederschlag in irgendeiner Korrespondenz gefunden haben. Das Lutheritinerar von Strohm und Irsigler[191] nennt 17 Örtlichkeiten in Sachsen und Umgebung, in denen sich Luther *mehr als einmal* aufgehalten, mit denen er aber keine Briefe gewechselt hat, nach der Häufigkeit der Aufenthalte geordnet:

| | | | | | |
|---|---|---|---|---|---|
| Weimar | 15 | Grimma | 8 | Pretzsch | 6 |
| Kemberg | 11 | Schweinitz | 8 | Eisenberg | 5 |
| Jena | 9 | Gotha | 7 | Mansfeld | 4 |
| Lochau | 9 | Lichtenberg | 7 | Nordhausen | 3 |
| Borna | 8 | Dessau | 6 | Orlamünde | 3 |
| Eilenburg | 8 | Eisleben | 6 | | |

Auf der anderen Seite haben von denjenigen Städten, mit denen Korrespondenz existiert, die am häufigsten besuchten in der Regel auch den umfangreicheren Briefwechsel aufzuweisen. Unser Versuch, der Interaktion Luthers mit den Städten durch seinen Briefwechsel auf die Spur zu kommen, ist also keine Verlegenheitslösung, sondern isoliert tatsächlich die wichtigen Fälle.

[189] WA 30/3, 554–571.
[190] WA. B 12, 385, Nr. 4305, Gutachten zu einem Bündnis mit Reichsstädten 1532 oder 1539.
[191] Greifbar bisher nur in: Martin Luther und die Reformation in Deutschland. Ausstellung zum 500. Geburtstag Martin Luthers. Veranstaltet vom Germanischen Nationalmuseum Nürnberg in Zusammenarbeit mit dem Verein für Reformationsgeschichte, München 1983.

| Stadt | Besuche | Briefe |
|---|---|---|
| Torgau[192] | 44 | 25 |
| Altenburg | 13 | 28 |
| Leipzig | 10 | 8 |
| Erfurt | 7 | 28 |
| Halle | 5 | 11 |
| Zerbst | 4 | 16 |
| Naumburg | 4 | 12 |
| Eisenach | 3 | 29 |
| Zwickau | 1 | 155 |
| Coburg | 1 | 10 |
| Leisnig | 1 | 11 |
| Arnstadt | 1 | 7 |
| Saalfeld | 1 | 4 |
| Creuzburg | 1 | 2 |

Die übrigen städtischen Briefpartner hat Luther anscheinend nicht persönlich besucht.

Die Anzahl der Briefe dünnt auch im Kurfürstentum in den vierziger Jahren aus; der Höhepunkt 1528–1531 liegt in der Gründungsphase der sächsischen Landeskirche. Im Herzogtum Sachsen und bei der sächsischen Klientel Arnstadt, Erfurt, Halle, Mühlhausen, Naumburg folgt die zeitliche Verteilung der Briefe der dort etwas anders gelagerten kirchenpolitischen Konjunktur.[193] Auch hier ist der Kontakt mit jenen Städten besonders intensiv, in denen Luther nahestehende Personen leben, in Altenburg zeitweise Wenzel Link, dann Spalatin,[194] in Erfurt Johann Lang, in Torgau Gabriel Zwilling.

Zunächst ist Luther mit Rat und Tat bei der Einführung des evangelischen Kirchenwesens behilflich, in Altenburg 1522,[195] Erfurt 1525[196] und 1533,[197] Halle 1527/28,[198] 1534[199] und 1542,[200] Leipzig 1531–1533,[201] Naumburg ab 1536[202] und Freiberg 1538.[203]

---

[192] Torgau war die bevorzugte Residenz der Kurfürsten.

[193] Im Herzogtum geht es 1531–1533 nur um die Verfolgung der Evangelischen in Leipzig, erst 1538 – Herzog Georg stirbt 1539 – beginnt ein etwas breiter gestreuter Briefwechsel.

[194] Vgl. Höss (Anm. 16), S. 289–422.

[195] WA. B 2, 502–509, Nr. 476–478; 517–524, Nr. 484–487; 538–542, Nr. 496–498.

[196] WA. B 3, 591–592, Nr. 934.

[197] WA. B 6, 521–523, Nr. 2049.

[198] WA 23, 402–431; WA. B 6, 444, Nr. 1255.

[199] WA. B 7, 68, Nr. 2115.

[200] WA. B 10, 117–128, Nr. 3777, 3778, 3780; 144, Nr. 3790; 153, Nr. 3796; 172–176, Nr. 3807.

[201] WA. B 6, 139, Nr. 1837; 370, Nr. 1964; 444, Nr. 2007; 448, Nr. 2009; 456–457, Nr. 2011 u. 2012.

[202] WA. B 7, 380, Nr. 3002; 389, Nr. 3007; 537, Nr. 3079; 8, 1–2, Nr. 3123; 73, Nr. 3150; 129, Nr. 3179; 133, Nr. 3181; 10, 291, Nr. 3866; 298, Nr. 3869; 559, Nr. 3987.

[203] WA. B 10, 259, Nr. 3846.

Dazu können politische Schachzüge gehören; in Halle rät Luther dem Kurfürsten zur Beibehaltung der Schutzherrschaft, wodurch der Sieg des neuen Glaubens gesichert wird. Vor allem aber äußert sich der Reformator autoritativ zur Neuorganisation des kirchlichen Güterwesens und anderen Fragen der kirchlichen und weltlichen Ordnung. Berühmt ist der Fall Leisnig 1523,[204] daneben handelt es sich um Plauen,[205] Zerbst[206] und Erfurt 1525,[207] Eisenach seit 1534,[208] Naumburg 1537,[209] Belgern 1540[210] und Freiberg 1543.[211] Er hat sich ja bereits in der Aufbauphase um Kontrolle der Lehre bemüht und von Irrlehrern gewarnt, so in Ölsnitz 1523,[212] Eisenach 1523/24,[213] Mühlhausen 1524[214] und Freiberg noch 1536.[215] Dazu gehört auch die Sorge um Herstellung und Verbreitung evangelischer Druckwerke, in Erfurt schon 1517,[216] dann 1520[217] und 1522,[218] in Eisenach 1531[219] und 1542.[220]

Es handelt sich um dieselben Gegenstände wie in den freien Städten, aber der Kontakt zu den sächsischen Städten ist doch enger und das Gewicht der Äußerungen Luthers größer. Er hat zwar kein eigentliches Kirchenamt bekleidet, doch spricht Brecht zu Recht von seiner »quasi-kirchenleitenden Funktion« für Sachsen.[221] So wird bezeichnenderweise immer wieder Luthers Entscheidung in Ehefällen angerufen, solange die altkirchliche Ehegerichtsbarkeit noch nicht durch das neue Konsistorium abgelöst ist. Sogar nach dessen Einrichtung werden Luther und seine Kollegen noch in Eheangelegenheiten bemüht, obwohl die Entscheidung jetzt eindeutig beim Kurfürsten liegt.[222] Ausschlaggebend ist freilich die Personalpolitik, die bisweilen wie das Leitmotiv von Luthers sächsischem Briefwechsel anmutet, obwohl er 1532 gegenüber dem Rat von Kamenz darauf besteht »daß ich nicht gedenk, ein neu Papst zu sein, alle Pfarren und Predigtstuhl zu bestellen etc.: wiewohl ich schuldig mich erkenne, Rat und Hilfe

---

[204] WA 12, 11–15 (Vorrede zur berühmten Kastenordnung), WA. B 3, 21–23, Nr. 576; 124–126, Nr. 643.
[205] WA. B 3, 592, Nr. 935.
[206] Ebd. 492–496, Nr. 866.
[207] WA. B 3, 491, Nr. 865; 570, Nr. 919; 591, Nr. 934; WA 18, 534–540.
[208] Ab WA. B 7, 42, Nr. 2095 handelt es sich immer wieder darum, daß der lokale Superintendent Justus Menius Gelder für verschiedene auswärtige kirchliche Zwecke, u. a. Stipendien, in Eisenach eintreiben soll.
[209] WA. B 8, 129, Nr. 3179; 133, Nr. 3181.
[210] WA. B 9, 45, Nr. 3442; 59, Nr. 3445.
[211] WA. B 10, 259, Nr. 3846.
[212] WA. B 3, 201, Nr. 692.
[213] WA. B 3, 178, Nr. 674; 275–278, Nr. 733; 312–314, Nr. 755.
[214] WA 15, 238–240.
[215] WA. B 7, 365–367, Nr. 2296.
[216] WA. B 1, 121–123, Nr. 52.
[217] WA. B 2, 167, Nr. 327.
[218] Ebd. 576–578, Nr. 518.
[219] WA. B 5, 244, Nr. 1532; 274, Nr. 1545; 6, 208, Nr. 1874.
[220] WA. B 9, 588–591, Nr. 3700; 633, Nr. 3718.
[221] BRECHT (Anm. 14), S. 14.
[222] Vgl. WA. B 10, 502, Nr. 3958.

zu beweisen, wer mein bedarf«.[223] 1540 tadelt er den Rat von Roßwein: Es wäre nicht
notwendig gewesen, bei der Bestellung ihres Pfarrers »mein Vergunst desweg zu
suchen, weil er sein selbst mächtig«[224] Tatsächlich kommt der informelle Charakter von
Luthers Personalpolitik dadurch zum Ausdruck, daß ihm die Stadt Zerbst 1527 für die
Beschaffung eines Predigers ein Faß Bier verehrt.[225] Neben den genannten drei Fällen
werden Pfarrer-, Prediger- und Schulmeisterstellen besetzt in Altenburg 1522,[226]
1540[227] und 1545,[228] in Zerbst 1523,[229] in Plauen 1524,[230] in Mühlhausen 1526[231] und
1544,[232] in Coburg 1527[233] und 1529,[234] in Eisenach 1531,[235] in Leisnig 1536[236] und
1539,[237] in Naumburg 1536/37[238] und 1543–1545,[239] in Erfurt 1537,[240] in Freiberg
1538,[241] in Leipzig[242] und Oschatz 1539[243] sowie in Halle 1543.[244]

Wittenberg betreibt bewußte Multiplikatorenpolitik. Immer wieder werden Angehörige des engeren Wittenberger Kreises zur korrekten Durchführung der Reformation in
Städte des sächsischen Machtbereichs und weiter hinaus geschickt, aber kaum für
Dauer. 1539 besteht Luther gegenüber dem Kurfürsten auf der Rückkehr des nach
Leipzig »ausgeliehenen« Caspar Cruciger nach Wittenberg, weil »wir auch wol wissen,
das er allhie viel nutzlicher sein kan, da der hauffe ist, der zu Leiptzig noch lange nicht
sein wird. Vnd diese Schule nü von Gottes gnaden gethan vnd leute erzogen und noch
erzeucht, ynn alle lande, das Leiptzig so balde nicht kann noch thun«.[245] Der Kurfürst
hatte aus dem eingezogenen Kirchengut ca. 70 Stipendien zum Studium in Wittenberg
ausgeworfen,[246] dazu kommen noch Ratsstipendien verschiedener Städte, deren Beset-

[223] WA. B 6, 354f., Nr. 1956.

[224] WA. B 9, 116f., Nr. 3482.

[225] WA. B 4, 161, Nr. 1074.

[226] WA. B 2, 502, Nr. 476; 504, Nr. 477; 505, Nr. 478; 517, Nr. 484; 519, Nr. 485; 523,
Nr. 487; 538, Nr. 496; 540, Nr. 497; 541, Nr. 498.

[227] WA. B 9, 113, Nr. 3480.

[228] WA. B 11, 100, Nr. 4111.

[229] WA. B 3, 181, Nr. 677.

[230] Ebd. 249, Nr. 715.

[231] WA. B 4, 107, Nr. 1031.

[232] WA. B 10, 610, Nr. 4012; 618, Nr. 4015.

[232] WA. B 4, 213, Nr. 1115.

[234] WA. B 5, 29, Nr. 1390.

[235] WA. B 6, 12–14, Nr. 1769 u. 1770.

[236] WA. B 7, 519, Nr. 3074.

[237] WA. B 8, 511, Nr. 3367.

[238] WA. B 7, 380, Nr. 3002; 385, Nr. 3004; 537, Nr. 3079; 8, 73, Nr. 3150; 129, Nr. 3179.

[239] WA. B 10, 291, Nr. 3866; 298, Nr. 3869; 559, Nr. 3987; 194, Nr. 4159.

[240] WA. B 8, 45, Nr. 3138.

[241] Ebd. 347, Nr. 3286.

[242] Ebd. 585, Nr. 3400.

[243] Ebd. 538, Nr. 3380; 555–558, Nr. 3387 u. 3388.

[244] WA. B 10, 476, Nr. 3949.

[245] WA. B 8, 586, Nr. 3400.

[246] WA. B 10, 714, Nr. 4054.

zung Luther durch Empfehlungen zu beeinflussen versucht, 1532[247] und 1533 in Torgau,[248] 1536 in Saalfeld.[249]

Er geizt auch nicht mit Empfehlungen anderer Art, 1517 nach Erfurt,[250] 1525 nach Altenburg,[251] 1525,[252] 1529,[253] 1537 und 1545 nach Torgau,[254] wo er dem ihm nahestehenden Pfarrer Gabriel Zwilling einen Bauplatz und dann noch das Braurecht auf sein Haus verschaffen möchte, 1528 nach Coburg,[255] 1529 nach Eisenach,[256] und 1535, 1538, 1539 nach Freiberg.[257] Auch für seine und seiner Frau Verwandtschaft bemüht sich Luther beim Kurfürsten.[258] Es gehört eben zu den wichtigsten Rollenattributen des Mächtigen, daß man sich mit der Bitte um Empfehlungen an ihn wendet.[259]

Luthers Machtstellung kommt am deutlichsten zum Ausdruck in seinem Eingreifen in die Konflikte, die unter dem neuen Personal der evangelischen Kirchen oder zwischen diesem und den örtlichen Autoritäten ausbrachen, so in Torgau 1535,[260] Leisnig 1536,[261] Coburg[262] und Saalfeld 1539,[263] Altenburg 1542[264] und 1543,[265] Creuzberg 1543,[266] Arnstadt 1543/44,[267] Halle 1545.[268] Nicht zuletzt auf diese Weise hat es Zwickau mit 155 Briefen, davon 12 offiziellen, zum größten Einzelanteil einer Stadt an der Lutherkorrespondenz überhaupt gebracht!

*Zwickau* am Erzgebirge war mit 7000 Einwohnern eine der größten und dank Tuchmacherei, Handel und Beteiligung am Bergbau eine der reichsten Städte Kursachsens, mit selbstbewußten Führungsgruppen und beträchtlichen Spannungen zwischen Rei-

---

[247] WA. B 6, 247, Nr. 1896.

[248] Ebd. 462, Nr. 2016.

[249] WA. B 7, 564–566, Nr. 3090 u. 3091, 592, Nr. 3106.

[250] WA. B 1, 99, Nr. 42.

[251] WA. B 3, 549, Nr. 907.

[252] Ebd. 596, Nr. 938.

[253] WA. B 5, 99, Nr. 1436.

[254] WA. B 8, 112, Nr. 3171; 11, 166, Nr. 4145.

[255] WA. B 4, 531, Nr. 1306

[256] WA. B 5, 212, Nr. 1513; 6, 12–14, Nr. 1769 u. 1770.

[257] WA. B 7, 189, Nr. 2199; 8, 286, Nr. 3258, 357, Nr. 3292.

[258] WA. B 4, 214–215, Nr. 1116; 9, 554, Nr. 3690; 557, Nr. 3693.

[259] Lazarus Spengler nennt in seinen für diesen Zusammenhang bezeichnenden Briefen Luther mehrfach »unser patron«, vgl. MAYER (Anm. 47), S. 99, 105, 118 f. »Patron« ist aber im frühneuzeitlichen Jargon – und nicht nur diesem –, wer »Patronage« ausübt und Empfehlungen entgegennimmt.

[260] WA. B 7, 280, Nr. 2248.

[261] Ebd., 48, Nr. 2100.

[262] WA. B 8, 457, Nr. 3347; 493–496, Nr. 3358 u. 3359; 500–503, Nr. 3362.

[263] WA. B 8, 375, Nr. 3303.

[264] WA. B 10, 178–80, Nr. 3810; 188, Nr. 3814.

[265] Ebd. 234, Nr. 3834; 342, Nr. 3889; 375, Nr. 3906.

[266] Ebd. 252–258, Nr. 3844; 309–316, Nr. 3875.

[267] Ebd. 397, Nr. 3914; 516, Nr. 3961; 447, Nr. 3939; 524, Nr. 3966; 539, Nr. 3972; 594, Nr. 4004.

[268] WA. B 11, 91, Nr. 4106.

chen und Armen.[269] Luther hatte hier früh Anhänger gefunden, freilich von Anfang an keineswegs unproblematische.[270] Nach dem Auftreten der radikalen »Zwickauer Propheten« in Wittenberg sah sich Luther im Frühjahr 1522 sogar zu einer Predigtreise nach Zwickau veranlaßt.[271] Seit 1521 war Luthers Freund Nikolaus Hausmann Prediger bzw. Pfarrer in Zwickau; die umfangreiche Korrespondenz mit ihm handelt nicht nur vom Fortschritt der evangelischen Sache und von privaten Dingen, sondern dient auch der Beratung bei der Einführung der Reformation. 1527 kommt es zum Konflikt, weil sich der Prediger Paul Lindenau heftig gegen die allzu behutsame Religionspolitik des Rats und gegen Bürgermeister Mühlpfort ausläßt. Für Luther schmeckt das nach Müntzerischer Aufwiegelung des Pöbels gegen die Obrigkeit; außerdem hat er durch Mühlpfort (!) erfahren, daß Lindenaus Sakramentsauffassung nicht über jeden Zweifel erhaben sei.[272] Falls Hausmann keine Ordnung schaffen könne, sehe er sich gezwungen, »principis invocare manum contra illum et suos«.[273] Doch der nach gütlicher Beilegung der Affäre Lindenau auf Luthers Empfehlung berufene Prediger Konrad Cordatus[274] zieht ebenso heftig über die Zwickauer und ihren Rat her. Ihm aber stärkt Luther den Rücken gegen die Zwickauer, »isti porci«, die eigentlich gar keinen Prediger verdienen.[275]

Als der Rat im Frühjahr 1531 den übel beleumundeten Prediger Laurentius Soranus entläßt und einen Nachfolger bestellt, beides ohne den allzu nachsichtigen Stadtpfarrer Hausmann zu fragen, kommt es zum Eklat. Wütend bedeutet Luther dem Rat, wer ohne Wissen des Pfarrers Prediger absetze, sei exkommuniziert,[276] und seinem bisherigen Freund, dem Stadtschreiber Stephan Roth, sagt er es noch deutlicher: »Meinet ihr aber, ihr lieben Junkern, daß ihr so wollet dominieren in Kirchen, und die Renten, die ihr nicht gestiftet, noch euer seind, also zu euch reißen und rauben, darnach geben, wem ihr wollet, als wäret ihr Herren über die Kirchen?«[277] Nicht Gemeinde oder Rat, sondern der Kurfürst ist Herr der Kirche.[278] An ihn wenden sich beide Teile, denn ein

---

[269] Vgl. bes. PAUL WAPPLER, Thomas Müntzer in Zwickau und die »Zwickauer Propheten«, Gütersloh 1966 (SVRG 182); KARLHEINZ BLASCHKE, Sachsen im Zeitalter der Reformation, Gütersloh 1970 (SVRG 185).

[270] Vgl. WALTER ELLIGER, Thomas Müntzer. Leben und Werk, Göttingen ³1976, S. 74–180; ANNE-ROSE FRÖHLICH, Die Einführung der Reformation in Zwickau: Mitteilungen des Altertumsvereins für Zwickau und Umgegend 12 (1919), S. 1–74; PAUL WAPPLER, Inquisition und Ketzerprozesse in Zwickau zur Reformationszeit. Dargestellt im Zusammenhang mit der Entwicklung der Ansichten Luthers und Melanchthons über Glaubens- und Gewissensfreiheit: Mitteilungen des Altertumsvereins für Zwickau und Umgegend 9 (1908), S. 1–219.

[271] FRÖHLICH (Anm. 268), S. 13–21.

[272] ERNST FABIAN, Der Streit Luthers mit dem Zwickauer Rat im Jahre 1531: Mitteilungen des Altertumsvereins für Zwickau und Umgegend 8 (1905), S. 71–176, hier S. 75 f. WA. B 4, 378–380, Nr. 1221 u. 1222.

[273] WA. B 4, 380, Nr. 1221.

[274] WA. B 5, 26, Nr. 1387.

[275] Ebd. 658, Nr. 1793.

[276] WA. B 6, 45–47, Nr. 1788.

[277] Ebd. 47, Nr. 1789.

[278] FABIAN (Anm. 272), S. 93.

Kompromiß war unmöglich geworden, nachdem Hausmann auf Betreiben Luthers, der ihm sogar die dabei zu verwendenden Formeln diktierte,[279] beim Rat protestiert und mit dem Kurfürsten gedroht hatte.[280] Nach einer zusätzlichen Klimaverschlechterung infolge einer neuen Schimpfkampagne des Cordatus verlassen dieser und Hausmann auf Luthers Betreiben die Stadt. Der Kurfürst billigt das zwar, bestätigt aber auch die Entlassung des Soranus.[281]

Es dauerte fast ein Jahr, bis die Zwickauer in Leonhard Beier einen neuen Pfarrer erhielten; Luthers Widerstand war nur schwer zu überwinden.[282] Und trotz aller Anstrengungen konnte Stephan Roth erst 1536 die Aussöhnung mit Luther erreichen,[283] obwohl der Kompetenzkonflikt zwischen Pfarrer und Rat im selben Jahr eine neue Auflage erlebt: Liegt die Auswahl der Kirchen- und Schuldiener beim Pfarrer oder beim Rat?[284] Die vertragliche Regelung vom 26. August 1536 hindert Beier aber nicht daran, anläßlich der Bestellung eines Schulmeisters durch einseitige Vertragsauslegung neue Konflikte auszulösen.[285]

Luthers Konflikt mit Zwickau ist zwar der bestdokumentierte, aber keineswegs der einzige.[286] Den Pfarrern oder Predigern wird in der Regel übertrieben rigorose Kirchenzucht in Verbindung mit aggressiven Predigten zum Vorwurf gemacht. Luther stellt sich auf ihre Seite, denn er lehnt jede Einschränkung des Predigtamtes durch eine kommunale Kirchenhoheit ab. Die Regimente müssen getrennt bleiben – das ist seine Deutung des Problems.[287] 1523 hatte er noch die Gemeinde zur höchsten Autorität über Lehre und Prediger erklärt.[288] Obwohl diese Schrift gezielt gegen das Patronatsrecht des Klosters Buch in der Stadt Leisnig geschrieben war und natürlich auch eine nicht-kongregationalistische Interpretation zuläßt, war sie geeignet, einem gemeindetheologischen Selbstverständnis der evangelischen Bewegung Vorschub zu leisten. Dazu kamen handfeste Meinungsverschiedenheiten über die Bezahlung der Prediger.[289] Offensichtlich hat die reformatorische Euphorie der zwanziger Jahre inzwischen einer allgemeinen Ernüchterung Platz gemacht, in der beide Teile, Reformatoren wie Gemeinden, bisweilen dazu neigen, voneinander enttäuscht zu sein. Nach soviel Begeisterung hatten die Reformatoren mehr Folgsamkeit erwartet. Statt dessen trafen sie auf

---

[279] WA. B 6, 76–79, Nr. 1804.

[280] FABIAN (Anm. 270), S. 90, 109.

[281] Ebd. S. 104. 125.

[282] Ebd. S. 130, vgl. WA. B 6, 283, Nr. 1917.

[283] FABIAN (Anm. 270), S. 134 f., vgl. WA. B 7, 203–205, Nr. 2207.

[284] FABIAN (Anm. 270), S. 135, vgl. WA. B 7, 476–478, Nr. 3052.

[285] WA. B 8, 57, Nr. 3142.

[286] Neben den bereits genannten wäre noch der Fall Werdau zu erwähnen, weil Luther sich dort ausdrücklich auf die Parallele Zwickau bezieht (WA. B 8, 336–341, Nr. 3282; 433–438, Nr. 3334; 519–523, Nr. 3371).

[287] WA. B 7, 476–478, Nr. 3052.

[288] Das eine christliche Versammlung oder Gemeinde Recht oder Macht habe, alle Lehre zu urteilen und Lehrer zu berufen, ein- und abzusetzen, Grund und Ursach aus der Schrift (WA 11, 410–416).

[289] Auch in Zwickau hatte der Abgang Hausmanns ein einschlägiges Nachspiel (WA 6, 163–165, Nr. 1855, vgl. FABIAN [Anm. 270], S. 127–129).

die Tendenz, eine städtische Kirchenhoheit nach dem Vorbild der Reichsstädte einzurichten, die neue Kirche möglichst wohlfeil zu gestalten und gegen wohlverdiente Züchtigung in der Predigt Widerstand zu leisten. Die Städte hingegen hatten auf ein kongregationalistisches Laienchristentum oder ein kommunales Kirchenregiment gehofft. Statt dessen sahen sie sich mit den Herrschaftsansprüchen eines neuen Klerus konfrontiert – das ist der Sinn des wiederholten Vorwurfs, Luther sei zum neuen Papst geworden.[290]

Ich versuche zusammenzufassen, *Ergebnisse* zu formulieren und *Forschungsdesiderate* anzumelden.

Daß Luthers reformatorische Botschaft für Deutschlands Städte attraktiv war, braucht heute nicht mehr begründet, sondern nur noch wiederholt zu werden. Attraktiv war aber weniger der Kern seiner neuen Heilsbotschaft, denn dieser war wohl nur einer Minderheit religiöser Virtuosen zugänglich.[291] Attraktiv waren vor allem die Folgerungen, die Luther selbst aus seiner Theologie gezogen hat, insbesondere in seiner Schrift »An den christlichen Adel deutscher Nation von des christlichen Standes Besserung« 1520[292]. Er legitimiert die latent vorhandenen Ansprüche der neuen Laienkultur und gibt damit den bereitstehenden Innovatoren ein gutes Gewissen für ihr Tun. Er macht den kirchlichen Heilsapparat und den geistlichen Stand überflüssig und erlaubt damit die Emanzipation vom Klerus und die Säkularisation des Kirchenguts. Er macht die Heilsbotschaft durch das Schriftprinzip jedem zugänglich und eröffnet damit die Möglichkeit, alternative Entwürfe für Kirche und Welt überzeugend zu begründen. Er reduziert die Kirchen von einer gigantischen Herrschaftsorganisation auf die Gemeinschaft der Hörer des Wortes und regt damit den Versuch eines Neubaus von Kirche und Welt auf der Grundlage des immer noch aktuellen »kommunalistischen« Gemeindeprinzips an. Laut Blickle müssen wir sogar vermuten, daß gerade der zuletzt genannte Gedanke für die Bauern nicht weniger attraktiv war als für die Städter – aber das ist nicht unser Thema.[293]

Hingegen zeichnet sich m. E. immer deutlicher ab, daß der von Moeller 1962 herausgearbeitete Gegensatz zwischen einem stärker korporativen Heilsverständnis bei den Oberdeutschen und einem stärker individuellen bei Luther vor 1524/25 noch kaum zu fassen war. Luther gilt seinen Hörern bis dahin ebenso als »kommunalistischer« Theologe wie Zwingli. Die Botschaft Schappelers und der »Zwölf Artikel« beruht auf noch

---

[290] FABIAN (Anm. 270), S. 120. Zum Hintergrund, der Errichtung der sächsischen Landeskirche, vgl. SUSAN C. KARANT-NUNN, Luther's Pastors. The Reformation in the Ernestine Countryside, Philadelphia 1979 (TAPhS LXIX. 8).

[291] »Will man überhaupt den Einfluß einer Religion auf das Leben studieren, so muß man zwischen ihrer offiziellen Lehre und derjenigen Art tatsächlichen Verhaltens unterscheiden, das sie in Wirklichkeit, vielleicht gegen ihr eigenes Wollen, im Diesseits oder Jenseits prämiert, ferner zwischen Virtuosenreligiosität Höchstbegabter und der Massenreligiosität«, nach MAX WEBER, Wirtschaftsgeschichte. Abriß der universalen Sozial- und Wirtschaftsgeschichte, Berlin ³1958, S. 310.

[292] Vgl. MOELLER (Anm. 1), S. 37.

[293] PETER BLICKLE, Die Reformation im Reich, Stuttgart 1982, S. 97, 110, 126–133, 141; vgl. ders., Deutsche Untertanen. Ein Widerspruch, München 1981.

undifferenzierter »lutherischer« Grundlage.[294] Osiander verwendet Zwingli noch unbedenklich als Argumentationshilfe für die Nürnberger Reformation.[295]

Diesem allgemein bekannten Befund auf nicht-intentionaler Ebene entspricht aber das aus der Untersuchung der Lutherkorrespondenz gewonnene Bild der intentionalen Ebene vollkommen. Luther wußte sich zwar von seinem Fürsten abhängig, aber er war Städter bis in die Strukturen seines Denkens hinein[296] und erhoffte sich Entscheidendes für den Erfolg seiner Bewegung von den Städten. Bei aller Kompromißlosigkeit im Grundsätzlichen bemüht er sich doch um die Städte und geht auf ihre Probleme ein. Die stilistische Verwandtschaft seiner Sendschreiben mit den Briefen des Apostels Paulus an städtische Gemeinden ist Reproduktion einer Situation, nicht bloße literarische Imitation!

Freilich ist diese reale Interaktion Luthers mit realen Städten etwas anderes als der ideale Widerhall seiner Botschaft in einer idealtypischen Stadt, sie ist nicht »flächendeckend«, sondern punktuell und zufällig. Aus diesem Sachverhalt ergeben sich aber Konsequenzen für die Forschung, die m. E. stärkere Beachtung verdienen. Wenn man den Gründen für den Erfolg der evangelischen Bewegung nachgehen will, ist es selbstverständlich erforderlich, die Inhalte der Botschaft in Luthers Schriften und Sendschreiben zu untersuchen,[297] die Medien, insbesondere die Flugschriften,[298] die Predigten[299] und die Formen symbolischer Kommunikation,[300] schließlich auch die Empfänger der Botschaft. Die Frage nach den Empfängern der Botschaft ist in der heutigen Forschung aber weitgehend identisch mit der Frage nach der schichten- oder gar klassenspezifischen Reaktion auf die evangelische Botschaft. Ich habe allerdings den Eindruck, daß sich die heuristischen Möglichkeiten dieser Art generalisierender Fragestellung ihren Grenzen nähern, haben doch zahlreiche Einzelstudien immer wieder das gleiche, neuerdings auch für den angeblichen Ausnahmefall Nürnberg verifizierte Ergebnis erbracht:[301] Das Evangelium spricht Menschen aller Schichten an. Nur in diesem Rahmen zeichnet sich dann in der Regel eine stärkere Affinität der Mittel- und Unterschichten dazu ab, weil die Oberschichten mehr zu verlieren haben und daher zum

---

[294] Vgl. MARTIN BRECHT, Der theologische Hintergrund der Zwölf Artikel der Bauernschaft in Schwaben von 1525. Christoph Schappelers und Sebastian Lotzers Beitrag zum Bauernkrieg: ZKG 85 (1974) S. 174–208.

[295] Anm. 39.

[296] Vgl. HANS DOMBOIS, Bürgerliche Denkstrukturen in der Theologie der Reformatoren – Reformation als Transformation, in: ders., Evangelium und soziale Strukturen, Witten 1967, S. 42–63.

[297] Vgl. MOELLER (Anm. 185).

[298] Zuletzt: HANS-JOACHIM KÖHLER, Flugschriften als Massenmedium der Reformationszeit, Stuttgart 1982 (Spätmittelalter und Frühe Neuzeit 13).

[299] Vgl. MOELLER (Anm. 185).

[300] Zuletzt: ROBERT W. SCRIBNER, Um des Volkes willen. Zur Kulturgeschichte der deutschen Reformation. Königstein 1982.

[301] Vgl. VOGLER (Anm. 40).

Engagement mehr oder weniger gedrängt werden müssen.[302] Aber warum läßt sich das Nürnberger Patriziat leichter gewinnen als die Augsburger oder die Lübecker Führungsgruppe?

Vielleicht könnten die unbefriedigenden Ergebnisse derartiger »flächendeckend« konzipierter Ansätze ergänzt werden durch stärkeren Einsatz der Konzepte »Zentralität« und »Verflechtung« (engl. »network«), die zwar ebenfalls systematisch abstrahierendes Vorgehen erfordern, aber dennoch einen geringeren Grad von Verallgemeinerung anstreben. Vielleicht ist es keine reine Vermessenheit, für beide auf neue Impulse aus Augsburg zu hoffen, für die »Zentralität« durch die vor dem Abschluß stehende Habilitationsschrift von Kießling über die schwäbischen Städte des Spätmittelalters, für die »Verflechtung« von meinem Forschungsprojekt »Oligarchische Verflechtung und Konfession«. Einstweilen habe ich versucht, durch meine Untersuchung der Lutherkorrespondenz mit den Städten diese Art Fragestellung zu demonstrieren.

Die Ausbreitung der evangelischen Bewegung wird dabei als ein Kommunikationsprozeß aufgefaßt, der weniger durch soziale Schichtung als durch soziale Verflechtung und durch geographische Lage kanalisiert ist. Infolge der bereits vorhandenen sozialen Verflechtung durch Verwandtschaft, Freundschaft, Landsmannschaft, gemeinsames Studium, gemeinsame Ordenszugehörigkeit wird eine entscheidende Vorauswahl unter den möglichen Kommunikationspartnern getroffen. Wir sahen, daß Luthers Einfluß dort besonders intensiv ist, wo er bereits »Freunde« sitzen hat. Vielleicht hängt sein ganzer Erfolg in den frühen zwanziger Jahren sogar davon ab, daß er einen Freund an strategischer Stelle sitzen hat, unmittelbar neben dem Gewissen des Kurfürsten – Spalatin. Außerdem erfolgt Kommunikation zwischen Städten besonders vor der Erfindung drahtloser Medien nicht beliebig, sondern richtet sich nach der Stellung der betreffenden Städte im System der zentralen Orte. Man beachte die Abhängigkeit der Reformationsgeschichte von Windsheim und Weißenburg einerseits, von Donauwörth und Kaufbeuren andererseits von den jeweiligen Oberzentren Nürnberg und Augsburg. Zur Verdeutlichung formuliere ich wider besseres Wissen monokausal: Nürnberg wird nicht lutherisch, weil es fränkisch oder patrizisch ist, sondern weil seine Position im System der deutschen Städte eine intensive Kommunikation mit dem mitteldeutschen Raum bereits vorgibt und Luther infolgedessen bereits mit einer maßgebenden Gruppe verflochten ist. Augsburg wird nicht zwinglianisch, weil es schwäbisch und mehr oder weniger zünftisch ist, sondern weil es geographisch dem oberdeutschen Städtesystem zugeordnet ist und infolgedessen nur eine Minderheit mit Luther vernetzt ist, während maßgebende Figuren enge Kontakte nach Süden und Westen besaßen.

Der Fall Augsburg zeigt es: die Interaktion Luthers mit den Städten ist nicht nur die Geschichte seines Erfolgs, sondern auch die seines Mißerfolgs. 1524/25 scheiden sich die Geister – und nicht nur diese! Luther wendet sich von der »kommunalistischen« Auslegung seiner Theologie ab und der theologisch genauso legitimen autoritären zu. Tendenziell tritt an die Stelle der evangelischen Volksbewegung die Fürstenreforma-

---

[302] Man vgl. etwa RUBLACK, Gescheiterte Reformationen (Anm. 3) oder zu dem sozialgeschichtlich besonders brisanten Fall Memmingen BARBARA KROEMER, Die Einführung der Reformation in Memmingen. Über die Bedeutung ihrer sozialen, wirtschaftlichen und politischen Faktoren: Memminger Geschichtsblätter 1980, S. 1–226.

tion, der Nachzügler ungeachtet. Jetzt erst wird die »kommunalistisch« gebliebene Theologie Zwinglis zur attraktiven Alternative für die Städte. Auch wenn sich der Gegensatz Luther-Zwingli am Abendmahlsverständnis entzündet hat, wäre immer noch zu fragen, ob nicht die Vorstellung vom Gedächtnismahl der Gemeinde eher geeignet ist, »kommunalistische« Ideologen anzusprechen, als die individuelle Unterwerfung unter das geheimnisvolle Heilshandeln Gottes im Sakrament. Jetzt suchen viele, die sich von Luther verraten glauben, ihr Gemeindechristentum bei den Täufern. Jetzt trennt sich ein Teil der städtischen Humanisten von Luther. Luther wird sich zwar noch weiter um die oberdeutschen Städte bemühen, doch je länger desto mehr unter dem Vorzeichen fürstlicher Politik und voll Abneigung und Resignation. Ebenso werden ihm die sächsischen Städte aus Gegenständen evangelischer Hoffnung zu lästigen Objekten reformatorischer Fürsorge, bis auch hier in einigen Fällen Haß das letzte Wort wird.[303]

Aber die Enttäuschung von den Städten und die Hinwendung zu den Fürsten ist weder persönliche Tragik noch kurzsichtiger Opportunismus. Wenn der Reformator sein Werk retten wollte, dann mußte er auf die politischen Kräfte setzen, denen die Zukunft gehören sollte. Seit 1525 wußte er, daß das nur die Fürsten sein konnten. Auch wenn die Reformation zum Abstieg der Städte beigetragen haben sollte,[304] hat sie damit nur einen bereits ablaufenden Prozeß weiter beschleunigt.[305] Die Bedeutung kommunaler Autonomie ging zu Ende. Das Geschick einer der großen Metropolen des Reiches und der Reformation macht dies beispielhaft deutlich: Straßburg »reformiert« noch 1534 im von den Evangelischen wiedergewonnenen Württemberg, nach 1550 wird es seinerseits von Württemberg im lutherischen Sinn »reformiert«.[306]

---

[303] Vgl. neben den Fällen Werdau und Zwickau vor allem die Äußerungen gegen die Leipziger WA. B 9, 109, Nr. 3476: »Lipsenses odi (vulgus sane satis placet), ut nihil sub sole magis oderim... Deus misereatur bonis et maledicat istam civitatem maledictam in aeternum.«
[304] MOELLER (Anm. 1) S. 67–76.
[305] SCHMIDT (Anm. 2), S. 735–738.
[306] Vgl. THOMAS A. BRADY JR., Princes' Reformation Versus Urban Liberty. Strasbourg and the Restoration in Württemberg, 1534, in: INGRID BÁTORI, Städtische Gesellschaft und Reformation, Stuttgart 1979 (Spätmittelalter und Frühe Neuzeit 12), S. 265–291.

Bernd Moeller

# 3.2 Korreferat zu Wolfgang Reinhard: Luther und die Städte

Herr Reinhard und ich haben uns dahin verständigt, daß ich ein Korreferat im engen Sinn des Wortes vorlege, also mich als seinen Opponenten verstehe und mich an den Vorgaben orientiere, die sein Referat enthält. Ich habe daher die Absicht, mich zu drei Themen, die Herr Reinhard angeschnitten hat, zu äußern:
1. Kann man Luther selbst einen Bürger nennen?
2. In welcher Weise ist Luther mit Städten in Beziehung getreten?
3. Weshalb war Luthers Sache in den Städten attraktiv?

*Zu 1.) Luther als Bürger.* Daß Luther »im städtischen Milieu zu Hause war« (Reinhard) und mit einer gewissen Selbstverständlichkeit von hier aus lebte und urteilte, ist sicherlich eine zutreffende Bemerkung. Luther hat nie auf einem Dorf oder etwa in einem ländlichen Kloster gelebt, sondern nur in Städten, von dem Eisleben seiner Geburt über Mansfeld, Magdeburg, Eisenach, Erfurt, Wittenberg bis zu dem Eisleben seines Todes. Auch war der Beruf seines Vaters ein städtischer, ja in späterer Zeit ein bürgerlicher Beruf, und es scheint ja, daß auch seine Mutter aus einer städtischen Familie stammte, und zwar aus Eisenach.

Das sind nun freilich sehr allgemeine Feststellungen, und sie verlieren ihre Gültigkeit, oder jedenfalls einen Teil davon, wenn man sie spezifizieren will. Bekanntlich hat Luther selbst mehrfach und pointiert auf seine bäuerliche Herkunft hingewiesen, und es gibt zahlreiche Anhaltspunkte dafür, daß er mit seinen bäuerlichen Verwandten, also der Familie seines Vaters, lebenslang in engem Kontakt geblieben ist. In einem ungewöhnlichen Maß hat er sich mit diesen Selbstaussagen und auch mit diesem Verhalten von den gesellschaftlichen Wertvorstellungen eines städtischen Bürgers des frühen 16. Jahrhunderts, den »typischen antibäuerlichen Klischees des damaligen Städters« (Reinhard), emanzipiert; auch seine in der Tat »tiefsitzende« Abneigung gegen die Bauern hat auf diese Selbstaussagen offenbar keinen Einfluß gehabt. Es fragt sich freilich auch, ob diese Abneigung bei Luther nicht doch wesentlich durch den Bauernkrieg hervorgerufen ist, und ob sie wirklich tiefer saß als die Abneigung gegen andere Gruppen der Gesellschaft – ich komme hierauf noch.

Die Frage, was Luther zu dieser ja nicht einmal unbedingt zutreffenden Hervorhebung seiner bäuerlichen Herkunft veranlaßt habe, hat schon viele Federn bewegt. Diese Bekenntnisse finden sich durchweg, soweit ich sehe, in Tischreden, entstammen also den späteren Jahren, und sie haben alle, wenn ich so sagen darf, ein ausgesprochen »existentielles« Pathos. Das gilt nicht nur für die zugespitzteste Aussage, in einer

Tischrede von 1540[1], wo Luther sich geradezu selbst einen Bauern nennt, und zwar um
auf seine Unerschütterlichkeit, man könnte sagen: seine Sturheit hinzuweisen: »Ego
sum rusticus et durus Saxo et callum obduxi ad huiusmodi.« Mehrfach dient Luther der
Hinweis auf seine bäuerliche Herkunft als Argument gegen Melanchthons Neigung zur
Astrologie. Da erscheint etwa in einer besonders bekannten Äußerung aus der ersten
Hälfte der 1530er Jahre[2] die Kunst der Astrologen als eine ganz haltlose Spielerei, eine
»feine lustige fantasey«, die der ›ratio‹ wohlgefällt, und wenn Luther ihr entgegenhält:
»ego firmiter maneo in hac sententia, in qua sunt rustici; mit denen halt ichs: Wan der
sommer heiß ist, daß ein kalter wintter darnach volget«, dann ist das sehr viel mehr als
bloß ein Witz. »Illa tota res est contra philosophiam«, so schließt Luther und weist
damit den Leser darauf hin, daß der Gedankengang eine theologische Pointe hat: Es
steckt in ihm ein Bekenntnis zur göttlichen Schöpfung und deren gewachsenen Tatbe-
ständen gegen die eigensüchtigen Versuche menschlicher Weltbemächtigung. Entsprechend besagt die in der Tischrede dann folgende Passage, in der Luther Melanchthon
den Ursprung und die Historie ›seines ganzen Lebens‹ vorhält, mit dem Ausgangspunkt: »Ego sum rustici filius; proavus, avus meus, pater sein rechte pauren gewest«,
nicht nur, daß er auf den enormen Abstand hinweisen will, der seine Gegenwart von
diesen Ursprüngen trennt, sondern auch, daß er die wohlgegründeten Fundamente, auf
denen seine Existenz als Theologe und als Reformator ruht, beschreibt.

Recht verstanden bedeuten diese Aussagen denn auch wohl durchaus das, was sie zu
bedeuten scheinen, nämlich eine Distanzierung von dem »städtischen Milieu«, in dem
Luther zu Hause war. Ohnehin muß man ja festhalten, daß Luther zwar, wie gesagt,
lebenslang Städter, nie jedoch in einem präzisen Sinn Bürger war; vielmehr war jedes
der Institute, in denen er innerhalb einer Stadt lebte – Schule, Kloster, Universität –
jeweils aus der Bürgergemeinde in gewissem Maße ausgesondert. Luther hat nie einen
Bürgereid geschworen,[3] einer Zunft angehört oder einen Rat gewählt, und er hat nie
Amtsfunktionen in einem Rechtsverhältnis zu einer städtischen Kommune ausgeübt.
Wohlgemerkt unterscheidet ihn das auch von anderen Reformatoren wie Bucer und
Zwingli, ja in gewisser Hinsicht sogar von seinem unmittelbaren Kollegen Bugenhagen,
und es hängt auch mit den beiden sozialen Grundvoraussetzungen von Luthers späte-
rem Leben zusammen, die denn doch exzeptionell waren, daß er nämlich nur einen
Beruf, den des Universitätsprofessors, hatte und daß er gebannt und geächtet war, also
mehr oder weniger an seinen Lebensort, das abgelegene Nest Wittenberg, gefesselt
blieb. Wenn wir recht sehen, hat zwar bis in die späten 1520er Jahre hinein, ja vielleicht
sogar noch länger, immer wieder die Stadt Erfurt für Luthers Bewußtsein eine Alternative zu Wittenberg geboten; er sah, wie ein Historiker in der DDR kürzlich wahrscheinlich gemacht hat[4], diesen seinen alten Studien- und Klosterort als so etwas wie

---

[1] WA.TR 4, Nr. 5096.

[2] WA.TR 5, Nr. 6250.

[3] Zu Luthers rechtlicher Stellung in Wittenberg vgl. vor allem die WA.B 6, Nr. 1902 abge-
druckte Verschreibung des Kurfürsten Johann an ihn vom 4. 2. 1532.

[4] Das von ULMAN WEISS in einem der Seminare des Erfurter Lutherforschungskongresses
gehaltene Referat über »Luther und Erfurt« wird möglicherweise in absehbarer Zeit im Druck
erscheinen.

einen Fluchtpunkt seiner Ausbruchs-Bedürfnisse, und die historische Phantasie hat freien Raum sich auszumalen, was aus Luther am Ende in Erfurt geworden wäre, das ohnehin die einzige große Stadt war, in der er je für längere Zeit gelebt hat und die er gut kannte. Diese Spur weiter zu verfolgen ist aber müßig – Wittenberg blieb Luthers Lebensort, und damit blieb ihm auch die gewisse Distanz zu wirklich bürgerlichen Verhältnissen und Betätigungen lebenslang erhalten.

Und dies war nun nicht nur eine funktionelle Distanz. Vielmehr hat Luther immer wieder städtisches Leben, städtische Berufsausübung und Mentalität mit stark negativen Akzenten versehen, in wechselnden Zusammenhängen und mit unterschiedlicher Frontstellung. Die Städter kamen in dieser Hinsicht kaum besser weg als Bauern, Adel und Fürsten, auch wenn, wie Eike Wolgast soeben in einem Aufsatz zu unserem Thema, der mich auch sonst angeregt hat[5], bemerkt, die Städter, die Bürger für Luther nicht im selben Maß eine fest umrissene und zusammengefaßt beurteilte gesellschaftliche Gruppierung waren wie die übrigen Stände.

Was die spezifisch bürgerlichen *Berufe* angeht, so ist das durchaus negative Bild, das Luther von dem einen von ihnen, nämlich dem des Kaufmanns, hatte, hinlänglich bekannt. Es gibt aber auch eine Reihe höchst kritischer Äußerungen Luthers – vor allem in Predigten – zu den Handwerkern, und zwar zum Zunftwesen; jeweils ist es ein gleichartiger Haupteinwand, den Luther in diesen Zusammenhängen erhebt: Es geht allen diesen Bürgern um ihren eigenen Nutzen, sie mißbrauchen ihr Eigentum, sie mißbrauchen ihre Monopolstellung und soziale Abschließung zum Schaden des Nächsten, sie sind jener prinzipiell unchristlichen Eigenschaft verfallen, die Luther »Geiz« nennt, also kleinlichem Festhalten am Besitz und Habsucht in einem. Dem Profitstreben des Kaufmanns, aber auch der zünftisch organisierten Handwerker hat Luther keinerlei ehtischen Wert beigemessen, und er konnte zwar jenen »Geiz« durchaus auch anderen Ständen nachsagen, die ›avaritia‹ ist auch in Luthers Sinn wie in der ethischen und christlichen Tradition seit altersher eine der Hauptsünden des Menschen schlechthin. Doch tritt sie in den städtischen Berufen, wo der Gelderwerb im Vordergrund steht, besonders deutlich in Erscheinung, und so dürfte die ethische Bevorzugung der bäuerlichen Betätigung gegenüber derjenigen des Kaufmanns, die Luther häufig und insbesondere in einem berühmten Satz der Schrift an den christlichen Adel ausgesprochen hat, durchaus grundsätzliche Bedeutung für ihn gehabt haben: Daß »viel Gottlicher« wäre, »Acker werk mehren und Kauffmannschaft mindern«,[6] ist ja nicht, wie bei den Physiokraten, ein ökonomisches Urteil, so daß man den Satz nach Herrn Reinhards Vorschlag vernachlässigen kann; im Gegenteil dürfte es sich, wie Wolgast sagt, um einen »Schlüsselsatz«[7] im Hinblick auf Luthers Weltorientierung handeln, da er eine sozialethische Grundaussage enthält.

Soviel zu den Berufen der Bürger. Daß das städtische Milieu für Luther das normale und vertraute war, wird von diesen kritischen Distanzierungen natürlich nicht berührt.

---

[5] EIKE WOLGAST, Luthers Beziehungen zu den Bürgern, in: HELMAR JUNGHANS (Hg.), Leben und Werk Martin Luthers von 1526 bis 1546, Berlin-DDR I, 1983, S. 601–612; II, 1983, S. 938–943.

[6] WA 6, 466, 40 f.

[7] WOLGAST (Anm. 4) I, S. 603.

Dies zeigt sich nicht zuletzt daran, daß Luther das Bild der Stadtgemeinschaft gelegentlich als Paradigma der Christengemeinschaft verwendet hat. Vor allem in einigen der
vielgelesenen frühen Sermone finden sich entsprechende Passagen, etwa in demjenigen
»von dem hochwürdigen Sakrament des heiligen wahren Leichnams Christi und von
den Bruderschaften« von Ende 1519, wo es z. B. heißt: »... Christus mit allen heyligen
ist eyn geystlicher corper, gleych wie einer statt volck eyn gemeyn vnd corper ist, eyn
yglicher burger des andern glydmas und der gantzen statt.«[8] Das ist freilich, wenn ich
es recht verstehe, wertneutral gemeint, die Stadt ist mit ihren aus der Notwendigkeit
des Zusammenlebens auf engem Raum entspringenden Regeln des Sozialverhaltens
einfach Anschauungsmaterial zum Verstehen von Gemeinschaft; ein Bürger, so heißt es
etwas später in derselben Schrift, ist »untreglich ..., der von der gemeyn wollt beholf-
fen, beschutzt und befreyet seyn, Und er doch widderumb der gemeyn nichts thun
nach dienen«.[9] Dahinter steckt bei Luther kein politisches Programm und republikani-
sches oder demokratisches Ideal, und so vertragen sich solche Äußerungen auch ohne
weiteres mit den späteren, die das konkrete Funktionieren der Bürgergemeinschaft
höchst skeptisch beurteilen. Daß Luther ein Städter war, hat ihm die Bürger nicht näher
gebracht als andere Gruppen der Gesellschaft, und wenn er im Sinn der marxistischen
Doktrin Träger einer frühbürgerlichen Ideologie gewesen ist, dann doch jedenfalls ein
nicht sonderlich enthusiastischer und eher unbewußter.

Ich komme *zu 2.): Luther als Korrespondent von Bürgern und Städten.* Das ist nun
das Hauptthema von Herrn Reinhards Referat, und ich finde, was er in dieser Hinsicht
zusammengestellt und ermittelt hat, um Luthers eigenen städtischen Horizont genauer
zu erfassen, besonders lehrreich und förderlich. Nicht zuletzt leuchtet mir vieles von
dem ein, was Herr Reinhard über die irritierenden Unterschiede zwischen Luthers
Stellung zu Nürnberg einerseits, zu Augsburg und Straßburg andererseits sagt: Da gab
es regionale und personelle Verbindungs- und Scheidelinien, die möglicherweise in
dieser Hinsicht geschichtswirksamer waren als die politischen Strukturen; daß es in
Nürnberg nicht einfach eine »Reformation von oben« und in Augsburg und Straßburg
nicht einfach eine »Reformation von unten« gegeben hat, sondern daß die politischen
Vorgänge um die Reformation in allen drei Städten einander ziemlich stark ähnelten, ist
inzwischen zu einem »Resultat« der Forschung geworden. Auch dies wird uns immer
deutlicher, daß in der Frühzeit der Reformation zwischen Nürnberg und Zürich, ja
zwischen Lazarus Spengler und Zwingli beträchtliche theologische Gemeinsamkeiten
bestanden – auch der so einflußreiche Nürnberger Ratsschreiber ließ sich durch die
reformatorische Lehre zu der Vorstellung inspirieren, die städtische Gemeinschaft
könne eine neue Qualität erlangen, wenn sich die Ratspolitik dem Wort Gottes unter-
stellte und die Bürger im Glauben an Gottes Vergebung zu freien Christenmenschen
würden. Also eine im Grunde Zwinglische, nicht Luthersche Konzeption.

Soweit also Einverständnis zwischen Herrn Reinhard und mir. Die Sache wird allerdings schwierig, wenn es nun darum geht, unter Voraussetzung dieser Gegebenheiten
die Spaltung zwischen dem lutherischen und dem sog. oberdeutsch-schweizerischen

---

[8] WA 2, 743, 11–13.
[9] Ebd. 747, 36–38.

Protestantismus im Bereich der Städte zu verstehen. Aus der Sicht Luthers – das sollte m. E. streng gesehen werden – beruhte diese Scheidung im Kern nur auf dem einen Punkt: der Meinungsverschiedenheit in der Abendmahlsfrage. Die Gegner waren für ihn »Schwärmer« und »Sakramentierer« und wurden je länger je mehr immer deutlicher als andersartig und geschieden betrachtet aufgrund *dieser* Meinungsverschiedenheit; daß Zwinglis Theologie »kommunalistischer« war als seine eigene, das ist Luther nach meiner Meinung kaum zu Gesicht gekommen und für ihn jedenfalls kaum von ausschlaggebender Bedeutung gewesen. Es war das Abendmahlsproblem, das Luther »elektrisiert« hat (Oberman); an dieser Stelle, und im Grunde nur an dieser blieb er lebenslang den Schweizern und Oberdeutschen gegenüber aufs äußerste empfindlich, hellhörig und unerbittlich. Und diese Scheidung wurde auch von vielen Anhängern Luthers nachvollzogen, und zwar auch von solchen, denen das Vermögen eigener Meinungsbildung zuzutrauen ist, also beispielsweise von Lazarus Spengler – auch er argumentierte seit 1525 gegen Zwingli als »Sakramentierer«, nicht als »Kommunalisten«, und orientierte die Nürnberger Politik entsprechend, wie wir aus dem Briefwechsel mit Peter Butz eindrucksvoll genug wissen[10]. Luther war also imstande, einem Mann wie Spengler plausibel zu machen, daß die Differenz in der Abendmahlsfrage so gravierend war, daß sie die übrigen Gemeinsamkeiten der Evangelischen einschließlich des ihn (Spengler) und Zwingli verbindenden »Kommunalismus« weitgehend außer Kraft setzte und die Reformationsbewegung reichspolitisch beträchtlich schwächte; Spengler nahm dies hin um des Festhaltens an Luthers Abendmahlsauffassung willen.

Die Frage, wie dies zu verstehen ist, ist nach meiner Meinung mit den politischen Kategorien, die Herr Reinhard verwendet, nicht zureichend zu beantworten und auch nicht mit seiner Hervorhebung der sozialen Verflechtung und geographischen Situation. Ich muß gestehen, daß ich mit der Frage selbst nicht fertig bin; ein Gesichtspunkt, der hier nicht vernachlässigt werden darf, ist aber, daß das Thema Abendmahl in einer jedenfalls für einen Protestanten heute kaum noch nachvollziehbaren Weise deshalb besondere Brisanz und Empfindlichkeit besaß, weil die Eucharistiefeier in der konkreten Wirklichkeit der mittelalterlichen Kirche eine so zentrale, das ganze kirchliche »System« zusammenhaltende Funktion innegehabt hatte.

Noch ein Wort, im Anschluß hieran, zu dem, was Herr Reinhard Luthers »Machtstellung« den Städten gegenüber und die »bewußte Multiplikatorenpolitik« Wittenbergs nennt. Dies ist ja ein merkwürdiger Sachverhalt, der übrigens über den städtischen Bereich hinausgeht und die Rolle Luthers in seinen späteren Jahren insgesamt betrifft. Luther hatte in der Tat eine »Machtstellung« inne, auch seinem Kurfürsten und anderen Fürsten gegenüber, ja beispielsweise im Zusammenhang des Regensburger Religionsgesprächs 1541 auch gegenüber Kaiser und Reich. Aber diese Funktion beruhte, wie auch Herr Reinhard hervorhebt, in keiner Weise auf einer Amtsstellung, sie wurde von einer Kleinstadt am Rande des Reiches her ausgeübt, und es ist auch nur sehr bedingt richtig, bei Luther in diesem Zusammenhang kalkulierte Strategien wahrnehmen zu wollen. In der Regel hat er auf Anfragen und Anforderungen reagiert, nicht

---

[10] Vgl. J. ROTT, La Réforme à Nuremberg et à Strasbourg: Contacts et contrastes, in: HOMMAGE À DÜRER. Strasbourg et Nuremberg dans la première moitié du XVIᵉ siècle, 1972, 91–142 (122 ff.).

eigene Initiative entfaltet, und seine politischen, kirchenpolitischen sowie personalpolitischen Einflußnahmen hatten eigentlich immer etwas Improvisiertes an sich. Was ihm zu seiner Machtstellung verhalf, läßt sich im Grunde nur mit personalen Kategorien fassen – Prestige, Autorität, Vollmacht –, auch wird man zur Erklärung die Unfertigkeit der kirchlichen Organisationsstrukturen im jungen Protestantismus in Ansatz bringen müssen. Immerhin gehört das Phänomen zu den Besonderheiten, die die Geschichte Luthers auch sonst reichlich kennzeichnen, und dies wird einem nicht zuletzt an seiner Beziehung zu den Städten anschaulich. Natürlich, Luther hatte mit seinen Einwirkungen keineswegs immer Erfolg; aber gehört wurde er immer, und auch in weit entfernten evangelischen Reichsstädten wie Straßburg und Konstanz pflegte man sich jedenfalls zu ducken, wenn Briefe aus Wittenberg kamen. Wann gab es etwas vergleichbares, sei es im Spätmittelalter, sei es in der weiteren Neuzeit?

Ich komme von hier aus *zu 3.): Was war es, was Luther* – und jetzt meine ich weniger seine Person als seine Sache – *in den Städten so attraktiv machte?* Herr Reinhard hat auf diese Frage eine dezidierte Antwort gegeben, und dies ist die einzige Stelle in seinem Referat, wo ich erheblich anderer Meinung bin als er. Er sagt: »Attraktiv war ... weniger der Kern seiner neuen Heilsbotschaft, denn dieser war wohl nur einer Minderheit religiöser Virtuosen zugänglich (Max Weber). Attraktiv waren vor allem die Folgerungen, die Luther selbst aus seiner Theologie gezogen hat.« Es folgt ein Verweis auf die Schrift an den christlichen Adel und eine Entfaltung dieser »Folgerungen« – Stichworte: Legitimierung der Laienkultur; Emanzipation vom Klerus und Säkularisation des Kirchenguts; das Schriftprinzip als neues Begründungsmittel für alternative Welt- und Kirchenmodelle; das »kommunalistische« Gemeindeprinzip statt gigantischer kirchlicher Herrschaftsorganisation. Mit anderen Worten: Herr Reinhard ist der Meinung, was nicht ausschlaggebend gewesen sei, sei Luthers neue Auffassung von Christus und der Rechtfertigung.

Ich halte diese Auffassung der Rezeption Luthers in den Städten nicht für überzeugend, sie arbeitet m. E. zu sehr mit politischen und zu wenig mit geistlichen und theologischen Kategorien. Ich möchte meinen Widerspruch in drei Argumentationsgängen darstellen.

Das erste, was in der Reinhardschen These m. E. verkannt wird, sind die Voraussetzungen, die Luther in den Städten vorfand. Nach meinem Urteil ist das ausgehende Mittelalter und sind zumal die Städte im ausgehenden Mittelalter in Deutschland geprägt von einer Verdichtung und Intensivierung der religiös-kirchlichen Bindungen. Dafür gibt es zahlreiche und exakte Belege – die erhebliche Zunahme der Stiftungen für kirchliche Zwecke, das Wachstum des Angebots von Ablässen und ihrer Erträge bis an die Schwelle der Reformation sind quantifiziert faßbar, der religiöse »Bilderfrühling« der altdeutschen Kunst, der gleichfalls bis unmittelbar an die Reformation heranreicht, ist jedem historisch Gebildeten, der Augen hat, offenbar. Ich erspare mir daher weitere Beweise und suche stattdessen das Phänomen in seinen Hauptmerkmalen zu erfassen.

1. Es waren kirchlich approbierte, an die Sakramentsspendung der Kirche anschließende und diese fördernde Frömmigkeitsformen, die vor allem gesucht wurden, das Element des Heterodoxen und gegen die kirchliche Heilsvermittlung Rebellierenden, das bis zur Mitte des 15. Jahrhunderts noch eine beträchtliche Rolle gespielt hatte,

fehlte nun durchaus, die kirchliche Hierarchie war zwar moralisch, sozial und politisch keineswegs unumstritten, in ihrer Heilsfunktion aber war sie unangetastet.

2. Die Verdichtung der kirchlichen Bindungen, von der ich rede, war in den deutschen Städten ein allgemeines Phänomen ohne nennenswerte soziale und lokale oder regionale Abstufung. Sie beruhte auf Nachfrage, ja die Repräsentanten und Institute der Kirche erwecken oft den Eindruck des bloßen Reagierens und womöglich Improvisierens auf die Bedürfnisse der Leute hin, und es lassen sich bei diesen Züge von Individualisierung bemerken – das Festmachen des Heils für den Einzelnen, also das Problem der Heilsgewißheit hatte bestimmende Bedeutung; die Kirchengebäude boten vielfach das eigentümliche Bild der Aufteilung in lauter einzelne Heilsräume, und diese Parzellierung bedeutete zugleich so etwas wie Privatisierung.

3. Hiermit korrespondiert das vielleicht wichtigste Merkmal dieser vorreformatorischen städtischen Frömmigkeit: der Leistungsaspekt. Ich habe mir angewöhnt, von der deutschen Stadt des Spätmittelalters als von einer »religiösen Leistungsgesellschaft« zu reden und meine damit, daß in allen diesen Frömmigkeitsübungen das Moment der religiösen Aktivität wirksam und weithin vorherrschend war. Die Leistungen wurden manchmal in uns geradezu grotestk erscheinender Weise gehäuft, sie wurden sorgsam ausgerechnet (»la mathématique du salut« – Jacques Chiffoleau[11]), und die Erwartung, auf irdische Verdienste werde himmlischer Lohn folgen, wird weithin ganz unverstellt formuliert. In alledem steckte offenkundig ein enormes Maß an psychischer Dynamik, und es spielte das Problem der Unabgeschlossenheit, das dem Leistungsdenken innewohnt, wohl eine beträchtliche Rolle für den seelischen Haushalt der städtischen Bürger und der Städte – Seelenangst ist nicht abzahlbar, jede fromme Leistung kann gesteigert werden, Gewißheit über das Heil läßt sich auf der Ebene der Leistungen nicht erlangen.

Soweit der erste Gang meiner Argumentation gegen Herrn Reinhards These, Luther habe weniger mit seiner Heilsbotschaft als mit deren kirchenpolitischen Folgerungen in den Städten gewirkt. Mein zweiter Argumentationsgang bezieht sich auf Luther selbst oder vielmehr auf die Art und Weise, in der er in den Städten wirksam geworden ist. Die Kategorien, die Herr Reinhard hier verwendet, sind m. E., wenn es um die Deutung der Abläufe geht, kaum brauchbar: Luther als der »religiöse Virtuose«, dem die anderen, normalen Leute nicht zu folgen vermögen – das sind Deutungsmuster des 19. Jahrhunderts (Herr Reinhard zitiert M. Weber, man könnte auch Schleiermacher nennen), die dem geschichtlichen Vorgang selbst nicht gerechtwerden. Es geht nicht um Luthers »reformatorische Entdeckung« und sein »Turmerlebnis«, wenn wir fragen, wie Luther in den Städten gewirkt hat; es geht auch nicht um die subtilen und tiefgründigen theologischen Erkenntnisprozesse, die sich etwa in seinen großen exegetischen Vorlesungen der frühen Wittenberger Jahre spiegeln und den heutigen theologischen Leser faszinieren oder auch verwirren können. Also nicht Luthers individuelle Entwicklung steht hier zur Debatte, sondern deren Konsequenz in seinem Auftreten in der Öffentlichkeit. Und da spielen nun ganz andere Qualitäten eine Rolle als Luthers »religiöses Virtuosentum«, nämlich sein publizistisches Vermögen, die Fähigkeit, theologische Tiefen- und Grundsatzerkenntnisse in allgemeinverständliche Aussagen umzu-

---

[11] WA 6, 367, 2 f.

setzen, die das trafen, was den Leuten nahe war und auf den Nägeln brannte. Wenn Sie so wollen: Nicht religiöse, sondern gewissermaßen schriftstellerische Virtuosität war gefragt – als ein solcher schriftstellerischer Virtuose aber erwies sich Luther nun gleichfalls.

Von für die Zukunft entscheidender Bedeutung wurde Luthers Schriftstellerei bis zum Jahresende 1520, d. h. bis zum Augenblick seiner Verwerfung durch den Papst und in der Folge dann auch durch Kaiser und Reich. Als dies geschah, war Luther in Deutschland bereits ein berühmter Mann, und zwar ganz überwiegend eben aufgrund seiner Schriften, von denen zu diesem Zeitpunkt bereits mehr als 500 000 Exemplare auf dem Markt waren. Luthers Schriften hatten als Verbreitungsmedien der evangelischen Bewegung also wesentlich höhere Bedeutung als seine Korrespondenz und seine Verflechtung in personale Zusammenhänge.

Was waren das für Schriften? Nun, in jeder war zwar der Sache nach enthalten, was Luther sich in jenen Wittenberger Vorlesungen erarbeitete, also jener »Kern seiner Heilsbotschaft« (Reinhard): Das Heil hängt allein an Christus, nicht an den eigenen Leistungen des Menschen; es wird im Glauben, nicht in religiöser Aktivität erlangt; die kirchliche und die geistliche Orientierung ist der Bibel, nicht den Festsetzungen der kirchlichen Hierarchie zu entnehmen. Aber dies wurde nun umgesetzt in Erbauungsschriften, in denen Luther die fromme Praxis anzuleiten suchte, sowie in Reformschriften, in denen er die bestehenden Institutionen, Lehren und Übungen der Kirche mit Hilfe jener elementaren theologischen Maßstäbe in Frage stellte und neue Formen der Kirchen- und Weltordnung umriß. Einer der gängigen kirchlichen Übungen nach der anderen entzog Luther in diesen Schriften die theologische Basis – »es ist alles umb keret«, so faßte er selbst bei Gelegenheit das Fazit zusammen, das auch ihn überraschte.[12] Diese Schriften also waren es, die den nie dagewesenen publizistischen Erfolg hatten, die Leute wurden weithin wohl geradezu von einem Lese-Rausch ergriffen. Der aber beschränkte sich nahezu ganz auf die städtischen Bürgerschaften; denn das Lesevermögen war nahezu nur in den Städten verbreitet.

Wenn ich meine Argumentation im ersten und im zweiten Gang zusammenziehen soll, könnte ich folgendes sagen: Luthers Attraktivität in den Städten beruhte wesentlich darauf, daß seine frühen Schriften, in denen er das christliche Leben als Leben aus dem Glauben an Christus definierte und gegen die Leistungsfrömmigkeit polemisierte, in den deutschen Städten eben in jenem Moment ihrer Geschichte ankamen und gewissermaßen einschlugen, in dem hier die »religiöse Leistungsgesellschaft« ihren Höhepunkt erreicht, vielleicht auch schon überschritten hatte. So waren die Voraussetzungen dafür gegeben, daß Luther durchaus verstanden wurde, auch und gerade in Bezug auf den »Kern seiner neuen Heilsbotschaft«, denn da ging es in der gegebenen Situation durchaus nicht um eine schwierige und fremdartige, sondern um eine einfache und höchst aktuelle Wahrheit – ich sage formelhaft: um die Widerlegung und Außerkraftsetzung der »religiösen Leistungsgesellschaft«, die durch ein neues Kirchenbild ersetzt wurde – die Gemeinschaft der Glaubenden, die vor Gott gleichen Rang haben und zur

---

[12] J. CHIFFOLEAU, La comptabilité de l'au-delà. Les hommes, la mort et la religion dans la région d'Avignon à la fin du moyen-âge, 1980.

Liebe aufgerufen sind, ein Kirchenbild, das überdies den sozialen Gegebenheiten und Erfordernissen in der Stadt besonders gut entsprach.

Mein dritter Argumentationsgang braucht nach diesen Überlegungen nichts weiter mehr zu bieten als gewissermaßen die Probe aufs Exempel: Daß die Attraktivität Luthers in den Städten diese Struktur hatte, vom Verstehen und der Aneignung seiner theologischen Haupterkenntnisse zur Kirchenpolitik, das zeigt nun der Verlauf der städtischen Reformationsgeschichten in hinreichendem Maße. So ergibt eine theologische Analyse der in den Städten in der Frühzeit gehaltenen evangelischen Predigten, die anhand der gedruckten Predigtsummarien auf einem ziemlich breiten und repräsentativen Textfundament vorgenommen werden kann, daß da Luthers neue Glaubenslehre überall auffallend genau und getreu weitergegeben worden ist, so daß die von Franz Lau aufgebrachte Vorstellung, die Mißverständnisse der Intentionen und konkreten Aussagen Luthers seien vorherrschend gewesen, ein allgemeiner »Wildwuchs« habe regiert,[13] sich nicht bestätigt. Ein anderes wichtiges Indiz bilden die Schicksale jener Institute und Veranstaltungen der Leistungsfrömmigkeit, die in der spätmittelalterlichen Stadt in so starkem Maße geblüht hatten, das fiel ja vielfach gewissermaßen über Nacht in sich zusammen – Wallfahrten und Ablässe, Meßstiftungen und Prozessionen, und auch die Bilderstürme, das Ausräumen jener mit Bildern vollgestellten und vollgehängten Kirchen der Vorreformation bestätigt, denke ich, meine Deutung: Diese Bilderstürme waren zwar als solche nicht in Luthers Sinn, bezeugten aber noch in der Verzerrung Luthers Wirkung. Endlich möchte ich einen Sachverhalt anführen, den auch Herr Reinhard erwähnt: In den vielen neueren Arbeiten, die sich mit der Frage nach schichten- oder klassenspezifischen Reaktionen auf die reformatorische Verkündigung in den Städten befassen, kommt im Grunde überall ein und dasselbe Ergebnis heraus, das ich mit zwei Sätzen von Herrn Reinhard selbst wiedergebe: »Das Evangelium spricht Menschen aller Schichten an. Nur in diesem Rahmen zeichnet sich dann in der Regel eine stärkere Affinität der Mittel- und Unterschichten dazu ab, weil die Oberschichten mehr zu verlieren haben und daher zum Engagement mehr oder weniger gedrängt werden müssen.« In der Tat, so ist es, und nach meiner Ansicht spricht auch dies dafür, daß in den Städten durchaus ein Verstehen der zentralen Erkenntnisse Luthers zustande kam; denn auch da ging es ja nicht um soziale, sondern um Existenzfragen, um Sünde und Freiheit, um Leben und Tod. So nehme ich an, daß deren Rezeption eine Priorität hatte vor den politischen Interessen, die sich dann freilich mit Luthers Sache gleichfalls verbanden.

---

[13] FRANZ LAU, ERNST BIZER, Reformationsgeschichte Deutschlands bis 1555, Göttingen 1964.

# 4 Luther und die römisch-katholische Kirche

Kurt Aland

# 4.1 Luther und die römische Kirche

## I. Die Anfänge: Der »papista insanissimus«

»Sei gegrüßt, heiliges Rom«, rief Martin Luther, als er die Stadt erblickte, und warf sich zu Boden.[1] Bezeichnend ist der Anlaß, der ihn nach Rom führte. Als Abgesandter einer Reihe von Klöstern der deutschen Reformkongregation des Augustinereremiten-ordens sollte er mit einem Mitbruder zusammen beim Ordensgeneral die Genehmigung zur Appellation an den Papst gegen den Plan erwirken, die Reformkongregation mit der sächsischen Ordensprovinz zu verschmelzen. Gewiß spielten etwa beim einflußrei-chen Nürnberger Konvent auch lokale Gesichtspunkte eine Rolle, in Luthers Erfurter Kloster wurde der Widerstand gegen die Pläne von Staupitz jedoch ausschließlich von der Sorge gespeist und geleitet, die Strenge des Ordenslebens könnte durch die Neuor-ganisation gefährdet werden. Luther hat offensichtlich zu den Wortführern des Wider-stands in Erfurt gehört; daß die renitenten Klöster ihn zum Mitglied der nach Rom entsandten Delegation machten, ist Ausdruck der Anerkennung und Beweis des Anse-hens, das er in seinem Heimatkloster besaß. Schon die Entsendung der Delegation nach Rom geschah hart am Rande des ordensrechtlich Möglichen, eine Appellation an den Papst war nach den Statuten des Ordens ausgeschlossen. Dementsprechend erfolglos verliefen die Verhandlungen mit dem Ordensgeneral. Die opponierenden Klöster lie-ßen sich dadurch nicht beeindrucken und setzten ihren Widerstand gegen die Pläne von Staupitz trotz dessen Entgegenkommens fort. Luther hat sich daran nicht mehr betei-ligt, bei der Mehrheit der Mitglieder des Erfurter Klosters galt er daraufhin als Abtrün-niger, die erheblichen Spannungen dauerten noch Jahre nach seiner Versetzung ins Wittenberger Kloster an.

In der autobiographischen Vorrede von 1545 hat Luther erklärt, er sei zu Beginn der Reformation »ein Mönch und ein ganz unsinniger Papist« gewesen. Er wäre bereit gewesen, »alle zu töten oder beim Mord derer mitzuhelfen und ihn zu billigen, welche auch nur mit einer Silbe den Gehorsam gegenüber dem Papst verweigerten«[2]. Das

---

[1] WA. TR 5, 467, Nr. 6059.

[2] »Et sciat, me fuisse aliquando monachum, et papistam insanissimum, cum istam causam aggressus sum, ita ebrium, imo submersum in dogmatibus papae, ut paratissimus fuerim, omnes, si potuissem, occidere, aut occidentibus cooperari et consentire, qui papae vel una syllaba obe-dientiam detrectarent. Tantus eram Saulus, ut sunt adhuc multi. Non eram ita glacies et frigus ipsum in defendendo papatu, sicut fuit Eccius et sui similes, qui mihi verius propter suum ventrem papam defendere videbantur, quam quod serio rem agerent, imo ridere mihi papam adhuc hodie videntur, velut Epicuraei. Ego serio rem agebam, ut qui diem extremum horribiliter timui, et tamen salvus fieri ex intimis medullis cupiebam« (WA 54, 179).

entspricht dem, was er sonst in seinen Schriften über seine Stellung zur und in der
römischen Kirche ausgeführt hat, etwa in »Wider Hans Worst« 1541[3] und in der
Vorrede zur Thesensammlung von 1538[4], um von den zahlreichen Äußerungen in den
Tischreden zu schweigen. Die Frage ist nur, wie weit diese Epoche sich erstreckt, denn
an der Tatsache als solcher, daß Luthers Verhältnis zur römischen Kirche in den Anfängen das völliger Ergebenheit gewesen ist, kann wohl nicht ernsthaft gezweifelt werden.
Zur Zeit des Thesenanschlags am 31. Oktober 1517 dauert es jedenfalls noch an, wie
der Brief an Albrecht von Mainz von diesem Tage mit Deutlichkeit erweist. Iserloh hat
von den »überaus weitgehenden Ergebenheits- und Demutsbezeugungen« dieses Briefes gegenüber dem Kardinal[5] gesprochen, Meissinger hat sogar gemeint, sie gingen »bis
zur Geschmacklosigkeit«[6], um nur diese beiden Beispiele zu nennen.

In dieser Haltung voller Ergebenheit gegenüber der Kirche und ihren Repräsentanten
befindet sich Luther mit Sicherheit noch im Frühjahr 1518. Aus der zweiten Märzhälfte
haben wir den Brief Luthers an Spalatin[7] über den Besuch des Abtes von Lehnin bei
ihm. Zwar war die Botschaft, die dieser brachte, durchaus negativ: die Veröffentlichung der Resolutionen wie aller sonstigen neuen Erklärungen zum Ablaßthema solle
aufgeschoben werden, die Veröffentlichung des Sermons von Ablaß und Gnade werde
sehr mißbilligt, er solle von jetzt ab weder ausgegeben noch verkauft werden. Trotzdem ist Luther überwältigt: er sei ganz beschämt und verwirrt (»ego vero pudore
confusus«), erklärt er, daß ein »so großer Abt« von einem »so großen Bischof« zu ihm
geschickt worden sei. Er habe geantwortet, daß er ganz zufrieden sei (»bene sum
contentus«), er wolle lieber gehorchen als Wunder tun, auch wenn er könnte.[8] Zwar
sagt Luther, der Abt sei »humiliter« gesandt worden und habe namens des Bischofs
erklärt, in den Schriften fände sich kein Irrtum, alles sei gut katholisch, er mißbillige
auch die »indiscretas (ut vocant) proclamationes Indulgentiarum«[9], aber das änderte
doch nichts an der Feststellung: »propter schandalum Iudicaret aliquantulum tacendum
et differendum«. »Optare se et petere«, »valde nollet«, »rogavit«, diese Ausdrücke
berichtet Luther als Formulierung des bischöflichen Willens.[10] Von der Reaktion Luthers könnte man wieder sagen, es handle sich um »überaus weitgehende Ergebenheits-
und Demutsbezeugungen«, der Bischof von Brandenburg hat jedenfalls offensichtlich
diesen Eindruck gehabt. Denn anscheinend umgehend hat er auf den Bericht des Abtes
von Lehnin hin über Luthers Reaktion alle seine Forderungen zurückgenommen,
schon in den ersten Apriltagen kann Luther Spalatin antworten, er habe Nachricht vom
Bischof: »Liberum fecit promissionis meae«.[11]

---

[3] WA 51, 543.

[4] WA 39/I, 7.

[5] ERWIN ISERLOH, Luthers Thesenanschlag – Tatsache oder Legende?, Wiesbaden 1962 (Institut für Europäische Geschichte Mainz, Vorträge Nr. 31), S. 33.

[6] KARL AUGUST MEISSINGER, Der katholische Luther, München 1952, S. 159.

[7] WA. B 1, 161 f., Nr. 67.

[8] »Malo obedire quam miracula facere, etiam si possem, & reliqua, quae meum studium excusa-
rent« (ebd. 162, 18–20).

[9] Ebd. 162, 20–22.

[10] Ebd. 162, 13–16.

[11] Ebd. 164, Nr. 70

Nun kann man einwenden, daß persönliche Devotion und sachlicher Gegensatz einander nicht ausschließen müssen. So hat man aus den 95 Thesen schon unmittelbar nach ihrem Bekanntwerden Opposition gegen Papst und Kirche herausgelesen und Luther deswegen heftig angegriffen und auch in der Neuzeit den Konflikt Luthers mit der römischen Kirche hier beginnen lassen, und zwar auf katholischer wie evangelischer Seite.[12] Aber das scheint mir von später her gesehen eine Gefahr, die bei einem Thema wie dem unseren besonders groß ist. Das gilt für beide Konfessionen, insbesondere aber natürlich für den, der vom Tridentinum her, und nun ganz und gar für den, der vom 2. Vaticanum her denkt und urteilt.

Der Luther der Frühzeit ist nicht nur persönlich ein »papista insanissimus« gewesen, wie er in der Vorrede von 1545 sagt,[13] sondern er hat auch ganz in der Lehrstruktur der Kirche gestanden. Luther hat sich mit seiner Thesenreihe durchaus im Bereich des Möglichen gehalten, denn zwar besaß die Kirche eine Ablaß*praxis*, aber keine Ablaß*definition* – sie erfolgte, wie bekannt, erst am 9. November 1518 in der auf Initiative Cajetans erlassenen Bulle »Cum postquam« : »Tantum usu colebantur et consuetudine. Ideo non disputabam, ut eas tollerem, sed cum pulchre scirem, quid non essent, cupiebam discere, quidnam essent«.[14] Zwar empfingen die 95 Thesen von vielen »boni viri« Lob, aber es war ihm unmöglich, wie Luther in der Vorrede zur Thesensammlung von 1538 weiter sagt, in ihnen »Ecclesiam aut organa Spiritus sancti« zu erkennen.[15] »Papam Cardinales, Episcopos, Theologos, Iuristas, Monachos suspiciebam et ex his spiritum expectabam.«[16] »Und als ich alle ›Beweisgründe‹ durch die Schrift überwunden hatte, kam ich endlich, durch Christi Gnade, mit der größten Schwierigkeit und Angst nur mit Mühe über dies eine hinweg, nämlich, daß man die Kirche hören müsse.«[17]

Die Resolutionen zu den 95 Thesen sind – mindestens in der Gestalt, in der sie am 13. Februar (?) 1518 dem Brandenburger Bischof Hieronymus vorgelegt wurden – ja auch dazu bestimmt, die (damals wie heute bei zur Diskussion bestimmten Thesen übliche) Zuspitzung mancher Formulierungen zurückzunehmen, mindestens aber abzusichern. Statt daß sie als Diskussionsgrundlage aufgefaßt wurden, als versuchsweise Aussagen, die zur Klärung der Materie anregen sollten, wurden sie von einer unerwartet großen Öffentlichkeit als Gültigkeit beanspruchende Sätze aufgenommen. Das sei geschehen, obwohl sich manches darunter befinde, was Luther zweifelhaft sei, einiges wisse er nicht, manches stelle er auch in Abrede, aber nichts behaupte er hartnäckig, »alles

---

[12] Zu den Einzelheiten vgl. REMIGIUS BÄUMER, Martin Luther und der Papst, Münster ³1982, S. 15 ff.

[13] WA 54, 179, 24; vgl. Anm. 2.

[14] WA 39/I, 6, 25–27.

[15] Ebd. 6, 32 f.

[16] Ebd. 7, 1 f.

[17] »Et cum omnia argumenta superassem per scripturas, hoc unum cum summa difficultate et angustia, tandem Christo favente, vix superavi, Ecclesiam scilicet esse audiendam« (ebd. 7, 3–6).

jedoch unterwerfe ich der heiligen Kirche und ihrem Urteil«[18]. Noch immer gilt: »Idcirco mei non oblitus his verbis protestor me disputare, non determinare. Disputo, Inquam, non assero, ac disputo cum timore.«[19] Inständig bittet Luther den Ortsbischof, energisch im Manuskript zu streichen, was ihm notwendig erscheine, oder auch ein Feuer anzuzünden und das Ganze zu verbrennen.[20]

So weit der Begleitbrief zu der Übersendung des Manuskripts zu den Resolutionen in der Anfang Februar 1518 abgeschlossenen und angesichts seines Umfangs (ohne Apparat über 100 Seiten in der WA!) sicher mehrere Wochen vorher, wahrscheinlich schon Ende 1517, begonnenen Fassung. Die endgültige Niederschrift, so wie sie Staupitz mit dem Begleitschreiben vom 30. Mai 1518 zur Weiterleitung an den Papst zugesandt wurde und wie sie schließlich im August im Druck erschien, unterscheidet sich zweifelsohne von der ursprünglichen an nicht wenigen Stellen. Zeit genug zur Umarbeitung hatte Luther ja, selbst wenn er damit erst nach der Freigabe des Manuskripts durch den Brandenburger Bischof begonnen haben sollte. Es ist durchaus möglich, ja höchst wahrscheinlich, daß jetzt manches nachdrücklicher verteidigt wird als zu Anfang. Dennoch findet sich zu Beginn der »Protestatio« dieselbe Absichtserklärung wie im Brief an den Brandenburger Bischof: »Quia haec est Theologica disputatio, quo pacatiores faciam animos nudo disputationis textu forte offensos, repetam hic denuo protestationem in Scholis fieri solitam.«[21] Hinzugefügt ist eine Erklärung über die geltenden Autoritäten: »Primum protestor, me prorsus nihil dicere aut tenere velle, nisi quod in et ex Sacris literis primo, deinde Ecclesiasticis patribus ab Ecclesia Romana receptis, hucusque servatis et ex Canonibus ac decretalibus Pontificiis habetur et haberi potest.«[22] Wenn etwas aus diesen Autoritäten weder bewiesen noch widerlegt werden könne, sei es zur Disputation »pro iudicio rationis et experientia« aufrechtzuerhalten, aber auch hier gelte dennoch alles nur »salvo iudicio omnium superiorum meorum.«[23] Die einzige Einschränkung der »Protestatio« gilt den »opiniones nudas sine textu et probatione positas« des Thomas, Bonaventura und anderer Scholastiker, die wolle Luther »pro meo arbitrio refutare vel acceptare«[24], gemäß der Weisung des Paulus, I Thess 5,21: »Prüfet alles, das Gute behaltet«. Zwar wisse er von der Meinung gewisser Thomisten, daß Thomas in der Kirche in allen Fragen gelten solle, aber wie weit dessen (begrenzte) Autorität gehe, stehe genügend fest. »Hac mea protestatione credo satis manifestum fieri, quod errare quidem potero, sed haereticus non ero, quantumlibet fremant et tabescant ii qui aliter sentiunt vel cupiunt«, schließt die »Protestatio«.[25]

---

[18] »... qui forte putant omnia esse asserta, Inter quae sunt, quae dubito, Nonnulla ignoro, aliqua et nego, Nulla vero pertinaciter assero. Tamen omnia Ecclesiae sanctae suoque iudicio submitto« (WA. B 1, 139, 52–54, Nr. 58, Begleitbrief an den Bischof Hieronymus von Brandenburg).

[19] WA. B 1, 140, 70–72.

[20] Ebd. 139 f., 65–66.

[21] WA 1, 529, 30–32.

[22] Ebd. 529, 33–530, 1.

[23] Ebd. 530, 1–3.

[24] Ebd. 530, 5–7.

[25] Ebd. 530, 10–12.

Im Widmungsbrief zu den Resolutionen an Leo X. erzählt Luther noch einmal zusammengefaßt die Vorgeschichte der 95 Thesen und hebt mehrfach ihren Disputationscharakter nachdrücklich hervor: »Disputationes enim sunt, non doctrinae, non dogmata, obscurius pro more et enygmaticos positae. Alioqui, si praevidere potuissem, certe id pro mea parte curassem, ut essent intellectu faciliores.«[26] Anschließend fragt er: »Nunc, quid faciam?« Wenn er dann fortfährt: »Revocare non possum«,[27] so scheint mir nach dem Kontext des Widmungsbriefes wie der »Protestatio« mit Meissinger[28] und Iserloh[29] als Übersetzung allein möglich: »Zurückholen, d. h. sie ungeschehen machen, kann ich sie (die Thesen) nicht.« Die besonders auf evangelischer Seite verbreitete Übersetzung: »Widerrufen kann ich nicht«[30] erfolgt aus der bereits erwähnten Sicht von später her, genauso wie Meissingers Vermutung: »Freilich ist die Möglichkeit zuzugeben, daß Luther bewußt zweideutig mit dem Wort revocare spielt.«[31] Erst bei den Verhandlungen mit Cajetan im Oktober 1518 kommt das »revocare« = widerrufen ins Spiel. Im Schreiben an Cajetan (vgl. S. 160) wie in dem an den Papst vom Januar 1519 (vgl. S. 171) wird dabei die Ablehnung des Widerrufs immer mit Begründungen versehen bzw. ausführlich und nachdrücklich darum gebeten, Luther die theologischen und gedanklichen Voraussetzungen dafür zu liefern. Daß die ohne jeden Zusatz erfolgende Erklärung »revocare non possum« von 1518 sich nicht auf die Ablehnung des Widerrufs beziehen kann,[32] scheint eindeutig, zumal im Kontext des Briefes an den Papst vom Mai, dessen Schluß z. B. derart formuliert ist, daß man wieder – wie Meissinger beim Schreiben an Albrecht von Mainz – davon sprechen könnte, er ginge »bis zur Geschmacklosigkeit«:

»Deshalb, allerheiligster Vater, falle ich Deiner Heiligkeit zu Füßen und ergebe mich Dir mit allem, was ich bin und habe. Mache lebendig, töte, rufe, widerrufe, billige, mißbillige, wie es Dir gefällt. Deine Stimme werde ich als die Stimme Christi anerkennen, der in Dir regiert und redet. Wenn ich den Tod verdient habe, so werde ich mich nicht weigern zu sterben. Denn die Erde ist des Herrn und was darinnen ist (Ps 24,1), der sei gebenedeit in Ewigkeit, Amen; er erhalte Dich auch in Ewigkeit, Amen.«[33]

---

[26] Ebd. 528, 39–529, 2.

[27] Ebd. 529, 3.

[28] MEISSINGER (Anm. 6), S. 165.

[29] ERWIN ISERLOH, Handbuch der Kirchengeschichte Band IV: Reformation, Katholische Reform, Gegenreformation, Freiburg 1967, S. 53.

[30] In Luther Deutsch, Bd. 2, S. 90 wird diese Übersetzung in der nächsten Auflage geändert werden.

[31] MEISSINGER (Anm. 6), S. 299 f., Anm. 1 zu S. 165.

[32] Wie Luthers direkte Ablehnung eines Widerrufs gegenüber dem Papst aussieht, kann man aus seinem Sendbrief von 1520 entnehmen; vgl. unten S. 170.

[33] »Quare, Beatissime Pater, prostratum me pedibus tuae Beatitudinis offero cum omnibus, quae sum et habeo. Vivifica, occide, voca, revoca, approba, reproba, ut placuerit: vocem tuam vocem Christi in te praesidentis et loquentis agnoscam. Si mortem merui, mori non recusabo. Domini enim est terra et plenitudo eius, qui est benedictus in saecula, Amen, qui et te servet inaeternum, Amen« (WA 1, 529, 22–27).

Wer so wie Meissinger urteilt, beweist damit nur, wie wenig er sich in die Haltung eines »papista insanissimus« des 16. Jahrhunderts zu versetzen vermag. Bäumer meint, daß zwischen diesem Briefschluß und der Äußerung Luthers über den Papst in seiner Schrift »Eine Freiheit des Sermons päpstlichen Ablaß und Gnade belangend« »zweifellos starke Differenzen« bestehen.[34] Er bezieht sich dabei auf Meissingers Hinweis auf Luthers Bemerkung in dieser Schrift: »Was der heylig vatter mit schrifft adder vornunfft bewert, nym ich an, das ander laß ich seynen guten wahn geweßen seyn.«[35] Nun, abgesehen davon, daß »guter wahn« = (persönliche) gute Meinung, Gedanke ist (und Luthers gegen Tetzel gerichtete Schrift von zorniger Polemik getragen wird) – widerspricht das nicht den Resolutionen, in denen auch Dinge stehen, die von der Generallinie abweichen, an ihr jedoch nichts ändern, etwa in den langen Ausführungen zur 26. These über den »modus suffragii« des Papstes für die Seelen im Fegfeuer. In umgekehrter Richtung lassen sich ebenfalls Einzelzitate anführen, wie Bäumer das etwa gegen Obermans These tut, daß der Angriff des Prierias in Luther die Überzeugung habe wachsen lassen, daß der Papst »durch seinen Unfehlbarkeitsanspruch die Stimme Christi in der Kirche nicht zum Ertönen, sondern zum Schweigen bringt«.[36] Bäumer beruft sich [37] auf einen Satz in der Appellation Luthers an den Papst sowie zwei Mal auf Luthers Aussage in der Antwort an Prierias:

»Denn auch ich danke Christus, daß er diese eine Kirche auf Erden durch ein gewaltiges Wunder, welches allein die Wahrheit unseres Glaubens beweisen könnte, so bewahrt hat, daß sie niemals in irgendeinem ihrer Dekrete vom wahren Glauben abgewichen ist«.[38]

Bäumer erklärt dazu:

»Mit diesem Bekenntnis geht Luther über die Ansichten der zeitgenössischen Theologen weit hinaus. Kein papalistischer Theologe seiner Zeit, nicht einmal der schärfste Papalist am Vorabend des Konzils von Trient, Albert Pigge, hatte den Umfang der päpstlichen Unfehlbarkeit so ausgedehnt und behauptet, daß die Römische Kirche niemals in irgendeinem ihrer Dekrete vom wahren Glauben abgewichen sei. Diese Aussage Luthers ist von der bisherigen Forschung kaum herausgestellt worden. Man kann diesen Satz m. E. nicht mit dem Hinweis abtun, es sei Luther mit dieser Aussage nicht ernst gewesen. Luther erinnert sich nach seinen Worten an kein Dekret der römischen Kirche, das dem wahren Glauben widerstreitet, und er erwartet das Urteil Christi vom Römischen Stuhl.«[39]

Nun führt Bäumer nur die erste Hälfte des Satzes an. Die Fortsetzung lautet: »... nec tot barathris pessimorum morum diabolus tantum efficere potuit, ut penes hanc non maneret ab origine sua Canonicorum Bibliae librorum et Ecclesiasticorum patrum et interpretum authoritas et authoritatis syncaera professio, licet multi forte sunt nimis,

---

[34] BÄUMER (Anm. 12), S. 23.

[35] WA 1, 390, 31–32.

[36] HEIKO A. OBERMAN, Wittenbergs Zweifrontenkrieg gegen Prierias und Eck. Hintergrund und Entscheidungen des Jahres 1518: ZKG 80 (1969), S. 331–358, das Zitat S. 340.

[37] BÄUMER (Anm. 12), S. 24.

[38] »Nam et ego gratias ago Christo, quod hanc unam Ecclesiam in terris ita servat ingenti et quod solum possit probare fidem nostram esse veram miraculo, ut nunquam a vera fide ullo suo decreto recesserit« (WA 1, 662, 31–34).

[39] BÄUMER (Anm. 12), S. 24.

qui privatim his libris prorsus nullam habeant fidem, nec eos curent aut legere aut intelligere«.[40]

Vollständig zitiert ist die Aussage Luthers wohl kaum als alle papalistischen Aussagen der Zeit übertreffend zu interpretieren. Und auch der Kontext des Satzes muß berücksichtigt werden. Nachdem Luther erklärt hat, daß er die Ansicht des Prierias wie des Thomas entsprechend der zweiten seiner Antwort vorangestellten Fundamentalaussage verwerfe,[41] fährt er fort, daß er sich wundere, wenn Prierias die römische Kirche als die Glaubensregel bezeichne. Er habe immer geglaubt, daß umgekehrt der Glaube für die römische und alle Kirchen die Glaubensregel sei. Prierias solle die römische Kirche Schülerin des Glaubens sein lassen, die von diesem bestimmt werde, statt ihn zu bestimmen.[42] Die von Bäumer zitierte Beweisstelle schließt sich unmittelbar daran an. Sie gibt also keineswegs das her, was Bäumer aus ihr entnimmt. Isolierte Zitate ohne Berücksichtigung des Kontextes, möglicherweise noch unwillkürlich von später her interpretiert, müssen stets – und besonders bei unserem Thema – in die Irre führen.

Bäumer stellt weiterhin angesichts der von ihm bei Luther konstatierten »entschieden papalistischen Aussagen«[43] die Frage: »War es Luther mit diesen seinen Aussagen ernst, oder muß man sie als Taktik abtun?«[44] Er erklärt zunächst: »Diese Frage ist schwer zu beantworten«,[45] denn es beständen »zwischen verschiedenen Aussagen Luthers und der Formulierung am Schluß des Briefes an den Papst Widersprüche, die nicht zu leugnen sind«. Angesichts der kritischen Äußerungen über das Papsttum kommt er zu dem Resultat: »Vielleicht wird hier die Zwitterstellung deutlich, die Luther in seinem Verhältnis zum Papst damals noch einnahm.« Mit dem Jahre 1519 beginne dann »ein neuer Abschnitt in der Entwicklung von Luthers Ansichten über den Papst«, »das letzte starke Bekenntnis zur Lehrautorität des römischen Stuhles, das Luther ablegte«, sei der »Unterricht auf etliche Artikel«.[46]

Darüber wird alsbald zu reden sein, denn die Dinge sind komplexer, als sie hier erscheinen.[47] Vorher bedarf es noch wenigstens einer Ergänzung der bisherigen Betrachtungen, bei denen – ganz wie in der Literatur zum Thema üblich – faktisch doch nur der Professor Luther ins Blickfeld trat. Denn Luthers äußere und innere Existenz ist doch durch die Professur nur sehr teilweise bezeichnet, er ist gleichzeitig Mönch, ja in den für uns besonders wichtigen Jahren von 1515 bis 1518 sogar Ordensoberer

---

[40] WA 1, 662, 34–38.

[41] Ebd. 662, 21.

[42] »Secundo miror, quid velis, quod Ecclesiam Romanam fidei regulam vocas. Ego credidi semper, quod fides esset regula Romanae Ecclesiae et omnium Ecclesiarum, ut Apostolus Gal. VI. Et quicunque hanc regulam secuti fuerint, pax super eos &c. Rogo, eousque digneris adulari Romanae Ecclesiae, ut eam permittas discipulam esse fidei, quae reguletur fide, non regulet fidem. Sed forte haec verbi est controversia. Quia regulam fidei improprie locutus vocas, quod ad eam fidem, quam Romana Ecclesia profitetur, omnium fides debet conformari. Et placet mirifice« (ebd. 662, 24–31).

[43] BÄUMER (Anm. 12), S. 25.

[44] Ebd. S. 25 f.

[45] Ebd. S. 26.

[46] Ebd. S. 26.

[47] Vgl. dazu unten S. 151 ff.

gewesen. Aus seiner Wirksamkeit als Distriktsvikar besitzen wir eine ganze Reihe von Briefen, die mindestens darauf geprüft werden müssen, ob sie etwas für unser Thema hergeben.

Die Serie setzt ein mit dem Schreiben Luthers vom 1. Mai 1516 an den Mainzer Augustiner-prior Johann Bercken, bei dem ein aus dem Dresdner Konvent entlaufener Augustiner Zuflucht gefunden hat. »Um unseres gemeinsamen Glaubens an Christus willen und des Ordensgelübdes an den hl. Augustin« fordert Luther seine Rücksendung, »ut finis fieret turpitudinis. Mea est ovis illa perdita, ad me pertinet, meum est quaerere illam et reducere errantem, si Domino Ihesu ita placuerit«.[48] Am 29. Mai 1516 ermahnt Luther den Erfurter Prior Johann Lang,[49] obwohl sein Freund, mit gemessenen Worten, Ordnung in die Finanzverwaltung des Klosters zu bringen. Insbesondere die Ausgaben für die Gäste sollen nach Kategorie, Höhe wie Zeitpunkt aufgezeich-net werden, damit er daran feststellen könne, »an conventus sit plus monasterium, quam taberna vel hospitale«.[50] Lang solle nicht meinen, das sei mühevoll oder überflüssig. Die Terminarier sollten samt den Gästen, die sie mitbringen, ebenfalls sorgfältig in bezug auf die Ausgaben über-wacht werden, die sie dem Kloster verursachen: »esto vir robustus, et Dominus erit tecum«[51].

An den Prior von Neustadt a. d. Orla, Michael Dressel, schreibt Luther zweimal in kurzem Abstand. Am 23. Juni 1516[52] geht es dabei zunächst um die Aufnahme eines Deutschordensherrn ins Augustinereremitenkloster, der deswegen ebenso wie Dressel an Luther geschrieben hat. Luther meint, das könne geschehen, wenn die vorgeschriebenen Regeln genau eingehalten wür-den, eine noch so gute Absicht sei hier nicht ausreichend.[53] Er gebe daher nicht seine Zustimmung, ja er könne sie nicht geben, wenn nicht Kapitel 16 der Ordenskonstitutionen genau erfüllt würde.[54] Der zweite Teil des Briefes mit seiner Mahnung zum wahren Frieden ist wahrscheinlich ausgelöst durch Streitigkeiten im Kloster[55], wie sie im Schreiben vom 25. September 1516[56] sicht-bar werden, das nun nicht nur an Dressel allein, sondern zugleich auch an den Konvent gerichtet ist. Sie lebten »sine pace et unitate: in una domo existentes non estis unius moris, neque est secundum regulam vobis cor unum et anima una in Domino«.[57] Wer da meint, die Dinge nach seinen Gedanken leiten zu können, befinde sich in tiefem Irrtum, nur durch demütiges Gebet und

---

[48] WA. B 1, 39, 11 f., 8 ff., Nr. 13.

[49] Ebd. 41 f., Nr. 15.

[50] Ebd. 42, 23 f.

[51] Ebd. 42, 31 f.

[52] Ebd. 46 f., Nr. 17.

[53] »Fiet autem in Domino, si servetur non cuiuslibet opinio et sancta intentio, sed praescripta lex et constitutio Maiorum decretaque Patrum, sine quibus frustra sibi speret profectum et salu-tem, quantumlibet bona intentio« (ebd. 46, 9–12).

[54] »Igitur neque consentio neque consentire possum ad receptionem illius Domini, nisi literas recte sigillatas a suo Maiore attulerit, et alia facere voluerit, quae Cap. 16. nostrarum Constitu-tionum fieri debere scribuntur a talibus, ne forte et sibi et nobis postea poenitentiam faciat. Nullus enim unius testimonio tantum abstrahi debet a suo Praelato. Res aliena est, donec legitime consen-tiat ille, qui facultatem illius habet. Quod si difficilis fuerit eiusmodi literas afferre, iam ecce probabitur, an spiritus ex Deo sit. Quia quod ex Deo est, stabile est, et omnia facit et patitur, ut perseveret« (ebd. 46, 13–47, 2).

[55] Vgl. den Anfang des betr. Abschnittes: »Pacem tu quidem quaeris et affectas, sed prae-postere. Quia quomodo mundus dat, tu quaeris, non quomodo Christus« (ebd. 47, 27 f.)

[56] Ebd. 57–59, Nr. 22.

[57] Ebd. 57, 6–8.

gottergebene Haltung sei das möglich.[58] Weil das in Neustadt nicht oder nicht auf rechte Weise geschehen sei, könne das Resultat nicht wundern. So sieht Luther sich genötigt, den Prior abzusetzen[59], der sicher in der besten Absicht gehandelt und nicht böswillig die Irritation der Gemeinschaft herbeigeführt habe: »tantum fecisti, quantum gratiae habuisti.«[60] Der Konvent erhält bis ins einzelne gehende Vorschriften für die Neuwahl, das wichtigste dabei ist, erklärt Luther, daß nicht auf eigene Kräfte vertraut, sondern im Gebet die Leitung durch den Herrn gemäß Jer 10,23 erfleht wird.[61]

Die Briefe an Johann Lang vom 30. Juni[62], 30. August[63] und 5. Oktober 1516[64] behandeln Personalia und Ordensgeschäfte, nur der letzte mit seiner Mahnung an Lang, sich eines abgefallenen Bruders anzunehmen, ist mit seinen grundsätzlichen Ausführungen in unserem Zusammenhang von Interesse.[65] Das nächste Schreiben von Mitte Oktober an Lang[66] ist wegen seiner Mitteilungen über die Thesen zur Disputation von Bartholomäus Bernhardi »Über des Menschen Vermögen und Willen ohne die Gnade« bekannt, aber diese stellen nur das Mittelstück des Briefes dar, der mit der Erörterung von Ordensfragen beginnt und endet. Zunächst geht es um Langs Versuch, dem Wittenberger Kloster, das in der Gefahr der Überfüllung steht, noch weitere Mönche zuzuschieben, die in Erfurt nicht versorgt werden können. Luther protestiert energisch unter direkter Zurechtweisung Langs. Wittenberg ist damals anscheinend überlaufen, Luther spricht von 36 bis 40 Mönchen und setzt am Schluß hinzu, daß Staupitz eben zwei aus Köln zum Studium in Wittenberg schicke, ohne Luther vorher gefragt zu haben, es ständen weder Zellen noch anderes zum Unterhalt Notwendige zur Verfügung. Das Schreiben geht hin bis zur Erörterung der für Novizen angemessenen Kleidung. Langs Frage danach sei überflüssig, erklärt Luther, denn die Statuten enthielten klare Weisungen. Er gibt trotzdem seine Meinung dazu ab: »Sic sapio, salvo tamen superioris iudicio.«[67]

---

[58] »Errat, errat, errat, qui suo consilio seipsum, nedum alios praesumit dirigere; sed humili oratione et devoto affectu hoc a Deo impetrari oportet« (ebd. 57, 12–14).

[59] »Periculum est vita sine pace, quia est sine Christo, ac potius mors quam vita. Idcirco cogor facere absens, quod nolui praesens, et mira libentia vellem nunc esse praesens, sed non possum. Idcirco per obedientiam salutarem accipite hanc ordinationem meam, si forte Dominus pacis nobiscum operari dignetur. Tota enim vel potior causa turbationis vestrae est, quod cum capite et Priore discordatis; quae est nocentior, quam si Frater cum Fratre discordet. Quare autoritate officii tibi Fratri Michaeli Dressel praecipio, ut officium et sigillum resignes; qua etiam autoritate te ab officio Prioratus absolvo, in nomine Patris et Filii et Spiritus sancti, Amen. Et per literas has in absentem absens volo fecisse, quod praesens in praesentem« (ebd. 57, 18–58, 3).

[60] Ebd. 58, 34.

[61] »Contestor enim vos ecce per praesentes, et praedico, nisi per preces a Deo obtinueritis regimen vestri, non habebitis pacem et prosperum successum, etiam si Sanctus Iohannes Baptista Prior vester esset; totum est in manu Domini; qui hoc non credit, tam diu sustinebit vexationem et inquietudinem, donec experiatur« (ebd. 58, 57–61).

[62] Ebd. 48f., Nr. 18.

[63] Ebd. 51f., Nr. 20.

[64] Ebd. 61f., Nr. 24.

[65] »Cave ergo, ne sis ita mundus, ut ab immundis tangi nolis, aut iam immundam ferre, tegere, tergere recuses. In honorem positus es, sed qui sit nihil aliud, nisi ignominiam aliorum portare. Sic enim in cruce et ignominia oportet nos gloriari« (ebd. 62, 31–34); vgl. ähnliche Äußerungen aus dieser Zeit über die rechte Situation des Christen.

[66] Ebd. 65–67, Nr. 26.

[67] Ebd. 66, 66.

Am 26. Oktober wird die Diskussion der Personalfragen fortgesetzt.[68] Die Erfurter Mönche weist Luther erneut ab, die beiden aus Köln hat er dagegen aufgenommen, von ihrer Eignung beeindruckt: »41 personae ex nostro penu plus quam pauperrimo victitant.«[69] Zusätzlich besteht Pestgefahr. Lang und Bernhardi raten Luther zur Flucht, denn im Haus gegenüber hat die Pest schon Opfer gefordert. Luther weigert sich. Zwar werde er die Mönche, wenn die Krankheit sich weiter ausbreitet, fortschicken, er selber aber werde bleiben, trotz der Weisung von Staupitz, erst einem wiederholten Befehl werde er folgen.[70] Außer Neuigkeiten aus dem Kölner Kloster wie aus München und Kulmbach sowie über Staupitz erfahren wir aus diesem Brief neben dem Namen des neugewählten Neustadter Priors auch den Grund für Luthers Verhalten gegenüber dem Kloster: »Sed feci hoc ideo, quod sperabam me ipsum illic ad medium annum regnaturum. Capite vehementer eget idem locus.«[71] Wenige Tage später, am 29. Oktober 1516, schreibt Luther bereits wieder an Lang:[72] die Frage der Mönche, die aus Erfurt nach Wittenberg versetzt werden sollten, was Luther zweimal abgelehnt hat, ist jetzt entschieden. Im Kloster zu Sangerhausen weist der Konvent Lücken auf, er hätte die drei Erfurter, die offensichtlich schwierig waren (weshalb Lang sie versetzen wollte[73]), schon lange nach Sangerhausen geschickt, er hätte aber gefürchtet, in der Fremde würden sie noch unbrauchbarer sein als im Heimatkloster. Jetzt aber ist die Entscheidung gefallen: »Igitur autoritate et praecepto vocationeque mea voco eos omnes simul tres in Sangerhusen ad tempus, si forte velint resipiscere.«[74] Der Sangerhausener Prior hat entsprechende Anweisungen erhalten, bis hin zum Verbot, einen der Mönche als Terminarier in die Stadt zu lassen, ebenso wie Lang: »Tuum itaque est, eis hoc praeceptum meum statim ostendere, et eosdem ad iter promovere, sicut moris est.«[75]

Damit sind wir im Jahr 1517. Auch die Briefe dieses Jahres gehen in der Mehrzahl an das Erfurter Kloster und an Lang. Das erklärt sich wahrscheinlich aus den Überlieferungsverhältnissen (manche Klöster haben Briefe des Ketzers Luther offensichtlich nicht aufbewahrt), aber auch aus der engen persönlichen Beziehung zwischen Lang und Luther und vor allem daraus, daß Erfurt nun einmal das größte und wichtigste Kloster in Luthers Distrikt war. Am 1. März 1517[76] schickt Luther auf Anordnung von Staupitz Gabriel Zwilling nach Erfurt, damit er bei Lang Griechisch lerne. Aber er soll auch ins Klosterleben eingewöhnt werden, das er nicht kennt.[77] Das

---

[68] Ebd. 72f., Nr. 28.

[69] Ebd. 73, 25f.

[70] »Quo fugiam? spero quod, non corruet orbis, ruente Fratre Martino. Fratres quidem, si profecerit pestis, dispergam in omnem terram; ego sum positus huc, per obedientiam, fugere mihi non licet, donec obedientia, quae iussit, iterum iubeat. Non quod non timeam mortem (non enim sum Apostolus Paulus, sed tantum lector Apostoli Pauli), sed spero, Dominus eruet me a timore meo« (ebd. 73, 33–39).

[71] Ebd. 73, 53f.

[72] Ebd. 76, Nr. 29.

[73] Einen Einblick gibt Luthers Brief vom 26. Oktober: »Quomodo putas ego possum tuos Sardanapalos et Sybariticos locare? Si perdite eos educastis, perdite educatos sustinete« (ebd. 72, 15–17).

[74] Ebd. 76, 6–8.

[75] Ebd. 76, 13–15.

[76] Ebd. 90, Nr. 35.

[77] »Placuit autem et expedit ei, ut conventualiter per omnia sese gerat. Scis enim, quod necdum ritus et mores ordinis viderit aut didicerit« (ebd. 90, 8–10).

nächste Schreiben, vom 16. Juli 1517[78], enthält eine Reihe von Klosterinterna (Luther erwartet Staupitz und bereitet 6 bis 7 Mönche für das Magisterexamen vor) und betrifft in seinem Hauptteil nur indirekt Luthers Amt als Distriktsvikar, ist aber bezeichnend. Luther empfiehlt Lang den Briefüberbringer, Ulrich Pinder, zur zeitweiligen Aufnahme als Gast ins Kloster, bis er eine geeignete Stelle finde: »Quod si etiam hospitaveris eum in conventu paulisper, credo, quod Christum hospitabis.«[79] Pinder ist durch gute Zeugnisse und Fähigkeiten ausgewiesen, vor allem bedarf er der seelsorgerlichen Betreuung wegen der Anfechtungen, unter denen er leidet.[80] Am 6. August 1517[81] schickt Luther schließlich Lang einige Mönche zu, die unter seiner Leitung studieren sollen. Staupitz empfiehlt sie ihm in seiner Eigenschaft als Generalvikar, »imo Dominus Ihesus in ipso«[82]. Lang soll sich ihrer annehmen »sicut de te confidit Dominus Ihesus[83]. Die Geldmittel, die die Mönche mitbringen, solle Lang kontrollieren und, falls sie nicht ausreichten, leihweise Weiteres zur Verfügung stellen. Weiter übermittelt Luther die »firma voluntas« Staupitzens, daß Lang zum Licentiaten der Theologie promoviere: »ut scias, quoniam rem et non verba quaerit Reverendus Pater«[84].

Damit brechen die erhaltenen Briefe aus Luthers Amtstätigkeit als Distriktsvikar ab, denn mit dem Heidelberger Generalkapitel vom April 1518 endete seine dreijährige Amtszeit. Sie wurde verständlicherweise nicht erneuert, wenn aber Lang zu Luthers Amtsnachfolger ernannt wurde, brachte man deutlich genug zum Ausdruck, daß hier lediglich Rücksicht auf die Zeitumstände waltete und keine Mißbilligung von Luthers Amtsführung, zumal die Übertragung der Leitung der theologischen Disputation auf dem Generalkapitel an Luther (wie der damit verbundenen Abfassung der Thesen) ein weithin sichtbares Zeichen dafür gab, daß der Orden sich vor sein angegriffenes Mitglied stellte. Aber auch nachdem das amtliche Verhältnis zwischen Luther und Lang umgekehrt war, wendet Luther sich im Namen des Wittenberger Klosters an Lang:

Am 4. Juni 1518[85] übermittelt er ihm die energische Forderung, Lang möchte endlich, der Zusage von Staupitz entsprechend, den Erfurter Tischler senden, denn das Wittenberger Kloster besitze keinen benutzbaren Stuhl noch Schemel mehr, und der Erfurter Konvent könne leichter eine Verzögerung der Arbeiten vertragen als Wittenberg. Am 16. September 1518[86] mahnt Luther deswegen; der Wittenberger Prior sei sehr mißvergnügt, daß der Tischler immer noch nicht

---

[78] Ebd. 99f., Nr. 42. Der Brief an Lang vom 18. Mai (ebd. 99, Nr. 41) mit dem bekannten Satz: »Theologia nostra et S. Augustinus prospere procedunt et regnant in nostra universitate Deo operante« usw. gehört zwar zu den wichtigen Dokumenten der Reformationsgeschichte, aber nicht zu der hier zu besprechenden Serie. Er wurde als Gelegenheitsschreiben (vgl. die Einleitung) einem von Wittenberg nach Erfurt gehenden Augustinerpater mitgegeben. Er bietet als Material für unser Thema lediglich die Nachricht, daß Staupitz eher eintreffen würde als erwartet.

[79] Ebd. 100, 19–21.

[80] »Habet praeterea occultarum aliquid tentationum in spiritu, quarum ego praeter te vix credo aliquem in tuo conventu conscium. Si eas tibi volens fuerit confessus, poteris consolari, sicut Dominus inspirarit« (ebd. 100, 9–12).

[81] Ebd. 101f., Nr. 43.

[82] Ebd. 101, 5.

[83] Ebd. 101, 6.

[84] Ebd. 102, 10f.

[85] Ebd. 181, Nr. 81.

[86] Ebd. 203, Nr. 93.

gekommen sei. Es wäre außerdem nicht notwendig gewesen, daß Lang ihm »tanta impatientia«[87] geantwortet hätte – anscheinend handelt es sich um eine Geldangelegenheit. Der Brief wird von einem aus Erfurt offensichtlich zum Messelesen angeforderten Mönch überbracht, den Luther an Lang sendet. Das habe nicht früher geschehen können, weil es an dem nach den Ordensstatuten erforderlichen Reisebegleiter gemangelt habe. Am 3. Februar 1519[88] fordert Luther Lang auf, einen Pater ins Kloster zurückzurufen. Sein Alter wie sein Gehorsam müsse gebührende Rücksichtnahme finden, denn weder vor Gott noch den Menschen sei es erlaubt, ihn in dem Elend zu lassen, in dem er sich befinde. Natürlich müsse die Stelle von Lang vorher angemessen besetzt werden, wenn man auf ihn, Luther, höre, würde eine derartige (anscheinend anstrengende) Stelle mit einem Weltpriester versorgt.[89] Als das Wittenberger Kloster beim Rat der Stadt kein Gehör wegen des Antrags auf einen Erweiterungsbau findet, macht sich Luther im Mai 1519 zu dessen Sprecher gegenüber dem Kurfürsten.[90] Und als der Prior des Augustinereremitenklosters zu Grimma wegen des schlechten Rufes des Mühlmeisters Ärger mit den Bürgern der Stadt bekommen hat, berichtet er Luther bei einem Besuch in Wittenberg darüber, und dieser wendet sich am 16. Mai 1519 deswegen an Lang,[91] dem Luther als »suo in Christo Maiori« schreibt[92] unter Befürwortung der Abberufung, zumal die Laienbrüder in Grimma schon längst das Heft in der Hand hätten (unausgesprochen: was unzulässig ist und dem entgegengewirkt werden muß).

Dieser Bericht über, wenn man es so ausdrücken will, Luthers Korrespondenz als Ordensoberer kann jedoch nicht abgeschlossen werden, ohne den Brief wenigstens zu erwähnen, den Luther am 17. Mai 1517 an den »Praepositus« des Prämonstratenserklosters zu Leitzkau, Georg Mascov, geschrieben hat,[93] der die für den Klosteroberen der Zeit ebenso aktuelle wie schwierige Frage der Behandlung eines gefallenen Mönches erörtert.[94] Mascov hat bei Luther angefragt, wie er sich verhalten solle. Luther antwortet, daß er schwer einen Rat geben könne, weil er die Statuten des Prämonstratenserordens nicht kenne. Wenn diese für das Vergehen des Mönchs weder lebenslängliche Gefangenschaft noch die Todesstrafe vorsähen, wäre er der Meinung, daß dem Schuldigen die vorgesehene Strafe in ihrer ganzen Strenge auferlegt werden solle. Denn hier strafe nicht der »Praepositus«, sondern die Gerechtigkeit und das Gesetz, deren Diener und nicht Herr Mascov sei.[95] Mascov solle Demut des Herzens und Milde gegenüber dem Sünder zeigen, aber die Strenge der Maßnahme und die Härte der Amtsgewalt gebrauchen, denn die Amtsgewalt sei nicht sein,

---

[87] Ebd. 203, 20.

[88] Ebd. 315, Nr. 141.

[89] »Parcendum est enim aetati, et aestimanda prompta eius obedientia, nec coram Deo, nec coram hominibus nobis decorum aut etiam licitum est, eum in tali miseria relinquere; verum tamen, ut prius alium loco eius pro plebano ibidem sufficiendum nobis providas. Si me audiret, elocarem eiusmodi parochiam saeculari (ut vocant) sacerdoti« (ebd. 315, 12–16).

[90] Ebd. 386f., Nr. 173.

[91] Ebd. 399f., Nr. 176.

[92] Ebd. 399, 2, wahrscheinlich aber scherzhaft gemeint; vgl. das »Vicario mediastino Augustinensi« in der Anrede Zeile 1.

[93] Ohne Zweifel hat Luther zu Mascov in engeren persönlichen Beziehungen gestanden, wie sein – wenn auch nur in Fragmenten erhaltener – Brief an ihn vom Herbst 1516 (ebd. 60, Nr. 23) zeigt.

[94] Ebd. 97f., Nr. 40.

[95] »Proinde mihi difficile est iudicare et consulere tibi, quid cum illo agas, praesertim cum ignorem vim statutorum vestrorum. Si talia sint, ut non ad perpetuam captivitatem neque ad praesens vitae periculum talem transgressionem puniant, omnino ei rigorem illorum imponendum mihi videtur. Non enim tu, sed iusticia et lex, cuius tu non arbiter, sed minister es, sic puniunt« (ebd. 98, 6–11).

sondern Gottes, die Demut aber stehe nicht Gott zu, sondern ihm.[96] Mascov solle nicht schreck-haft sein, denn Gott sei es, der das alles tut,[97] »quem lauda et ama, et pro illo paupere et pro me devotius ora.«[98]

Diesem Bericht über Luthers Haltung und Maßnahmen als Distriktsvikar braucht wohl kein Kommentar hinzugefügt zu werden, so einheitlich ist das Zeugnis der Texte, aus denen überall der untadelige Mönch und der ganz der Ordensregel verpflichtete Amtsträger spricht, der ebenso mit Energie wie mit Umsicht und Weisheit handelt. Nur ein Hinweis darauf ist vielleicht noch zweckmäßig, daß Luther in seinen Briefen bis zum 24. März 1521 seiner Unterschrift regelmäßig den Zusatz Augustinianus oder Augustinensis hinzufügt (er löst die übliche Abkürzung Aug. oder August. verschieden auf). Im Oktober 1518 hat Staupitz ihn in Augsburg vom Ordensgehorsam gelöst, am 3. Januar 1521 ist endgültig der Bann über ihn verhängt worden, am 10. Dezember 1520 hat Luther durch die Verbrennung der Bücher des kanonischen Rechts und der Bann-androhungsbulle faktisch die Trennung von der katholischen Kirche vollzogen, aber er fährt fort, wie seit den Anfängen seines Mönchtums, sich als Augustiner zu bezeichnen. Natürlich fehlt der Zusatz gelegentlich, das erste Mal, soweit ich sehe, in einem Brief an Spalatin vom 1. April 1518[99], wie in den Briefen an Spalatin überhaupt am häufigsten.[100] Aber auch in den Briefen an diesen wird die Ordensbezeichnung in der erdrückenden Mehrzahl der Fälle zugefügt – gelegentlich durch f(rater) ersetzt.[101] Alles in allem erfolgt die Auslassung der Ordensbezeichnung bis zum März 1521, also bis kurz vor der Abreise zum Reichstag nach Worms, in so geringer Zahl, daß man praktisch über sie hinwegsehen kann (umgekehrt fällt es nicht ins Gewicht, wenn sie in Briefen an Spalatin am 29. April 1521, Nr. 403, und am 17. September 1521, Nr. 431, noch hinzugefügt wird; der Zusatz Frater findet sich noch am 17. April 1522 im Brief Nr. 478 an Zwilling).

## II. Der Ausgang: »Wider das Papsttum zu Rom« 1545

Wenn Luther in den Anfängen – vgl. die zitierte autobiographische Vorrede von 1545[102] – ganz und gar bereit war, alle zu töten, die dem Papst den Gehorsam verwei-

---

[96] »Igitur cordis serva in eum humilitatem et mititatem, sed manus et potestatis exhibe rigorem, quoniam potestas tua non tua, sed Dei est, humilitas autem non Dei, sed tua esse debet« (ebd. 98, 17–19).

[97] »Quare non terrearis. Dominus est, qui operatur haec omnia« (ebd. 98, 23f.).

[98] Ebd. 98, 24f.

[99] Ebd. 164, Nr. 69.

[100] Vgl. ebd. Brief Nr. 69; 145; 187; 204; 215; 217; 219; 227; 243; 254; 256; 263; 278; 284; 309; 333; 337; 342; 352; 361; 365; 378; 396. Außerdem sind hier – ohne Anspruch auf Vollständigkeit – zu nennen Briefe an Staupitz (Nr. 114; 376), Seligmann (Nr. 272), Heß (Nr. 280), Mosellan (Nr. 308), Link (Nr. 367; 374), Sam (Nr. 339), Lang (Nr. 354; 382; 392).

[101] Vgl. ebd. Brief Nr. 7; 44; 102; 116; 159; 205; 226; 255; 260; 297. Sonst findet sich diese verkürzte Form – ohne Anspruch auf Vollständigkeit der Aufzählung – noch in Briefen an Stau-pitz (Nr. 89; 202), Lang (Nr. 15; 20; 24; 41; 45; 60; 64; 176; 196; 242; 327), Glaser (Nr. 182), Link (Nr. 83; 314; 328), Voigt (Nr. 323), Heß (Nr. 320), Günther (Nr. 200), Seligmann (Nr. 206).

[102] Vgl. Anm. 2.

gern, oder wenigstens bei ihrer Hinrichtung mitzuwirken, so hat man am Ende seines Lebens beinahe den Eindruck, daß er am liebsten Papst und Kardinäle umgebracht hätte, jedenfalls gibt es zwei Passagen in seiner Schrift von 1545 »Wider das Papsttum zu Rom vom Teufel gestiftet«, die so klingen.[103] Um den Tonfall dieser Schrift zu charakterisieren, genügt es eigentlich, ihren Anfang zu zitieren:

»Der aller Hellischt Vater Sanct Paulus Tertius, als were er ein Bischoff der Römischen kirchen, hat zwey breve an Carolum Quintum unsern Herrn Keiser geschrieben, darinnen er sich fast (= sehr) zornig stellet, murret und rhümet seiner Vorfarn Exempel nach, Es gebüre nicht einem Keiser noch jmand ein Concilium anzusetzen, auch nicht ein National, sondern allein dem Bapst, der allein macht habe zusetzen, ordiniren, schaffen, alles was in der Kirchen zu gleuben und zuleben ist. Hat auch eine Bulla (mit urlaub zu reden) auslassen gehen, nu fast zum fünfften mal, Und sol nu abermal zu Trennt das Concilium werden, doch so fern, das niemand dahin kome, on allein seine grundsuppe, Epicurer, und was jm leidlich ist. Hierauff ist mich lust ankomen zu antworten, mit Gottes gnad und hülffe, Amen.«[104]

»Der grewliche Grewel zu Rom, der sich Bapst nennet«, wird Paul III. im nächsten Absatz der Schrift genannt,[105] gleich siebenmal findet sich im dritten Absatz die schon im Anfang begegnende Verkehrung von »allerheiligster Vater« in »Aller Hellischter vater« und von »Eure Heiligkeit« in »ewer Hellischkeit«.[106] Ähnliches kehrt immer wieder, die nachfolgende Zusammenstellung entstammt dem ersten Teil der Schrift und erhebt nicht einmal dafür den Anspruch auf Vollständigkeit:

»der Bapst und die heilige Bubenschule zu Rom«[107], »die heilige Jungfraw, Sanct Paula Tertius«[108], »der Hellische Vater Bapst und seine Hermaphroditen«[109], »die heilige jungfraw S. Paula tertius fraw Bepstin«[110], »der verfluchte Antichrist«[111], »nu sehen wir, das er mit seinen Römischen Cardineln nichts anders ist, denn ein verzweifelter Spitzbube, Gottes und Menschen feind, der Christenheit verstörer, und des Satans leibhafftige wonung, der durch jn nur schaden thun, beide der Kirchen und Policey, wie ein Beerwolff, und spottet und lachet in die faust, wo er höret, das Gott oder Menschen solchs wehe thut«[112], die »heiligen Spitzbuben und Mörder des Römischen Stuels«[113], »Bapst Paulichen«[114], »liebs Bapst Eselchen«[115], »der Hermaphroditen Bischoff und Puseronen (= Päderasten) Bapst, das ist, des Teufels Apostel«[116], »der Sodomiten Bapst, aller Sünden Stiffter und Meister«[117] usw.

[103] Vgl. WA 54, 283, 6–25; 243, 11–17; vgl. auch ebd. 292, 7ff.
[104] Ebd. 206, 3–16.
[105] Ebd. 206, 20 f.
[106] Ebd. 207, 5; 7; 9; 13; 14; 15; 17.
[107] Ebd. 211, 7.
[108] Ebd. 214, 15.
[109] Ebd. 213, 32f.
[110] Ebd. 214, 30.
[111] Ebd. 215, 23f.
[112] Ebd. 218, 29–34.
[113] Ebd. 219, 2.
[114] Ebd. 220, 33.
[115] Ebd. 221, 1.
[116] Ebd. 227, 8f.
[117] Ebd. 227, 25f.

Den Anlaß zu dieser Schrift nennt bereits ihr zitierter erster Absatz. Wenigstens kurz muß darauf eingegangen werden, nicht um sie zu rechtfertigen, aber um ihre Entstehung zu erklären.

Mit Datum vom 22. Mai 1542 war am 29. Juni 1542 die Einberufungsbulle für das Konzil zu Trient veröffentlicht worden. Aber die Kriegserklärung vom 10. Juli durch Franz I., mit der der vierte französisch-spanische Krieg begann, in dem der Papst mit seiner Neutralitätspolitik sich für die Sicht des Kaisers auf die französische Seite stellte, ließ das Konzil bereits in seinen Anfängen scheitern. Karl V. verweigerte am 25. August die Beschickung des Konzils mit einem Brief, der alsbald weit verbreitet wurde, so daß man in Deutschland die Einberufung zum Konzil und dieses selbst für eine Farce hielt. In Frankreich war die Einberufungsbulle auf Veranlassung des Königs gar nicht erst publiziert worden, die Bischöfe in Spanien, Portugal und Polen erhielten keine Aufforderung durch den Staat, nach Trient zu reisen. So waren sieben Monate nach dem offiziellen Konzilsbeginn erst 10 Bischöfe dort anwesend, am 6. Juli 1543 wurde die Suspension des Konzils beschlossen und am 29. September offiziell bekannt gemacht.[118]

Wenn der Kaiser gegen die mit den Türken verbündeten Franzosen Erfolg haben wollte, bedurfte er der Unterstützung der Reichsstände. Auf dem Reichstag zu Speyer erreichte er am 12. März 1544 die Erklärung Franz I. zum Reichsfeind. Dazu waren allerdings erhebliche Zugeständnisse erforderlich, insbesondere an die protestantische Seite. Dabei gehen die in den Reichstagsabschied aufgenommenen Erklärungen auf freie Willensentscheidung des Kaisers zurück und sind ihm nicht in Verhandlungen abgerungen worden. Bereits auf dem Reichstag von Regensburg 1541 war in Aussicht gestellt worden, daß ein deutsches Nationalkonzil stattfinden solle, wenn nicht binnen 18 Monaten das verheißene Gesamtkonzil zusammengetreten sei. Jetzt wird im Reichstagsabschied vom 10. Juni 1544 erklärt[119], daß eine Beendigung der strittigen Religionsfragen nicht anders als durch »christliche Reformation und Erörterung eines allgemeinen christlichen, freien Konzils in deutscher Nation« erfolgen solle. Der gegenwärtige Reichstag sei dazu nicht imstande. Der Kaiser werde die Einberufung eines Generalkonzils nach Kräften befördern und sei bereit, an ihm persönlich teilzunehmen. Da es aber unsicher sei, ob und wann dieses zustandekommen werde, solle ein neuer Reichstag am 1. Oktober, spätestens aber am 1. Dezember nächsten Jahres in Worms zusammentreten. In der Zwischenzeit solle die »christliche Reformation« durch Gutachten vorbereitet werden, damit festgelegt werden könne, wie in der Religionsfrage bis zum wirklichen Zusammentreten eines Generalkonzils, und zwar auf dem Territorium des heiligen Reichs deutscher Nation, verfahren werden solle, damit die schweren eingerissenen Mißstände gebessert und die Religionstrennung sowie die damit verbundenen Spannungen unter den Ständen verringert werden könnten.[120]

Für den Fall, daß auch auf dem künftigen Reichstag keine Einigung gefunden werden sollte, wird schon jetzt erklärt: »Und damit hiezwischen und solchem Reichstag, und im Fall, so die Vergleichung auf demselben nicht möchte gefunden werden, bis zu vollkommener Vergleichung in einem gemeinen, freien, christlichen Konzil, Nationalversammlung, oder auf einem Reichstag zwischen den Ständen deutscher Nation, der Religion halben, Friede und Einigkeit desto besser gehalten und das schädliche Mißtrauen geringert werde«, wird »aus unserer kaiserlichen Macht und Vollkommenheit« geboten, »daß hinfüro in der Religion und Glaubens Sache, auch keiner andern Ursachen halben, in was Schein das geschehe, niemand, hohes oder niedern Standes, den andern befehden, bekriegen, berauben, fahen, überziehen, belagern« noch auf irgendeine Weise in

---

[118] Zum Ganzen vgl. HUBERT JEDIN, Geschichte des Konzils von Trient, I, Freiburg ²1951, Kapitel 10 und 11, S. 356–434.

[119] Nach JOHANN CHRISTIAN LÜNIG, Des Teutschen Reichs-Archivs, Partis Generalis Continuatio, Leipzig 1713, S. 736–740.

[120] bis hierher ebd. 736.

seinem Besitz mindern oder gefährden noch dem durch Unterstützung von Personen, die das tun, Vorschub leisten, »sondern ein jeder den andern mit rechter Freundschaft und christlicher Liebe meinen« solle, »und daß diese Zwiespalt der Religion anders nicht, denn durch christliche und freundliche Vergleichung eines gemeinen freien christlichen Konzils, Nationalversammlung oder Reichstag, vermöge voriger Reichsabschiede und Friedenshandlung, hingelegt werden soll«. Kein Stand solle den andern zu seiner Religion nötigen[121] oder auf irgendeine Weise den Religionswechsel von dessen Untertanen fördern, niemand solle in seinem Besitzstand beeinträchtigt werden[122]. Alle dem entgegenstehenden Verordnungen sollen aufgehoben sein. Alle Verfahren vor dem Reichskammergericht werden suspendiert, bei der Auswahl seiner Mitglieder soll allein die fachliche Tüchtigkeit und nicht die Religionszugehörigkeit eine Rolle spielen, d. h. es werden auch »der Augsburgischen Konfession Verwandte« zu ihm zugelassen. Der Abschied des Augsburgischen wie aller anderen Reichstage und alle Verordnungen »gegen den Ständen der Augsburgischen Konfession, so viel die Religion, auch diesen Friedstand, belangt«, sollen bis zur endgültigen Vergleichung »suspendiert sein und bleiben«. Selbst die Reichsacht gegen Goslar und Minden wird aufgehoben.[123]

Daß dieses außerordentliche Entgegenkommen des Kaisers gegenüber den Evangelischen rein taktischer Natur war, wurde weder von diesen noch von Rom erkannt; beide Seiten waren vielmehr der Meinung, es handle sich dabei um eine aufrichtig gemeinte und die künftige Entwicklung bestimmende Willenserklärung des Kaisers. Noch vor seiner Verkündigung war der Inhalt des Reichstagsabschiedes in Rom bekannt, eine in Ermahnungsform gehaltene Zurückweisung wurde beschlossen:

Nach einer ausführlichen Einleitung kommt das Breve auf den Hauptanstoß der Kurie am Reichstagsabschied zu sprechen, das angekündigte Nationalkonzil. Es handle sich hier um eine Anmaßung des Kaisers, die Einberufung eines Konzils durch ihn sei von der Kurie ausdrücklich untersagt worden, denn sie sei ausschließlich Sache des Stellvertreters Christi auf Erden.[124] Beim Verfahren, das der Kaiser zur Regelung der Religionsfrage bis zum Zusammentreten eines allgemeinen Konzils einschlage, »immo si non forte, sed iam certe, quae factio Lutherana (praevalitura ibi) mordicus tenet et omnis vere pius atque catholicus execratur, determinarentur«[125]. Der Kaiser habe zu hören, nicht zu lehren. Seine weltliche Macht habe er vom Papst erhalten, um den wahren Glauben bis zum Blutvergießen zu verteidigen und nicht, um dessen Gegner zu begünstigen.[126] Nicht dem Kaiser, sondern Petrus und in seiner Person seinen Nachfolgern sei der Auftrag zuteil geworden „Weide meine Schafe" (Joh 21, 15). Wer gegen diese Grundlagen des Glaubens ver-

---

[121] bis hierher ebd. 737.

[122] bis hierher ebd. 738.

[123] bis hierher ebd. 739.

[124] Concilium Tridentinum, Diariorum, Actorum, Epistularum, Tractatuum Nova Collectio, hg. von der Görres-Gesellschaft, Bd. IV: Actorum pars prima, hg. von STEPHAN EHSE, Freiburg 1904: »Tum quia illa tibi et nationali concilio arrogaveris, quae minime gentium ad vestram agnitionem et iurisdictionem pertineant, tum vel maxime, quia attentaveris, quod scire poteras, per legatum nostrum dilectum fratrem recolendae memoriae Gasparem Contarenum vobis esse et nostro nomine ac speciali mandato, vivis item rationibus, interdictum. Namque tibi ad eum primum spectare, qui Christi vicem in terris gerat, iam ex innumeris sanctorum patrum sententiis ac gestis poterat esse perspicuum« (375, 30–36).

[125] Ebd. 376, 3–5.

[126] »Cum te deceat audire, non docere, (et iam statuta probare atque recipere), non statuere aut probare, quin etiam illa gladio, quem per nos accepisti a Deo, tueri ac defendere usque ad sanguinem et non adversariis partibus quovis modo adhaerere aut favere« (ebd. 376, 9–12).

stoße, sei als Feind, als Dieb und Straßenräuber anzusehen.[127] Die Verlautbarungen des Reichstagsabschiedes widerriefen die bisherigen Entscheidungen gegen die Ketzer, »cum tanto magis nunc haeretici sint, quanto pertinaciores ac duriores tanto tempore in sententia perstiterint«[128]. Das Handeln des Kaisers erwecke den Eindruck: »non aliud agis nisi quod manifeste declaras, te in eorum aggregari societate et illam fidem profiteri, quam scelerata et adultera illa factio praedicat et quam Sedes Apostolica cum omnibus catholicis ecclesiis anathemati subdit.«[129] Mit der Verachtung der Autorität des Papstes durch den Kaiser wird Gottes Autorität mißachtet,[130] deshalb sei der Papst gezwungen, den Kaiser zur Rede zu stellen. Die Bündnispolitik des Kaisers und sein Verhalten auf dem Reichstag »sunt enim certa nimis indicia, quod ad partes ecclesiae hostiles defecisti«[131]. Ein Konzil in Deutschland als christlich und frei zu bezeichnen, rufe zu der Schlußfolgerung auf: Christ sein bedeute Lutheraner sein.[132] Der Kaiser solle für seinen Ruf Sorge tragen: »Quid tibi maiorem potest conflare invidiam, quam quod dicatur: Imperator Carolus Lutheranus?«[133] Gewiß sei der Papst bereit, das Zustandekommen des Konzils zu fördern, »modo divinam Maiestatem non laedant«[134]. Es könne auch in Deutschland stattfinden. Nur müsse dafür gesorgt werden – damit es christlich genannt werden könnte –, daß die Ketzer nicht daran teilnehmen könnten. Und wer als Ketzer anzusehen sei, das zu bestimmen sei allein Sache des Papstes.[135] Er hoffe, daß der Kaiser die »paternas admonitiones« nicht verachte,[136] »nec minus tamen, quae nostrae erunt partes, cum omnipotentis Dei auxilio et favore ut mature meditabimur, ita firmo animo exequemur«[137].

Diese zunächst ausgearbeitete scharfe Fassung des Breve wurde dann durch eine gemäßigte ersetzt. Beide fanden durch »gezielte Indiskretion« ihren Weg nach Deutschland. Im Dezember 1544 ist eine Abschrift in der Hand Melanchthons, am 9. Januar 1545 schreibt Luther an Amsdorf[138], er kenne das Breve, »sed pasquillare putaui«. Anscheinend fand er dessen Formulierungen (es handelt sich offensichtlich um die schärfere Fassung) derart zugespitzt, daß er es für eine satirische Spottschrift hielt.

---

[127] »Numquid Caesari dictum est: Pasce oves meas, an vero Petro et in eius persona cunctis successoribus eius? Haec sunt fidei nostrae fundamenta, quae qui ignorat, certe, ab errore in foribus, non putamus esse domesticum; qui autem violat, etiam hostem experimur, cum qui huiusmodi est, ea quae Dei sunt, sibi ut fur et latro surripiat« (ebd. 376, 29–33).

[128] Ebd. 376, 49–51.

[129] Ebd. 377, 1–3.

[130] »Contempta auctoritate despectisque iudiciis nostris ... Dei auctoritatem despicias« (ebd. 377, 13f.).

[131] Ebd. 378, 5f.

[132] »duo nobis in gratiam haereticorum significas: alterum quod nisi in Germania celebratum fuerit, nequeat esse liberum et Christianum; alterum vero, quod ibi demum Christianum et liberum, ubi maxime Lutherana factio viget et praestat ceteris, ut illud iuxta tuam mentem liceat interpretari Christianum esse, quod fuerit Lutheranum« (ebd. 379, 4–8).

[133] Ebd. 379, 29f.

[134] Ebd. 379, 35f.

[135] »Ut enim sit Christianum, non oportet illic haereticos commisceri, tamquam pars sint ulla concilii, qui iam non sunt et seipsos segregaverunt. Qui autem sint eiusmodi, non erit Caesaris aut alterius cuiuscumque id cognoscere et declarare, sed nostrum, qui hoc iudicii accepimus ab ipso Christo« (ebd. 379, 38–41).

[136] Ebd. 379, 48.

[137] Ebd. 379, 49f.

[138] WA. B 11, 12, Nr. 4066.

»Wenn dieses Breve echt ist« – noch jetzt formuliert er unter diesem Vorbehalt –, dann werde er, wenn Kraft und Zeit es erlauben, die Bulle mit den ihr gebührenden Farben abmalen.[139]

Das ist dann geschehen, in den letzten Märztagen ist die Schrift erschienen, die 1545 vier deutsche (2 Wittenberger, 1 Nürnberger, 1 Straßburger Druck) und zwei lateinische Ausgaben erfuhr. Die Übersetzung ins Lateinische ist vom Kurfürsten selbst angeregt, der seinen Kanzler Brück am 16. Januar 1545 instruierte, Luther zu einer Gegenschrift aufzufordern, und Brück anschließend noch einen zweiten entsprechenden Brief zur direkten Übergabe an Luther zusandte. Es »will von nöthen seyn, daß er mit der Baum-Axt weidlich zuhaue, darzu er denn durch die Gnade Gottes einen höhern Geist hat denn andere Menschen«, meint Brück, der sogleich auch die Punkte herausstellt, auf die es ankomme. Brück wolle mit Luther so reden, schreibt er weiter, »daß er lustig werden soll«. Bei dem Gespräch erwies sich, daß es bei Luther Brücks und des Kurfürsten Zuredens bzw. Weisung nicht bedurfte.[140] Daß die von Brück hervorgehobenen Gesichtspunkte sich in Luthers Schrift wiederfinden, ist sicher kein Zufall, und daß er sich von Kanzler und Kurfürst zu ihrer Abfassung angespornt sah, hat sicher nicht gerade zur Mäßigung seines Tonfalls beigetragen.

Zwar hat der Kurfürst sogleich nach Erscheinen der Schrift für 20 Gulden Exemplare gekauft, um sie an geeignete Empfänger – z. B. Philipp von Hessen – zu versenden. König Ferdinand habe sie, berichteten die kursächsischen Gesandten, vollständig gelesen und gemeint, die Grobheiten müßten gestrichen werden, aber sonst sei die Schrift nicht schlecht geschrieben. Aber Luther ist sich über das im übrigen geteilte Echo klar: »Non omnibus aeque placet«, schreibt er schon am 14. April an Amsdorf[141] und verteidigt sich deswegen[142]. Auch über die literarische Qualität hat er sich kritisch geäußert:

»Es ist mir dis Büchlin zu gros unterhanden worden, und wie man sagt: Das alter ist vergessen und wesschicht, ist mir villeicht auch also geschehen.«[143]

---

[139] »Bullam seu breue papale vidi, Sed pasquillare putaui. Nunc aliud cogito, postquam spargitur per omnes aulas. Ego prorsus sic sentio, si verum est hoc breue, papistas alere magnum aliquod et insigne monstrum. Hoc est, Turcam adorabit papa et ipsum Satanam publice (sicut ex Virgilio aliquoties dixi: ›Flectere si nequeo superos, Acheronta mouebo‹) potius quam sinat se in ordinem redigi seu Verbo Dei reformari. Et sunt eius rei non obscura argumenta. Sed Dominus Jhesus, qui interficit Aduersarium suum spiritu oris sui, destruet eum illustratione aduentus sui, Amen. Non tamen feriabor, quin illam bullam suis pingam coloribus, si Valetudo et otium permiserit« (ebd. 12, 19–28).

[140] Zu den Einzelheiten vgl. die Einleitung in WA 54, 195–205.

[141] WA. B 11, 71f., Nr. 4091.

[142] »Sed nosti meum morem, Non me solere spectare, quid displiceat multis, Modo sit pium & vtile, Idque placeat paucis & bonis. Neque illos arbitror esse malos, Sed vel non intelligere substantiam, quantitatem, qualitatem & omnia praedicamenta, genera, speties, propria, differentias & accidentia, Scilicet omnia horrenda & horribilia monstra papalis abominationis, (Nullius enim Eloquentia aut ingenium potest ea assequi & aestimare) Vel metuere iras regum« (ebd. 71, 6–12).

[143] WA 54, 283, 26–28.

In der Tat ist der erste Teil der Schrift gegenüber dem zweiten und dritten unproportional lang ausgefallen.[144] Nicht nur durch die Schimpfkanonaden, sondern auch durch Weitschweifigkeiten geht der Zusammenhang gelegentlich verloren, derselbe Gegenstand wird mehrfach behandelt usw., so daß es nicht einfach ist, über den Inhalt der Schrift zu berichten. Das muß im Zusammenhang dieser Betrachtungen jedoch mindestens versucht werden, denn es stellt sich unausweichlich die Frage, was an Sachaussage und Argumentation übrigbleibt, wenn man die Schrift ihrer nach Schärfe wie Umfang unmäßigen Polemik entkleidet. Ein solcher Bericht bildet die beste Grundlage dafür, wenn die Antwort auf die Frage auch verschieden ausfallen mag. Welche Einwände hat Luther am Ausgang seines Lebens gegen die römische Kirche vorzubringen?

Luther geht von der schärferen Form des Papstbreves aus, das er vielfach zitiert (aber auch die mildere Fassung ist ihm bekannt[145]), und setzt bei der im November 1544 erneut ausgesprochenen Einberufung des Konzils nach Trient ein[146] – nach dem Frieden von Crépy mit Frankreich am 18. September 1544 waren die bisherigen Hemmnisse[147] weggefallen. Ein vom Papst zusammengerufenes Konzil verdiene diesen Namen nicht, denn der Papst beanspruche die oberste Gewalt und eine Stellung über den Entscheidungen der Konzile. Vierundzwanzig Jahre sei es her, seit in Worms der erste Reichstag unter dem jetzigen Kaiser gehalten worden sei. Damals wurde nicht nur die Abstellung der zahlreichen Mißstände verlangt, sondern auch

»ein (all)gemein, frey, Christlich Concilium in Deudschen landen anzusetzen, und zu halten, oder ein National Concilium machen, welches der liebe Keiser bis her mit vleis gethan, aber bei den Bepsten nichts mügen erhalten, Daher diese 24 Jar im geschrey blieben sind diese drey wort: Frey, Christlich Concilium, in Deudschen landen«.[148]

»Diese drey wort: Frey, Christlich, Deudsch, sind dem Bapst und Römischem hofe« der höchste Anstoß,[149] denn auf dem Konzil zu Konstanz sei 1415 beschlossen worden,

---

[144] Luther hat über ihn jedoch sehr positiv geurteilt: »Wie wol des Bapstumbs teuflischer grewel an sich selbs ein unendlich aussprechlicher wust ist, So hab ich doch, hoffe ich, wer jm wil sagen lassen, für mich selbs bin ichs gewis, das erste stücke, so ich droben fürgenomen, obs war sey, das der Bapst uber die Christenheit das Heubt, uber Keiser, Könige, alle welt Herr sey, so klerlich und gewaltiglich ausgefürt, das, Gott lob, kein gut Christlich gewissen anders gleuben kan ... Wer das nicht wil gleuben, der fare jmer hin mit seinem gott, dem Bapst, Ich als ein beruffener lerer und Prediger in der Kirchen Christi, und die warheit zu sagen schüldig bin, hab hie mit das meine gethan. Wer stincken wil, der stincke, Wer verlorn sein wil, der sey verlorn, Sein blut sey auff seinem kopff!« (ebd. 283, 28–284, 9). Luther hat auch noch eine Fortsetzung geplant. Seine Schrift schließt er mit den charakteristischen Worten: »Aber hie mus ichs lassen, wils Gott, im andern büchlin wil ichs bessern. Sterbe ich in des, So gebe Gott, das ein ander tausent mal erger mache, Denn die teufelische Bepsterey ist das letzt unglück auff Erden, und das neheste, so alle teufel thun können mit alle jrer macht. Gott helffe uns, Amen« (ebd. 299, 4–8).

[145] Vgl. den S. 138 zitierten ersten Abschnitt der Schrift sowie z. B. WA 54, 222, 9ff.

[146] Vgl. den S. 138 zitierten ersten Absatz der Schrift.

[147] Vgl. oben S. 139.

[148] WA 54, 208, 6–10.

[149] Ebd. 208, 10f.

»das ein Concilium uber den Bapst sey, und nicht der Bapst uber das Concilium, Und Concilium hette macht, den Bapst zu richten, urteilen straffen, setzen und absetzen, Nicht widerumb der Bapst, das Concilium zu richten, urteiln oder endern.«[150]

Nach einer Darstellung der Vorgänge in Konstanz und einer Charakteristik der drei Päpste zu jener Zeit geht Luther zu einer Behandlung dessen über, was mit den drei Stichworten »frei«, »christlich« und »deutsch« gemeint und zu Recht als Charakteristikum für ein Konzil zu verstehen sei, immer in Auseinandersetzung mit jenem Breve an den Kaiser gegen den Abschied des Reichstags zu Speyer (selbstverständlich in seiner scharfen Form).[151] Unter dem Stichwort »christlich« nennt Luther speziell das Abendmahl in beiderlei Gestalt, das der heilige Geist habe

»erhalten in der gantzen Christenheit, bis in 1400 jaren, da der Bapst solchs verbot, und noch der mehrer teil der Christenheit, so unter dem Bapst nicht ist, solchen Artickel hellt, und halten wird bis an der welt ende«[152],

die Verwerfung des Fegfeuers[153], des Ablasses[154], »das die Messe ein Opffer sey, für die Lebendigen und Todten«[155], daß der Ehestand von päpstlichen Einschränkungen frei sei[156]. Er schließt die Aufzählung: »und des dinges viel mehr«[157], hat also nur einiges ausgewählt. Besonderen Anstoß nimmt Luther dabei an der Forderung des Breve, daß die Evangelischen von der Teilnahme am Konzil ausgeschlossen werden sollen.[158]

600 Jahre lang hätten die Päpste jetzt »die welt gespottet, und jrem verderben an Leib und Seel, gut und ehre, in die faust gelacht«[159],

»Summa, sie sind Keisers Phocas Creatur und Erben, der hat zu erst das Bapstum zu Rom gestifftet, dem folgen sie trewlich nach. Der selb Phocas, als ein Keisermörder zu Constantinopel, schlug seinen Herrn Keiser Moritz mit Weib und Kind tod.«[160]

Und wenn das Papsttum gleich durch ein Konzil reformiert würde,

»als nicht sein kan, Und der Bapst sampt seinen Cardinalen solchs mit blut verschrieben zu halten, so were es doch verlorne kost und erbeit, Sie würden doch hernach erger denn zuvor, wie nach dem Costnitzer Concilio geschehen ist. Denn weil sie des glaubens sind, das kein Gott, keine Helle, kein Leben nach diesem Leben sey, sondern leben und sterben wie eine Kue, Saw und ander vieh, ij. Petri ij, So ists jnen gar lecherlich, das sie solten Siegel und Brieve oder eine reformation halten.«[161]

---

[150] Ebd. 208, 20–23.
[151] Ebd. 211–220.
[152] Ebd. 213, 21–24.
[153] Ebd. 214, 1.
[154] Ebd. 214, 2–4.
[155] Ebd. 214, 4f.
[156] Ebd. 214, 5.
[157] Ebd. 214, 5.
[158] »Und die, so solchs (die genannten Artikel) für hetten im Concilio zu erregen, sollen als Ketzer nicht zu gelassen werden, wie der Hellische Vater dem Keiser schreibt: Die Ketzer sollen nicht raum im Concilio noch teil mit der heiligen Kirchen haben« (ebd. 213, 15–18).
[159] Ebd. 215, 14f.
[160] Ebd. 218, 5–8.
[161] Ebd. 220, 10–17.

Außerdem sei es ein Irrtum zu meinen, »als kündten wir oder die Christenheit on jr Concilio oder Stand nichts thun«.[162] Wenn das Konzil nicht stattfinde, so käme es darauf nicht an. Wenn der Papst die Einberufung eines Konzils und die Auswahl seiner Mitglieder als seiner Jurisdiktion zugehörig beanspruche und dem Kaiser das Recht dazu verweigere, so seien doch die »vier höhesten Concilien«, das zu Nicäa 325, das zu Konstantinopel 381, das zu Ephesus 431 und das zu Chalcedon 451 von den jeweils regierenden Kaisern einberufen worden:

> Sie »haben die Bischove versamlet, beruffen und genennet zum Concilio, sind auch selbs mit drinnen gewest«.[163] Außerdem »sind viel andere gewest, hin und wider, in Griechen land, Asia, Syria, Egypto, Affrica, welche den Bisschoff zu Rom nicht zuvor haben drumb grüsset, sind gleich wol rechte Christliche Concilia gewest, Sonderlich da S. Cyprianus und Augustinus inne gewest sind«.[164] Karl der Große und seine Nachfolger »und ander mehr Keiser Concilia gehalten haben«.[165]

So viel zur Einleitung der Schrift. Luther schließt:

> »Aber ich mus hie auff hören oder sparen, was ich mehr wider die Brieve und Bulla zu schreiben habe, denn mein kopff ist schwach, und füle mich also, das ichs villeicht nicht möchte hinaus füren, und doch noch nicht bin komen dahin, das ich mir für genomen habe in diesem Büchlin zu schreiben, Welchs ich wil zuvor ausrichten, ehe mir die krefte gar entgehen. Denn drey stück hab ich mir fürgenomen. Eins, obs war sey, das der Bapst zu Rom sey das Heubt der Christenheit, uber Concilia, Keiser, Engel und alles etc. wie er sich rhümet. Das ander, obs war sey, das jn niemand könne urteilen, richten, absetzen, wie er brüllet. Das dritte, obs war sey, das er habe das Römische Reich von den Griechen auff uns Deudschen bracht, wie er uber alle mas davon stoltziert und pocht. Bleibt mir etwas uber von krefften, will ich wider an seine Bullen und Brieve mich machen und versuchen, ob ich dem grossen, groben Esel seine lange, ungekemmete ohren kemmen müge.«[166]

Sehr leicht sei es zu beweisen, so beginnt Luther den ersten Hauptteil seiner Schrift, »das der Bapst nicht sey der Oberst und das Heubt der Christenheit, oder Herr der welt, uber Keiser, Concilia und alles«:[167]

> Aus den Dekreten der alten Konzile, den Schriften der Kirchenväter und allem, was wir aus der Geschichte der Christenheit wissen, »die gewest ist für dem ersten Bapst, genennet Bonifacius iij., Das der Römische Bischoff nicht mehr ist denn ein Bischoff gewest, und noch so sein solte.«[168] Hieronymus erkläre, alle Bischöfe seien gleich einschließlich des römischen. »Das aber einer höher oder geringer ist denn der ander, macht, das ein Bistum reicher oder ermer ist denn das ander, Sonst sind sie alle gleich der Apostel nachkomen.«[169] Noch Gregor der Große habe festgestellt, daß keiner seiner Vorfahren so vermessen gewesen sei, sich »obersten Bischoff oder der gantzen Christenheit« zu nennen,[170] »wie auch etlich Decret mehr sagen, das auch der römische Bischoff,

---

[162] Ebd. 220, 22f.
[163] Ebd. 221, 14f.
[164] Ebd. 221, 29–32.
[165] Ebd. 222, 2.
[166] Ebd. 228, 16–29.
[167] Ebd. 228, 31–33.
[168] Ebd. 229, 2–4.
[169] Ebd. 229, 7–9.
[170] So schon beiläufig 1518 zur 22. These in den Resolutionen, WA 1, 571, 15–18.

ob er wol der grösser einer sey, dennoch nicht universalis, der öberst uber die gantzen Christenheit zu nennen sey.«[171] Das entspreche auch den Tatsachen, denn der römische Bischof habe niemals die Obergewalt über die Bischöfe in Afrika, Griechenland, Asien, Ägypten, Syrien, Persien usw. innegehabt, ja sei zu dieser Zeit auch nicht einmal über »des Welschenlands Bisschove« gewesen, insbesondere über die von Mailand und Ravenna.[172] Gregor wird zwar mit der Papstkrone abgebildet »und viel lügen von jm ertichtet sind, Aber er ist kein Bapst und wil auch kein Bapst sein, wie denn seine Bücher solchs zeugen.«[173] »Dieser S. Gregorius ist der letzte Bisschoff zu Rom gewest, Und hat nach jm die Römische Kirche keinen Bisschoff mehr gehabt, bis auff diesen tag, wird auch keinen mehr kriegen, es würde denn eine wünderliche enderung, Sondern eitel Bepste, das sind des Teufels larven.«[174] Gregor dem Großen folgte Sabinianus (604–606), ihn rechnet Luther bereits unter die Päpste,[175] obwohl erst dessen Nachfolger, Bonifatius III. (607), das in vollem Umfang erreichte, was »etliche vorfarn lange zuvor gesucht vnd geseuchelt (heftig verlangten).«[176]

»Dieser Bonifacius erlanget bey dem Keisermörder Phocas, das er solte sein Bapst oder der öberst uber alle Bischove in der gantzen welt. Da ward die glocke gegossen, Und der Römische grewel nam solchs mit freuden an, als der nu ein Herr were uber alle Bischove in der Welt.«[177]

Nun wurden bisher alle Bischöfe von den Kaisern als Schutzherren bestätigt, woraus sich das Recht ergab, daß sie von ihnen auch wieder abgesetzt werden konnten. Deshalb bemühten sich die folgenden Päpste insbesondere mit Hilfe von Mt 16, 18 um die Durchsetzung der Anschauung, daß sie das Papsttum nicht vom Kaiser noch vom Konzil, sondern direkt von Gott besäßen. Als ihnen das gelungen war, bauten sie ihren Primat dahin aus, daß er nicht allein ein solcher »der ehren und fürgangs (Vorranges)«[178] oder des Rechts auf Aufsicht über die Lehre und Ketzerei, sondern der Gewalt sei. So brachten sie die Bischöfe und alles in der Kirche unter ihre Knechtschaft, bis sie schließlich auch die weltliche Obrigkeit unter ihre Gewalt zwangen und sich rühmten, sie hätten die Macht, Kaiser und Könige nach ihrem Gefallen abzusetzen.

Zwei Stellen sind dabei von besonderem Gewicht. Beide finden sich im Abschluß der Behandlung des kirchlichen Herrschaftsanspruchs des Papsttums und vor dem Übergang zur Besprechung der Forderung der Obergewalt über die weltlichen Autoritäten. Da heißt es zunächst, daß alle Herrschaftsansprüche über die Kirche und alle hier eingerichteten Mißbräuche und angerichteten Schäden zwar »untreglich und unleidlich«, aber doch »noch das geringst« seien:

»Dis ist aller erst die aller ergeste grund suppe aller Teufel in der Helle, das er solche gewalt da hin strecket, das er macht haben wil, Gesetze und Artickel des Glaubens zu stellen, die Schrifft (welche er nie gelernt, nicht kan, auch nicht wissen wil) nach seinem tollen sinn zu deuten, wil alle welt zwingen zu gleuben seiner lere, und leret doch nichts denn eitel abgötterey, wie wir hernach hören werden, und zerstöret alles, was der Gottes Son unser HErr uns mit seinem Blut erworben hat, Nimpt weg den glauben, Christliche freyheit und rechte gute Werck, Und das heisst er in

---

[171] WA 54, 229, 19–21.
[172] Ebd. 229, 26.
[173] Ebd. 230, 1f.
[174] Ebd. 229, 28–31.
[175] »den rechen ich unter die Bepste, Denn er wol so ein grosser unflat war, als ein Bapst ist«, ebd. 230, 5f.
[176] Ebd. 230, 13.
[177] Ebd. 230, 9–13.
[178] Ebd. 231, 25f.

seinen teuflischen, spitzbübischen drecketen wol gethan und gehorsam der Kirchen, und brüllet
daher, als besessen und voller Teufel, das, wer jm und seiner Römischen Kirchen nicht gehorsam
ist, der könne nicht selig werden. Wer gehorsam ist, wird selig, und ist alles darumb zuthun, das
jm alle welt gehorsam und untterthan sei. Nach Gottes und Christi gehorsam fragt er nichts, fellet
jm kein gedancken davon ein.«[179]

Das ist die eine Kernaussage der Schrift Luthers, wie mir scheint. Die andere findet
sich kurz danach. Wenn Luther bisher immer nur vom Papst redet und die Kardinäle
wie die »römische Bubenschule«, wie er sie nennt, stets in einem Atemzug zusammen
mit ihm abhandelt (er übernimmt dabei unwillkürlich die Blickverengung seiner papalistischen Gegner), tritt ihm hier zum ersten – und zum einzigen – Mal die römische
Kirche vollständig ins Blickfeld:

»Du must aber durch das Wort ›Römische Kirche‹ bey leibe nicht verstehen die rechte Römische Kirche, Sonderlich die vor dem Bapstum gewest ist, welche das Bapstum nicht hat wollen
annemen noch leiden, wie wir gehort haben in dem heiligen Gregorio, auch Christus on zweivel
noch etlich Loth und seine Töchter in der Römischen Sodoma hat, welchen das grewliche wesen
des Bapstumbs ubel gefelt, Sondern Bepstisch, spitzbübisch und Teuflisch mustu es verstehen, das
der Bapst der heiligen Römischen Kirchen namen braucht auffs schendlichst und lesterlichst und
meinet damit seine Bubenschule, Huren- und Hermaphroditen Kirche, des Teufels grundsuppe,
gleich wie er droben die Wort ›Frey, Christlich, Deudsch Concilium‹ Spitzbübisch meinet.«[180]

Luther geht dann zum Nachweis über, das Papsttum sei »nicht von der weltlichen
Oberkeit gestifftet, Und wenn sie es gleich gethan hette, so were es doch vom Teufel.«[181] Aber andererseits sei das Papsttum »auch nicht von geistlicher Oberkeit komen,
das ist, von der Christenheit und Bischoven in der gantzen welt, oder von den Concilien, sie könnens auch nicht thun, und habens nicht macht«.[182]

Wenn nun »Bepstlicher heiligkeit stand nicht ist gestifft von Geistlicher oberkeit, oder von der
heiligen Christlichen kirchen in der gantzen Welt, Das ist, Er ist nicht von Gott, denn Gott wonet
in der Christenheit und wircket durch sie, Auch nicht von weltlicher öberkeit, Und Bepstliche
heiligkeit wil auch nicht von der einen oder beiden gestifftet sein, wie wir gehöret haben, Das ist,
er bekennet hie mit, das er nicht von Gott, das ist, von der Kirchen her kome.«[183]

So bleibt nur die von Luther schon im Titel der Schrift gezogene Folgerung übrig: es
ist »vom Teufel gestiftet«. In aller Ausführlichkeit wendet Luther sich dann der Auslegung von Mt 16, 18 zu[184] mit dem Resultat:

»Hieraus ists klar gnug, das Christus hie mit dem Bawen seiner Kirchen auff den Fels oder auff
sich selbs nichts anders nennet, denn den gemeinen Christlichen Glauben (wie droben gesagt ist,
aus den Aposteln Petro und Paulo), das, wer da gleubet an Christo, der ist auff diesen Fels
gebawet, und wird selig, auch wider alle Pforten der Hellen, Wer nicht an Christo gleubt, der ist
nicht auff diesen Fels gebawet, und mus verdampt sein mit den Pforten der Hellen. Das ist der

---

[179]   Ebd. 233, 10–23.
[180]   Ebd. 233, 24–33.
[181]   Ebd. 235, 16–18.
[182]   Ebd. 235, 30–32.
[183]   Ebd. 237, 11–17.
[184]   Ebd. 244–273.

einfeltige, einige, gewisser verstand dieser Wort, und kan kein ander sein, wie die Wort klerlich und gewaltiglich geben.«[185]

Anschließend behandelt Luther, wenn auch nicht mit gleicher Ausführlichkeit, Joh 21, 15[186]. Dieses Wort ist allen Aposteln, ja allen Theologen gesagt. Außerdem ist der mit Joh 21, 15 verbundene Auftrag ganz anders zu fassen, als es auf katholischer Seite geschieht: »Weiden« bedeutet nicht

»Bapst sein, Oberherr sein, gewalt haben, und Christen unter sich zwingen, Keiser mit füssen tretten, Könige und Bisschove mit Eidspflichten fangen und unter sich werffen (Dem Türcken und dem Teufel stehen solche werck zu), Sondern es heisst den grossen dienst, das man das Euangelium und glauben predige, oder mit ernst schaffe zu predigen, und also die Kirchen auff den Fels baue, Math. xvj, den Seelen mit der Tauffe und Sacrament helffe, Schelte und straffe die unrügigen, wie Paulus sagt, die ungezogenen, tröste die kleinmütigen, trage die schwachen, habe mit jederman gedult. Item, lobe und dancke Gott on unterlas. Item, bete vleissig für alle welt, und füre ein züchtig leben zum guten Exempel, j. Pet. v, das also durch seinen dienst oder weide viel selig werden. Ja solche Hirten wil der Herr haben. Aber das wird niemand thun, er habe denn Christum lieb.«[187]

Außerdem soll man nicht nur »solchen grossen dienst ... umb sonst thun«[188], »sondern auch der Propheten lohn dafür gewarten«[189], d. h. den Märtyrertod, so wie er Petrus in Joh 21, 18 f. vorhergesagt wird:

»Also haben die Apostel und Propheten geweidet, Item, der Römischen Kirchen heilige Bisschove, Fabianus, Cornelius, Sixtus, und jres gleichen, haben jr Blut drüber vergossen, und sind Marterer worden.«[190]

Luther fügt dem das stolze Wort hinzu: »Also weiden wir jtzt auch.«[191] Denn es ist seine Grundüberzeugung:

»Wir wissen, das in der Christenheit also gethan ist, das alle kirchen gleich sind, und nicht mehr denn ein einige kirche Christi in der welt ist, wie wir beten: Ich gleube eine heilige Christliche kirche. Ursache ist diese: Denn es sey eine kirche, wo sie kan in der gantzen welt, so hat sie kein ander Euangelium oder heilige Schrifft, kein ander Tauffe und Sacrament, kein andern Glauben und Geist, kein andern Christum und Gott, kein ander Vater unser und Gebet, kein ander hoffnung und ewiges leben, denn wir hie in unser Kirchen zu Wittemberg haben.«[192]

Das Papsttum berufe sich auf die Worte Mt 16, 18 und Joh 21, 15. »Was hat der Bapst nu gewonnen an diesen zweien Sprüchen?« fragt Luther[193] und antwortet:

»Erstlich das ewige Hellische fewr. Zum andern, ewige schande hie und dort, als der erfunden ist öffentlich ein Felscher der Schrifft, ein Lügener, ein Gottes Lesterer, ein Schender aller Apostel und gantzer Christenheit, ein verlogener Bösewicht, und Tyrann über Keiser und Könige, und alle welt, ein Dieb, Schalck und Reuber, beide der Kirchen güter und der weltlichen güter.«[194]

---

[185] Ebd. 248, 31–38.
[186] Ebd. 273–283.
[187] Ebd. 280, 1–13.
[188] Ebd. 280, 16.
[189] Ebd. 280, 29.
[190] Ebd. 280, 39–281, 2.
[191] Ebd. 281, 2f.
[192] Ebd. 284, 10–17.
[193] Ebd. 279, 31.
[194] Ebd. 279, 32–36.

Gewiß trägt Luther bei seiner Auslegung der beiden Schriftstellen manche auch der modernen Exegese nützlichen Einsichten vor, und einiges davon ist zeitlos gültig (z. B. klingen seine Ausführungen zur Gründungsgeschichte der römischen Gemeinde wie anderer frühchristlicher Gemeinden ganz modern[195]), aber alles in allem ist seine Auslegung doch nicht nur zeitgebunden, sondern auch zweckgebunden. Eine Berichterstattung im einzelnen lohnt in unserem Zusammenhang nicht. Auch die Hauptstücke 2[196] (»Obs war sey, das den Bapstesel niemand urteilen noch richten könne«[197]) und 3 der Schrift[198] (»Ob der Bapst das Römische Reich von den Griechen hab auff uns Deudschen gewand«[199]) geben für unseren Zusammenhang wenig her. Unter steter Bezugnahme auf den ersten Teil erklärt Luther gleich zu Anfang des zweiten Hauptabschnitts:

»Darumb ist ein jglich kind in der Tauffe nicht allein ein richter über den Bapst, sondern auch über seinen Gott, den Teufel, gesetzt, Dazu jm geboten, das es solle und müsse den Bapst, Teufel und alle sein wesen richten, verdammen, meiden, fliehen und mit füssen tretten«,[200]

und wiederholt das am Schluß noch einmal in bezug auf alle Christen[201].

Die Resultate des dritten Hauptabschnittes zu berichten, erübrigt sich von vornherein. Luther trägt hier die ihm zugänglichen historischen Argumente vor, die gegen die Behauptung sprechen, der Papst habe die Herrschaft über das heilige Reich deutscher Nation von den Griechen an die Deutschen übertragen. Niemand wird heute diese Ansicht ernsthaft mehr vertreten ebenso wie – um das vorweg zu sagen – sich niemand heute die Polemik Luthers gegen den Papst zu eigen machen wird. Beides ist Thematik bzw. Ausdrucksform des 16. Jahrhunderts.

Natürlich ist es richtig, daß die Schrift und die Tonart Luthers auf den Protestantismus der Folgegenerationen außerordentlichen Einfluß gehabt hat, zumal Luther seine Schrift mit den Papstspottbildern[202] begleitet hat, die deren Inhalt dem einfachen Menschen zusammengefaßt einprägten und bei denen nicht nur die Überschriften und die – man kann nicht anders sagen – Knittelverse der Unterschriften von ihm stammten, sondern mindestens weithin auch die Bildideen. Schon 1943 hat Adolf Herte die Forderung nach einem Parallelwerk zu seiner großen Untersuchung über »Das katholische Lutherbild im Bann der Lutherkommentare des Cochläus«[203] erhoben, das die »Ungerechtigkeit und Unbilligkeit der katholischen Kirche gegenüber, wie sie seit der Mitte des 16. Jahrhunderts auf Grund landläufig gewordener Verdammungssprüche fast immer wieder in Erscheinung getreten ist«[204], durch ein paralleles Schuldbekenntnis zurechtrücke, und diese Forderung ist seitdem, direkt auf Luthers Beurteilung des Papsttums bezogen, mehrfach wiederholt worden. Zwar sieht Herte nicht in Luther, sondern in den Magde-

---

[195] Vgl. ebd. 275 und 256ff.

[196] Ebd. 285–295.

[197] Ebd. 285, 8.

[198] Ebd. 295–299.

[199] Ebd. 295, 12.

[200] Ebd. 285, 19–23.

[201] Ebd. 293, 34–294, 7.

[202] Vgl. dazu die Abbildungen in WA 54 im Anhang und die Ausführungen dazu ebd. 346–373.

[203] 3 Bände, Münster 1943.

[204] Band I, S. XXIII.

burger Zenturien die Quelle des Übels. Aber daß diese unter dem Einfluß Luthers stehen, ist keine Frage.

Allerdings ist Luther keineswegs der einzige Repräsentant der heftigen Papstfeindschaft des 16. Jahrhunderts. Hubert Jedin z. B. hat in bezug auf Luthers Schrift geurteilt: »Man kann zweifeln, was beleidigender war, Luthers unflätige Beschimpfungen oder der schneidende Hohn Calvins, den dieser, viel besser unterrichtet als der andere, über den Lebenswandel Pierluigi Farneses und seiner Söhne ausgoß.«[205]

Man kann auch, wie Gerhard Müller[206], auf jene italienische Flugschrift verweisen, die zur selben Zeit verbreitet worden sein dürfte, als Luther am Manuskript »Wider das Papsttum« schrieb[207]. Sie gab sich als eine Abschrift aus dem Brief eines französischen Gesandten, der den Tod Luthers meldete »zu Ruhm und Ehre Jesu Christi, zur Besserung der Bösen und zur Stärkung der Guten«[208]. Unmittelbar vor seinem Tode habe Luther das Abendmahl empfangen, kurz davor habe er gebeten, daß sein Leib auf einen Altar gesetzt werde »come Dio«. Als sein Leib ins Grab gelegt worden sei, habe man einen gewaltigen Lärm gehört und darauf habe man die Hostie, die der unwürdige Mann unwürdig empfangen habe, in der Luft schweben sehen. In der Nacht danach habe man einen noch größeren Lärm gehört, und als man das Grab untersuchte, habe man dort weder Leichnam noch Kleider gefunden. Alles sei so voll Schwefelgestanks gewesen, daß es alle krank gemacht habe, die dabei standen. Dieses Ereignis habe viele zu einem besseren Leben und zum heiligen katholischen Glauben zurückkehren lassen, zu Ehre, Lob und Ruhm Jesu Christi und zur Festigung und Bekräftigung seiner heiligen Kirche, die der Pfeiler und die Befestigung der Wahrheit ist. Soweit die italienische Flugschrift. Die Polemik des 16. Jahrhunderts will eben mit ihren eigenen Maßstäben gemessen werden, von vielen katholischen Kanzeln dürfte der Erzketzer Luther damals auf eine Weise angegriffen worden sein, die an Heftigkeit und Lieblosigkeit nichts zu wünschen übrig ließ.

Nur eine abschließende Bemerkung noch: Luthers Schrift »Wider das Papsttum« ist unvollständig wiedergegeben und wird unzureichend beurteilt, wenn sein zusammenfassendes Wort unbeachtet bleibt:

»Aber gleich wol ist das die Summa davon: Der armen Römischen Kirchen und allen Kirchen unter dem Bapstum kan weder geraten noch geholffen werden, das Bapstum und sein regiment sampt seinen Dreckten werden denn weg gethan, und ein Rechter Bischoff widerumb zu Rom eingesetzt, der das Euangelion rein und lauter predige oder verschaffe zu prediten, und lasse die Kronen und Königreiche mit frieden, welche jm nicht befolhen sind zu regirn, noch mit Eiden unter sich zu werffen, Und sey ein Bischoff andern Bisschoven gleich, nicht jr Herr, noch jre Kirchen zu reisse, und jre güter raube, noch sie mit Eiden fange, oder mit Pallien und Annaten und Bapstmonden beschwere. Man kan wol Bischoff sein zu Rom und in aller Welt, ob man nicht das Pallium verkeuffe oder Annaten stele und andere schinderey treibe, Könige mit füssen trette und füsse küssen lasse.«[209]

---

[205] Ebd. S. 400.

[206] Martin Luther und das Papsttum, in: Das Papsttum in der Diskussion, hg. von GEORG DENZLER, Regensburg 1974, S. 97f.

[207] Am 9. März 1545 hatte Philipp von Hessen vom Augsburger Bürgermeister Welser ein Exemplar erhalten, das er am 12. März an Luther weiterleitete, der den italienischen Text (WA 54, 191–194) mit einer deutschen Übersetzung und einem kurzen Nachwort drucken ließ, das von bemerkenswerter Zurückhaltung getragen ist, ganz anders als seine Schrift »Wider das Papsttum«.

[208] WA 54, 191, 12f.

[209] Ebd. 292, 22–34.

# III. Prierias und der Einschnitt im August 1518

Daran ließen sich, wenn man von der Moderne aus urteilen wollte, manche Bemerkungen anschließen. Das ist aber nicht unsere Aufgabe. Wir haben zu fragen, welche Faktoren bzw. Fakten sind dafür maßgebend gewesen, daß Luther von der absoluten Devotion gegenüber dem damaligen Repräsentanten des Papsttums noch im Mai 1518 sich zum schärfsten Gegner der Institution entwickelte, die er als vom Teufel gestiftet und als Antichrist bezeichnet, wohlgemerkt: die Institution und nicht den einzelnen Papst, und diese – wieder wohlgemerkt – in der Gestalt, wie sie sich seit dem Beginn des 7. Jahrhunderts entwickelt hatte und im 16. Jahrhundert präsentierte. Und vor allem haben wir die Frage zu stellen: Wann setzt die Wende ein?

Remigius Bäumer hat gemeint: »Das Jahr 1519 bildet einen wichtigen Einschnitt in der Entwicklung von Luthers Ansichten über den Papst«,[210] und: »Wenn sich auch in späteren Jahren einige positive Aussagen über den Papst finden, so beginnt doch seit dem Jahre 1519 ein neuer Abschnitt in der Entwicklung von Luthers Ansichten über den Papst.«[211] Gewiß bedeutet das Jahr 1519 einen wichtigen Einschnitt, aber anders, als Bäumer meint, nämlich weil damals – wenigstens nach Luthers Meinung, worüber noch zu sprechen sein wird – die letzte Chance zur Vermeidung der Kirchentrennung[212] versäumt wurde. Der entscheidende Einschnitt für Luthers Verhältnis zur römischen Kirche liegt m. E. früher, und zwar noch vor der Begegnung mit Cajetan[213], nämlich schon im August 1518, als Luther zusammen mit der Zitation nach Rom den »Dialogus« des Prierias erhielt, d. h. in den Tagen und Wochen nach dem 7. August, als Luther seine »Ad dialogum Silvestri Prieratis de potestate papae responsio« verfaßte.

In seinem Rückblick von 1541 in »Wider Hans Worst« schreibt Luther, er hätte gehofft, der Papst würde ihn gegen die Angreifer auf seine 95 Thesen in Schutz nehmen. Angesichts der Anlage und des Beweisganges war er »sicher, der Bapst würde den Detzel verdamnen und mich segenen«. »Aber da ich des segens wartet, aus Rom, da kam Blitz und Donner über mich, Ich muste das schaff sein, das dem Wolffe das wasser betrübt hatte, Detzel gieng frey aus, ich must mich fressen lassen.«[214] Gewiß kannte Luther die Gegenthesen Wimpinas vom Januar und die Tetzels vom Mai 1518 mit ihren Angriffen und Verurteilungen, und er wußte, daß er von vielen Kanzeln als Ketzer ausgeschrien wurde, das vermochte ihn jedoch nicht zu erschüttern, denn das waren für ihn alles nur »Tetzelianistae«. Jetzt aber hatte Rom gesprochen, und zwar mit höchster Autorität, war der Magister Sacri Palatii Prierias doch der amtliche theologische Sprecher der Kurie. Immer wieder wurde Luther im »Dialogus« als Ketzer[215] und Erzketzer

---

[210] BÄUMER (Anm. 12), S. 49.

[211] Ebd. S. 26.

[212] Zu dieser Terminologie vgl. S. 167 f.

[213] Vgl. KURT-VICTOR SELGE, Die Augsburger Begegnung von Luther und Kardinal Cajetan im Oktober 1518. Ein erster Wendepunkt auf dem Weg zur Reformation. JHKGV 20 (1969), S. 37–54.

[214] WA 51, 543.

[215] EA o. v. a., vol. I, 344–377 an zahlreichen Stellen.

(»haeresiarcha«)[216] bezeichnet, ja der Gotteslästerung angeklagt[217]; wie er dem Bann der Kirche, und zwar aus vielfachen Gründen, entgehen könne, vermöge er nicht zu sehen, erklärte Prierias.[218] Die – wenn auch unqualifizierten – persönlichen Angriffe vermochten Luther sicher nicht zu beeindrucken: Wenn der Papst ihm ein Bistum mit einem Ablaß zum Ausbau seiner Kirche gegeben hätte, so würde er diesen Angriff nicht in Gang gesetzt und den Ablaß hoch gelobt haben[219], er rede wie ein Schauspieler[220], er sei geistlich wie ein Aussätziger, denn er trage eine Haut, befleckt von verschiedenen Farben[221], Prierias fürchte, Luthers Vater sei ein Hund gewesen, denn Luther scheine zum Beißen geboren[222]. Lediglich gegen den Vorwurf wegen des Bistums setzt Luther sich zur Wehr.[223] Auch die Argumentation im einzelnen dürfte ihn, wie seine Antwort zeigt, oft genug wenig beeindruckt haben. Was den eigentlichen Anstoß abgab, war die Fundamentalposition des Prierias, wie sie in vierfacher Entfaltung am Anfang der Schrift zum Ausdruck gebracht war:

»Fundamentum primum est. Ecclesia universalis essentialiter est convocatio in divinum cultum omnium credentium in Christum. Ecclesia vero universalis virtualiter est ecclesia Romana, ecclesiarum omnium caput, et Pontifex maximus. Ecclesia Romana repraesentative est collegium Cardinalium, virtualiter autem est Pontifex summus, qui est Ecclesiae caput, aliter tamen, quam Christus.

Fundamentum secundum. Sicut ecclesia universalis non potest errare determinando de fide aut moribus, ita et verum concilium, faciens quod in se est (ut intelligat veritatem) errare non potest, quod intelligo incluso Capite, aut tandem ac finaliter, licet forte prima facie fallatur, quousque durat motus inquirendae veritatis, imo etiam aliquando erravit, licet tandem per spiritum Sanctum intellexerit veritatem, et similiter nec ecclesia Romana, nec pontifex summus determinans ea ratione, qua Pontifex, id est, ex officio suo pronuncians, et faciens quod in se est, ut intelligat veritatem.

Fundamentum tertium. Quicunque non innititur doctrinae Romanae ecclesiae, ac Romani Pontificis, tanquam regulae fidei infallibili, a qua etiam sacra Scriptura robur trahit et autoritatem, haereticus est.

Fundamentum quartum. Ecclesia Romana sicut verbo ita et facto potest circa fidem et mores aliquid decernere. Nec in hoc differentia ulla est, praeter id quod verba sunt accommodatiora quam facta. Unde hac ratione consuetudo vim Legis obtinet, quia voluntas principis factis permissive aut effective exprimitur. Et consequenter, quemadmodum haereticus est male sentiens circa scripturarum veritatem, ita et male sentiens circa doctrinam et facta ecclesiae in spectantibus ad fidem et mores haereticus est.

Corollarium. Qui circa indulgentias dicit, ecclesiam Romanam non posse facere id quod de facto facit, haereticus est.«[224]

---

[216] Z.B. ebd. 376.
[217] Ebd. 370.
[218] Ebd. 370.
[219] Ebd. 365, vgl. 375f.
[220] Ebd. 366; 371.
[221] Ebd. 351.
[222] Ebd. 370.
[223] WA 1, 678, 17–28.
[224] EA o.v.a., vol I, 346f.

Am wichtigsten ist die zusammenfassende Anwendung im Corollarium: »Wer im Blick auf die Ablässe sagt, die römische Kirche könne das nicht tun, was sie tatsächlich tut, der ist ein Ketzer.«[225]

Es ist bezeichnend, daß Luther auf diesen Frontalangriff keine direkte frontale Antwort wagt, sondern in seiner sofort erfolgenden Erwiderung sogleich nach dem Vorspruch ausweichend erklärt: »Ich übergehe deine Fundamentalsätze, deren Bedeutung ich mehr vermute als verstehe.«[226] Statt der direkten gibt er eine indirekte Entgegnung, indem er seinerseits drei Fundamentalsätze aufstellt.[227] Der erste faßt zwei Paulusworte zusammen: I Thess 5, 21 (»Prüfet alles, behaltet, was gut ist«) und Gal 1, 8 (»Wenn euch ein Engel vom Himmel anderes verkündigte, als ihr empfangen habt, der sei verflucht«). Der zweite besteht aus einem Augustinzitat[228]: »Allein den kanonischen Schriften habe ich gelernt, die Ehre zu erzeigen, daß ich ganz fest glaube, keiner von ihren Verfassern habe geirrt.« Der dritte Leitsatz stammt aus den Dekretalen[229]: »Den Quästoren ist bei der Ablaßpredigt nichts gestattet, dem Volk zu predigen, als was in ihren [Vollmachts]Briefen enthalten ist.«

Dieser dritte Leitsatz, erklärt Luther, entspreche dem, was Prierias in seinem dritten Fundamentalsatz über die Praxis der Kirche sage. Wenn Prierias diese Leitsätze verstehe, müsse er gleichzeitig einsehen, daß damit sein »Dialog« bis auf den Grund umgestürzt sei. Denn er biete fortwährend in seinen Ausführungen bloße Worte oder lediglich die Ansichten des Thomas, der ebenso wie er mit bloßen Worten umgehe »sine scriptura, sine patribus, sine Canonibus, denique sine ullis rationibus. Ideoque meo iure, id est Christiana libertate, te et illum simul reiicio et nego: immo ita cogit me autoritas fundamenti primi et tertii et suadet exemplum Augustini in fundamento secundo.«[230] Wenn es selbst bei den Juristen gelte, daß es schändlich sei, ohne eine Textgrundlage zu reden, gelte das für einen Theologen am meisten, entsprechend den mehrfachen Weisungen des Paulus. Wenn man diese Notwendigkeit der Begründung der Lehre in der Schrift beachtet hätte, »minus nunc Ecclesia haberet inutilium quaestionum et opinionum, et plus Euangelii et Christianae veritatis.«[231]

Die Einzelargumentation Luthers nachzuverfolgen, ist hier nicht erforderlich. Nur einiges muß berichtet werden. Bei der Verteidigung seiner ersten These befragt Luther die Ausführungen des Prierias: »Rogo, ubi hic Scriptura, patres aut Canones sonant?«[232], und fordert ihn auf: »doce eam ex Scriptura, Patribus, Canonibus, rationibus.«[233] Denn weder Prierias noch Thomas wolle er zum Meister haben »in his rebus,

---

[225] Ebd. 347.

[226] WA 1, 647, 17f.

[227] Ebd. 647, 19–28.

[228] ep. 82, 3 (an Hieronymus), CSEL 34, 2, 354, 4–8, ebenso ep. 148, 15 (an Fortunat), CSEL 44, 344, 21–345, 4.

[229] Clementinen, Titulus IX: de poenitentiis et remissionibus, Cap. II Abusionibus, Friedberg 1190.

[230] WA 1, 647, 32–648, 1.

[231] Ebd. 648, 7–9.

[232] Ebd. 648, 19f.

[233] Ebd. 648, 34f.

quae ad animam pertinent, quae solo verbo dei vivit et pascitur, ideoque unus est eius magister Christus.«[234] Diesen aber höre er in Prierias nicht reden, sondern allein Aristoteles und den Menschen. Auf gleiche Weise polemisiert Luther dann bei der dreifachen Gliederung der Buße entgegen dem »verbum simplicissimum simplicissimi et unici doctoris Christi.«[235] Das sei nicht Auslegung, sondern Zerreißung der Schrift. »Qua Scriptura, quibus patribus, quibus rationibus hanc distinctionem stabilies, quaeso?«[236] Immer wieder begegnet diese Argumentation. Bei der Verteidigung seiner fünften These erklärt Luther am Rande, daß Mt 16, 18 Petrus kein Vorrecht gegeben habe, sondern was für ihn hier gesagt sei, gelte »omnibus prorsus sacerdotibus et toti ecclesiae.«[237] In diesem Zusammenhang befragt er die Argumentation des Prierias: »Est iste modus interpretandi euangelii?«[238]

Hier geht Luther auch, was er bisher vermieden hat, direkt wenigstens auf den ersten Fundamentalsatz des Prierias ein: er verwerfe dessen Einteilung der Kirche in eine essentiale (die Gläubigen), repräsentative (die Kardinäle) und virtuale (den Papst). Das sei seine Erfindung, ohne Schriftbegründung oder irgendwelche andere Autorität vorgetragen. Dann folgt die bekannte Proklamation: »Ego ecclesiam virtualiter non scio nisi in Christo, repraesentative non nisi in Concilio.«[239] Denn wenn man das, was der Papst tut, jeweils als Tat der Kirche deklariere, müsse man alle Untaten der Päpste (Luther führt Julius II. und Bonifaz VIII. als Beispiele an) als von der Kirche vollbracht ansehen.[240]

Über eine Aussage Luthers in seiner Antwort auf Prierias ist bereits gesprochen worden.[241] Sie war als über die schärfsten papalistischen Aussagen der Zeit noch hinausgehend bewertet worden. Wir hatten gesehen, daß das so nicht möglich ist. Deshalb ist es sicher zweckmäßig, den Aussagen Luthers über den Papst und seine Absichten mit den 95 Thesen noch etwas nachzugehen.

Luther erklärt im Zusammenhang der Verteidigung seiner 50. These: »Scio et ego optimum nos habere Pontificem Leonem Decimum«, jedoch – schon ganz im Stile seines Sendbriefes an den Papst von 1520 – als einen Daniel in Babylon, dessen Unschuld sein Leben schon in Gefahr gebracht hat.[242] Aber: Jeder Papst hat größere Gnaden, als es die Ablässe sind, nämlich das Evangelium und die Gnadengaben der Heilung und alles, was in I Kor 12 beschrieben wird, zwar nicht in seiner Person, aber in seiner Gewalt.[243] Alles, was in der Kirche an Gaben und Ämtern ist,

---

[234] Ebd. 648, 36f.

[235] Ebd. 650, 19.

[236] Ebd. 650, 20–22.

[237] Ebd. 655, 12.

[238] Ebd. 655, 15.

[239] Ebd. 656, 36f.

[240] In diesem Zusammenhang noch Luthers Bekenntnis zum Konzilsgedanken: »Si autem Papa est virtualis Ecclesia, Cardinales repraesentativa, collectio fidelium essentialis, quod vocabis Concilium generale Ecclesiae? non est virtualis? non repraesentativa? non essentialis? Quid tum? fortasse accidentalis, nominalis et verbalis Ecclesia?« (ebd. 657, 10–13).

[241] Vgl. oben S. 130 f.

[242] WA 1, 679, 5f.

[243] Ebd. 683, 20–23, in Verteidigung der 78. These.

befindet sich in der Hand des Papstes, »ut ordinet, mittat, ponat, sicut corpori Ecclesiae expedire videret.«[244] Wenn Prierias als Maßstab und Regel »factum et dictum Ecclesiae Romanae« hinstelle,[245] so antwortet Luther:
»Si de virtuali et repraesentativa tua Ecclesia loqueris, nolo tuam regulam. Quia, ut supra dixi, ex c. Significasti, talis Ecclesia potest errare. Universalis autem Ecclesia non potest errare, ut doctissime etiam probat Cardinalis Cameracensis in primo Sententiarum.«[246]

Immer wieder betont Luther, daß er in den 95 Thesen lediglich eine Frage diskutiere, von der Kirche »neque determinata neque reprobata«[247], und daß er nur disputiere[248]. Zwar halte er (zur 14. und 15. These) seine Ansicht für besser begründet als die des Prierias: »Non tamen diffinio, sed iudicium Ecclesiae expecto«[249], bzw. (zur 56. These):
»Ego tamen istam conclusionem non asserui, sed et adhuc disputo, expectans concilii determinationem, sicut et omnes alias, quae dubiae sunt aut in controversia haerent.«[250]

Auf die Drohungen des Prierias antwortet Luther:
»Noli minari, mi pater. Christus vivit: non solum vivit sed etiam regnat, non solum in coelo sed etiam in Roma, quantumlibet ipsa furiat. Si maledicar pro veritate, benedicam dominum. Non separabit me censura Ecclesiae ab Ecclesia, si iungat me veritas Ecclesiae. Malo esse a te et similibus (si ita perstes) maledictus et excommunicatus quam tecum benedictus. Nihil habeo quod possim perdere. domini ego sum: si perdor, domino perdor, id est invenior.«[251]

Es ist heute üblich, die Ausführungen des Prierias etwa als »übereilt hingeschriebene Streitschrift« zu bezeichnen.[252] So ist es sehr zu begrüßen, wenn H. A. Oberman eine »Ehrenrettung« des Prierias unternommen hat,[253] der in der Tat, selbst von heute aus gesehen, viel ernster genommen werden muß, als es vielfach geschieht, um vom 16. Jahrhundert zu schweigen. Er bringt in seinen vier Fundamentalsätzen die damals an der Kurie wie in weiten theologischen Kreisen gültige Auffassung von der römischen Kirche und dem Papsttum zum Vortrag. Bezeichnenderweise fährt das eben angeführte Zitat fort: »[Prierias] geht mit Recht von der Autorität der Kirche und des Papstes als des entscheidenden Streitpunktes aus.« Gewiß überzieht Prierias seinen Standpunkt gelegentlich. Man meint, hier Tetzels Ablaßpredigt zu hören, wenn Prierias ausführt, es sei irrig, wenn nicht ketzerisch, zu sagen, Leo X. stehe unter Petrus und vermöge de iure weniger als dieser.[254] Auf der anderen Seite findet man bei ihm das Eingeständnis: »Quod licet Romanus clerus a perfectione primaeva declinarit, quod non infitior.«[255]

Mit dem »Dialogus« des Prierias ist m.E. ein Einschnitt, ja eigentlich der entscheidende Einschnitt in der Haltung Luthers zur römischen Kirche wenn nicht vollzogen, so doch mindestens eingeleitet. Luthers Hoffnung auf eine Entscheidung der Ablaß-

---

[244] Ebd. 683, 27f.
[245] Ebd. 685, 18f, in Verteidigung der »vierten«, d.h. der 85. These.
[246] Ebd. 685, 19–22.
[247] Ebd. 656, 6f, vgl. ebd. 661, 33f.
[248] Vgl. ebd. 662, 11; 679, 31f u.ö.
[249] Ebd. 662, 2f.
[250] Ebd. 681, 4–6.
[251] Ebd. 680, 9–15.
[252] So z.B. ISERLOH (Anm. 29), S. 56.
[253] Vgl. oben S. 130.
[254] EA o.v.a., vol. I, 372.
[255] Ebd. 368.

frage zu seinen Gunsten war völlig zusammengebrochen, er sah sich einer Definition der Kirche wie des Papsttums gegenüber, wie er sie bisher nur ansatzweise bei seinen schärfsten Gegnern in Deutschland gefunden hatte, sowie der Feststellung, daß der ein Ketzer sei, der sage, die römische Kirche könne in der Handhabung des Ablasses nicht tun, was sie faktisch tue. Damit war eine vollständig neue Situation gegeben. Hubert Jedin hat in einer Diskussion »Um Reform und Reformation« gesagt (und z. B. Bäumer hat ihm nachdrücklich zugestimmt[256]):

»Ich will nur einfügen, daß doch nicht nur das Unverständnis der Kurie und der Bischöfe zum Zusammenstoß im Ablaßstreit geführt hat, sondern auch Luther selbst dazu beigetragen hat. Denn wenn er in Augsburg dem Kardinallegaten Cajetan gegenüber erklärte: Nur dann gehorche ich, wenn Du mich aus der Schrift oder aus der Vernunft widerlegst, so ist hier der Punkt erreicht, an dem, wie ich glaube, die Wege auseinandergingen.«[257]

Nun scheint mir die Äußerung Luthers im Gespräch mit Cajetan, wenigstens an der Stelle, auf die Bäumer sich beruft[258], das nicht herzugeben, wohl aber mehrere Stellen in Luthers Antwort auf Prierias. So wäre der Punkt, »an dem die Wege auseinandergingen«, bereits hier erreicht bzw. noch früher.

Zwar teilt Luther am Ende seiner Schrift mit, er habe sie »duobus diebus« niedergeschrieben.[259] Das erscheint zunächst zweifelhaft und rhetorisch der Behauptung des Prierias gegenübergestellt, er habe auf den »Dialogus« die Arbeit von drei Tagen verwandt. Denn Luthers Antwort umfaßt immerhin 40 – in beklagenswerter Ermangelung fast jeden Apparates – fast vollständig mit Text gefüllte Seiten der Weimarer Ausgabe. Aber Luther schreibt am 8. August an Spalatin,[260] er habe die Schrift bereits begonnen, »quod totum mox habebis«, und schon am 31. August 1518 sendet er sie, deren Druck einige Zeit in Anspruch genommen haben muß, Spalatin zu: »Mitto nugas meas nugacissimas & extemporalissimas adversus Sylvestrum, vere Sylvestrem & campestrem Sophistam meum, biduo effusas.«[261] In jedem Fall kann hier nur ausgesprochen worden sein, was gedankenmäßig bereits herangereift war, wenigstens was die Grundsatzfragen angeht.

Tatsächlich schreibt Luther bereits am 9. Mai 1518 an seinen Lehrer Trutfetter: »ex te primo omnium didici, solis canonicis libris deberi fidem, caeteris omnibus iudicium, ut B. Augustinus, imo Paulus et Iohannes praecipiunt.«[262] Bei Angriffen auf seine Thesen vom September 1517 gegen die scholastische Theologie wolle er anderen Meinungen folgen, »si per Scripturas aut ecclesiasticos Patres meliora fuero doctus«, die Scholastiker wolle er nur hören, wenn sie ihre Ansichten »ecclesiasticis dictis« beweisen könnten.[263] Von dieser Haltung sei er auch nicht von Trutfetters Autorität, die bei ihm sehr schwer wiege, abzubringen, geschweige denn von der anderer. Nur von diesen und

---

[256] BÄUMER (Anm. 12), S. 29f.

[257] Um Reform und Reformation. Zur Frage nach dem Wesen des »Reformatorischen« bei Martin Luther, ²1968 (KLK 27/28), S. 45.

[258] WA 2, 8.

[259] WA 1, 686, 28.

[260] WA. B 1, 188, Nr. 85.

[261] Ebd. 192, 31f., Nr. 88.

[262] Ebd. 171, 72–74, Nr. 74.

[263] Ebd. 171, 76–78.

ähnlichen Voraussetzungen[264] aus sind m.E. Luthers Grundpositionen in seiner Antwort auf den »Dialogus« zu erklären.

## IV. Die »cogitationes voluntatis« bis Ende November 1518

Aus dem Frühjahr 1533 ist in Veit Dietrichs Nachschriften eine überaus aufschlußreiche Tischrede Luthers überliefert:

»Hic cum opponeret aliquis sine gravibus cogitationibus nulla magnam rem geri posse, respondebat distinguendum esse: Cogitationes intellectus machen nit traurig, sed voluntatis cogitationes, die thun es, das ein ein ding verdreusst oder gefellt yhm; illae sunt cogitationes melancholicae et tristes, da man seuffzet vnd klagt. Intellectus autem non est tristis. Sic ego cum contra papam agerem, non fui tristis, quia tum laborabant cogitationes intellectus; da hab ich mit freuden geschriben, ita ut praeceptor Lichtenbergensis diceret ad me in coena: Mich wundert, das yhr kondt ßo frolich sein; wenn der handel mein wer, ich must drub sterben. Der papa hat mir nie weh gethun, on zum ersten, da Siluester wider mich schrib et praefigebat titulum: Sacri palatii magister. Ibi cogitabam: Leichnam, will's dahin gereichen vnd fur den papa (d.h. doch wohl: das päpstliche Gericht) kommen? Dennoch gab mir vnser Herr Gott die genad, das der bachant so bos ding schrib, das ichs must lachen. Seyd bin ich nie erschroken. Iam hac aetate hab ich kein tentatio von den leuten, hab nichts mit yhn zu thun.«[265]

Hier wird etwas von der besonderen Bedeutung der Schrift des Prierias sichtbar und dem Eindruck, den sie auf Luther machte. Sie hat Luther »weh gethun« und ihn tief erschreckt, anders ist der Satz »Seitdem bin ich nie erschrocken« und die Aussage, daß ihm seither Menschen keine Anfechtungen bereitet haben, nicht zu interpretieren. Dazu kam, daß die Schrift des Prierias nur die Beilage zu der vom Auditor der Päpstlichen Kammer, Ghinucci, unterzeichneten Zitation nach Rom darstellte. Die damit zu kombinierenden Ketzerprädikate der Schrift des Prierias und seine darin kundgegebene Ansicht, der Bann über Luther sei voraussehbar, ergaben für Luther offensichtlich schwere »cogitationes voluntatis«. Daß keine »cogitationes intellectus« damit verbunden waren, ist durch seine Antwort an Prierias eindeutig belegt. Aber für die »cogitationes voluntatis« gibt es eine Reihe von Zeugnissen, die – soweit ich sehe – bisher nicht ausreichend gewürdigt sind. Danach stellt die zweite Hälfte des Jahres 1518 für den Menschen Luther eine Krise dar. Er hat sich damals, um es direkt zu sagen, gefürchtet, und zwar so sehr, daß ausgerechnet Spalatin ihn ermahnen muß: »Habe animum Theologicum.«[266]

Schon am 8. August, also einen Tag nach Eintreffen der Zitation, schreibt Luther an Spalatin und den Kurfürsten, die bereits in Augsburg beim Reichstag weilten.[267] Gleich der erste Satz im Brief an Spalatin lautet: »Opera tua, mi spalatine, nunc quam maxime

---

[264] Vgl. auch im Brief an Trutfetter ebd. 170, 33–38: »Atque ut me etiam resolvam, ego simpliciter credo, quod impossibile sit ecclesiam reformari, nisi funditus canones, decretales, scholastica theologia, philosophia, logica, ut nunc habentur, eradicentur et alia studia instituantur; atque in ea sententia adeo procedo, ut cotidie Dominum rogem, quatenus id statim fiat, ut rursum Bibliae et S. Patrum purissima studia revocentur.«

[265] WA. TR 1, 215f, Nr. 491.

[266] Vgl. unten S. 158.

[267] WA. B 1, 188, Nr. 85.

indigeo.« Das ist durchaus verständlich. Wenn der Text aber fortfährt: »Imo indiget
fere totius nostrae mecum universitatis honor«, so macht diese Begründung den Eindruck, als ob Luther etwas gewaltsam nach Argumenten für sein Anliegen sucht,
Spalatin möchte sich beim Kurfürsten wie beim Kaiser für die »remissio seu commissio
ad partes Alemaniae« des Verfahrens durch den Papst einsetzen. Zu diesem Zweck
möchte Spalatin die Vermittlung Pfeffingers und seiner Freunde beim Kaiser in
Anspruch nehmen. Das alles müsse aber sehr schnell geschehen. Die Briefe an Spalatin
und den Kurfürsten schickt er zusammen durch einen Boten nach Augsburg. Als dieser
am 28. (oder 21.?) August noch nicht zurück ist, schreibt Luther noch einmal und
macht Spalatin einen neuen Vorschlag. Er solle an den Kurfürsten die Bitte auf freies
Geleit für Luther durch sein Gebiet richten. Wenn dieser das ablehne, was Luther als
sicher voraussetzt, hätte er einen triftigen Grund, die Reise nach Rom zu verweigern.
Spalatin möchte beim Kurfürsten ein Reskript erwirken, welches diese Verweigerung
des freien Geleites offiziell mitteilt. Im Nachtrag zum Brief heißt es dann noch zusätzlich, dieser Bescheid werde zweckmäßigerweise vordatiert, so daß er als vor dem 23.
August erlassen scheine. Luther erklärt zwar, er schreibe das auf den Rat von Freunden, denen auch die Vordatierung keine Lüge scheine, denn was hier gesagt werde,
entspreche ja nur der seit langem feststehenden Meinung des Kurfürsten. Aber er hat
sich diesen Rat doch zu eigen gemacht, ein Zeichen dafür, wie er sich vor der Reise nach
Rom fürchtet. Am 5. September antwortet Spalatin.[268] Zunächst nimmt er Bezug auf
seinen und des Kurfürsten Brief, die ohne Zweifel die Antwort auf Luthers Antrag
darstellten, seine Sache sollte nicht in Rom, sondern in Deutschland verhandelt werden
(beide verloren). Er fügt hinzu, daß Cajetan Luther nicht so feindlich gesinnt sei, wie
Luther meine, das habe sich in dem ausführlichen vertraulichen Gespräch gezeigt, das
der Kurfürst kürzlich mit diesem geführt habe. Das von Luther gewünschte Reskript
auszustellen, und damit kommt Spalatin zu Luthers letztem Schreiben, lehne der Kurfürst jedenfalls ab, und zwar aus Gründen, die nicht einmal Luther tadeln könne. Es
würden sich Mittel finden lassen, um Luthers Namen und Wohlergehen zu schützen.
»Erit fortasse, quod [Deus] omnes difficultates vincat. Habe ergo animum Theologicum.«[269]

Die weitere Behandlung der in Rom anhängigen »causa Lutheri« wurde, wie bekannt
und hier nicht zu behandeln, schließlich dem Kardinal Cajetan übertragen. In welcher
Stimmung Luther – trotz des Hinweises Spalatins, daß alles bei weitem nicht so
schlecht stehe, wie Luther meine – die Reise nach Augsburg antrat, schildert eine –
unzweifelhaft authentische – Tischrede in der Sammlung von Cordatus aus dem September 1532:

»Fridericus dux cum salvo conductu misit me ad Caietanum cardinalem, qui tum Augustae
erat. Et haec urbs atque universitas pro me scripserunt. Porro is erat in itinere affectus meus: Nu
mustu sterben! Et proponebam rogum paratum mihi et saepe dicebam: Ach, welch ein schand
werde ich meinen eltern sein! Ita me angustabat caro.«[270]

---

[268] Ebd. 200f., Nr. 92.
[269] Ebd. 201, 22f.
[270] WA. TR 2, 595, 28–32, Nr. 2668 a; vgl. dazu WA. TR 5, 78, 10f., Nr. 5349, wo Luther über
die letzten drei Meilen seiner Reise berichtet: »in eis tribus miliaribus comburebar, nam Daemon
multis cogitationibus et acerrimis me vexabat.«

Gewiß wird man dabei Luthers mangelhafte Information über die Situation in Augsburg in Rechnung setzen müssen, aber andererseits auch, daß er nichts von der Zuspitzung der Situation in Rom und dem von mehreren flankierenden Schreiben begleiteten Breve vom 23. August an Cajetan wußte mit seinen Vollmachten zur Gefangensetzung Luthers (wenn dieses durch Cajetans Vereinbarungen mit dem Kurfürsten auch weithin praktisch außer Kraft gesetzt war).

Die brieflichen Berichte Luthers aus Augsburg können in unserem Zusammenhang nur kurz besprochen werden und soweit sie interessante Einzelheiten zu unserem Thema bieten.

Gleich im ersten Brief vom 10. Oktober 1518[271], wenige Tage nach der Ankunft geschrieben, erklärt Luther, daß ihm eine Appellation an das Konzil feststehe, wenn der Kardinal »magis vi quam iudicio« mit ihm verfahren wolle.[272] Im Gespräch mit Serralonga habe er erklärt: Wenn er belehrt werden könne, daß er etwas anderes gelehrt habe als die heilige römische Kirche, wolle er sogleich sein eigener Richter sein und widerrufen.[273] Das war offensichtlich taktisch bestimmt, denn im Brief an Melanchthon vom nächsten Tag wird dieser von Luther ermahnt: »Tu age virum«; er, Luther, wolle lieber ewig den ihm überaus lieblichen Umgang mit Melanchthon entbehren, »quam ut revocem bene dicta et studiis optimis perdendis occasio fiam«.[274] In dem für den Kurfürsten bestimmten Bericht vom 14. Oktober an Spalatin (am 12. hatte die erste Begegnung mit Cajetan stattgefunden)[275] berichtet Luther über den Stand der Dinge: »Sed mihi non est spes neque fiducia in eum. Appellationem autem paro quottidie, ne syllabam quidem revocaturus. Edam autem Responsionem meam ei oblatam, ut per orbem confundatur, si vi processerit, ut cepit.«[276] Im Brief an Karlstadt vom gleichen Tag[277] heißt es ganz parallel dazu: »Ich will nicht zu einem Ketzer werden mit dem Widerspruch (durch den Widerruf) der Meinung, durch welche ich bin zu einem Christen worden; ehe will ich sterben, verbrannt, vertrieben und vermaledeiet werden etc.«[278] Kurz danach erklärt Luther gegenüber Spalatin[279] (in einem Brief, der als Begleitschreiben zu einem ausführlichen Bericht für den Kurfürsten diente, der jedoch nicht erhalten ist), der Kardinal sei in der Schrift ungenügend unterrichtet. Er habe »ex ore eius multas propositiones atheologissimas«[280] gehört, die als absolut ketzerisch bezeichnet worden wären, wenn sie jemand anders vorgetragen hätte. Er sehe, daß den Dominikanern »omnibus eundem esse sensum, id est nullum esse legitime christianum.«[281]

In einigem Kontrast zu diesen Äußerungen stehen die beiden Briefe Luthers an Cajetan selbst:

Der erste stammt vom 17. Oktober.[282] Hier (wie im zweiten Brief vom nächsten Tage, in dem Luther seine Abreise ankündigt) wird Cajetan als »Reverendissima Paternitas« angeredet. Von der großen »humanitas« und »prudentia« Cajetans wird gesprochen,[283] die Furcht Luthers vor ihm habe allmählich abgenommen und sei einer besonderen Liebe und wahrer kindlicher Ehrerbietung gewichen. Luther gibt zu (Staupitz und Link haben ihm dazu geraten), er hätte seine Sache mit mehr Bescheidenheit, Demut und Ergebenheit vortragen sollen.[284] Er sei völlig bereit und verspre-

---

[271] WA. B 1, 209f., Nr. 97.

[272] Ebd. 210, 59–61.

[273] Ebd. 209, 32–34.

[274] Ebd. 213, 13f., Nr. 98.

[275] Ebd. 214f., Nr. 99.

[276] Ebd. 215, 48–51.

[277] Ebd. 215–217, Nr. 100.

[278] Ebd. 217, 60–63.

[279] Ebd. 218f., Nr. 102.

[280] Ebd. 218, 11.

[281] Ebd. 218, 12f.

[282] Ebd. 220f., Nr. 103.

[283] Ebd. 220, 17f.

[284] Ebd. 221, 26f.

che ohne jedes Widerstreben, daß er die Ablaßfrage künftig nicht behandeln und darüber endgültig schweigen werde, »modo illis quoque modus imponatur aut sermonis aut silentii, qui me in hanc tragoediam suscitaverunt.«[285] Weiter erklärt Luther dem »dulcissime Pater«: »Libentissime omnia revocarem, tam tuo quam Vicarii mei iussu et consilio, si ullo modo conscientia mea permitteret. Ego enim scio nullius praecepto, nullius consilio, nullius gratia me tantum debere permittere, ut aliquid contra conscientiam dicam aut faciam.«[286] Die Ansichten des Thomas und anderer seien nicht derart, daß sie ihn in dieser Frage befriedigten, »visae enim sunt non satis firmo niti fundamento.«[287] Es fehle ihm nur das, daß er mit besserer Begründung überwunden werde, nämlich daß er die Stimme der Braut (d. h. der Kirche) zu hören gewürdigt werde, »hanc enim certum est vocem sponsi (d. h. Christi) audire.«[288] Deshalb bitte Luther in aller Demut, Cajetan wolle geruhen, »ad sanctissimum Dominum nostrum Leonem decimum istam causam referre, ut per ecclesiam haec dubia determinata ad iustam vel revocationem vel credulitatem possit compelli.«[289] Denn Luther begehre nichts anderes, als der Kirche zu folgen.

Auch der zweite Brief, vom 18. Oktober[290], in dem Luther sich von Cajetan verabschiedet (er wisse nicht, wovon er seinen weiteren Unterhalt bestreiten solle und könne dem Karmeliterkloster, das ihn aufgenommen habe, nicht länger zur Last fallen![291]), ist ähnlich gehalten. Zwar muß er in Verbindung damit auch auf die Äußerung Cajetans zu sprechen kommen, er solle ihm nicht wieder unter die Augen treten, wenn er nicht widerrufen wolle. Aber, setzt er dabei hinzu, er habe ja schon festgestellt, »revocare quid et quantum valeam«.[292] Ebenso muß er von seiner Appellation an den Papst reden. Jedoch, so erklärt Luther in diesem Zusammenhang: »Quantum in me fuisset, non appellassem primo, quod mihi non videatur necessaria appellatio vel commissio ad partes, cum ego (ut dixi) omnia in iudicium ecclesiae retulerim et non nisi sententiam eius expectem.«[293] Er erwarte, was die Kirche sagen werde, wogegen er sich nicht zur Wehr setzen, sondern es als Schüler hören werde.[294] Außerdem sei er überzeugt, daß die Appellation dem Kardinal höchst willkommen sei[295] (»a papa« – durch Cajetan – »male informato ad papam melius informandum«!). Er fürchte die Strafe sehr viel weniger »quam errores et malam in fide opinionem«.[296] Es wird von der Luther »insignis exhibita clementia« des Kardinals gesprochen. Die Kirche solle verdammen, »si quid damnandum est, et eius tu iudicium sequere non illa tuum sequatur iudicium! Atque ita victus cedo.«[297]

Über den Hergang der Verhandlungen im einzelnen kann und braucht hier nicht berichtet zu werden, nur ein Wort zu der von Luther am zweiten Tag vorgelegten und in den »Acta Augustana« wiedergegebenen schriftlichen Erklärung, weil sie in der Literatur eine Rolle spielt. Sie setzt mit der feierlichen Feststellung ein:

»In primis ego frater Martinus Luther Augustinianus protestor, me colere et sequi sanctam Romanam Ecclesiam in omnibus meis dictis et factis, praesentibus, praeteritis et futuris. Quod si quid contra vel aliter dictum fuit vel fuerit, pro non dicto haberi et habere volo.«[298]

Er habe in der Ablaßfrage lediglich disputiert und die Wahrheit gesucht, »quaerendo delinquere non potui, multo minus ad revocationem compelli non auditus neque con-

---

[285] Ebd. 221, 32f.       [292] Ebd. 223, 14–17.
[286] Ebd. 221, 35–39.     [293] Ebd. 223, 22–25.
[287] Ebd. 221, 41f.       [294] Ebd. 223, 27f.
[288] Ebd. 221, 43f.       [295] Ebd. 223, 29f.
[289] Ebd. 221, 46–48.     [296] Ebd. 223, 31f.
[290] Ebd. 222f., Nr. 104.    [297] Ebd. 223, 40ff.
[291] Ebd. 223, 1f.        [298] WA 2, 8, 27–30.

victus«.[299] Er wiederhole, und dies ist die wichtige Stelle für die These, daß Luther sich in Augsburg das erste Mal in kirchentrennender Weise auf die ausschließliche Autorität von Schrift und Vernunft berufen habe: daß ihm nicht bewußt sei, etwas gesagt zu haben, was gegen die heilige Schrift sei, die Kirchenväter oder die päpstlichen Dekretalen oder die Vernunft, sondern alles, was er gesagt habe, scheine ihm auch heute noch gesund, wahr, katholisch.[300] Nichtsdestoweniger sei er ein Mensch, der irren könne, deshalb »submisi me et etiam nunc submitto iudicio et determinationi legittimae sanctae Ecclesiae et omnibus melius sentientibus.«[301] Zum Überfluß sei er bereit, in Augsburg oder anderswo öffentlich Rechenschaft zu geben und den Einwänden Cajetans in Schriften zu begegnen, mit deren Beurteilung durch die Universitäten Basel, Freiburg, Löwen oder auch Paris er einverstanden sei. Ich kann nicht finden, daß hier oder sonst in den »Acta Augustana« in den Grundsatzaussagen über die in Luthers Antwort auf Prierias hinausgegangen wird. Das ist nicht einmal in dem langen Bericht der Fall, den Luther in an sich überflüssiger Wiederholung früherer Berichte am 21. November 1518 dem Kurfürsten in Briefform erstattet[302], nur damit er der Antwort des Kurfürsten auf Cajetans Auslieferungsbegehren beigelegt werden kann.

Auch dieser als Apologie im Auftrag des Kurfürsten geschriebene Brief[303] spiegelt die »cogitatio voluntatis«, in der Luther in diesem zweiten Halbjahr 1518 steht. Zwar waren die Verhandlungen mit Cajetan überstanden und die Appellation an den Papst war erfolgt, aber die entscheidende Frage war nicht entschieden, wie es nun weitergehen solle. Schon im Brief aus Augsburg an Spalatin kurz nach dem 14. Oktober nimmt Luther im zweiten Teil[304] (bisher ist nur vom ersten die Rede gewesen[305]) unmittelbar im Anschluß an seinen Bericht über die Augsburger Verhandlungen die Bitte wieder auf, der Kurfürst möge beim Papst die Überweisung seiner Sache nach Deutschland

---

[299] Ebd. 8, 36f.

[300] »hodie protestor, me non esse mihi conscium aliquid dixisse, quod sit contra sacram scripturam, Ecclesiasticos patres aut decretales Pontificum aut rectam rationem, sed omnia quae dixi hodie quoque mihi sana, vera, catholica esse videntur« (ebd. 8, 37–40).

[301] Ebd. 9, 1–3.

[302] WA. B 1, 236–246; im zur oben angeführten Erklärung Luthers parallelen Abschnitt des Briefes steht sogar lediglich: »protestari, me nihil velle dicere aut dicturum esse unquam, quod contra sanctae Ecclesiae Romanae doctrinam esset« (ebd. 241, 1f.).

[303] Bezeichnend dafür ist, daß Luther schon am 25. November bei Spalatin wegen der Beurteilung des Briefes anfragt: »Expecto censuras tuas super Responsione mea« (ebd. 253, Nr. 112). Er gibt sich der Hoffnung hin, daß er den Wünschen des Hofes genug getan habe, denn als er Staupitz am selben Tag (ebd. 257f., Nr. 114) über die Vorgänge berichtet: »Scripsit interea prolixam epistolam Reverendus Dominus Legatus Principi, in qua dire criminatur me et te et socios (ut vocat) meos, quod inscio eo recessimus, fraudulentum negotium esse conquerens. Tandem consulit, ut me ad Urbem mittat vel extra terras expellat, ne ponat maculam in gloriam suam propter unum (inquit) fraterculum, dicens, quod Romae causam prosequuntur; sic enim scripsisse eum fraudulentiam meam ad Urbem et lavisse manus suas. Ad has literas Princeps voluit me respondere et suis inclusas meas Legato mittere«, fügt er hinzu: »Et feci ita, et, credo, satisfeci« (ebd. 258, 8–16).

[304] Ebd. 219, Nr. 102.

[305] Vgl. oben S. 159.

erwirken. Das geschieht mit einer Begründung, die m.E. Luthers Existenzangst deutlich spüren läßt (wie sie am eindeutigsten in der Tischrede Nr. 1203 zum Ausdruck kommt, vgl. Anm. 339, die nur deshalb nicht in die Darstellung aufgenommen worden ist, weil die primären Zeugnisse m.E. völlig ausreichend sind, um die vorgetragene These zu belegen). Nicht daß Luther große Sorge um sich selbst hege, heißt es in dem Brief an Spalatin. Es tue ihm sogar leid, daß er nicht würdig sei, etwas besonders Schlimmes für die Wahrheit zu leiden, obwohl er ja mit dieser Reise nach Augsburg Gefahren und Übel für sich bis zur Versuchung Gottes gesucht habe. Aber es gehe ihm um die Universität und um die hervorragenden Studenten dort mit ihrem brennenden Eifer für das Studium der Schrift, der nicht in den ersten Anfängen erstickt werden dürfe, gemäß der Weisung von Ex 23,19. Wenn er, Luther, erst mit Gewalt unterdrückt worden sei, werde das Gleiche Karlstadt treffen »et totam theologiae professionem«. Luther fürchte, daß die junge Universität plötzlich zerstört werden würde, so wie der Pharao befahl, daß alle Söhne Israels »ab utero matrum« getötet und ertränkt würden. Es gäbe im Dominikanerorden viele Pharaos und besonders gelte das für den gegenwärtigen Papst.

Dieser Brief schließt sich in Inhalt und Verfahren durchaus denen aus dem August des Jahres 1518 an, über die berichtet wurde,[306] und vermehrt den dort gewonnenen Eindruck. Als die Universität Wittenberg am 23. November 1518 feierlich beim Kurfürsten für Luther eintritt, er möchte Cajetans Forderung nicht erfüllen, Luther nach Rom zu senden, wird zwar im Text des Briefes[307] gesagt, daß diese Eingabe auf Luthers Bitte hin geschehe, aber die Tatsache überrascht doch, daß Luther das Konzept dafür mit eigener Hand niedergeschrieben hat.[308] Am 25. November fragt Luther bereits bei Spalatin[309] an, ob der Kurfürst diese Eingabe der Universität erhalten habe. Er erwarte täglich die Verdammungen (»maledictiones«) aus Rom, deshalb ordne er alle seine Angelegenheiten, damit er bereit und gegürtet sei, wie Abraham fortzugehen, ohne zu wissen wohin, nur insofern ganz sicher, weil Gott überall sei. Der Brief schließt: »Tu vide, ut audeas legere Epistolam maledicti & excommunicati«.[310] Das klingt – wenn man es nicht ironisch nehmen will, was wohl nicht gut möglich ist – etwas dramatisch, ebenso wie die diesbezüglichen Ausführungen im schon genannten Brief an den Kurfürsten vom 21. November[311], der zur Weitergabe an Cajetan bestimmt war, auf dessen Forderung der Auslieferung Luthers nach Rom oder der Landesverweisung[312] der Kurfürst antworten mußte.

---

[306] Vgl. oben S. 157f.

[307] WA. B 12, 16f., Nr. 4215.

[308] Das Original ist erhalten und befindet sich in der Berliner Staatsbibliothek, vgl. WA. B 1, 254, Anm. 3 und WA. B 12, 16.

[309] WA. B 1, 253, Nr. 112.

[310] Ebd. 253, 12.

[311] Ebd. 236–246, Nr. 110.

[312] Ebd. 233–235, Vorgeschichte zu Nr. 110.

Hier erfahren wir, daß in Augsburg das Gerücht umgelaufen sei, der Kardinal habe gestattet, daß Luther gefangen genommen und in Fesseln geworfen werden solle, falls er nicht widerrufe.[313] Staupitz und Link hätten Augsburg bereits heimlich verlassen, denn als vom Kardinal mehrere Tage lang nichts verlautete, »suspectum mihi et omnibus amicis silentium factum est.«[314] So sei auch Luther »timens vim« von Augsburg weggegangen in der Überzeugung, »me praestitisse abunde arduam et fidelem obedientiam Summo Pontifici, iuxta tenorem citationis«.[315]

Leider könne er seinem Herzen nicht Luft machen. Er hätte es gern gesehen, daß der Brief an den Kurfürsten von einem Prierias geschrieben worden wäre, dann könnte er deutlich zeigen, daß hier eine »mala et sinistra conscientia« handle, »at nunc reverentia optimi et humanissimi viri cogit me bullientis cordis mei premere aestus usque in aliud tempus«.[316] Trotzdem macht er dem Kurfürsten konkret formulierte Vorschläge für die Antwort an Cajetan: dieser solle dafür sorgen, daß die Anklagen gegen Luther nicht nur behauptet, sondern bewiesen würden. Wenn das in aller Öffentlichkeit geschehen sei, »tunc mittam Fratrem Martinum ad Urbem, imo ipse eum capiam et interficiam«.[317] Solange das aber nicht erfolgt sei, könne er dem Verlangen des Kardinals nicht nachkommen. »Sic enim ego responderem, Princeps Illustrissime«.[318]

Gegen den Rat aller Freunde habe Luther »pericula tanta vitae et salutis« mit seinem Gang nach Augsburg auf sich genommen und sei dort allen Forderungen Cajetans nachgekommen, obwohl er dazu nicht verpflichtet gewesen sei. Er sei auch nicht betrügerisch verfahren (mit seinem heimlichen Weggang), »sed vim iustissimo timore declinavi.« Er habe nichts unterlassen, außer den sechs Buchstaben »revoco«.[319]

Zweimal trägt Luther dann, nur leicht variiert[320], ganz ausführlich denselben Gedankengang vor: Bisher habe man ihn lediglich verurteilt, aber ohne Gründe dafür anzugeben und ohne auch nur den Versuch zu unternehmen, ihn über seine Irrtümer zu belehren, obwohl er immer wieder darum gebeten habe. Erst wenn das geschehen sei und er sich dann noch weigere, der besseren Einsicht zu folgen, sei er verdammenswert. Bis dahin möchte der Kurfürst, so beschwört Luther ihn mit Nachdruck[321], nicht glauben, daß er Übles geredet habe: »Consulat igitur Illustrissima Dominatio tua honori suo et conscientiae suae, non mittendo me ad Urbem.«[322] Der Kardinal könne das dem Kurfürsten nicht befehlen, denn es würde bedeuten, diesen Christenblut vergießen zu lassen und zum Mörder zu machen.[323]

Das ist nachdrücklich genug. Fast ebensosehr liegt Luther daran, den Kurfürsten gegen die versteckten Anschuldigungen des Kardinals in Schutz zu nehmen, er stehe eigentlich hinter Luther: »Quasi fiducia potentiae Celsitudinis tuae moliar ista omnia.«[324] Es seien Lügner, die

---

[313] Ebd. 241, 224–226.
[314] Ebd. 242, 236.
[315] Ebd. 242, 237–239.
[316] Ebd. 243, 274–276.
[317] Ebd. 243, 288f.
[318] Ebd. 243, 292.
[319] Ebd. 243, 306f.
[320] Ebd. 243, 308–244, 353 und ebd. 244, 354–245, 383.
[321] »Iterum ego quoque atque iterum et tertio iterum rogo« (ebd. 244, 340).
[322] Ebd. 244, 345f.
[323] »cum sit impossibile, me tutum fore in Urbe, et id nihil aliud esset quam Illustrissimae Dominationi tuae mandare, ut traderet sanguinem christiani et fieret homicida: ubi nec ipse Summus Pontifex satis tuto vivit« (ebd. 244, 347–350).
[324] Ebd. 245, 356.

behaupteten, »tuae Celsitudinis hortatu et consilio me ista disputasse.«[325] Luther sei sich völlig im klaren gewesen, daß die Frage des in seinen 95 Thesen behandelten Ablasses »non ad Principes laicos, sed ad Episcopos primum referenda.«[326] In Wirklichkeit habe von der Disputation niemand zuvor etwas gewußt, auch seine vertrauten Freunde nicht, sondern nur der Erzbischof von Mainz und der Bischof von Brandenburg, die er, »antequam disputationem ederem«, in privaten Briefen »humiliter et reverenter monui, ut super oves Christi vigilarent adversus lupos istos.«[327] Erstaunlicherweise beruft sich Luther in diesem Zusammenhang auf seinen Brief an Albrecht von Mainz.[328] Aber er will mit allen Mitteln dem Versuch Cajetans entgegenwirken, »tuae Illustrissimae Dominationi maculam inurere totique sanguini domus Saxonicae«[329] – schon die ganz außergewöhnliche Form, in der Luther den Kurfürsten anredet, zeigt, daß dieser Brief nicht mit den Maßstäben der normalen Korrespondenz Luthers zu messen ist.

Wenn der Kardinal den Kurfürsten ermahne, Luther entweder nach Rom zu schicken oder aus seinem Lande zu verweisen, so erklärt Luther, daß er es gar nicht nachdrücklich ablehne, »in exilium ire«.[330] Denn angesichts der Nachstellungen seiner Widersacher könne er nirgendwo sicher leben. Wenn diese sich sogar trauten, »tuam Dominationem, quamvis tantum Principem, tantum Romani Imperii sacri Electorem, tantum christianae religionis cultorem«[331] (man beachte die preisenden Bezeichnungen, nirgendwo redet Luther in seinen Briefen zum oder vom Kurfürsten sonst auf diese Weise) so außerordentlich zu beleidigen, daß sie ihm Unheil androhten, wenn

---

[325] Ebd. 245, 357f.

[326] Ebd. 245, 364.

[327] Ebd. 245, 362f.

[328] Anders ist sein Satz ebd. 245, 364f. wohl nicht zu interpretieren: »extat epistola mea, multorum in manus devoluta, horum omnium testis«. Dabei ist der Singular »epistola mea« erstaunlich, denn vorher spricht Luther ja von zwei Briefempfängern. An sie kann unmöglich der gleiche Text gegangen sein, denn der Brief an Albrecht kreist um die von diesem erlassene Instruktion an die Ablaßkommissare und dessen persönliche Verantwortung für den unter seinem Namen ausgeschriebenen Ablaß, beides betraf den Brandenburger Bischof bestenfalls indirekt. Außerdem hat es nach Luthers Darstellung (vgl. z. B. sein Schreiben an Leo X. in den Resolutionen, also eine einigermaßen offizielle Aussage) vor dem Aufruf zur Disputation eine Reihe von brieflichen Kontakten mit kirchlichen Würdenträgern gegeben (»proinde monui privatim aliquot Magnates Ecclesiarum. Hic ab aliis acceptabar, aliis ridiculum, aliis aliud videbar«, WA 1, 528, 20f., danach gehört die Korrespondenz einige Zeit vor den 31. Oktober). Der im Zusammenhang mit der modernen Auseinandersetzung über die 95 Thesen vielstrapazierte Absatz hat nicht die Absicht einer historischen Darstellung des Ablaufs der Dinge, er kann nur im (meist vernachlässigten) Kontext des Briefes und unter dem apologetischen Vorzeichen interpretiert werden, unter dem er steht: der Kurfürst hat an den 95 Thesen und dem Ablaßstreit gar keinen Anteil, und schon gar nicht den des offenen oder heimlichen Initiators. Zum Beweis dessen nimmt Luther eine, sagen wir »zusammengefaßte« Darstellung in Kauf. Wenn Luther deswegen, wie mehrfach geschehen, der »Lüge« gegenüber dem Kurfürsten bezichtigt wird, wird übersehen, daß der Kurfürst über die Einzelheiten seit langem durchaus im Bilde war, und zwar nicht nur in bezug auf Luthers Vorgehen gegen den Ablaß, sondern auch in bezug auf seine Verhandlungen mit Cajetan. Er läßt Luther den Brief nicht schreiben, um sich über die historischen Abläufe unterrichten zu lassen, sondern um diesen in der Auseinandersetzung mit Cajetan als Waffe zu gebrauchen.

[329] WA. B 1, 245, 367–369.

[330] Ebd. 245, 385f.

[331] Ebd. 245, 389–391.

er ihrer Forderung nicht nachkomme, so sei deutlich, in welcher Gefahr Luther selbst stehe. So nimmt Luther feierlich (übertrieben feierlich) vom Kurfürsten Abschied:

»Quapropter ne Illustriss. tuae Dominationi quicquam meo nomine mali (quod minime omnium velim) accidat: ecce regiones tuas relinquo, iturus, quo Deus misericors voluerit, et eius divinae voluntati me in omnem permissurus eventum. Nihil enim minus sequor, quam ut quisquam mortalium mea causa (nedum Illustrissima Dominatio tua) vel in invidiam vel in periculum aliquod adducatur. Quamobrem, Illustrissime Princeps, Illustrissimam tuam Dominationem reverenter saluto, eique simpliciter valedico, gratias immortales pro omnibus suis beneficiis erga me agens. Ego enim, ubicunque ero gentium, Illustrissimae Dominationis tuae nunquam non ero memor, futurus semper sincerus et gratus pro tua et tuorum felicitate precator.«[332]

Dieser etwas gespreizte Abschied, der im Schlußgruß des Briefes noch einmal aufgenommen wird[333], führt zu der Frage, ob Luther hier aus Eigenem handelt[334], wissen wir doch, daß der Kurfürst damals wollte, daß Luther sein Land verließ, offensichtlich weil er meinte, daß Luther hier vor seinen Feinden nicht sicher sei. Im Bericht, den Luther am 25. November über die Angelegenheit an Staupitz erstattete[335], heißt es:

»Verum Princeps pro me satis est sollicitus, mallet tamen me alibi habere locum. Diu mecum fecit loqui Ioh. Spalatinum in Lichtenberg vocato super eadem re. Dixi: ›Si venerint censura, non manebo‹, dissuasitque, ne tam cito in Galliam irem. Adhuc expecto consilium eius. Tu autem vale, mi suavissime Pater, et solum animam meam Christo commenda. Video eos firmasse propositum damnandi me, rursus firmat Christus propositum non cedendi in me. Fiat, fiat voluntas eius sancta et benedicta. Ora pro me.«[336]

Dieses Gespräch hat offensichtlich vor dem 21. November stattgefunden, an dem Luther den Brief an den Kurfürsten schreibt (das »diu« läßt keinen anderen Schluß zu). Anscheinend war die Frage der Einzelheiten des Weggangs (nicht dieser als solcher) offen geblieben, sonst könnte Luther nicht sagen: »adhuc expecto consilium eius«. Noch am 2. Dezember schreibt er Spalatin[337], die Besorgnis der Freunde um ihn sei sehr groß, man hätte ihn bedrängt, er solle sich beim Kurfürsten in Gefangenschaft begeben. Dieser solle ihn irgendwo verwahren und dem Legaten schreiben, Luther sei gefangen und an einen sicheren Ort gebracht, um sich zu verantworten. Er überließe es Spalatin, über diesen Vorschlag zu urteilen: »Ego in manibus Dei et amicorum sum.«[338] Dieser Brief ist die Antwort auf ein Schreiben Spalatins (verloren), das bei Luther

---

[332] Ebd. 245, 394–246, 404.

[333] »Ego adhuc gratia Dei gaudeo, et gratias ago, quod Christus Dei filius in tam sancta causa me pati dignum iudicaverit« (ebd. 246, 414f.).

[334] Vgl. jedoch die etwas kryptische Äußerung Luthers im zweiten Brief an Cajetan am 18. Oktober 1518: »Itaque nunc abeo et alio me loco provisurus migro« (ebd. 223, 17, Nr. 104). Den Schlüssel dazu gibt offensichtlich die Tischrede Nr. 1203 aus der ersten Hälfte der dreißiger Jahre (WA. TR 1, 597f.), vgl. Anm. 339.

[335] WA. B 1, 257f., Nr. 114.

[336] Ebd. 258, 17–24.

[337] Ebd. 260f., Nr. 116.

[338] Ebd. 260, 11.

eintraf, als dieser anscheinend unmittelbar vor der Abreise stand[339], denn Luther antwortet: »Nisi venissent heri Literae tuae, iam parabam recessum, Mi Spalatine, Sed &
adhuc sum in utramvis partem paratus.«[340] Noch damals sind die Dinge also in der
Schwebe. Charakteristisch ist Luthers Briefschluß: »Ego si hic mansero, multa dicendi
scribendique libertate carebo. Si iero, totum effundam & vitam offeram Christo.«[341]

Der Schwebezustand findet sein Ende mit dem Antwortschreiben des Kurfürsten
vom 8. Dezember an Cajetan, mit dem er dessen Aufforderung zur Auslieferung Luthers nach Rom oder seiner Landesverweisung (übrigens auf der von Luther am
21. November vorgezeichneten Linie) eindeutig zurückweist, ja als Zumutung bezeichnet. Der Sinneswandel des Kurfürsten, der seinen Ausdruck im Brief Spalatins fand, auf
den Luther am 2. Dezember 1518 antwortet, ist von Luther dem Auftreten von Miltitz
zugeschrieben worden, wahrscheinlich aber zu Unrecht. Denn dieser ist erst Ende
November in Deutschland eingetroffen. Am 9. Dezember schreibt Luther an Spalatin,[342] daß er »gestern«, d. h. am 8. Dezember, Nachricht aus Nürnberg bekommen
habe, daß Miltitz unterwegs sei[343].

Außerdem war diese Nachricht über die Mission von Miltitz keineswegs positiv, denn – so
hätte es geheißen – Miltitz führe drei päpstliche Breve mit sich, »ut me capit & pontifici tradat.«[344] Außerdem sei Luther gewarnt worden, er solle sich vorsehen, es sei ein Beauftragter der
Kurie unterwegs, der dem Papst versprochen habe, ihm Luther zu überliefern. Diese und andere
Meldungen, ob sie nun wahr seien oder nur erfunden, um ihn zu erschrecken, seien nicht zu
verachten: »Ideoque, ne forte praeventum occidant vel censuris obruant, omnibus dispositis

---

[339] So die Tischrede Nr. 5375 c aus dem Sommer 1540 (WA. TR 5, 102 f.). Am ausführlichsten
ist der Bericht in Tischrede Nr. 1203 aus der ersten Hälfte der dreißiger Jahre (WA. TR 1, 597f.),
die gleichzeitig einen Eindruck von den Ängsten Luthers nach Augsburg gibt und die vorgetragene
Auffassung nachdrücklich unterstreicht: »Cum Augustam abiisset ad Caietanum et nollet revocare
illic, solus relictus est ab omnibus praesidiis humanis, caesare, papa, a legato cardinali, a principe
suo Friderico duce Saxoniae, ab ordine, a Staupitio familiarissimo amico. Princeps Fridericus non
vidit eum libenter Augusta redire, sicut quoque non suaserat, ut illuc proficisceretur. Nonnihil
perculsus hac desertione secum disputavit, quonam abire vellet. In Germania spes non erat. In
Gallia non tutum erat commorari propter papae minas. In summis igitur tum fuit angustiis. Rediit
igitur in Saxoniam. ... Princeps Fridericus veritus, ne cogeretur a papae autoritate eum capere,
significavit ei, ut alio se conferret, ubi tuto latere posset. Parere cogebatur principi. Ideo instituens
cum fratribus suis convivium, ut eis valediceret, incertus erat, quo abiret. In ipsa coenae hora
literae a Spalatino veniunt, quibus significabatur illi, mirari principem, quod nondum abierit;
maturet igitur profectionem etc. Ex hoc nuntio mirabiliter affectus fuit, cogitans se desertum ab
omnibus, interim tamen spe concepta dixit: Pater et mater dereliquerunt me, Dominus etc. Non
longe post supervenerunt aliae literae in eadem coena, quibus significabat Spalatinus, si nondum
abiisset, remaneret; Milticium enim egisse cum principe, rem posse componi colloquio aut disputatione. Princeps aequiore sententia audita retinet Doctorem, qui in hunc usque diem 30. Iulii anni
35. mansit Vuittenbergae.«

[340] WA. B 1, 260, 5f.

[341] Ebd. 261, 23–25.

[342] Ebd. 263f., Nr. 118.

[343] Ebd. 263, 6f.

[344] Ebd. 263, 8f.

expecto consilium dei«.[345] Die Nachricht, die Spalatin über seine offizielle Verabschiedung von
der Wittenberger Gemeinde zugetragen worden sei, sei entstellt. Er habe sie nur allgemein auf
einen möglichen plötzlichen Weggang vorbereitet. Sonst lese und lehre er wie bisher.[346]

Noch damals ist sich Luther also über den Fortgang der Dinge nicht sicher, aber
seine »cogitationes voluntatis« haben offensichtlich Ausgang November ihr Ende
gefunden, alles, was er über sein weiteres Schicksal schreibt, klingt jetzt viel gelassener
als noch am 21. November 1518.

# V. Die »Miltitz-Affäre« und die Beseitigung der »excitata discordia«

Die Entwicklung des Jahres 1519 kann mit Ausnahme der sog. Miltitz-Affäre kurz
behandelt werden, denn die Auseinandersetzung mit Eck hat die offene Opposition
gegen die römische Kirche zwar beschleunigt und verschärft, sie bringt aber nichts
grundsätzlich Neues dazu. Schon am 18. Dezember 1518 schickt Luther nämlich Link
nicht näher identifizierbare Ausarbeitungen zu,[347] damit dieser nachprüfen solle, ob
Luthers Vermutung richtig sei, daß der wahre und von Paulus beschriebene Antichrist
in der römischen Kurie regiere. Daß Rom schlimmer sei als die Türken, glaube er heute
beweisen zu können, schreibt Luther in diesem Zusammenhang. Die Auseinandersetzung mit Rom habe (mit Augsburg) noch nicht einmal ihren Anfang genommen,
geschweige denn, daß ihr Ende in Sicht sei. Die Herausforderung Ecks nötigt Luther
dann zum weiteren Studium der Dekretalen (in welchem Umfang er das getan hat, zeigt
die »Resolutio Lutheriana super propositione sua decima tertia de potestate papae«).
Daraufhin schreibt er an Spalatin am 13. März 1519[348], er wisse nicht, ob der Papst der
Antichrist selbst oder sein Apostel sei, so elend werde Christus (das sei die Wahrheit) in
den Dekretalen von ihm verderbt und gekreuzigt.[349] Aber er fügt hinzu: »In aurem tibi
loquor.« Es dauert bis 1520, bis Luther die Gleichsetzung des Papstes mit dem Antichrist, und zwar zunächst in der Konditionalform und dann direkt, öffentlich ausspricht (die wesentlichen Belegstellen finden sich bei Bäumer[350] und brauchen hier nicht
wiederholt zu werden[351]).

---

[345] Ebd. 263, 14f.
[346] Ebd. 264, 24.
[347] Ebd. 270f., Nr. 121.
[348] Ebd. 359f., Nr. 161.
[349] Ebd. 359, 29–31.
[350] Bäumer (Anm. 12), S. 54ff.
[351] Andererseits hat Bäumer auch »einige positive Aussagen über den Papst« aus späterer Zeit
zusammengestellt, vgl. z. B. ebd. S. 26, 52f., 75f., 84, und sie unter die Rubrik »überraschende
Schwankungen, wenn nicht Widersprüche« eingeordnet (S. 53). Jede der hier angeführten Aussagen bedürfte einer Interpretation im Kontext. Auf einen Nenner bringen lassen sie sich m. E. unter
dem Vorzeichen der Sehnsucht nach der Aufrechterhaltung bzw. Wiederherstellung der *einen*
Kirche, wofür Luther auch Opfer zu bringen bereit war, wie seine mehrfach wiederholten Ange-
bote zum Stillschweigen und seine Kompromißversuche bis 1520 hin zeigen; noch 1545 hat er
gemeint, daß es zu der »excitata discordia« nicht hätte kommen müssen, bzw. daß diese ohne
weiteres hätte beigelegt werden können (vgl. dazu unten S. 168).

Von 1520 ab ging die Kirchenspaltung unaufhaltsam ihren Weg, um den üblichen Ausdruck zu gebrauchen, wenn er auch die damalige Situation nicht trifft, ebensowenig wie das Wort von der Kirchentrennung. Man kann bestenfalls sagen, daß damals die Voraussetzungen dafür geschaffen wurden, wie sie dann erst im Augsburger Religionsfrieden von 1555 ansatzweise und im Westfälischen Frieden von 1648 faktisch Gestalt gewinnt. Zu Lebzeiten Luthers geht es immer um die *eine* Kirche, strittig ist lediglich, auf welcher Seite die wahre Kirche zu finden sei. Als solche hat sich die Reformation verstanden; die *ganze* Christenheit zur Reinheit des Evangeliums zurückzuführen, war ihr Ziel, nicht die Gründung einer Separatkirche. Aber, diese Frage sei zum Schluß gestellt: War eine solche Entwicklung zur Kirchentrennung zwangsläufig? Luther hat das mit Nachdruck verneint. Noch 1545 hat er in seinem autobiographischen Rückblick erklärt, daß die mit Miltitz Anfang Januar 1519 getroffene Vereinbarung die Voraussetzung für die Wiederherstellung von Frieden und Einheit gegeben hätte, wenn sie eingehalten worden wäre. Wenn Albrecht von Mainz Luthers Drängen gefolgt wäre und der Papst ihn nicht ungehört verdammt, sondern man rechtzeitig beiden Seiten Schweigen geboten hätte, wäre die Auseinandersetzung nie zu einem »so großen Tumult« ausgewachsen. Karl von Miltitz habe den rechten Weg eingeschlagen, jedoch habe man nicht auf ihn gehört. Jetzt, 1545, sei es zu spät.[352] Diese Aussage ist, wenn ich richtig sehe, bisher nicht ausreichend beachtet worden, obwohl es eine Reihe von Äußerungen gibt, die sie als Luthers feste Meinung auch schon in früheren Jahren stützen. Schon in Augsburg hatte Luther sich im Oktober 1518 Cajetan gegenüber ja bereit erklärt, über die Ablaßfrage zu schweigen, wenn auch die Gegenseite das täte, und dieses Angebot nicht nur Miltitz, sondern Anfang 1519 auch dem Papst gegenüber wiederholt. Tatsächlich hat sich Luther an die Altenburger Abmachungen mit Miltitz gehalten, wie er sie im Brief an den Kurfürsten vom 5. oder 6. Januar 1519 früh berichtet:

»Zcum ersten wolt ich vorheyßen, dießer materien hynfurter still zcu steen vnd die sach sich selb laßen zcu todt blüten (ßo fernn der widderpart auch schweyge). Dann ichs dafur acht, hett man meyn schreiben laßen frey gehn, es weer langest als geschwigen vnnd außgesüngenn vnnd eyn Jglicher des liedlins mude wurden. Beßorge auch, ßo dißem mittel nicht folge geschicht vnnd weyter werde angefochten mit gewalt odder worten, ßo wirt das ding aller erst recht erauß faren vnnd auß dem schimpf (= Scherz) eyn ernst werden, dann ich meynen vorradt nach gantz habe. darumb ichs das peste achte, ßo man mochte stille steen in der sachen.

Zcum andernn wolt ich Bepstlicher heylickeit Schreybenn vnnd mich gantz demutigk vnter werffenn, bekennen, wie ich zcu hitzick vnnd zcu scharff geweßen, doch nit vormeynet, der h. Ro. Kirchen da mit zcu nahe seyn, sundernn anzceigen die vrsach, das ich alls eyn trew kind der Kirchenn widderfochten hette die lesterliche prediget, dauon groß spott, nachrede vnnd vneer vnnd ergerniß des volcks gegen der Romischen kirchen erwachßen ist.

---

[352] »Futilis habebatur Carolus, et futile eius consilium, sed, meo iudicio, si Moguntinus a principio, cum a me admoneretur, denique si papa, antequam me non auditum damnaret et bullis suis saeviret, hoc cepissent consilium, quod Carolus cepit, licet sero, et statim compescuissent Tetzelianum furorem, non evasisset res in tantum tumultum. Tota culpa est Moguntini, cuius sapientia et astutia eum fefellit, qua voluit meam doctrinam compescere, et suam pecuniam, per indulgentias quaesitam, esse salvam. Nunc frustra quaeruntur consilia, frustra coguntur studia« (WA 54, 185, 1–8). Das »licet sero« ist von 1545 aus rückblickend gesprochen, 1519 war Luther nicht dieser Meinung, vgl. WA. B 1, 290, 11–15 und u. S. 169 ff.

Zcum dritten Wolt ich eyn zcedell außgehn laßen, eynen Jeder zcuuormanen, der Romischen kirchen folgen, gehorsam vnnd eerbietig zcu seyn, vnnd meyn Schrifft nit zcur schmach, sundern zcur eer der h. Ro. K. vorsteen solten. Auch bekennen, das ich die Warheyt alzcu hitzig vnnd villeicht vnzceytig an tag bracht. Dann wo nit die vrsach ßo groß geweßen, hett ich gnug gethan, vnnd noch eynem Jglichen gnug were, In dißem stuck zcu wißen eynen rechten vnterscheyd zcwischenn dem ablaß vnnd guten werckenn.«[353]

Noch am gleichen Tage hat Luther an den Papst ein Schreiben gerichtet,[354] das nun wirklich an Ergebenheitserklärungen gegenüber ihm wie der römischen Kirche keine Wünsche übrig läßt und auch nicht zu übertreffende papalistische Erklärungen enthält:

Vor Gott und allen Kreaturen erkläre Luther, daß er weder früher der römischen Kirche oder dem Papst auf irgendeine Weise hätte zu nahe treten oder ihr durch irgendeine Verschlagenheit Schaden zufügen wollen, noch wolle er das heute. »Quin plenissime Confiteor huius Ecclesie potestatem esse super omnia nec ei praeferendum quicqam sive in celo sive in terra praeter unum Ihesum Christum dominum omnium, Nec B. t. ullis malis dolis credat, qui aliter de Martino hoc machinantur.«[355] Er verspreche aufs freiwilligste, die Ablaßfrage künftig nicht mehr zu behandeln und vollständig darüber zu schweigen, wenn auch die Gegenseite das tue. Er werde eine Schrift veröffentlichen, die die Menge ermahne, daß sie die römische Kirche ungetrübt verehren und die Heftigkeit nicht nachahmen solle, die Luther ihr gegenüber gebraucht, ja mißbraucht habe, damit durch die Gnade Gottes oder dies Bemühen »sopiri queat excitata discordia«. Es komme ihm allein darauf an, daß die »Ecclesia Romana, mater nostra«[356], nicht durch fremden Geiz besudelt und das Volk nicht zu dem Irrtum verführt werde, die Liebe dem Ablaß nachzustellen. »Caetera omnia, ut sint neutralia, a me vilius aestimantur.«[357] Wenn er noch mehr tun könne, werde er ohne Zweifel aufs vollständigste dazu bereit sein.

Dieser Brief zeigt, wie weit Luther damals in seinen Erklärungen gegangen ist. Schon im Februar 1519 liegt die zugesagte Schrift vor: »Doktor Martinus Luther Augustiners Unterricht auf etliche Artikel, die ihm von seinen Abgönnern aufgelegt und zugemessen werden«[358]. Trotz aller negativen Erfahrungen mit Miltitz und der Gesamtentwicklung (Eck!) in der Zwischenzeit und trotz der Publikation der Bannandrohungsbulle in Rom am 24. Juli ist Luther noch im Oktober 1520 bereit, »dem allerheiligsten in Gott Vater Leo X., Papst zu Rom« den »Sendbrief« zu schreiben und den für diesen bestimmten »Tractatus de libertate christiana« zu verfassen, dessen deutsche Fassung »Von der Freiheit eines Christenmenschen« der Gemeinde die theologischen Voraussetzungen wie die praktischen Hinweise dafür geben sollte, wie man sich den Forderungen der katholischen Kirche einfügen könne. Dieses Verhalten zeigt, wie ernst es Luther 1519 mit der Beseitigung der »excitata discordia« war. Er hat zeit seines Lebens, von den ersten Januartagen 1519 bis 1545 mit allem Ernst gemeint, daß die Einheit der Kirche hätte bewahrt werden können. Aber entscheidende Voraussetzungen der Vereinbarung vom Januar 1519 wurden eben nicht innegehalten, niemand wollte oder konnte die Gegner Luthers zum Schweigen bringen. Schon in den ersten Februartagen

---

[353] Ebd. 290, 11–33, Nr. 128.
[354] Ebd. 292f., Nr. 129.
[355] Ebd. 293, 33–37.
[356] Ebd. 293, 46f.
[357] Ebd. 293, 48f.
[358] WA 2, 69–73.

1519[359] hatte Luther die Thesen Ecks in der Hand, die nominell gegen Karlstadt, mindestens in der 12. (später 13.) These über die Stellung des Papstes aber direkt gegen ihn gerichtet waren. Noch im selben Monat wurde Luther von Eck zur Teilnahme an der von diesem schon seit Dezember 1518 vorbereiteten Disputation aufgefordert. Es trat das ein, was Luther bereits am 5./6. Januar 1519 gefürchtet hatte: »So dißem mittel (des beiderseitigen Stillschweigens) nicht folge geschicht vnnd weyter werde angefochten mit gewalt odder worten, ßo wirt das ding aller erst recht erauß faren vnnd auß dem schimpf (= Scherz) eyn ernst werden.«[360] Aber auch sonst erweist sich Luthers Auffassung, mag er sie auch sein Leben lang gehabt haben, als Illusion. Wenn es in der Schrift »Von der Freiheit eines Christenmenschen« in Zusammenfassung der praktischen Vorschläge heißt:[361]

»Denn ein freyer Christen spricht alßo: ›Ich wil fasten, betten, ditz und das thun, was gepotten ist, nit das ichs bedarff oder da durch wolt frum oder selig werden, sondern ich wils dem Bapst, Bischoff, der gemeyn oder meynem mit bruder, herrn zu willen, exempel und dienst thun und leydenn, gleych wie mir Christus viel grösser ding zu willen than und geliden hatt, des yhm vill weniger nott ware. Und ob schon die tyrannen unrecht thun solchs zu foddern, ßo schadets mir doch nit, die weyl es nit widder gott ist‹ «[362],

so ist auf den ersten Blick deutlich, daß auf dieser Basis die Einheit mit der katholischen Kirche des 16. Jahrhunderts nicht zu bewahren war. Und wenn man den »Sendbrief« an der Stelle vergleicht, wo Luther mit einer Formulierung einsetzt, die dem Schreiben an den Papst vom Mai 1518 nahe kommt, wird ebenfalls auf den ersten Blick klar, daß die Beseitigung der »excitata discordia« so nicht möglich war:

»Alßo kum ich nu, H. V. Leo, und zu deynen fuessen liegend bitte, ßo es muglich ist, wollist deyne hend dran legenn, den schmeychlernn, die des frids feynd seyn, und doch frid furgeben, eynen zawm eynlegenn. Das ich aber solt widderruffen meyne lere, da wirt nichts auß, darffs yhm auch niemant furnehmen, er wolt denn die sach noch yn eyn grosser gewyrre treybenn, da tzu mag ich nit leyden regel oder masse, die schrifft außzulegen, Die weyl das wort gottis, das alle freyheyt leret, nit soll noch muß gefangen seyn. Wo myr diße zwey stuck bleybenn, ßo soll myr sonst nichts auffgelegt werdenn, das ich nit mit allem willenn thun und leyden will. Ich byn dem hadder feynd, wil niemants anregenn noch reytzen, ich will aber auch ungereytzit seyn, werd ich aber gereytzet, wil ich, ob gott wil, nit sprachloß noch schrifftloß sein. Es mag yhe deyne H. mit leychten kurtzen worten alle diße hadderey zu yhr nemen und außtilgenn, unnd daneben schweygen und frid gepieten, wilchs ich alltzeyt zuhören gantz begirig byn geweßen.«[363]

---

[359] Vgl. WA. B 1, 315f., Einleitung zu Nr. 142.

[360] Ebd. 290, 15–18. Vgl. den Brief Luthers an den Kurfürsten vom 13. März 1519 (ebd. 357f., Nr. 160), der den Konflikt anzeigt, in dem Luther steht.

[361] Zitiert wird nach der deutschen Fassung. Sie ist zwar nicht so straff in der Gedankenführung wie die lateinische, aber sie ist nicht nur früher als diese, sondern sie stellt die Vorlage dafür dar (vgl. Wilhelm Maurer, Von der Freiheit eines Christenmenschen, Göttingen 1949, S. 65–78). Außerdem ist die Schrift nicht speziell an die Theologen, sondern an die Gemeinde gerichtet, für sie war allein die deutsche Fassung von Bedeutung.

[362] WA 7, 37.

[363] Ebd. 9, 25–38.

Ja selbst das Schreiben an den Papst vom Januar 1519 verweigert trotz der überaus nachdrücklichen – wenn man will »papalistischen« – Erklärungen den Widerruf der 95 Thesen, wenn es auch heißt, das geschehe um der Ehre der katholischen Kirche willen. Der letzte Satz des »Unterricht auf etliche Artikel« beginnt zwar: »Dem heyligen Romischenn stuel soll man yn allen dingen folgen« – aber er fährt fort: »doch keynem heuchler (d. h. doch wohl: keinem ausdrücklichen Gegner Luthers) nymer gleuben.«[364] Der sechste Artikel versucht die positivsten Aussagen über die römische Kirche: Die römische Kirche sei von Gott vor allen anderen geehrt, und wenn es zu Rom leider so stehe, daß es besser sein könnte, so sei doch diese und keine andere Ursache so groß, daß man sich von der römischen Kirche trennen sollte. Ja umgekehrt: Je übler es dort stehe, um so mehr sollte man ihr anhängen, denn durch Ausscheiden aus ihr wird es nicht besser. »Die lieb vormag alle dinck, und der eynickeyt ist nichts zu schwer«[365] – hier hören wir schon im Ansatz die Aussage in der »Freiheit eines Christenmenschen«. Über die Herrschaftsrechte des Römischen Stuhls sollten sich die Gelehrten streiten, denn für die Seligkeit der Seele komme nichts darauf an. Christus habe seine Kirche nicht auf die äußerliche, scheinbare Gewalt gegründet, die der Welt und den weltlich Gesinnten überlassen sei, sondern auf die inwendige Liebe, Demut und Einigkeit. Deshalb solle man sich mit der verschiedenen Verteilung der Gewalt so abfinden, wie man sich mit der verschiedenen Verteilung anderer irdischer Güter wie Ehre, Reichtum usw. abfindet. »Alleyn der eynickeyt soln wyr achten nemen und bey leyb nit widder streben Bepstlichen gepoten«.[366]

Nun klingt das noch einigermaßen positiv, aber ob es einem engagierten Katholiken des 16. Jahrhunderts ausreichend erschien, möchte man bezweifeln.[367] Im Artikel »Von Den Gepoten Der Heyligen Kirchen« erklärt Luther im ersten Satz bereits: »Gottes gepot sol man uber der kirchen gepot achten, wie das golt und edel gesteyn uber das holtz und stroo«[368] und schließt seine Ausführungen:

> »Drumb sag ich noch, Man sol beyderley gepot halten, doch mit großem vleys unter scheyden. Dan ob schon keyn gepot der kirchen were, kund man doch wol frum seyn durch gottis gepot. Wan aber gottis gepot nach bleybt, ßo ist der kirchen gepot nit anders, dan eyn schedlicher schand deckel und macht außen eyn guten scheyn, do inwendig nichts guts ist. Der halben ist auch meyn rad, das man der kirchen gepot eyns teyls ablegt yn eynem Concilio, auff das man gottis gepot auch eyn mal scheynen und leuchten ließ, dan mit den lichten vieler gepot hat man dem tag gotlichs gepots gar nah die augen auß gelaucht.«[369]

[364] WA 2, 73, 20f.
[365] Ebd. 73, 3f.
[366] Ebd. 73, 14–16.
[367] Wenn BÄUMER (Anm. 12) S. 26 erklärt: »Luthers Sendbrief [d. h. der »Unterricht«] war das letzte starke Bekenntnis zur Lehrautorität des römischen Stuhles, das Luther ablegte«, so beruht das auf einer isolierten Stelle ohne Beachtung des Kontextes, der das nicht hergibt. Zwar ist Bäumer im Recht, wenn er die Interpretation durch BIZER (Luther und der Papst, München 1958, S. 31f.) als den »Tatsachen nicht gerecht« werdend bezeichnet, aber für seine Interpretation läßt sich dasselbe behaupten.
[368] WA 2, 71, 2–3.
[369] Ebd. 71, 21–29.

Im Artikel »Von Dem Ablaß« heißt es:

»Ablas ist frey und wilkörrig, sundiget niemant, der es nit loßet, vordienet auch nichts, der es loßet. Drumb ßo yemant eynem armen menschen nit gibt, adder seynem nehsten nit hilfft, und doch meynet ablaß zu lossen, thut nit anders, dan das er got und sich selb spottet. Er thut das nit, das got gepoten hat, und thut, das ym niemant geboten hat.«[370]

Der Schlußsatz: »Was mehr von ablas zu wyssen ist, sol man den gelerten yn den schulen laßen, und an dißem vorstand sich gnugen laßen«[371] vermag das nur sehr unvollkommen auszugleichen.

So ließe sich fortfahren. Luther hat sich Anfang 1519 gewiß alle Mühe gegeben, die strittigen Fragen zu entschärfen, und ist den katholischen Auffassungen damals so weit wie ihm irgend möglich entgegen gekommen, aber es ist wohl deutlich, daß der römischen Kirche des 16. Jahrhunderts selbst diese Formulierungen schweren Anstoß geben mußten. Luther hat sich mit seiner Überzeugung, daß die Glaubensstreitigkeiten des 16. Jahrhunderts hätten vermieden werden können, wenn die römische Kirche die Auseinandersetzungen über den Ablaß sofort unterbunden und die Mißbräuche unterdrückt hätte, wie schon gesagt, in einem Irrtum befunden. Es ist auch nicht die falsche Schlauheit des Erzbischofs von Mainz gewesen, die, wie er meint, schuld an den Auseinandersetzungen hat, die zur Reformation führten. Selbst wenn man die Frage außer acht läßt, ob die römische Kirche des 16. Jahrhunderts in ihrer damaligen Gestalt und Struktur die von Luther gestellte Forderung eines allgemeinen Schweigegebots über den Ablaßstreit hätte erfüllen können oder auch nur wollen, wird man urteilen müssen, daß die Kirchentrennung unter den damaligen Voraussetzungen – und das gilt für beide Seiten – unvermeidlich war. Das ist eine rein historische Feststellung für das 16. Jahrhundert und kann nicht auf die Gegenwart übertragen werden, mindestens nicht ohne weiteres. Denn von jener Epoche trennen uns über vier Jahrhunderte, und dies nicht nur äußerlich.

---

[370] Ebd. 70, 32–36.
[371] Ebd. 70, 36–38.

Erwin Iserloh

# 4.2. Martin Luther und die römische Kirche

## I. Die Lehre von der Kirche am Vorabend der Reformation

Die katholische Kirchengeschichtsschreibung ist gewohnt, unter den Ursachen der Reformation eine weitgehende dogmatische Unklarheit (Lortz) bzw. eine doktrinäre Verwirrung zu Beginn des 16. Jahrhunderts (Jedin) aufzuführen. Der Bereich von Wahrheit und Irrtum war nicht mehr hinreichend klar abgesteckt. Man konnte sich im Einvernehmen mit der Kirche wähnen, auch wenn man längst schon Positionen bezogen hatte, die ihrem Wesen widersprachen.

Diese dogmatische Unklarheit betraf vor allem die Lehre von der Kirche. Die Kirchenkritik Wyclifs und anderer hatte zur Spiritualisierung und Minderbewertung der Institution Kirche geführt. Kanonische Strafen, an erster Stelle das Interdikt, wurden angesichts ihres vielfachen Mißbrauchs zu weltlichen Zwecken nicht mehr ernstgenommen. Das wurde besonders eklatant während des Abendländischen Schismas, als die Päpste jeweils die Gebiete der gegnerischen Obödienz mit dem Interdikt belegten, so daß faktisch die ganze Christenheit von Interdikten betroffen war. Selbst Heilige wußten in dieser Situation nicht, wer von den drei Päpsten der legitime war, und so gewöhnten sich die Christen daran, ohne Papst katholisch zu sein. Stand man in Konflikt mit der Institution Kirche, dann beteuerte man mit der wahren Kirche, mit dem »Christus im Herzen«, im reinen zu sein. Gegen dieses Argument der Florentiner betonte die hl. Katharina von Siena, daß man ohne die Unterordnung unter den Papst, den sie »Christus auf Erden« nennt, auch den »Christus im Herzen« nicht haben könne.[1] Später konnte Luther meinen, noch zur Kirche seiner Väter zu gehören, als er schon längst den Papst als den Antichristen bezeichnet hatte.

Hier ist zu bedenken, daß die Gesellschaftslehre der Zeit im Zeichen des Nominalismus stand. Für diesen ist die Relation, die Beziehung, nichts Reales, ist deshalb das Ganze nicht mehr als die Summe der Teile; in diesem Denken ist auch die Kirche als Gemeinschaft aller Gläubigen nicht mehr als eine Vielheit von Personen. Im Kreis der theologischen Disziplinen hatte die Lehre von der Kirche im Rahmen des kanonischen Rechtes ihren Platz. Erst Kardinal Cajetan (1469–1534) hat die Ekklesiologie als dogmatische Disziplin angesehen und bewußt entsprechend eingeordnet und behandelt. Kurz: Wir müssen zu Beginn des 16. Jahrhunderts mit einem ekklesiologischen Minimalismus rechnen und dürfen nicht erwarten, daß Luther über eine voll durchreflek-

---

[1] Brief vom April 1376: An die Herren von Florenz, in: FERDINAND STROBEL (Hg.), KATHARINA VON SIENA. Politische Briefe, Einsiedeln – Köln 1944, S. 143 f.

tierte Lehre von der Kirche verfügt. Das mußte sich auch auf sein Verhältnis zur Kirche seiner Tage, besonders auf sein Verhalten ihr gegenüber im Konfliktsfall auswirken. An zwei Schriften aus den Jahren 1520 und 1521 soll das aufgezeigt werden. Damit soll nicht gesagt werden, daß er diese radikale, durch die polemische Situation bedingte Position durchgehalten hat. Er hat sie aber auch nicht ausdrücklich revoziert.

## II. »Vom Papsttum zu Rom...«

In der Schrift »Vom Papsttum zu Rom wider den hochberühmten Romanisten zu Leipzig«[2] vom Juni 1520, die sich gegen den Franziskaner Augustin von Alveldt richtet, geht es um die Frage, ob das Papsttum göttlichen oder nur menschlichen Rechtes sei. Luther bezeichnet es als unzulässig, vom Wesen einer weltlichen Gemeinschaft auf eine geistliche zu schließen. Man dürfe also nicht argumentieren: Jede Gemeinde auf Erden verfällt, wenn sie kein Haupt hat; weil nun die ganze Christenheit eine Gemeinde auf Erden ist, muß sie ein Haupt haben, und das ist der Papst. Man könne die christliche Gemeinde nicht mit irgendeiner weltlichen vergleichen. Nach der Hl. Schrift sei »die Christenheit eine Versammlung aller Christgläubigen auf Erden«.[3] Entsprechend beten wir: »Ich glaube an den Hl. Geist, eine Gemeinschaft der Heiligen.«[4] Unter den Christgläubigen versteht Luther die Gerechtfertigten, »all die, die in rechtem Glauben, rechter Hoffnung und rechter Liebe leben, was zur Folge hat, daß der Christenheit Wesen, Leben und Natur nicht eine leibliche Versammlung ist, sondern eine Versammlung der Herzen in einem Glauben«.[5] Damit ist die Kirche unsichtbar, denn man kann ja nicht wissen, wer faktisch gerechtfertigt ist.

Luther setzt Reich Gottes und Christenheit bzw. Kirche gleich. Entsprechend ist es für ihn »erlogen und erstunken...«, wenn man sagt, daß die Christenheit zu Rom oder an Rom gebunden sei, geschweige denn, daß das Haupt und die Gewalt aus göttlicher Ordnung dort seien«. Man könne doch nicht leugnen, »daß der größere Teil dieses Haufens, und besonders zu Rom selbst, nicht in der geistlichen Einigkeit ist, das heißt in der rechten Christenheit, um ihres Unglaubens und bösen Lebens willen«[6].

In der »äußerlichen römischen Einigkeit« zu sein, macht nicht Christen, wie »auch außerhalb derselben Einigkeit zu sein, weder Ketzer noch Unchristen machen kann«.[7] Darum, so folgert Luther, »kann es auch nicht wahr sein, daß es göttliche Ordnung sei, unter der römischen Gemeinde zu sein«[8]. Eine innere Entsprechung zwischen leiblicher und geistlicher Gemeinde sieht Luther nicht. Er läßt zwar einen Vergleich mit dem Verhältnis von Leib und Seele zu: Man kann nach Luther die leibliche Gemeinde als ein »Bild« der christlichen, geistlichen Gemeinde bezeichnen und daraus schließen, »daß wie die leibliche Gemeinde ein leibliches Haupt hat, so auch die geistliche Gemeinde ein geistliches Haupt hat«[9]. Es geht aber bei diesem Vergleich nicht darum, eine Ein-

---

2 WA 6, 285–324.      6 Ebd. 294.
3 Ebd. 292.      7 Ebd. 294.
4 Ebd. 293.      8 Ebd. 294.
5 Ebd. 293.      9 Ebd. 295.

wirkung des Leibes auf die Seele oder umgekehrt festzustellen, sondern es gilt die Folgerung Alveldts als unsinnig hinzustellen, die Seele müsse ein leibliches Haupt haben.

»Um des besseren Verständnisses und der Kürze willen« möchte Luther »die zwei Kirchen mit unterschiedlichem Namen nennen. Die erste, die natürlich, begründet, wesentlich und wahrhaftig ist, wollen wir eine geistliche, innerliche Christenheit nennen; die andere, die gemacht und äußerlich ist, wollen wir eine leibliche, äußerliche Christenheit nennen.«[10] Luther möchte jedoch nicht beide Kirchen »voneinander scheiden«.[11] Denn wenn die leibliche Gemeinde auch »nicht einen wahren Christus macht« und ihre Stände »ohne den Glauben bestehen können«, so bleibt sie doch nie »ohne etliche, die auch daneben wahrhaftig Christen sind«.[12] Der Leib gibt ja auch nicht der Seele das Leben, wohl aber lebt die Seele im Leibe, gewiß aber auch außerhalb des Leibes bzw. ohne diesen. Daß faktisch in der leiblichen Kirche wirkliche Christen leben, scheint aber in keinem ursächlichen Zusammenhang miteinander zu stehen. Es ist bei Luther auch nicht davon die Rede, daß Gott seine Heilsverheißung und Heilsvermittlung in besonderer Weise, wenn auch nicht ausschließlich, an die sichtbare Kirche gebunden hat.

Für Luther gilt, daß die geistliche Christenheit, »die allein die wahrhaftige Christenheit ist, kein Haupt auf Erden haben mag und kann und daß sie von niemandem auf Erden, weder Bischof noch Papst, regiert werden kann; sondern allein Christus im Himmel ist hier das Haupt und regiert allein«.[13] Denn die Kirche ist verborgen, kann doch niemand wissen, wer wahrhaftig glaubt und wer nicht. Deshalb kann auch der Papst nicht das Haupt der geistlichen Kirche sein, denn niemand kann »regieren, was er weder weiß noch kennt«.[14] Weiter gehört es zur Natur eines Hauptes, seinen Gliedern »alles Leben, allen Sinn und alles Werk«[15] einzuflößen. »Nun kann kein Mensch weder der Seele des anderen noch seiner eigenen den Glauben und allen Sinn, allen Willen und alles Werk Christi einflößen, sondern allein Christus. Denn kein Papst, kein Bischof kann soviel tun, daß der Glaube und was ein christliches Glied haben muß, in eines Menschen Herzen entstehe.«[16] Also kann es »auf Erden kein anderes Haupt der geistlichen Christenheit geben als allein Christus … Wenn ein Mensch hier das Haupt wäre, so müßte die Christenheit sooft verfallen, wie der Papst stürbe, denn der Leib kann nicht leben, wenn das Haupt tot ist.«[17]

Zu solchen Konsequenzen kann sich Luther nur deshalb hinreißen lassen, weil er im geistlichen Bereich keine Stellvertretung kennt. Entsprechend fährt er fort: »Weiter folgt, daß Christus in dieser Kirche keine Vikare (d. h. Stellvertreter) haben kann. Darum ist weder der Papst noch der Bischof jemals Christi Vikar oder Statthalter in dieser Kirche, kann es auch nicht werden.«[18] Denn – so lautet die Begründung – »der Papst kann nicht Christi, seines Herrn, Werk (das ist Glaube, Hoffnung und Liebe und alle Gnade mit den Tugenden) einflößen oder machen in einem Christenmenschen,

---

| | | |
|---|---|---|
| [10] Ebd. 296 f. | [13] Ebd. 297. | [16] Ebd. 298. |
| [11] Ebd. 297. | [14] Ebd. 298. | [17] Ebd. 298. |
| [12] Ebd. 297. | [15] Ebd. 298. | [18] Ebd. 298. |

auch wenn er heiliger wäre als St. Peter«.[19] Eine instrumentale Heilsvermittlung scheint somit nach Luther nicht möglich zu sein. Die Amtsträger in der Kirche sind Boten, Apostel; »da sie einerlei Botschaft bringen, kann keiner von Amtes wegen über den anderen sein«.[20]

Die Kirche selbst ist Gegenstand des Glaubens, denn wir bekennen ja: »Ich glaube... eine heilige, christliche Kirche.«[21] Was man glaubt, ist aber »weder leiblich noch sichtbar«.[22] »Die äußerliche römische Kirche«, so folgert Luther, »sehen wir alle; darum kann sie nicht die rechte Kirche sein, die geglaubt wird. Diese ist eine Gemeinde oder Versammlung der Heiligen im Glauben; aber niemand sieht, wer heilig oder gläubig sei.«[23] Daß diese auf den ersten Blick so eingängige Argumentation – was man glaubt, kann man nicht sehen, bzw. was sichtbar ist, kann nicht Gegenstand des Glaubens sein – der inkarnatorischen Ordnung nicht gerecht wird, scheint Luther nicht zu spüren. Beim menschgewordenen Sohn Gottes selbst und bei den Sakramenten schließt ja die Tatsache, daß ich ihr Wesen nur im Glauben erfassen kann, nicht aus, daß dieses jeweils unlöslich an eine sichtbare Gestalt gebunden ist.

Für Luther gibt es allerdings Zeichen, die uns annehmen lassen, daß Kirche gegenwärtig ist oder wird: Taufe, Abendmahl und Evangelium: »Denn wo Taufe und Evangelium sind, da soll niemand zweifeln, daß auch Heilige sind, und sollten es gleich lauter Kinder in der Wiege sein.«[24] Mit dieser These, daß die heilige und irrtumsfreie, daher aber auch verborgene Kirche tatsächlich besteht, und sei es auch nur in einigen unmündigen Kindern, steht Luther in der Linie Wilhelm von Ockhams. Nach diesem können zwar Papst und Konzil irren, doch nicht die Kirche. Sie bleibt in der Wahrheit gehalten. Sie, die vom Hl. Geist geleitete, nach Christi Verheißung irrtumsfreie »ecclesia universalis« muß nicht im Papst und Konzil bestehen, sie kann im Grenzfall allein von einem einzelnen Menschen – einem alten Weib, ja von einem unmündigen Kind – verwirklicht sein.[25] Rom oder päpstliche Gewalt gehören für Luther nicht zu den Zeichen der Christenheit, sondern sind »eine menschliche Ordnung«.[26]

Wie steht es aber mit der Verheißung Christi an Petrus in Mt 16,18? Diese Worte gelten nach Luther nicht der Person des Petrus, sondern der ganzen Gemeinde. »Die römischen Tyrannen haben sehr gegen das Evangelium gekämpft, um aus der allgemeinen Gewalt eine eigene zu machen.«[27] Den Beweis für seine Auffassung sieht Luther darin, daß dieselbe Vollmacht Mt 18,18 und Joh 20,23 allen Aposteln zugesprochen wird. Wieso die Verheißung an das Apostelkollegium eine besondere Stellung des

---

[19] Ebd. 298.
[20] Ebd. 300.
[21] Ebd. 300.
[22] Ebd. 300.
[23] Ebd. 300 f.
[24] Ebd. 301.
[25] Dialogus I 5 c. 35; MELCHIOR GOLDAST, Monarchia S. Romani Imperii, II, Hannover – Frankfurt 1612, S. 506; vgl. HUBERT JEDIN (Hg.), Handbuch der Kirchengeschichte, III. 2, Freiburg 1968, S. 451 Anm. 36.
[26] WA 6, 301.
[27] Ebd. 310.

Petrus ausschließt, erläutert Luther nicht weiter, noch weniger, wieso damit die ganze Gemeinde bevollmächtigt ist.

Die Römer hätten – fährt Luther fort – nicht nur die Schlüsselgewalt für sich in Anspruch genommen, sondern aus dieser darüber hinaus eine regierende Gewalt gemacht, die weit mehr sei als die Schlüsselgewalt. Diese »erstreckt sich nur auf das Sakrament der Buße«[28], d.h. darauf, die Sünder zu binden und zu lösen. »Aber die regierende Gewalt besteht auch über die, die rechtschaffen sind und nichts haben, das man binde oder löse, und hat unter sich: predigen, ermahnen, trösten, die Messe halten, das Sakrament austeilen und dergleichen.«[29] Davon ist in den betreffenden Schriftstellen aber nicht die Rede, es »ist weder St. Peter noch den Aposteln Gewalt gegeben, zu regieren oder die Vorherrschaft zu haben.«[30] »Die Worte Christi sind lauter gnädige Zusagen, der ganzen Gemeinde, aller Christenheit gegeben, auf daß die armen, sündigen Gewissen einen Trost haben sollen, wenn sie durch einen Menschen von ihren Sünden losgelöst oder freigesprochen werden.«[31]

Daß mit dem Fels weder St. Peter noch seine Leitungsgewalt gemeint sein können, ist für Luther vollauf bewiesen durch den Nachsatz: »Und die Pforten der Hölle werden nichts gegen sie vermögen.«[32] Denn »der Papst und sein Anhang sind ja offensichtlich von aller Gewalt der Hölle besessen, voller Bosheit und Sünde. Päpste sind selber Ketzer gewesen, haben ketzerische Gesetze gegeben und sind doch in der Obrigkeit geblieben.«[33] Allein Christus und der Glaube können der Fels sein, weil gegen sie keine Gewalt etwas vermag, während »das Papsttum oft den höllischen Pforten unterworfen gewesen«[34] ist. »Darum muß der Fels und das Gebäude Christi, darauf gegründet, etwas anderes sein als das Papsttum und seine äußerliche Kirche.«[35]

Das Papsttum und seine äußerliche Kirche sind menschlichen Rechtes, d.h. es steht mit ihnen wie mit weltlichen Obrigkeiten, die »ohne Gottes Wort, doch nicht ohne Gottes Ratschluß regieren, weshalb es auch nicht nötig ist, daß sie glauben.«[36] Der Papst ist zu seiner Vollgewalt über alle Bischöfe gekommen nicht ohne göttlichen Ratschluß, allerdings aus zornigem Ratschluß Gottes, der zur Plage der Welt zuläßt, daß Menschen sich selbst erheben und andere unterdrücken. Darum, so folgert Luther, »will ich nicht, daß jemand dem Papst widerstrebe, sondern göttlichen Ratschluß fürchte, diese Gewalt in Ehren halte und mit aller Geduld trage, wie wenn der Türke über uns wäre«.[37] Daß nach Luther das Papsttum und die von ihm dargestellte äußere Kirche menschlichen Rechtes sind, bedeutet demnach: Sie gehören zum weltlichen Regiment, haben die äußere Ordnung zu sichern und sind zu respektieren, solange sie nichts anordnen, was der Hl. Schrift widerspricht, und solange sie nicht den Papst über Christus setzen, ihn nicht zu einem Richter über die Schrift machen und sagen, er könne nicht irren.[38]

---

[28] Ebd. 312.
[29] Ebd. 312.
[30] Ebd. 312.
[31] Ebd. 312.

[32] Ebd. 314.
[33] Ebd. 314.
[34] Ebd. 315.
[35] Ebd. 315.

[36] Ebd. 318.
[37] Ebd. 312f.
[38] Vgl. ebd. 322.

## III. »Ad librum Ambrosii Catharini…«

In der zweiten hier zu behandelnden Schrift »Ad librum Magistri Ambrosii Catharini«[39] legt Luther seine Auffassung von der Kirche noch schärfer dar. Diese Schrift ist die Antwort auf die »Apologia pro veritate catholicae et apostolicae fidei…« des Dominikaners Ambrosius Catharinus Politus, den Luther als »der Thomisten dritten«[40] neben Silvester Prierias und Cajetan bezeichnet. Die Schrift kam am 7. März 1521 in die Hände Luthers, der tags zuvor die Vorladung zum Reichstag in Worms erhalten hatte. Noch vor seiner Abreise dorthin verfaßte er die Antwort, die am 1. April vollendet war. Am 9. Juli 1521 sandte Aleander von Brüssel aus ein Exemplar an die Kurie.

Luther geht davon aus, daß der Papst der Antichrist ist.[41] Damit ist für ihn schon ausgemacht, daß mit dem Felsen (Mt 16,18) nicht der Papst und die sichtbare Kirche gemeint sein können, weil sich an ihnen die Verheißung »Die Pforten der Hölle werden sie nicht überwältigen« nicht erfüllt hat. Denn Päpste und die äußere Kirche sind der Sünde verfallen und somit von den Pforten der Hölle überwunden worden. Wie aber soll die Kirche den Pforten der Hölle widerstehen, fragt Luther, wenn ihr Fels, auf den sie gegründet ist, ein Sünder ist? Denn steht nicht in Joh 8,34 geschrieben: »Jeder, der Sünde tut, ist der Sünde Knecht«?[42]

Daher »ist das Wort Christi in Mt 16,18 nicht an eine Person gerichtet, sondern allein an die Kirche, die im Geist gebaut ist auf dem Felsen Christus, nicht (aber) auf dem Papst und nicht auf der römischen Kirche. Denn solange du (uns) nicht einen heiligen Papst zeigst, hast du weder den Felsen noch die Kirche bezeichnet, sondern die Jauche der Sünde und die Synagoge des Satans. Da man aber auch von Petrus, wenn er anwesend wäre, nicht wissen kann, ob er heilig wäre und ohne Sünde bleiben würde, ist es nötig, daß nicht er selbst der Fels ist, sondern allein Christus, der allein ohne Sünde ist und ganz sicher bleiben wird und mit ihm die heilige Kirche im Geiste.«[43] Denn: »Wie nun der Fels (Christus) ohne Sünde und geistig ist und allein im Glauben faßbar, so ist auch notwendigerweise die Kirche ohne Sünde, unsichtbar und geistig und allein im Glauben erfaßbar.«[44] »Denn der Fels und die Kirche müssen ohne Sünde sein, nicht unterworfen den Pforten der Hölle. Da aber niemand in der Welt sicher und untrüglich so beschaffen sein kann und es trotzdem einen unbestreitbaren Fels und eine Kirche geben muß, folgt: Es gibt keinen Papst und keine Kirche« in dieser Welt.[45]

Luther übt nicht Kritik an einem bestimmten Papst, sondern prinzipielle Kritik am Papsttum überhaupt. Es steht nicht in der Hl. Schrift, noch hat je einer der Kirchenväter behauptet, »der römische Bischof sei das Haupt, der Fels, der Oberste und Erste,

---

[39] Ad librum eximii magistri nostri Mag. Ambrosii Catharini, defensoris Silv. Prieratis acerrimi, responsio M. Lutheri 1521: WA 7, 705–778.

[40] Ebd. 706.

[41] »Conclusum est, Papam esse Antichristum«: ebd. 708.

[42] Vgl. ebd. 709.

[43] Ebd. 709.

[44] Ebd. 710.

[45] Ebd. 710.

der Lehrmeister aller Kirchen«.[46] Nach Luthers Meinung ist es ein Mißbrauch des Begriffes Kirche, wenn der Papst ihn für sich und die ihm nachgeordneten Amtsträger gebraucht.[47] »Ihr nennt einen gottlosen Menschen den Felsen. Als Kirche bezeichnet ihr gottlose Menschen. In solche Kloaken sperrt ihr den Hl. Geist ein.«[48] Kirche ist nach Luther im Sinne des Neuen Testamentes ein geistiges Gebäude, errichtet aus den Gläubigen: I Petr 2,5: »...und lasset euch auch selbst wie lebendige Steine aufbauen als ein geistliches Haus zu einer heiligen Priesterschaft« oder Eph 2,22: »...in dem auch ihr mitgebaut werdet zu einer Wohnung Gottes im Geist«.[49]

Auf den Einwand, die Kirche sei auf Leiblichkeit angewiesen, auf Personen und bestimmte Orte, und niemand könne Geistern predigen und Geister predigen lassen, antwortet Luther u. a. mit Lk 17,20 f.: »Das Reich Gottes kommt nicht mit äußerem Gepränge. Man wird auch nicht sagen: Siehe, hier! oder: dort ist es! Denn siehe, das Reich Gottes ist in euch«.[50] Luther fährt fort: »So ist die Kirche nicht ohne Ort und Leib, und dennoch sind Leib und Ort nicht die Kirche, noch gehören sie zu ihr... Also ist es auch nicht nötig, einen bestimmten Ort oder eine bestimmte Person zu haben, obwohl (die Kirche) ohne Ort und Person nicht sein kann. Aber alle sind beliebig und frei: Jeder Ort schickt sich für einen Christen, es ist für den Christen kein spezieller Ort nötig... Hier regiert die Freiheit des Geistes. Nach ihr ist alles in gleicher Weise gültig, sie mißt nichts Leiblichem und Irdischem Notwendigkeit zu. Was ist daran schon verwunderlich? Du brauchst ja auch nicht, um Mensch zu sein, einen bestimmten Ort oder eine bestimmte Person, denn du kannst an allen Orten und vor allen Personen Mensch sein.«[51]

Eine von Äußerlichkeiten her definierte und festgelegte Kirchlichkeit muß fallengelassen werden. »Was soll dieser Terror der gottlosen Papisten, daß sie die Kirche Gottes, die doch die freieste von allen ist, an bestimmte und notwendige Orte und Personen anbinden und denen das Christsein absprechen, die diesen Papst, mag er auch gottlos sein, an einem Ort nicht anbeten wollen?«[52] Es geht um »die Einigkeit des Geistes, nicht der Stätte, nicht der Person, nicht der äußerlichen Dinge oder Leiber«.[53]

Luthers Überlegungen münden in folgende Definition von Kirche: »Kirche bedeutet nichts anderes als die heilige Versammlung der Gläubigen, die durch den Geist Gottes leben und handeln, die der Leib und die Erfüllung Christi sind, wie Paulus schreibt (Eph 1,23)«. Ist die Kirche nicht sichtbar, so ist sie aber doch an äußeren Zeichen erkennbar: »Ein Zeichen ist notwendig, das haben wir auch, nämlich die Taufe, das Brot, vor allem aber das Evangelium: diese drei sind die Symbole, Merkmale und Wahrzeichen der Christen. Denn wo du Taufe, Brot und Evangelium vorhanden siehst, einerlei von welcher Person (verwaltet), dort zweifle nicht, daß Kirche ist.«[54] »Das Evangelium ist das einzigartige, gewisseste und edelste Zeichen der Kirche, viel gewisser als die Taufe und das Brot.«[55] Dabei geht es Luther um das gepredigte Evangelium, aber wiederum nicht um jedwede Predigt. »Ich rede«, so betont Luther, »von dem

---

[46] Ebd. 715.
[47] Vgl. ebd. 742.
[48] Ebd. 716.
[49] Ebd. 708.
[50] Ebd. 719.

[51] Ebd. 720.
[52] Ebd. 720.
[53] Ebd. 721.
[54] Ebd. 720.
[55] Ebd. 721.

Wort rechter Art, welches den rechten Glauben lehrt, nicht den ungeformten und thomistischen, welcher rechte Glaube durch den Papst und die Papisten ausgelöscht und erstickt ist.«[56] Die Kirche als geistige Gemeinschaft findet sich in den Zeichen wieder, »denn wie man durch die Knäufe der Stangen oder Zeichen glaubt, die Bundeslade sei, wenn auch verborgen, im Allerheiligsten anwesend (I Reg 8,8), so sieht auch niemand die Kirche, sondern glaubt (an sie) allein durch das Zeichen des Wortes... Darum wird die Kirche im 9. Psalm »Almuth«, d. h. »verborgene« genannt, und der Glaubensartikel ›Ich glaube an die eine heilige, katholische Kirche‹ bekennt, daß diese niemals sichtbar wird und an keinen Ort und an keine Person gebunden ist«.[57]

Erst der späte Luther nennt in der Schrift »Von den Konziliis und Kirchen« (1539) als weitere Zeichen, an denen das »christlich, heilig Volk... zu erkennen« ist,[58] neben dem Wort Gottes, der Taufe und dem Sakrament des Altares den Gebrauch der Schlüsselgewalt[59], das Amt[60] und den Gottesdienst der Gemeinde[61].

Eine Instanz, die entscheidet, ob das rechte Evangelium gepredigt wird, ist von Luther nicht vorgesehen. Nach ihm will Christus durch sein Wort die Christen ja gerade aus den Geschäften dieser Welt, aus allen Äußerlichkeiten herausziehen und von diesen befreien. Man muß sich deshalb hüten, neue Institutionen und Räume weltlicher Geschäftigkeit einzurichten. Luther spiritualisiert und aktualisiert die Kirche. Sie wird jeweils dort, wo Menschen sich unter das Wort Gottes stellen und gläubig die Sakramente empfangen.


## IV. Luthers Amtsbegriff

Hatte Luther in der Schrift »Vom Papsttum zu Rom« seinen Angriff ausschließlich auf das Amt des Papstes gerichtet, dann geht es in »Ad librum Ambrosii Catharini« um das Amt überhaupt. Im Evangelium gibt es nach Luther keine Leitungsgewalt (iurisdictio), sondern nur ein Amt brüderlicher Liebe. »Evangelium und Kirche kennen keine Jurisdiktionen; das sind nur tyrannische menschliche Erfindungen. Sie (die Kirche) kennt allein Liebe und Dienst, nicht Gewalt und Tyrannei. Darum ist, wer das Evangelium lehrt, der Papst und Nachfolger Petri. Wer es nicht lehrt, ist Judas, Christi Verräter.«[62]

Die Trennung von geistlichem Stand und Laienstand als Abstufung in der Nähe zum Evangelium und zur Seligkeit ist nach Luther falsch.[63] Die Ausgrenzung bestimmter Personengruppen als Gott besonders wohlgefällig und nahestehend ist nicht im Sinne des Evangeliums. Sagt nicht Petrus in Apg 10,34: »In Wahrheit werde ich inne, daß Gott nicht die Person ansieht«?[64] Die Aufgabe des geistlichen Standes ist die Verkündigung des Wortes; es handelt sich um ein »Amt des Wortes«.[65]

---

[56] Ebd. 721.

[57] Ebd. 722.

[58] WA 50, 628.

[59] Ebd. 631.

[60] Ebd. 632 f.

[61] Ebd. 641.

[62] WA 7, 721.

[63] Vgl. ebd. 727.

[64] Vgl. ebd. 740.

[65] Ebd. 740.

»Das eigentliche Merkmal und die Aufgabe des geistlichen Standes ist, das Wort zu lehren. Wo das nicht geschieht, (ist) kein geistlicher Stand, sondern es bleibt nur der Anschein eines geistlichen Standes. Trotzdem ist jener allerheiligste König (= der Papst) so mächtig geworden, daß er das Evangelium völlig ausgelöscht hat.«[66]

Es kann nicht Aufgabe des geistlichen Amtes sein, immer neue Gesetze und Verbote aufzustellen und deren Einhaltung zu überwachen.[67] Niemand auf Erden ist Vicarius (Statthalter) Christi oder Gottes; das hieße ja, an Gottes Statt sitzen.[68] Niemand hat das Recht, über seine Mitchristen Macht und Gewalt auszuüben, denn es steht in I Petr 5,5 geschrieben: »Alle aber gürtet euch mit Demut gegeneinander; denn Gott widersteht den Hochmütigen, den Demütigen aber gibt er Gnade.«[69] Ähnlich fordert Paulus in Röm 12,10 die Christen auf: »In Bruderliebe seid gegeneinander herzlich gesinnt; in der Ehrerbietung schätze einer den anderen höher als sich selbst.«[70]

Niemand, auch der Papst nicht, darf das alleinige Recht, die Hl. Schrift auszulegen, für sich in Anspruch nehmen.[71] Dieses Recht steht jedem Gläubigen zu, denn »die Kirche, ja jeder, der an Christus glaubt, hat den Heiligen Geist«.[72]

An diesen Grundsatz, daß es jedem Gläubigen zukommt, die Hl. Schrift auszulegen, hat Luther sich selbst nicht gehalten, als Karlstadt, Müntzer, Zwingli und andere mit einer abweichenden Schriftauslegung gegen ihn auftraten. Ihnen hat Luther die Freiheit, selbst zu entscheiden, was Lehre der Hl. Schrift ist, die er für sich in Anspruch nahm und grundsätzlich allen Christen zusprach, nicht zugestanden. Deshalb wurde er ja auch bald für sie zum »mönchischen Abgott« und zum »papistischen Tyrannen«.

*Zusammenfassung in Thesen:*

● Die Kirche ist die Gemeinschaft der Christgläubigen, wobei ›christgläubig‹ als ›faktisch gerechtfertigt‹ verstanden werden muß.
● Man kann nicht wissen, wer gerechtfertigt ist. Deshalb ist die Kirche verborgen.
● Man kann aber damit rechnen, daß in der leiblichen Kirche wahre Christen sind, selbst wenn es sich dabei auch nur um Kinder in der Wiege handeln sollte.
● Das Heil ist nicht an die leibliche Kirche gebunden. Diese hat auch keine instrumentale Bedeutung bei der Heilsvermittlung.
● Leibliche und geistliche Kirche stehen nebeneinander und durchdringen sich höchstens »per accidens«.
● Es gibt im geistlichen Bereich keine Stellvertretung. Papst und Bischöfe können keine Vikare Christi sein. Die Amtsträger sind Boten, keiner steht von Amtes wegen über dem anderen.
● Die Kirche ist Gegenstand des Glaubens, also nicht sichtbar.
● Taufe, Abendmahl und Evangelium sind Zeichen für die Gegenwart der verborgenen Kirche. Amt, Schlüsselgewalt und der Gottesdienst der Gemeinde werden erst 1539 in »Von den Konziliis und Kirchen« unter diese »Notae ecclesiae« gezählt.

---

[66] Ebd. 740.
[67] Vgl. ebd. 741.
[68] Vgl. ebd. 741; 769.
[69] Ebd. 722.

[70] Ebd. 722.
[71] Vgl. ebd. 750.
[72] Ebd. 771.

- Die Verheißung Mt 16,18 gilt nicht der Person des Petrus, sondern der ganzen Gemeinde. Dazu ist Mt 16,18 nicht von einer Regierungsgewalt, sondern nur von der Schlüsselgewalt die Rede, die sich lediglich auf das Sakrament der Buße bezieht.
- Daß der Papst und die äußere Kirche nicht der Fels sein können, ergibt sich aus der Verheißung, daß die Pforten der Hölle sie nicht überwinden werden. Denn es sei doch offensichtlich, daß der Papst von Sünde und Bosheit überwunden ist.
- Papsttum und äußere Kirche sind menschlichen Rechtes und zu respektieren wie das weltliche Regiment, solange sie nichts anordnen, was der Hl. Schrift widerspricht.
- In der Schrift gegen Ambrosius Catharinus von 1521 stellt Luther nicht nur das Papsttum als Institution göttlichen Rechtes in Frage, sondern lehnt ein Amt göttlichen Rechtes über das allgemeine Priestertum hinaus überhaupt ab.

## V. Auch unter dem Papsttum ereignet sich wahre Kirche

Die Auffassung, daß die Gewalt des Papstes nicht göttlichen, sondern menschlichen Rechtes sei, hat Luther schon 1519 in der 13. These über die Gewalt des Papstes vertreten, die er in Zusammenhang mit der Leipziger Disputation aufstellte und die Anfang September 1519 im Druck erschien. Am 18. August 1519 schrieb er an Friedrich den Weisen: »Concilium ist ius humanum, und mag nit ius divinum machen aus von iure divino.«[73] Anschließend heißt es über den Papst: »Ich geb St. Peter primatum honoris, von potestatis.«[74]

Papsttum, Konzil und die institutionelle Kirche (ecclesia manifesta) gehören zum weltlichen Regiment wie die Herrschaft der Türken; wie diese sind sie zu respektieren, solange sie nichts gegen das Evangelium anordnen. Diese Institutionen können verrotten und entsprechend in der massivsten Form kritisiert werden als vom Teufel gestiftet oder als Erscheinungsweisen der Herrschaft des Antichristen. Das hindert aber nicht, daß auch in dieser Kirche, in der Wölfe, Räuber, geistliche Tyrannen herrschen und die schlimmer ist als Sodom und Gomorrha, die heilige, unsichtbare Kirche existiert, oder besser sich ereignet, wann und solange in ihr das wahre Evangelium gepredigt und die Sakramente der Stiftung Jesu entsprechend gespendet werden. Beides schließt sich nicht aus, denn nach II Thess 2,4 wird ja der Antichrist sich im Heiligtum breitmachen. Diese Auffassung, daß auch in der Papstkirche die »vera ecclesia« tätig und somit gegenwärtig wird, vertritt Luther nicht gelegentlich, sondern an zentralen Stellen seines Schrifttums, z. B. im 3. Teil seiner großen Schrift »Vom Abendmahl Christi. Bekenntnis 1528« und im Galaterbriefkommentar von 1531/35. In der Abendmahlsschrift schreibt Luther: »Demnach glaube ich, daß eine heilige christliche Kirche sei auf Erden, das ist die Gemeinde oder Versammlung aller Christen in aller Welt, die eine Braut Christi und sein geistlicher Leib ... Und dieselbige Christenheit ist nicht allein unter der römischen Kirche oder Papst, sondern in aller Welt, wie die Propheten verkündiget haben, daß Christi Evangelium sollte in alle Welt kommen (Ps 2,7 ff., Ps 19,5), daß also

---

[73] WA.B 1, 469.
[74] Ebd. 475.

unter Papst, Türken, Persern, Tartaren und allenthalben die Christenheit zerstreut ist leiblich, aber versammelt geistlich in einem Evangelio und Glauben unter einem Haupt, das Jesus Christus ist. Denn das Papsttum ist gewißlich das recht endchristliche Regiment oder die rechte widerchristliche Tyrannei, die im Tempel Gottes sitzt und regiert mit Menschengeboten... In dieser Christenheit, und wo sie ist, da ist Vergebung der Sünden, das ist ein Königreich der Gnade und des rechten Ablasses. Denn daselbst ist das Evangelium, die Taufe, das Sakrament des Altars, darin Vergebung der Sünde angeboten, geholet und empfangen wird. Und ist auch Christus und sein Geist und Gott daselbst, und außer solcher Christenheit ist kein Heil noch Vergebung der Sünden, sondern ewiger Tod und Verdammnis.«[75]

Ähnlich äußert sich Luther 1528 in seiner Schrift »Von der Wiedertaufe an zwei Pfarrherren«. Hier schreibt er: »Wir bekennen, daß unter dem Papsttum viel christliches Gutes, ja alles christliche Gut sei. Ich sage, daß unter dem Papst die rechte Christenheit ist, ja der rechte Ausbund der Christenheit und viel frommer, großer Heiliger. Ist denn nun unter dem Papst die Christenheit, so muß sie wahrlich Christi Leib und Glied sein. Ist sie sein Leib, so hat sie den rechten Geist, Evangelium, Glaube, Taufe, Sakrament, Schlüssel, Predigtamt, Gebet, Heilige Schrift und alles, was die Christenheit haben soll. Sind wir doch auch noch alle unter dem Papsttum und haben solche Christengüter davon... Kann der Papst dies mein Heucheln leiden und annehmen, so bin ich freilich ein untertäniger Sohn und frommer Papist und wills auch wahrlich mit heißen Freuden sein und will gern alles widerrufen, was ich ihm sonst zum Leiden getan.«[76]

Im Großen Galaterbriefkommentar von 1531/35 heißt es: »In seinem 1. Brief an die Korinther (1,46) beglückwünscht der Apostel diese Christen dazu, daß ihnen die Gnade Gottes in Christus gegeben sei, daß sie in allem Wort und in der Erkenntnis durch Christus reich gemacht seien, obwohl doch viele aus ihnen, durch die Falschapostel verführt, nicht die Auferstehung der Toten glaubten etc. So nennen auch wir heute die römische Kirche heilig und alle Bistümer heilig, obwohl sie verkehrt und ihre Diener unfromm sind. Gott nämlich »herrscht in der Mitte seiner Feinde« (Ps 110,2), »der Antichrist sitzt im Tempel Gottes« (II Thess 2,4), und der Satan ist mitten unter den Kindern Gottes. Wenn daher die Kirche auch »mitten in einem verdrehten und verkehrten Volke wohnt«, wie Paulus Philipper 2,15 sagt, wenn sie auch in der Mitte von Wölfen und Räubern lebt, d.h. in der Mitte von geistlichen Tyrannen, so ist sie nichtsdestoweniger Kirche. Es bleibt in der Stadt Rom, obwohl es ein noch schlimmeres Sodom und Gomorrha ist, die Taufe, das Sakrament, die Stimme und der Text des Evangeliums, die Hl. Schrift, die Dienste, der Name Christi, der Name Gottes. Die da haben, die haben; die nicht haben, sind nicht entschuldigt, der Schatz ist nämlich dort. Daher ist die römische Kirche heilig, da sie den heiligen Namen Gottes hat, das Evangelium, die Taufe etc. Wenn die im Volke sind, heißt es heilig... Das Volk ist heilig nicht durch eigene, sondern durch fremde, nicht durch aktive, sondern durch passive Heiligkeit, denn sie haben göttliche und heilige Dinge, nämlich die Berufung zum Amt, das Evangelium, die Taufe etc. Dadurch sind sie heilig... Darum ist die Kirche heilig,

[75] WA 26, 506 f.
[76] Ebd. 147 f.

auch dort, wo die fanatischen Geister regieren, wenn sie nur Wort und Sakrament nicht leugnen. Verleugnen sie Wort und Sakramente, dann gehören sie nicht zur Kirche. Wo also Wort und Sakrament in ihrer Substanz bestehen bleiben, da ist die heilige Kirche, wobei es sehr wohl sein mag, daß der Antichrist da regiert, der ja nicht in einem Stall bei den Dämonen sitzt, auch nicht in einem Schweinskoben, nicht in der Rotte der Ungläubigen, sondern an edelsten und heiligsten Ort, nämlich im Tempel Gottes. In aller Kürze antworten wir also auf die Frage des Hieronymus: Die Kirche besteht über den ganzen Erdkreis hin, wo immer das Evangelium und die Sakramente sind. Juden, Türken und fanatische Geister sind nicht die Kirche, da sie ja Evangelium und Sakramente bekämpfen und leugnen.«[77]

## VI. Luthers Stellung zum Konzil

Luthers negatives Verhältnis zur römischen Kirche wurde zeit seines Lebens immer wieder besonders deutlich in seiner Einstellung zum Konzil, in seinem Verhalten angesichts von dessen Einberufung nach Mantua, Vincenza und Trient.

Noch 1518 hatte er in Augsburg nach seinem Verhör durch Kardinal Cajetan von dem schlecht unterrichteten an den besser zu unterrichtenden Papst appelliert. Er sprach dabei zwar den Papst als »allerheiligsten Vater und Herrn« an und wollte dessen Stimme als Stimme Christi ansehen; es ist aber fraglich, ob er sich vom Papst noch etwas versprach. Jedenfalls hat Luther die Reaktion des Papstes nicht abgewartet. Schon einen Monat später, am 28. 11. 1518, appellierte er von Wittenberg aus vor einem Notar und vor Zeugen vom Papst an das Konzil. Eingangs beruft er sich dabei auf den konziliaristischen Standpunkt. Für ihn steht fest, daß ein heiliges, im Heiligen Geist versammeltes Konzil die katholische Kirche repräsentiert und in Glaubenssachen über dem Papst steht. Der Papst hat daher kein Recht, eine solche Appellation zu verbieten. Er, Luther, appelliert an ein zukünftiges, gesetzmäßiges, freies Konzil, welches an einem sicheren Ort abzuhalten ist und ihm freien und sicheren Zutritt gewähren soll, um seine Angelegenheiten zu verteidigen.[78]

Entsprechend vertritt Luther in den Monaten um die Jahreswende 1518/19 konziliaristische Ansichten. Seit 1519 stellt er aber auch die Irrtumslosigkeit der Konzilentscheidungen in Frage. Auf der Leipziger Disputation mit Eck läßt er sich zu der Aussage hinreißen: Konzile können irren und haben geirrt. Er betont: »Deshalb will ich frei sein und mich durch niemanden gefangennehmen lassen, weder durch das Ansehen eines Konzils, noch einer Macht, noch der Universitäten, noch des Papstes, daß ich nicht zuversichtlich bekennen sollte, was ich als wahr erkannt habe, ... mag es gebilligt oder mißbilligt sein von irgendeinem Concilium.«[79] Allein die Hl. Schrift (sola scriptura) ist für Luther fortan verbindliche Norm. Wenn er weiter konziliaristische Argumente

[77] WA 40/I, 69 ff.
[78] WA 2, 36; REMIGIUS BÄUMER, Martin Luther und der Papst, Münster ³1982, S. 38.
[79] WA 2, 404.

benutzt, dann ist er dabei vorwiegend von propagandistischen bzw. diplomatischen Motiven bestimmt. Er sieht auch im Konzil eine Instanz menschlichen Rechtes.

Als er am 17. 11. 1520 als Antwort auf die Publikation der Bulle »Exsurge Domine« erneut an ein Konzil appellierte, wandte er sich somit »an ein Tribunal, dessen Kompetenz er selbst verneinte, und brandmarkte damit sein Vorgehen als ein reines Manöver, das auf die konziliaristischen Gesinnungen zahlreicher Reichsstände spekulierte.«[80]

In seiner Schrift »Von den Konziliis und Kirchen« von 1539 schreibt Luther: »Die Schrift ist mir gewisser als alle Konzilien.«[81] Aus dieser Einstellung kann er am 13. 7. 1530 seinen Freunden auf dem Augsburger Reichstag den Rat geben, man solle an das Konzil appellieren. Auf diese Weise habe man für den Augenblick Frieden. Das Konzil komme doch nicht.[82]

Die Päpste verhalfen dieser Taktik zum Erfolg. Denn sie – vor allem Clemens VII. – verzögerten nach Kräften die Einberufung eines Konzils. Sie befürchteten ein Wiedererstarken des Konziliarismus und die Kritik einer durchgreifenden Kirchenreform. Weiter nahmen sie Rücksicht auf Frankreich, das ebenfalls kein Konzil wünschte. So konnten die protestantischen Stände wie auch Luther ein Konzil fordern, ohne daß sie ernsthaft mit seinem Zusammentreten rechnen mußten. »Die Welt glaubte nicht mehr an sein Zustandekommen«, stellt Hubert Jedin fest.[83]

Als Paul III. im Frühjahr 1535 die Einberufung des Konzils nach Mantua vorbereitete und den Nuntius Vergerio beauftragte, die deutschen Fürsten mit dieser Absicht des Papstes vertraut zu machen, bekam der Nuntius von Luther zu hören: »Wir brauchen zwar kein Konzil... Aber die Christenheit hat das Konzil nötig, um Irrtum und Wahrheit kennenzulernen.« Er, Luther, sei bereit, auf dem Konzil seine Lehre gegen alle Welt zu verteidigen.[84] Die Wittenberger wollten das Konzil beschicken. Allerdings sei der Papst nicht Richter in der »causa fidei«; ein von ihm einberufenes Konzil könnten sie aber als obersten Gerichtshof der Kirche bejahen.[85]

Als es jedoch zur Einberufung des Konzils auf den 23. 5. 1537 nach Mantua kam, äußerte der Kurfürst von Sachsen Bedenken: Ein Konzil sei ein Schiedsgericht, dem man sich mit Annahme der Einladung unterwerfe. Er forderte von seinen Räten und Theologen eine Begründung für die Ablehnung der Teilnahme am Konzil. Daraufhin stellte Luther in den »Schmalkaldischen Artikeln« neben den Punkten, in denen Einigkeit und Verhandlungsmöglichkeiten bestünden, die Artikel zusammen, in denen man getrennt bleibe. Dazu gehören vor allem das Papsttum und die Messe als Opfer. Bezüg-

---

[80] HUBERT JEDIN, Geschichte des Konzils v. Trient I, Freiburg, 1949, S. 143.

[81] WA 50, 604.

[82] »Appellans a minis eorum ad illud nihili et numquam futurum Concilium, ut interim pacem haberemus« (WA.B 5, 470). Vgl. WILHELM MAURER, Die Entstehung und erste Auswirkung von Artikel 28 der CA, in: Volk Gottes. Festgabe für JOSEPH HÖFER, hg. v. REMIGIUS BÄUMER, Freiburg 1967, S. 389.

[83] JEDIN (Anm. 80), S. 231.

[84] »hoggimai non habbiamo bisogno di concilio, quanto per noi... ma la Christianità n'ha bisogno...«: NBD 8, Gotha 1892; Nachdruck Frankfurt 1968, S. 546.

[85] BÄUMER (Anm. 78), S. 89; CR 3, 125.

lich des Meßopfers – stellte Luther in unerbittlicher Klarheit fest – bleibe man »ewiglich geschieden und wider einander«.[86]

Luther hatte geraten, eine abschlägige Antwort zu vermeiden, um nicht die Schuld am Scheitern des Konzils auf sich zu laden.[87] Dennoch erhielt der päpstliche Legat van der Vorst auf seine Einladung zum Konzil eine demütigende Absage durch die protestantischen Fürsten. Den Ausschlag gaben damals schon die Politiker und nicht die Theologen.

Angesichts des endgültig nach Trient berufenen Konzils wiederholt Luther 1545 in der Schrift »Wider das Papsttum zu Rom vom Teufel gestiftet« seinen Standpunkt, indem er erklärt: »Wir bedürfen für uns keines Konzils. Mit Konzilien ist nichts ausgerichtet.«[88] Doch auch jetzt rät Luther, nicht gegen das Konzil zu Trient zu protestieren. Er will sich nicht dem Vorwurf aussetzen, Urheber der Spaltung zu sein.

Luther ist persönlich nicht in Trient gewesen. Er starb am 18. 2. 1546, als das Konzil gerade erst seine Arbeit aufgenommen hatte.

---

[86] WA 50, 204.

[87] Brief vom 8. oder 9. Februar 1537 (WA.B 8, 35–38: »Darumb wollten sie gern uns abschrekken, das wirs wegerten. So weren sie denn und sprechen, wir hettens gehindert etc...«: ebd. 37).

[88] WA 54, 220.

Rahmenthema V

# 5 Luther und die gesellschaftlichen Kräfte

Volker Press

# 5.1 Martin Luther und die sozialen Kräfte seiner Zeit[1]

Das Bild von Luthers Stellung zu den sozialen Kräften der Zeit ist von überraschender Eindeutigkeit, auch wenn die Positionen zuweilen wechseln, auch wenn bei Luther durchaus divergierende Meinungen vorliegen – man kann einen Lernprozeß feststellen, eine Horizonterweiterung, die sich sehr deutlich in den Bemerkungen der Tischreden etwa spiegelt – andererseits aber auch eine Verfestigung der Positionen nach Enttäuschungen, die Mark Edwards jüngst sehr stark betont hat.[2] Luther war ein erratischer Block in den öffentlichen Diskussionen seiner Epoche, aber er war durchaus an ständische Positionen gebunden, nicht nur an theologische.

Der Primat der Theologie in seinem Denken macht es freilich schwer, Luthers sozialen Standort auszumachen. Biblische Werturteile, Gesellschaftsvorstellungen, Modelle fließen immer wieder in Luthers Beurteilungen der eigenen Zeit ein – durch den Vorrang seines theologischen Denkens gewinnt er damit eine Position außerhalb der Gesellschaft. Andererseits schlägt sich gerade in Luthers Bibelübersetzung sehr häufig seine konkrete soziale Umgebung nieder. Biblische Anschauung und konkrete Erfahrung durchdringen sich immer wieder bei dem sächsischen Reformator; im Alten und im Neuen Testament finden sich in Luthers Übersetzung die konkreten Anschauungen des sächsischen Landesstaates wieder. Diese Problematik soll hier nicht vertieft werden, sie zeigt aber, daß es nicht ganz leicht ist, Luthers Position zur Gesellschaft seiner Zeit auszuloten.

So erscheint es nicht unwichtig, zunächst Luthers eigene Position in der sozialen Welt seiner Zeit zu skizzieren. Die Eigenständigkeit seines Denkens, sein stetes Festhalten am Primat von Theologie und Glauben lassen eine simple Ableitung der Äußerungen des Reformators aus Herkunft und Bildung etwa im Sinne eines »klassengebundenen Standpunkts« obsolet erscheinen. Aber Luther hat doch bestimmte regionale und soziale Segmente der deutschen Gesellschaft des frühen 16. Jahrhunderts aus einer ganz genau festzulegenden Perspektive erlebt – es ist zu erwarten, daß daraus auch seine

[1] Es handelt sich um die ursprüngliche, für den Vortrag gekürzte Fassung des Textes, die seither noch einmal überarbeitet wurde. Zu danken habe ich KURT-VICTOR SELGE (Berlin) für den intensiven Austausch bei der Vorbereitung der Tage, für anregende Gespräche und Hinweise BERND MOELLER (Göttingen) und GOTTFRIED SEEBASS (Heidelberg). Für die kritische Durchsicht des Textes habe ich Herrn cand. theol. et phil. TILMAN SCHRÖDER zu danken.
[2] MARK U. EDWARDS, Luther and the False Brethren, Stanford 1975. – Ders., Die Polemik des alten Luther, in: GÜNTER VOGLER (Hg.), Martin Luther. Leben–Werk–Wirkung, Berlin 1983, S. 265–278.

grundsätzlichen Gedanken über die sozialen Kräfte seiner Zeit und ihre Veränderungen bestimmt wurden.

Martin Luthers Herkunft und Umgebung scheinen ihn auf den ersten Blick mit vielen Gruppierungen des sozialen Lebens in Verbindung gebracht zu haben.[3] Er war der Enkel eines Bauern, dessen Sohn – Luthers Vater – aus Gründen des Erbrechts vom Hof weichen mußte und Bergtagelöhner wurde, der sich zum Montanunternehmer emporarbeitete.[4] Luther selbst hat geschildert, unter welch kärglichen Umständen er seine Jugend erlebte, und er war stolz auf seinen Aufstieg. Neuerdings wurde freilich erhärtet, daß die Mutter aus dem gehobenen Eisenacher Bürgertum gestammt haben dürfte.[5] Immerhin konnte der junge Mann die Dynamik eines für die Zeiten nicht untypischen Aufstiegs und die mit ihm verbundenen Gefahren miterleben.[6]

Seine eigene Karriere begann abermals mit einer spezifischen Konsequenz – der junge Martin sollte die Schule besuchen und dann Rechtswissenschaft studieren; der Impetus des Montanunternehmers sollte den Sohn in eine Gelehrtenkarriere tragen, die damals optimale Chancen zu versprechen schien: der Eintritt in das sich formierende bürgerliche Juristentum, das in Beamtenstellungen dem Landesstaat diente. Die überlieferte Geschichte ist bezeichnend, daß der Leiter der Eisenacher Schule vor seinen Schülern als künftigen Kanzlern und Gelehrten die Mütze zu ziehen pflegte – besser kann die Aufbruchstimmung der Zeit nicht beschrieben werden.[7]

Aber gegen den dezidierten Willen des Vaters ging Luther den Weg in die Kirche, in einen Bettelorden.[8] Auch hier fand er nicht nur den Zugang zum Klerus als abgeschiedenem Stand, zu den kirchlichen Institutionen, nicht nur den Weg in die Theologie. Luther erlebte zudem die Auseinandersetzungen eines Ordens um Reformen, ihre Verästelungen und Konsequenzen – die Konflikte führten ihn schließlich sogar in das päpstliche Rom, das ihn abstieß.[9] Aber die intellektuelle Bildung hat Luther hier erlebt – das soziale Gefüge eines Ordens, das nicht frei war von Konflikten, daneben das Bild

---

[3] Otto Scheel, Martin Luther, Tübingen I. II., [3/4]1921/30. – Heinrich Boehmer, Der junge Luther (Heinrich Bornkamm Hg.), Stuttgart [6]1971. – Wieland Held, Die soziale Umgebung von Martin Luthers Elternhaus, in: Vogler (Anm. 2), S. 13–29. – Martin Brecht, Martin Luther. Sein Weg zur Reformation 1483–1521, Calw [2]1983, S. 13–32.

[4] Hanns Freydank, Martin Luther und der Bergbau, Eisleben 1940. – Ekkehard Westermann, Hans Luther und die Hüttenmeister der Grafschaft Mansfeld: Scripta Mercaturae 1975, S. 53–94. – Ders., Das Eislebener Garkupfer und seine Bedeutung für den europäischen Kupfermarkt 1460–1560, Köln – Wien 1971. – Heinrich Bornkamm, Luther und sein Vater: ZThK 66 (1969), S. 38–61.

[5] Heiko A. Oberman, Luther. Mensch zwischen Gott und Teufel, Berlin 1982, S. 95 f.

[6] Dazu grundsätzlich: Volker Press, Führungsgruppen in der deutschen Gesellschaft im Übergang zur Neuzeit um 1500, in: Hanns Hubert Hofmann/Günther Franz (Hg.), Deutsche Führungsschichten in der Neuzeit. Eine Zwischenbilanz, Boppard 1980 (Deutsche Führungsschichten in der Neuzeit 12), S. 29–77.

[7] Oberman (Anm. 5), S. 105.

[8] Franz Lau, Luthers Eintritt ins Erfurter Augustinerkloster: Luther 27 (1956), S. 49–70. – Brecht (Anm. 3), S. 59–60.

[9] Brecht (Anm. 3), S. 59–172. Vgl. auch: Bernhard Lohse, Mönchtum und Reformation: Luthers Auseinandersetzung mit dem Mönchsideal des Mittelalters, Göttingen 1963 (FKDG 12).

einer bedeutenden Stadt, die von Unruhen geschüttelt war.[10] Wir wissen wenig von Luthers Eindrücken, aber spurlos sind die Erfurter Jahre sicher nicht an dem Reformator vorbeigegangen.

Mit der Berufung nach Wittenberg trat Luther in die akademische Korporation der Universität zurück, die er einst als Student kennengelernt hatte. Wittenberg stand in engstem Zusammenhang mit weitausgreifenden Plänen der sächsischen Kurfürsten, seine juristischen Professoren dienten dem Landesherrn als Räte und Gutachter. Die Möglichkeiten des universitären Studiums sollte der wohl erfolgreichste Universitätslehrer der deutschen Geschichte bald voll erkennen und ausnützen – der Lehrerfolg begann früh, und er bewegte sich durch die Entwicklungen der Reformation in schwindelnde Höhe. Die Erfolge des Professors Luther, der Universität Wittenberg und der Reformation insgesamt sind nicht voneinander zu trennen – die Universität als Vehikel des Aufstiegs für die Bürgersöhne spielte in Luthers Biographie eine zentrale Rolle: Er hat die Problematik zuerst selbst, dann an anderen erlebt und später viele Karrieren gefördert und gesteuert.[11]

Die Ablösung des Reformators von dem Umkreis des Ordens und der alten Kirche und seine Konzentration auf die Universität ließen diese Bedingungen nur noch klarer hervortreten. Der Hausstand Luthers im ehemaligen Augustinerkloster zu Wittenberg unterstrich die Wirkung des Universitätslehrers noch weiter, als zahlreiche Studenten Hausgenossen des Reformators wurden und mit ihm in einen verstärkten Austausch eintraten. Universitäre Mittel waren es, die Luther konsequent einsetzte, die Disputation, die Thesen, die gelehrten Formen der Schrift, den Druck. Es erscheint müßig, trotz der Kontroverse mit Erasmus, Luther vom Humanismus völlig zu trennen. Auch wenn Melanchthon für den in Deutschland so wirkungsmächtigen Bildungshumanismus die größere Bedeutung gewann, war er auch in Luther angelegt.[12] Wittenberg, die Universität des Reformators, war so gut wie die anderen führenden Hochschulen Vehikel einer erneuerten – humanistischen – Bildung und des Aufstiegs der von ihr geformten Studenten.

---

[10] Zu Luther in Erfurt: ULMAN WEISS, Ein fruchtbar Betlehem. Luther und Erfurt, Berlin 1982.

[11] HERMANN STEINLEIN, Luthers Doktorat, Leipzig 1912. – HANS VON SCHUBERT/KARL AUGUST MEISSINGER, Zu Luthers Vorlesungstätigkeit, Heidelberg 1920 (SHAW. PH). – KARL BAUER, Die Wittenberger Universitätstheologen und die Anfänge der deutschen Reformation, Tübingen 1928. – KURT ALAND, Die Theologische Fakultät Wittenberg und ihre Stellung im Gesamtzusammenhang der Leucorea während des 16. Jahrhunderts, in: ders., Kirchengeschichtliche Entwürfe: Alte Kirche, Reformation und Luthertum, Pietismus und Erweckungsbewegung, Gütersloh 1960, S. 283–394. – BOEHMER (Anm. 3), S. 77–81. – BRECHT (Anm. 3), S. 264–284. – WALTER ZÖLLNER, Luther als Hochschullehrer an der Universität in Wittenberg, in: – VOGLER (Anm. 2), S. 31–43. – Ferner: WALTER FRIEDENSBURG, Geschichte der Universität Wittenberg, Halle 1917. – WALTER KOEHLER, Die Deutsche Reformation und die Studenten, Tübingen 1917.

[12] HELMAR JUNGHANS, Der Einfluß des Humanismus auf Luthers Entwicklung bis 1518: LuJ 37 (1970), S. 37–101. MARIA GROSSMANN, Humanismus in Wittenberg 1486–1517: LuJ 39 (1972), S. 11–30. – Dies., Humanism in Wittenberg 1485–1517, Nieuwkoop 1975. – MAX STEINMETZ, Die Universität Wittenberg und der Humanismus (1502–1521), in: LEO STERN (Hg.), 450 Jahre Martin-Luther-Universität Halle, Halle – Wittenberg I, 1952, S. 103–140.

Das Heraustreten Luthers aus der geschlossenen Welt des Ordens verstärkte nicht nur seine Rolle als Professor und Mitglied der Korporation Universität, die fortan sozusagen seine einzige blieb. Luther geriet durch seinen eigenen, nun privaten Haushalt immer stärker in das soziale Feld der Stadt Wittenberg.[13] Mit Recht kann man also sagen, daß es die Stadt war, die Luther am stärksten prägte. Daß Kurfürst Johann der Beständige 1532 Luther das Bürgerrecht verlieh, war eine logische Konsequenz, ebenso daß dieses nur die Rechte, nicht aber die Pflichten des Normalbürgers beinhaltete – nicht Kreierung eines neuen Bürgers, sondern Privilegierung vor den Universitätsgenossen bedeutete dieser Schritt. Eine solche Privilegierung galt dem Rang Luthers nicht nur als dem führenden Mann der Reformation, sondern auch als der Attraktion Wittenbergs, von der die Stadt auf handfeste Weise profitierte. Auch wenn Luther sich öfter recht kritisch über die Wittenberger geäußert hat, so hat er doch in der städtischen Gesellschaft mannigfache Bindungen gehabt. Sein betonter Einsatz für arme Leute, etwa solchen, die durch den Bau der Befestigungsanlagen geschädigt wurden, zeigt deutlich, daß er Anteil am städtischen Leben nahm, daß er das Funktionieren einer Stadtregierung begriff – sein enges Verhältnis zum Maler und Apotheker Lukas Cranach war ja auch eine Beziehung zu einem der Wittenberger Bürgermeister.[14] Die politische Welt von Stadt und Bürgertum war ihm also mit Sicherheit fast ebenso vertraut wie die Universität.

Bauerntum, Montangewerbe, Universität, Stadt und Bürgertum lagen somit im unmittelbaren Erfahrungsbereich des Reformators. Aber auch der Adel stand ihm nicht ganz fern: man muß nur an seine Frau Katharina von Bora denken.[15] Zwar stand die im Kloster versorgte Tochter, die durch die Gelübde sozial deklassierte Nonne, die Frau ohne Mitgift nicht so ohne weiteres für ihren Stand, und doch hat Katharina von Bora in ihrem Wirken als Hausfrau und Wirtschafterin, wohl auch in ihrem hochfahrenden Wesen adelige Mentalität demonstriert und konnte vielleicht nur so dem eigenwilligen und selbstbewußten Reformator eine ebenbürtige Partnerin werden. Aber mehr noch: die Versorgung der Mitschwestern der Katharina, der Zuzug ihrer Verwandten in sein Haus hat Luthers Blick für den Adel geschärft – dies spiegelt sich übrigens auch direkt in den Äußerungen gegenüber seiner Frau und über sie. Zum mindesten ebenso wichtig dürften freilich die Kontakte zu den adeligen Räten des Kurfürsten gewesen sein.

---

[13] HELMAR JUNGHANS, Wittenberg als Lutherstadt, Berlin 1979. – Ders., Luther in Wittenberg, in: ders. (Hg.), Leben und Werk Martin Luthers von 1526 bis 1546. Festgabe zu seinem 500. Geburtstag, Göttingen I. II., 1983, S. 11–37, 723–732. – KARLHEINZ BLASCHKE, Wittenberg – die Lutherstadt, Berlin ⁴1983.

[14] HEINRICH KÜHNE, Lucas Cranach d. Ä. als Bürger Wittenbergs, Wittenberg ²1973. – WERNER SCHADE, Die Malerfamilie Cranach, Dresden 1974. – DIETER KOEPPLIN/TILMANN FALK, LUKAS CRANACH, Gemälde, Zeichnungen, Druckgraphiken, Basel–Stuttgart I. II., 1974/76. – ERNST ULLMANN, Die Luther-Bildnisse Lucas Cranachs d. Ä., in: VOGLER (Anm. 2), S. 45–52.

[15] Eine moderne Biographie fehlt. ERNST KROKER, Katharina von Bora, Martin Luthers Frau. Ein Lebens- und Charakterbild, Berlin ¹²1972. – HEINRICH BOEHMER, Luthers Ehe: LuJ 7 (1925), S. 40–76. – WALTHER V. LOEWENICH, Luthers Heirat: Luther 47 (1976), S. 47–60. – GERHARD MÜLLER, Käthe und Martin Luther: ZW 47 (1976), S. 150–164.

Bevor dieses zentrale Problem diskutiert werden soll, sei ein kurzer Halt gemacht. Luther hat zwar überwiegend in der Stadt gelebt, aber doch aus der eigenen Erfahrungswelt in scheinbar ungewöhnlicher Weise alle sozialen Gruppierungen und die wichtigsten gesellschaftlichen Bewegungen seiner Zeit kennengelernt. Dies hat ohne Frage sein Urteil zu den praktischen Problemen des täglichen Lebens geschärft und ist seiner Stellungnahme zur Politik zugute gekommen. Vielleicht hat auch die Vielfalt seines Beziehungsgeflechts ihm jene Stellung außerhalb und über den sozialen Gruppierungen erleichtert, die eine entscheidende Voraussetzung seiner Wirkungen war und die ihn – darauf ist noch zurückzukommen – gleichsam zu einer Institution »sui generis« machte. Dies ist freilich nur eine Komponente eines primär religiös bestimmten Wirkens.

Die Vielfältigkeit der sozialen Bezüge Luthers trug indessen auch dazu bei, ihn einseitig in Anspruch zu nehmen oder gar zu vereinnahmen.[16] Man kann feststellen, daß der Reformator einen erstaunlichen Einblick in die unterschiedlichsten Bereiche des Lebens hatte und diese der Verkündigung seines religiösen Anliegens nutzbar zu machen verstand. Man mag heute manche Einseitigkeiten Luthers kritisieren, auch manche mangelnde Information – aber im Kontext der zeitgenössischen Erfahrungsmöglichkeiten erscheinen die Perspektiven Luthers erstaunlich weit, und – dies sei abermals betont – sie scheinen ständig gewachsen zu sein.

Eine gewisse Einengung freilich ergab sich aus dem eigenen praktischen Erfahrungsbereich. Luther hat sich im wesentlichen immer im Umkreis des kursächsischen Territoriums bewegt – von hier resultierten die vornehmlichsten Eindrücke, selbst im Gegenbild des albertinischen katholischen Sachsen. Die sächsische Erfahrung war zwar prägend, bedeutete aber doch auch eine Einschränkung. Ohne Frage war das Kurfürstentum für die Entwicklung der Reformation eine geradezu ideale Ausgangsbasis:[17] wirtschaftlich gut gestellt, mit einem Anteil am sächsischen Bergsegen, den es freilich mit dem Herzogtum teilte, mit einer ausgeprägten Städtelandschaft, wenngleich weniger dicht als im Herzogtum, mit einer florierenden Landesuniversität, von Friedrich dem Weisen durch die Verbindung mit dem Allerheiligen-Stift zu Wittenberg als mächtiges geistiges und geistliches Zentrum in Konkurrenz zu dem erzbischöflich magdeburgischen Halle konzipiert, mit einer relativ gut ausgebildeten und funktionierenden Verwaltung im zentralen und lokalen Bereich, einem sehr weit vorgetriebenen Kirchenregiment, das einen Schritt vor der Mediatisierung der umliegenden Bistümer Merseburg, Meißen und Naumburg stand – und nicht zuletzt einem erfahrenen, abwägenden, auch persönlich frommen und integeren Landesherrn, wenngleich bei Friedrich dem

---

[16] EIKE WOLGAST, Die Wittenberger Theologie und die Politik der evangelischen Stände. Studien zu Luthers Gutachten in politischen Fragen, Gütersloh 1977 (QFRG XLVII).

[17] KARLHEINZ BLASCHKE, Die Struktur der Gesellschaft im obersächsischen Raum zur Zeit Luthers: BGDS (H) 92 (1970), S. 21–44. – Ders., Wechselwirkungen zwischen der Reformation und dem Aufbau des Territorialstaates: Der Staat 9 (1970), S. 347–364. – Ders., Sachsen im Zeitalter der Reformation, Gütersloh 1970 (SVRG 185).

Weisen[18] immer wieder Zögerlichkeiten und Hemmungen eine beträchtliche Rolle spielten. Immerhin: Friedrich der Weise nahm sich Luthers in dramatischer Situation an; die Nachfolger, Johann der Beständige[19] und Johann Friedrich[20], blieben seine entscheidenden Protektoren und Förderer.[21]

Natürlich mußte in einer Zeit geringer Information und überwiegend lokal bestimmter Perspektiven die sächsische Umgebung mit ihrer spezifischen verfassungsgeschichtlichen Struktur, nämlich der des relativ geschlossenen Landesstaates, prägend für Luthers Bild von der allgemeinen gesellschaftlichen Welt werden; aber sie war doch nur eine Variante in der Vielfalt des Reiches. Die umfassende Durchsetzung landesfürstlicher Obrigkeit, die Vereinnahmung geistlicher Enklaven – all dies trug spezifische Züge, wie es sie vor allem in den klassischen Kerngebieten des Reiches, in Schwaben, Franken und am Rhein nicht gab, die sich in Nordwestdeutschland, in Bayern und Österreich zwar auf vergleichbare Weise, aber doch wieder anders ausformten. Die Autonomie der Reichsstädte schien den kursächsischen Landesstädten fern, die ihrerseits dem landesfürstlichen Zugriff durchaus offenlagen. Der Adel war landsässig – Luthers Schrift an den christlichen Adel[22] nahm von der werdenden Reichsritterschaft kaum Notiz. Sicher hat Luther später seinen Horizont, man könnte sagen notgedrungen, beträchtlich erweitert – so erkannte der alte Luther scharfsinnig die Gefahr des reichsritterschaftlichen Zusammenspiels mit Karl V. für die Reformation.[23]

Wichtiger erscheint etwas anderes: schon von der politischen Struktur Sachsens her erfuhr Luther die Wirksamkeit des gut durchgeformten Staates, eines guten, modernen und effektiven Regiments – aber der sächsische Hof mit Rat und Kanzlei öffnete sich für den Reformator noch in einer anderen Hinsicht. Mir scheint, daß die Aussage Luthers, er habe Friedrich den Weisen nur einmal gesehen, der Überprüfung und

---

[18] THEODOR KOLDE, Friedrich der Weise und die Anfänge der Reformation: eine kirchenhistorische Skizze mit archivalischen Beilagen, Erlangen 1881. – PAUL KIRN, Friedrich der Weise und die Kirche, Leipzig/Berlin 1926. KARLHEINZ BLASCHKE, Kurfürst Friedrich der Weise von Sachsen und die Luthersache, in: FRITZ REUTER (Hg.), Der Reichstag zu Worms von 1521: Reichspolitik und Luthersache, Worms 1971, S. 316–335. – HEINRICH BORNKAMM, Luther und sein Landesherr Friedrich der Weise (1463–1525), in: ders., Luther: Gestalt und Wirkungen, Gütersloh 1975, S. 33–38.

[19] JOHANNES BECKER, Kurfürst Johann von Sachsen und seine Beziehungen zu Luther, T. 1, 1520–1528, Leipzig 1890. – GÜNTHER WARTENBERG, Zum Verhältnis Martin Luthers zu Herzog und Kurfürst Johann von Sachsen. VOGLER (Anm. 2), S. 169–177. – ERNST MÜLLER, Martin Luther und sein Einfluß auf die reformatorische Entwicklung in Weimar in den Jahren 1518 bis 1525, in: ebd., S. 179–192.

[20] GEORG MENTZ, Johann Friedrich der Großmütige, Jena I–III, 1903/8.

[21] HERMANN KUNST, Evangelischer Glaube und politische Verantwortung, in: ders., Martin Luther als politischer Berater seiner Landesherren und seine Teilnahme an Fragen des öffentlichen Lebens, Stuttgart ²1979. – GÜNTER WARTENBERG, Luthers Beziehungen zu den sächsischen Fürsten, in: JUNGHANS (Anm. 13), S. 549–571. 916–929. Vgl. auch: IRMGARD HÖSS, Georg Spalatin 1484–1545. Ein Leben in der Zeit des Humanismus und der Reformation, Weimar 1956.

[22] Vgl. Anm. 43.

[23] VOLKER PRESS, Kaiser Karl V., König Ferdinand und die Entstehung der Reichsritterschaft, Wiesbaden ²1980 (Institut für Europäische Geschichte, Vortr. 60).

Präzisierung bedürfte – Residenzschloß, Schloßkirche und Universität lagen in Wittenberg relativ eng beieinander.[24] Zwar weilte der Kurfürst selten in Wittenberg, aber Luther ist nicht weniger als sechsundvierzigmal nach Torgau gereist, der eigentlichen kurfürstlichen Residenz.[25] In jedem Fall aber gab es überaus enge und vertrauensvolle Beziehungen zwischen Luther und dem wichtigsten Teil der gelehrten und adeligen Räte des Kurfürsten.[26] Dieter Stievermann hat dieses Geflecht jüngst in aller Eindringlichkeit vorgestellt und deutlich gemacht, in welch hohem Maße der Rückhalt am Kreis der kurfürstlichen Räte neben dem guten Willen des Landesherrn für Luthers Überleben und dann für seinen Erfolg eine Bedeutung erlangte.[27]

Gegenüber dem zuweilen schwankenden Kurfürsten waren es immer wieder die Räte, adelige wie bürgerlich-gelehrte, die sich für die Anliegen Luthers einsetzten; ob adelig oder bürgerlich machte hier keinen Unterschied. Es waren adelige und werdende bürgerliche Familienverbände, die dieses Geflecht um den Hof ausformten – in diese freundschaftlichen Beziehungen wurde Luther immer mehr eingebunden. Widmungen in Schriften, Zeugnisse persönlicher Freundschaft, briefliche Kontakte erwiesen immer wieder die engen Beziehungen der sächsischen Räte mit Luther. Sie haben sich kontinuierlich mit dem Reformator auseinandergesetzt, um ihn auf die Linie des politisch Möglichen und Nötigen festzulegen, etwa im Zusammenhang mit dem Schmalkaldischen Bund und dem Widerstandsrecht gegen den Kaiser. Die Politisierung der Reformation führte wiederholt zur nötigen Abstimmung mit den Räten des sächsischen Kurfürsten und zu Kompromissen und Versuchen zur Vereinnahmung, die für Luther schmerzlich und schwer akzeptabel war.[28] Aber Stievermann hat die Atmosphäre des Vertrauens deutlich gemacht, die zwischen den Räten Friedrichs des Weisen und Luther herrschte.

Mir scheint, daß die Bedeutung dieser Erfahrung nicht hoch genug eingeschätzt werden kann – sie hat wohl die Haltung Luthers zu den gesellschaftlichen Kräften der Zeit maßgeblich beeinflußt. Leben und Schicksal des Mönches Martin Luther hatten nach Bannandrohungsbulle und Reichsacht entscheidend von der riskanten Bereitschaft

---

[24] Vgl. JUNGHANS, Wittenberg (Anm. 13).

[25] Freundliche Mitteilung von Herrn Kollegen WOLFGANG REINHARD (Augsburg) anläßlich der Wormser Tagung.

[26] HÖSS (Anm. 21). – EKKEHART FABIAN, Dr. Gregor Brück: 1557–1957. Lebensbild und Schriftenverzeichnis des Reformationskanzlers I. U. D. Gregor Heinze-Brück zu seinem 400. Todestag, Tübingen 1952 (SKRG 2).

[27] Demnächst: DIETER STIEVERMANN, Verwaltungs- und sozialgeschichtliche Voraussetzungen der Reformation – der landesherrliche Rat in Kursachsen, in: VOLKER PRESS/DIETER STIEVERMANN (Hg.), Martin Luther – Probleme seiner Zeit.

[28] KUNST (Anm. 21). – WOLGAST (Anm. 16). – KARL TRÜDINGER, Luthers Briefe und Gutachten an weltliche Obrigkeiten zur Durchführung der Reformation, Münster/Westfalen 1975 (RGST 111). – SIEGFRIED BRÄUER, Zur Vorgeschichte der kursächsischen Bündnisüberlegungen und Luthers Stellungnahme vom 11. Januar 1525, in: VOGLER (Anm. 2), S. 193–217.

des Kurfürsten abgehangen, sie zu verteidigen.[29] Daß auch hier die Räte Friedrichs des Weisen eine Schlüsselrolle spielten, hat abermals Stievermann verdeutlicht.[30] Günter Wartenberg hat das Zusammenspiel der jüngeren ernestinischen Fürsten mit Friedrich dem Weisen zugunsten Luthers erhellt.[31] Es wurde wohl erst nach diesem Kurfürsten zur vollen Hinwendung zur Reformation, aber es gab in jedem Falle eine freundliche Obrigkeit, die für Luther eintrat, die seine Person und seine Sache schützte, rettete, unterstützte, ein moderner, hochqualifizierter und auch reformwilliger Kreis von Räten. Wenn von Luthers Verhältnis zur Obrigkeit die Rede ist, so ist dieser Eindruck nicht hoch genug zu veranschlagen.

Kursachsen war also in vieler Hinsicht geradezu disponiert dafür, daß von seinem Boden die Reformation in Deutschland ihren Ausgang nahm. Aber Sachsen war nicht typisch für das ganze Reich, das ja bekanntlich in seinen Regionen durchaus sichtbare Varianten der rechtlich gebundenen gesellschaftlichen Grundstrukturen aufwies. Von den Unterschieden des Adels im Kernbereich des Reiches vom sächsischen, der Reichsstädte von den kurfürstlichen Landesstädten war schon die Rede. Auch wenn von daher gewisse Varianten im einzelnen, vielleicht auch fehlende Einsichten in reichsstädtisches Wesen, in schwäbische Bauernkriege, in Aktionen von Sickingen und Hutten rührten, so blieb doch über das ganze Reich hinweg die feudal-ständische Grundstruktur gleich, ganz abgesehen davon, daß sich Luthers politischer und gesellschaftlicher Erfahrungshorizont ständig erweiterte, ohne daß er die regionalen Differenzierungen voll einzusehen vermochte.

Noch ein anderes folgt aus den engen Beziehungen zur sächsischen Regierung – in ihrer Nähe war bei allen vielfältigen anderen sozialen Verflechtungen der spezifische Ort Luthers. Nähe zur Regierung und zum Hof setzten die stärksten Akzente für seine Existenz – in diesem Umkreis vor allem ist wohl die soziale Position des Reformators selbst anzusiedeln. Das aber heißt: nicht nur einer vorbildhaften Obrigkeit, sondern auch einer Achse sozialen Wandels stand Luther nahe, hier bildete sich eine bürgerliche Beamtenschicht aus und leitete eine Modernisierung des Landesstaates ein. Daß sie sich mit der Reformation und in den altgläubigen Territorien mit katholischer Reform und Gegenreform identifizierte, gab ihr ein besonderes Profil. Ihr stand der Reformator in hohem Maße nahe.

---

[29] WILHELM BORTH, Die Luthersache (causa Lutheri) 1517–1524. Die Anfänge der Reformation als Frage von Politik und Recht, Lübeck 1970 (HS 414). – DANIEL OLIVIER, Der Fall Luther. Geschichte einer Verurteilung, Stuttgart 1970. Zum römischen Prozeß: KARL MÜLLER, Luthers römischer Prozeß: ZKG 24 (1903), S. 46–85. – GERHARD MÜLLER, Die römische Kurie und die Anfänge der Reformation: ZRGG 19 (1967), S. 1–32. – REMIGIUS BÄUMER, Der Lutherprozeß, in: ders., Lutherprozeß und Lutherbann. Münster 1972 (KLK 32), S. 18–48. Zur Situation in Worms: REUTER (Anm. 18).
[30] STIEVERMANN, Verwaltungs- und sozialgeschichtliche Voraussetzungen der Reformation – der landesherrliche Rat in Kursachsen, in: STIEVERMANN/PRESS (Anm. 27).
[31] WARTENBERG (Anm. 21). – Ders. (Anm. 19).

Das heißt: er zählte zu einer Gruppe, die einen nicht unerheblichen Wandel der sozialen Situation herbeiführte.[32] Sie trat neben die traditionellen Herrschaftsschichten und hatte vor allem den Fürsten die Verdichtung des Landesstaates ermöglicht. Daraus resultierte eine Wandlung und Domestizierung des Adels, ja sogar eine gewisse Anpassung seiner führenden Gruppen an das bürgerliche Gelehrtentum. Daß später die bürgerliche Beamtenschaft sich in ihren Spitzen feudalisierte und insgesamt oligarchisierte, ja daß der evangelische Pfarrerstand teilweise auch diesen Weg ging, gehört dazu. Sozialgeschichtlich bedeutete dies, daß das 16. Jahrhundert, vor allem seine erste Hälfte, gewichtige Wandlungen hervorbrachte, die die feudal-ständische Gesellschaft zwar nicht zerstörten, wohl aber modifizierten und sie damit stützten. Die Juridifizierung, die Tendenz zur rechtlichen Konfliktregelung stand in unmittelbarem Zusammenhang mit dem Anschwellen der Zahl gelehrter Juristen in den landesfürstlichen Behörden – die gerade in Sachsen früh einsetzenden Ordnungen zeigen, daß diese Tendenzen bewußt weitergetrieben wurden, sicher ein Vorgang, der weit hinter Luthers reformatorischen Anliegen zurückbleibt, aber als deren Begleiter doch Beachtung finden muß. Eine besondere Erfahrung war die von Luther durchaus bejahte Durchsetzung des Landfriedens, ein tiefes Erleben der Zeit, dessen Garant wiederum die landesfürstliche Obrigkeit wurde.[33]

Wenn man nun eine Zwischenbilanz ziehen will, dann hat sich Luther ohne Frage mit der Obrigkeit identifiziert, sie als gottgegeben, wenn auch keineswegs unfehlbar akzeptiert und damit auch die Spielregeln und Ordnungen der feudal-ständischen Gesellschaft; es wäre aber falsch, Luther deshalb als obrigkeitsgläubig und als Fürstenknecht zu denunzieren. Luther hatte um sich eine moderne, reformbereite Landesherrschaft, die an ihrer Ausgestaltung arbeitete. Aber die Entwicklungen und Reformen waren systemimmanent; sie modifizierten zwar die ständische Gesellschaft, stellten aber ihre Grundlagen nicht in Frage. Daß Kursachsen um 1500 auch in diesem Sinne ein besonders modernes Territorium war, ist an Luther nicht spurlos vorbeigegangen.

Für unsere Fragestellung soll jedoch zugleich festgehalten werden, daß bei aller Nähe des Wittenberger Professors und Reformators zum Umkreis des sächsischen Kurfürsten keinesfalls ein sozialer Determinismus bei Luther festzustellen ist. Es ist hinreichend bekannt, wie sehr sich Luther immer wieder um seine eigene Position bemüht hat, wie er an seinen religiösen Überzeugungen festhielt und wie es immer wieder zu schmerzvollen Spannungen mit den politischen Zwängen und Vereinnahmungen kam. Es bedarf wohl auch nicht der Betonung, daß Luther nicht ein blindes Sprachrohr der kursächsischen Politiker war, daß er vielmehr zeitlebens eine eigenständische Position zu verfechten suchte, die nicht leicht einzubinden war – Eike Wolgast hat dies jüngst

---

[32] Zum allgemeinen Hintergrund: VOLKER PRESS, Stadt und territoriale Konfessionsbildung, in: FRANZ PETRI (Hg.), Kirche und gesellschaftlicher Wandel in deutschen und niederländischen Städten der werdenden Neuzeit, Wien–Köln 1980 (Städteforschung A 10), S. 251–296. – Ders., Soziale Folgen der Reformation in Deutschland, in: MARIAN BISKUP/KLAUS ZERNACK, Schichtung und Entwicklung der Gesellschaft in Polen und Deutschland im 16. und 17. Jahrhundert. Parallelen, Verlaufsformen, Vergleiche, Wiesbaden 1983 (VSWG Beih. 74), S. 196–243.

[33] HEINZ ANGERMEIER, Königtum und Landfriede im deutschen Spätmittelalter, München 1966.

deutlich gemacht.[34] Verständlich ist es freilich, wenn Luther sich bemühte, in seinen oft scharfen öffentlichen Äußerungen, den Umkreis des kursächsischen Hofes zu schonen – es ist bezeichnend, daß er zwar gegen die süddeutschen Kapitalisten und Monopolisten polemisierte, niemals aber gegen die sächsischen Bergunternehmer, die er ja auch gut kennen mußte; sie freilich standen in engen Beziehungen zu einzelnen Räten der Landesherren. Luther hat mit seiner Autorität und seinem Eigenwillen dem Landesfürsten ein Gegengewicht geboten, das die obrigkeitliche Vereinnahmung der Landeskirchen aufhielt und abbremste – nach seinem Tode gab es niemanden mehr, der als solches Gegengewicht wirken konnte.[35] Bei allem Respekt vor der guten Obrigkeit sah Luther doch ihre Grenzen. Dies war aber nur möglich durch die Prioritäten die der Reformator sich selber setzte.

Ohne Frage stand das Wirken Luthers stets unter dem Primat seines religiösen Anliegens.[36] Um das Wort Gottes ging es ihm an erster Stelle, seinem Fortschreiten hat Martin Luther alle anderen Bestrebungen nachgeordnet. Damit aber ragt er doch wieder aus dem sozialen Gefüge heraus und spricht eine eigenständige Sprache. Daß Luther der Reformator, nicht der Reformer und auch nicht der Revolutionär des deutschen 16. Jahrhunderts war, sollte eigentlich keiner Unterstreichung mehr bedürfen. Nur daß er der bestehenden Obrigkeit und damit dem Gefüge der feudal-ständischen Gesellschaft, oder besser gesagt: einer erneuerten Variante, hohe Chancen einräumte, ist ebenso klar wie, daß sich eine ernstliche Alternative nicht bot.

Auch in seiner Übernahme der älteren »Drei-Stände-Lehre« ist das Bejahen der bestehenden ständischen Gesellschaft hinreichend deutlich.[37] Die drei Stände werden in Luther Schriften ausdrücklich als Teil einer gottgegebenen Ordnung anerkannt. Aber Luthers Lehre vom Beruf als gottgewollte Aufgabe des einzelnen stützt diese Ordnung zwar, aber sie relativiert doch die ältere hierarchische Ständeordnung. Der Bezug des einzelnen zu Gottes Willen schafft eine neue Form der Gleichheit vor Gott. Dies wirkt ohne Frage stabilisierend für die ständische Gesellschaft, auch wenn Luthers Absichten rein theologische Wurzeln hatten. Auf der anderen Seite erhielt das gesellschaftliche Gefüge doch auch neue Akzente – es nahm ohne Zweifel die bereits früher einsetzenden Reformimpulse auf und trug sie dann weiter, als Luthers Verständnis vom Beruf ihnen die theologische Unterbauung gab.[38] Luther lehnte zwar das direkte Streben nach

---

[34] WOLGAST (Anm. 16).

[35] VOLKER PRESS, Der Durchbruch der Reformation. Vortrag an der Technischen Hochschule Darmstadt, Januar 1984. Erscheint im Sammelband der Vortragsreihe.

[36] VOLKER PRESS, Martin Luther in seiner Zeit: IKZ 12 (1983), S. 509–524.

[37] WERNER ELERT, Morphologie des Luthertums II: Soziallehren und Sozialwirkungen des Luthertums, München 1932, verbesserter Nachdruck München 1953. – JÜRGEN KÜPPERS, Luthers Dreihierarchienlehre als Kritik der mittelalterlichen Gesellschaftsauffassung: EvTh 19 (1959), S. 361–374. – WILHELM MAURER, Luthers Lehre von den drei Hierarchien und ihr mittelalterlicher Hintergrund, München 1970 (ABAW. PH 4). – REINHARD SCHWARZ, Luthers Lehre von den drei Ständen und die drei Dimensionen der Ethik: LuJ 45 (1978), S. 15–34. – MICHAEL BEYER, Luthers Ekklesiologie, in: JUNGHANS (Anm. 13), S. 93–117; hier: S. 104–108.

[38] GUSTAV WINGREN, Luthers Lehre vom Beruf, München 1952 (FGLF 10, 3). Von einer marxistischen Position: REINHARDT PESTER, Zum weltanschaulich-philosophischen Gehalt der Lehre Luthers vom Beruf: VOGLER (Anm. 2), S. 295–306.

Aufstieg ab, aber er gab doch dem eigenständigen Wirken des einzelnen eine Legitimation, die die Gesellschaft bewegen konnte. Das war vielleicht nicht Luthers Absicht, aber die modifizierte Drei-Stände-Lehre gehörte doch in jenes Zeitalter des Aufbruchs.

In gewisser Weise gilt dies auch für das Geflecht von Vorstellungen zur Obrigkeit, das meist als sogenannte »Zwei-Reiche-Lehre« gerne zusammengefaßt wird –[39] dies ist für die Zeit Luthers wichtig, denn damals spiegelte die politische Verfassung in hohem Maße die Gesellschaft; eine Trennung von Staat und Gesellschaft hatte sich noch nicht vollzogen. So stellte Luther das weltliche und das geistliche Regiment einander gegenüber – die Wirksamkeit Christi als Haupt der Kirche diente der Vereinigung der Gläubigen. Die Existenz der Ungläubigen aber erzwang eine weltliche Obrigkeit, die die Herrschaft mit den Zwangsmitteln staatlicher Gewalt ausübte – notgedrungen entstanden aus der Neigung des Menschen zum Bösen, also aus der Erbsünde. Die biblische Ableitung der weltlichen Obrigkeit aus Römer 13 ist bekannt: Luther erkannte die Notwendigkeit von Gewaltverhältnissen auf Erden an, die Obrigkeit stand ihren Untertanen wie ein Vater seinen Kindern gegenüber. Die Pflicht zum Gehorsam gegenüber der Obrigkeit wurde zur Christenpflicht. Es ist sicher, daß die Lehre Luthers geeignet war, die ständische Gesellschaft zu stabilisieren – von seinen Problemen mit dem Widerstandsrecht, mit dem Dualismus kaiserlicher und landesfürstlicher Herrschaft soll hier nicht die Rede sein.[40] Daß Luther allerdings die Obrigkeit durchaus kritisierte, steht auf einem anderen Blatt.[41]

---

[39] Die Publikationen zu diesem Thema sind unermeßlich. Vgl. dazu: FRANZ LAU, »Äußerliche Ordnung« und »Weltlich Ding« in Luthers Theologie, Göttingen 1933 (SSTh 12). – Ders., Luthers Lehre von den beiden Reichen, Berlin ²1953 (Luthertum 8). – JOHANNES HECKEL, Im Irrgarten der Zwei-Reiche-Lehre: TEH. NF 55, München 1957. – HEINRICH BORNKAMM, Luthers Lehre von den zwei Reichen im Zusammenhang seiner Theologie, Gütersloh ³1969. – HEINZ HORST SCHREY, Reich Gottes und Welt. Die Lehre Luthers von den Zwei Reichen, Darmstadt 1969 (WdF 107). – ULRICH DUCHROW, Christenheit und Weltverantwortung. Traditionsgeschichte und systematische Struktur der Zweireichelehre, Stuttgart ²1983 (FBSEG 25) (grundlegend). – GERHARD SAUTER (Hg.), Zur Zwei-Reiche-Lehre Luthers, München 1975 (TB 49). – GERHARD MÜLLER, Luthers Zwei-Reiche-Lehre in der deutschen Reformation, in: OTTO KAISER (Hg.), Denkender Glaube. Festschrift für CARL HEINRICH RATSCHOW, Berlin – New York 1976, S. 49–69. – MARTIN HONECKER, Zur gegenwärtigen Interpretation der Zweireichelehre: ZKG 89 (1978), S. 150–162. Gute Zusammenfassungen: WOLGAST (Anm. 16), S. 40–84. – BEYER (Anm. 37), S. 99–104.

[40] HEINZ SCHEIBLE, Das Widerstandsrecht als Problem der deutschen Protestanten, Gütersloh 1969 (TKTG 10). – HERMANN DÖRRIES, Luther und das Widerstandsrecht, in: ders., Wort und Kirche III, Göttingen 1970, S. 195–270. – EIKE WOLGAST, Die Religionsfrage als Problem des Widerstandsrechts im 16. Jahrhundert, Heidelberg 1980 (SHAW. PH, 1980, Abh. 9). – Ders. (Anm. 16). – GERHARD MÜLLER, Luthers Beziehungen zu Reich und Rom; in: JUNGHANS (Anm. 13), S. 369–401. – Ders., Bündnis und Bekenntnis. Zum Verhältnis von Glauben und Politik im Deutschen Luthertum, in: MARTIN BRECHT/REINHARD SCHWARZ (Hg.), Bekenntnis und Einheit der Kirche: Studien zum Konkordienbuch, Stuttgart 1980, S. 23–43. – SIEGFRIED HOYER, Bemerkungen zu Luthers Auffassung über das Widerstandsrecht der Stände gegen den Kaiser (1539), in: VOGLER (Anm. 2), S. 255–263.

[41] Es gab auch an den Juristen durchaus harte Kritik: ALBERT STEIN, Martin Luthers Meinung über die Juristen: ZSKG 54 (1968), S. 365–375. – Ders., Luther über Eherecht und Juristen, in: JUNGHANS (Anm. 13), S. 171–185; hier: S. 181–184.

Luther hat die Ansätze dieser Position sehr früh vorgetragen, noch vor der Schrift von der Obrigkeit;[42] in der Schrift an den christlichen Adel deutscher Nation[43] hat er diesen aufgefordert, die Reformation in die Hand zu nehmen – ich plane eine Interpretation dieses Werks und möchte sie nicht vorwegnehmen. Sicher ist jedoch, daß ihr ganz deutlich mitteldeutsche Bilder vor Augen standen, vornehmlich das Kursachsens – nämlich das Modell des relativ geschlossenen Landesstaates, so daß mit dem Adel hier nur der hohe Adel gemeint war. Zugleich zertrümmerte Luther in ihr die Sonderstellung des altkirchlichen Klerikerstandes und löschte ihn in der Folge für das künftige evangelische Deutschland aus. Hier lag nun eine der bedeutendsten sozialgeschichtlichen Folgen der Reformation Martin Luthers. Der Klerus war ein etablierter, wenn auch »sekundärer« Stand mit mannigfachen Querverbindungen gewesen. Aber er hatte doch eine eigentümliche Autonomie behauptet, hatte Rückhalt im System der alten Kirche – und gab der sozialen Mobilität der vorreformatorischen Gesellschaft durch seine Ehelosigkeit eine spezifische Note; daß diese nicht nur Nachteile für die Gesellschaft bringen mußte, sollte sich nach der Erneuerung des Katholizismus durchaus zeigen.[44] Für das evangelische Deutschland entfiel damit ein gewichtiger politischer und sozialer, geistiger und religiöser Faktor, ohne den das katholische nicht zu denken ist. Das Verschwinden des autonomen und priviligierten Klerus, der vor allem von städtischen Magistraten immer wieder als Fremdkörper empfunden wurde, erhöhte den Freiraum der evangelischen Obrigkeit.[45] Daß Luther aus Rücksicht auf den Adel dessen traditionelle Stifter aussparte, zeugte von einem hohen praktischen Sinn.[46]

In jedem Fall hat er ausdrücklich den Weg zur Reformation in die Hände der Obrigkeiten gelegt, also der traditionellen Führungsgruppen, nämlich des hohen und des niederen Adels. Die Parallelisierung der reichsstädtischen Magistrate nimmt nicht Wunder. Aus der Perspektive von Luthers Position, die er frühzeitig festgelegt hat, scheinen seine folgenden Handlungen in diesem Bereich relativ geschlossen. Aber auch damit ist nur eine Dimension angesprochen. Luther war in eine Zeit extremer gesellschaftlicher Bewegungen geraten, die ihn zum Teil trugen, die sich aber auch seine Lehren zu eigen machten und sie forcierten. Eine apokalyptische Stimmung durchzog das Zeitalter, ihre Spuren finden sich auch in der Theologie Luthers[47] – aber diese Stimmung ist nicht zu trennen von einem Gefühl des allgemeinen Umsturzes, der sich in Bauernaufständen, Bundschuhverschwörungen und gewaltsamen städtischen Konflikten, in Fehden und Adelskrisen artikulierte. Sie traf auf einen offensichtlichen Wan-

---

[42] WA 11, (229) 245–281. – Martin Luther, Studienausgabe, Berlin III, 1983, S. (27) 31–71.
[43] WA 6, (381) 404–469. – Luther (Anm. 42) II, S. (89) 96–167.
[44] PRESS, Soziale Folgen (Anm. 32).
[45] BERND MOELLER, Kleriker als Bürger: Festschrift für HERMANN HEIMPEL, Göttingen II, 1972, S. 195–224. – Ders., Pfarrer als Bürger, Göttingen 1972 (Göttinger Universitätsreden 56).
[46] Zu diesem Problem: PRESS, Adel (Anm. 32).
[47] HANS PREU:, Die Vorstellung vom Antichrist im späten Mittelalter, bei Luther und in der konfessionellen Polemik: ein Beitrag zur Theologie Luthers und zur Geschichte der Frömmigkeit, Leipzig 1906. – ULRICH ASENDORF, Eschatologie bei Luther, Göttingen 1967. – WERNER THIEDE, Luthers individuelle Eschatologie: LuJ 49 (1982), S. 7–49. – OLE MODALSLI, Luther über die letzten Dinge, in: JUNGHANS (Anm. 13), S. 331–345. Vgl. auch: OBERMAN (Anm. 5).

del von Frömmigkeit und religiösem Bewußtsein, der einen Nährboden für die Reformation schuf.[48]

So zwingend die Nähe Luthers zur kursächsischen Obrigkeit erscheint, so wenig war sie den Zeitgenossen zunächst bewußt. Wie ein Ungewitter hatte sich die Predigt des Reformators aus der Studierstube des Mönchs und Professors Bahn gebrochen und schnell eine ungeheuere Breitenwirkung erreicht.[49] Unterschiedliche Wünsche und Hoffnungen haben sich an Luther gehängt und sicher entscheidend zum reformatorischen Durchbruch beigetragen. Die bekannt dramatischen Sätze des Nuntius Aleander über die Stimmung der Deutschen zugunsten Luthers machen die Dynamik der Situation deutlich –[50] Luther hatte eine charismatische Stellung für seine Landsleute gewonnen, die vielleicht durch den Kaiser Maximilian vorbereitet und dann durch sein Ableben vakant geworden war.

Den Zeitgenossen freilich fiel es schwer, den Reformator einzuordnen. Er hatte in den Augen des aufhorchenden Deutschland für sich, daß er als armer Mönch ohne Rücksicht auf Nachteile vieles aussprach, was eine große Anzahl fühlte – die Distanz des Mendikanten zur Adels- und Pfründenkirche war sehr deutlich, ein Kleriker, der offensichtlich unbelastet war von dem, was man der etablierten Kirche vielfach anlastete.

Damit aber rückte Luther in eine einmalige Position, fast in ein Vakuum ein – er verkörperte zugleich Kritik und Erneuerungswillen in der Kirche, Furchtlosigkeit und Entschlossenheit; es lag fern, ihn einer Gruppe zuzuordnen. Luthers Protektor, Kurfürst Friedrich der Weise, trat gleichsam hinter den Reformator zurück.

Das hing mit einem Zug Luthers zusammen, an dem er stets festhielt, dem Primat des Religiösen. Damit öffnete sich die Wirksamkeit für Luther auf breitester Front – die geringe Rücksichtnahme auf politische und soziale Konstellationen ließ die unterschiedlichsten Anknüpfungen zu.

Die Wirkungsgeschichte Luthers ist überdies nicht zu trennen von den neuen Medien, von den Techniken des Drucks – da spielte eine entscheidende Rolle die massenhafte Verbreitung von Schriften, von Bildern, Darstellungen, aber vor allem die

---

[48] BERND MOELLER, Frömmigkeit in Deutschland um 1500: ARG 56 (1965), S. 5–31. – BERNDT HAMM, Frömmigkeitstheologie am Anfang des 16. Jahrhunderts. Studien zu Johann von Paltz und seinem Umkreis, Tübingen 1982 (BHTh 65). – HARTMUT BOOCKMANN, Kirche und Frömmigkeit vor der Reformation: Martin Luther und die Reformation in Deutschland, Ausstellung zum 500. Geburtstag Martin Luthers, Germanisches Nationalmuseum Nürnberg 1983. Zum Wandel der bildlichen Darstellung: DIETER KOEPPLIN, Reformation der Glaubensbilder. Das Erlösungswerk Christi auf Bildern des Spätmittelalters und der Reformationszeit: Martin Luther und die Reformation in Deutschland (s. o.), S. 333–378.

[49] KARL HAGEN, Deutschlands literarische und religiöse Verhältnisse im Reformationszeitalter, Erlangen I–III, 1841/44. – BERND MOELLER, Stadt und Buch. Bemerkungen zur Struktur der reformatorischen Bewegung in Deutschland, in: WOLFGANG J. MOMMSEN, Stadtbürgertum und Adel in der Reformation, Stuttgart 1979 (Veröffentlichungen des Deutschen Historischen Instituts in London 5), S. 25–39. – ROBERT W. SCRIBNER, For the Sake of Simple Folk. Popular Propaganda for the German Reformation, Cambridge 1981.

[50] P(AUL) KALKOFF (Hg.), Die Depeschen des Nuntius Aleander vom Wormser Reichstage 1521, Halle ²1897, S. 69 f.

Umsetzung des gedruckten Wortes, von der umfänglichen deutschen Bibel bis zur leichtfüßigen Flugschrift.[51] Erst durch Luther wurde der Buchdruck in Deutschland zur vollen Wirkung emporgehoben, und ohne den Buchdruck wäre die Wirkungsgeschichte des Reformators nicht denkbar. Damit aber errichtete sich Luther ein Forum in der Öffentlichkeit, das neu war, er schuf sich gleichsam eine neue soziale Realität. Sie war teilweise gelöst von den herkömmlichen Kommunikationswegen, wirkte freilich vor allem auf Intellektuelle und in die Städte hinein.

Luther war damit kaum angreifbar. Dies äußerte sich zunächst einmal darin, daß die überkommenen Techniken, ihn einzubinden oder zum Schweigen zu bringen, nicht verfingen. Das galt vor allem für die alte Kirche, deren Unfähigkeit, Luther zu bremsen, ihre ganze Schwäche erwies.[52] Noch waren die entsprechenden Mechanismen nicht entwickelt – auch dies bedeutete einen Schlüssel für Luthers Erfolg. Die Neuigkeit und Einmaligkeit seines Auftretens hob den Reformator gleichsam über die Grenzen des Alltags empor.

Die Figur Luthers war so in der Lage, für einige Zeit ganz unterschiedliche soziale Strömungen zu integrieren, sie für eine kurze Phase auf die Kanäle der Reformation zu lenken. Die »Öffentlichkeit«, an die Luther in so einmaliger Weise appelliert hatte, führte ihm die gegensätzlichsten Kräfte zu – daraus folgt, daß Luther, wollte er an seinen theologischen Grundanliegen festhalten, sehr früh gezwungen war, sich abzugrenzen in doppelter Hinsicht: einmal gegen die unterschiedlichen Gruppierungen, von denen er sich zu Unrecht vereinnahmt fühlte, dann aber auch positiv durch immer genauere Definitionen seiner Position. Dieses Abgrenzen machte die Eigentümlichkeit vieler seiner Aussagen aus, aber zugleich auch die Tragik seines Lebens: der Heros nahezu aller Deutschen wurde am Ende der Vater der deutschen Landeskirche.[53]

Eine noch engere Verbindung mit den Obrigkeiten blieb gleichsam als Sediment der Auseinandersetzungen, die Luther im sozialen Gefüge führte, zurück. Ursprünglich war ja sein Sinn für die Gemeindekirche, für »kommunale« Züge der Abendmahlsgemeinschaft durchaus lebendig; dies trat zurück, als Luther mögliche Konsequenzen beobachten mußte. Am deutlichsten ist dies zu sehen in den Konflikten mit den sog. Schwärmern und mit den Bauern. Als Luther 1522 von der Wartburg herabeilte, um in Wittenberg die Schwärmer niederzuringen, ergab sich bereits aus dem Kampf gegen eine radikale Ausbeutung des Evangeliums und gegen einen möglichen Umsturz der sozialen Ordnung der Appell an die städtische Obrigkeit: Luther setzte gegen den

[51] Dazu wegweisend die Arbeit im Projektbereich »Flugschriften des frühen 16. Jahrhunders« des Sonderforschungsbereichs »Spätmittelalter und Reformation« in Tübingen. Vgl. HANS-JOACHIM KÖHLER (Hg.), Flugschriften als Massenmedien der Reformationszeit. Beiträge zum Tübinger Symposion 1980, Stuttgart 1981 (Spätmittelalter und frühe Neuzeit 13). – Ders., Erste Schritte zu einem Meinungsprofil der frühen Reformationszeit, in: PRESS/STIEVERMANN (Anm. 27).

[52] REMIGIUS BÄUMER, Martin Luther und der Papst, Münster ³1982 (KLK 30). – Ders., Lutherprozeß. – GERHARD MÜLLER, Die römische Kurie und die Reformation 1523–1534. Kirche und Politik während des Pontifikats Clemens' VII., Gütersloh 1969 (QuFR 38). – Ders., Martin Luther und das Papsttum: GEORG DENZLER (Hg.), Das Papsttum in der Diskussion, Regensburg 1974, S. 73–101.

[53] PRESS (Anm. 36).

Kollegen Karlstadt als weiteren Verbündeten die Universität und ihr Instrument der Zensur ein – Laientheologie und Spiritualismus wurden strikt abgelehnt, mit scharfer Polemik gegen »Rottengeist« und »tollen Pöbel« hielt Luther die Bewegung nieder.[54] Schon frühzeitig wurde klar, daß eine unkontrollierte, die Unterschichten ergreifende Strömung für Luther nicht nur die Gefahr der Radikalisierung, sondern auch die der grundsätzlichen Gefährdung der reformatorischen Predigt in sich schloß. Dies hängt auch mit dem hohen theologischen Anspruch zusammen, mit der Forderung nach Differenzierung, die eigentlich Luthers Vorstellungen des allgemeinen Priestertums widersprach. Der Gelehrte und Theologe Luther geriet in Widerstreit mit dem Reformator, Kritiker der Klerikerkirche – eine Spannung, aus der dann der evangelische Pfarrerstand entstehen sollte. Daß Luther auch eine Art unnachgiebigen Alleinvertretungsanspruchs praktizierte und ihn in unversöhnlichem Haß gegen den alten Mitstreiter Karlstadt verfocht,[55] wiederholte sich nicht nur gegenüber einem Thomas Müntzer, sondern noch sehr viel öfter.[56]

Die Wittenberger Erlebnisse von 1522 haben für Luther sehr wohl die Rolle eines einschneidenden Ereignisses gespielt, als ihm fast die Bewegung zu entgleiten drohte. Die allgemeine Furcht vor Aufruhr, die sich in jenen Jahren in Deutschland ausbreitete, hat Luther in dem Augenblick besonders erfaßt, als sie 1523 im Wirken Thomas Münt-

---

[54] NIKOLAUS MÜLLER, Die Wittenberger Bewegung von 1521 und 1522, Leipzig 1911. – KARL GERHARD STECK, Luther und die Schwärmer, Berlin 1952 (ThSt(B) 44). – WILHELM MAURER, Luther und die Schwärmer, Berlin 1952 (SThKAB). – BERNHARD LOHSE, »Schwärmer« und Täufer: ARG 60 (1969), S. 5–26. – HEINRICH BORNKAMM, Martin Luther in der Mitte seines Lebens. Das Jahrzehnt zwischen dem Wormser und dem Augsburger Reichstag (hg. v. KARIN BORNKAMM), Göttingen 1979, S. 56–80. – HELMAR JUNGHANS, Freiheit und Ordnung bei Luther während der Wittenberger Bewegung und der Visitationen: ThLZ 97 (1972), S. 95–104. – ULRICH BUBENHEIMER, Scandalum et jus divinum: theologische und rechtstheologische Probleme der ersten reformatorischen Innovationen in Wittenberg 1521/22: ZSRG. K 90 (59) (1973), S. 263–342. – MARTIN BRECHT, Martin Luther und die Wittenberger Reformation während der Wartburgzeit: VOGLER (Anm. 2), S. 73–90. – GÜNTER MÜHLPFORDT, Luther und die »Linken«. Eine Untersuchung seiner Schwärmerterminologie: VOGLER (Anm. 2), S. 325–345.

[55] HERMANN BARGE, Andreas Bodenstein von Karlstadt, Leipzig I. II., 1905. Nachdruck Niewkoop 1968. – RONALD J. SIDER, Andreas Bodenstein von Karlstadt. The Development of his Thought 1517–1525, Leiden 1974 (SMRT 9). – ULRICH BUBENHEIMER, Consonantia Theologiae et Iuris prudentiae. Andreas Bodenstein von Karlstadt als Theologe und Jurist zwischen Scholastik und Reformation, Tübingen 1977 (Jus Ecc 24). – Ders., Andreas Rudolff Bodenstein von Karlstadt. Sein Leben, seine Herkunft und seine innere Entwicklung; in: Andreas Bodenstein von Karlstadt 1480 bis 1541. Festschrift der Stadt Karlstadt zum Jubiläumsjahr 1980, Karlstadt 1980, S. 5–58.

[56] Etwa bei seinem Konflikt mit Johannes Agricola, der freilich einen durchaus gewichtigen theologischen Hintergrund hatte. GUSTAV KAWERAU, Johann Agricola von Eisleben, Berlin 1881. – JOACHIM ROGGE, Johann Agricolas Lutherverständnis unter besonderer Berücksichtigung des Antinomismus, Berlin 1960 (ThA 14). – Ders., Innerlutherische Streitigkeiten um Gesetz und Evangelium, Rechtfertigung und Heiligung: JUNGHANS (Anm. 13), S. 187–204. – HANS-GÜNTER LEDER, Luthers Beziehungen zu seinen Wittenberger Freunden, in: ebda, S. 419–440; hier: S. 420–424.

zers gleichsam personifiziert wurde.[57] Mit seinem selbstbewußten und harten Brief an die sächsischen Fürsten forderte Luther Friedrich den Weisen und seinen Bruder Johann den Beständigen zum Durchgreifen auf,[58] nachdem die beiden Wettiner zu Allstedt eine radikale Predigt Müntzers gehört hatten.[59] Der Obrigkeit wurde hier eine Pflicht zum Schutz der Gläubigen gegen die Schwarmgeister zugewiesen, nachdem Luther zuvor den altgläubigen Herren das Recht zum Durchgreifen gegen seine eigenen Anhänger abgesprochen hatte. Die gesteigerte Gegnerschaft zu Müntzer und die radikale Aufstandsfurcht verbanden sich. In seiner Reaktion beharrte Luther unverkennbar und erneut auf dem Primat seines theologischen Anliegens, das er allein in den Mittelpunkt seiner Überlegungen stellte – er war sich des Gelingens seiner Reformation am Ende nur in einem wohlgeordneten Landesstaat sicher.

Die schwerste Krisensituation der deutschen agrarischen Gesellschaft im Spätmittelalter und in der frühen Neuzeit, hervorgerufen vor allem durch Herrschaftsintensivierung und Überbevölkerungsprobleme, die beide geeignet waren, alte Formen dörflicher Autonomie zur Disposition zu stellen, führten schließlich zu Luthers größter Herausforderung. Es zeigte sich: die reformatorische Predigt konnte vor allem in den Kerngebieten des Reiches zur Brandfackel in einer hochexplosiven Situation, namentlich in Bereichen labiler Herrschaftsausbildung, in den Bruchzonen der Reichsverfassung in Schwaben, Franken und am Rhein werden.[60] In Schwaben fand die Erhebung der Bauern in den Zwölf Artikeln eine glänzend formulierte programmatische Schrift mit einiger Wirkung. Man wird die ideologische Tragweite nicht allzu stark überschätzen dürfen; es stellt sich sehr die Frage, wie weit die Bauern nicht doch letztlich

---

[57] CARL HINRICHS, Luther und Müntzer. Ihre Auseinandersetzung über Obrigkeit und Widerstandsrecht, Berlin 1952, Neudruck 1962 (AKG 29). – WALTER ELLIGER, Zum Thema Luther und Thomas Müntzer: LuJ 34 (1967), S. 90–116. – BERNHARD LOHSE, Luther und Müntzer: Luther 45 (1974), S. 12–32. – Zu Müntzer: WALTER ELLIGER, Thomas Müntzer. Leben und Werk, Göttingen 1975. – MAX STEINMETZ, Das Müntzerbild von Martin Luther bis Friedrich Engels, Berlin 1971 (LÜAMA/B 4). – Ders., Luther, Müntzer und die Bibel – Erwägungen zum Verhältnis der frühen Reformation zur Apokalyptik: VOGLER (Anm. 2), S. 147–167. – MANFRED BENSING, Thomas Müntzer, Leipzig ²1975. – SIEGFRIED BRÄUER, Thomas Müntzers Selbstverständnis als Schriftsteller: SIEGFRIED HOYER (Hg.), Reform – Reformation – Revolution, Leipzig 1980, S. 224–232.

[58] WA 15, (199) 210–221. – Luther (Anm. 42) III, S. (85) 88–104. – SIEGFRIED BRÄUER, Die Vorgeschichte von Luthers »Brief an die Fürsten zu Sachsen von dem aufrührerischen Geist«: LuJ 47 (1980), S. 40–70.

[59] THOMAS MÜNTZER, Schriften und Briefe, kritische Gesamtausgabe. Unter Mitarbeit v. PAUL KIRN, hg. v. GÜNTER FRANZ, Gütersloh 1968, S. 241–263.

[60] Allgemein: GÜNTER FRANZ, Der deutsche Bauernkrieg, Darmstadt ¹¹1977. – MANFRED BENSING/SIEGFRIED HOYER, Der deutsche Bauernkrieg 1524–1526, Berlin ³1970. – PETER BLICKLE, Die Revolution von 1525, München ²1981. – Zu Luther und dem Bauernkrieg: MARTIN GRESCHAT, Luthers Haltung im Bauernkrieg: ARG 56 (1965), S. 31–47. – GOTTFRIED MARON, »Niemand soll sein eigener Richter sein«. Eine Bemerkung zu Luthers Haltung im Bauernkrieg: Luther 46 (1975), S. 60–75. – JOHANNES WALLMANN, Ein Friedensappell – Luthers letztes Wort zum Bauernkrieg, in: DIETER HENKE u. a. (Hg.), Die sozialethische Herausforderung: ERNST STEINBACH zum 70. Geburtstag, Tübingen 1976, S. 57–75. – WALTHER V.LOEWENICH, Martin Luther. Der Mann und das Werk, München 1982, S. 233–252. – BORNKAMM (Anm. 54), S. 314–353.

immanent und in den Bedingungen der altständischen Gesellschaft dachten – aber die Verteidigung überkommener Rechte oder solcher, die man dafür hielt, wurde ergänzt durch Reformforderungen, die auf Stärkung der gemeindlichen Position, vor allem bei der Pfarrerwahl und bei Ordnungen und Konfliktregelungen, zielten. Unmittelbar durch die Predigt Martin Luthers – so wie sie die Bauern verstanden – waren jene letzten Forderungen provoziert, die sich auf das göttliche Recht beriefen, auf die Beanspruchung des Evangeliums als Handlungsanweisung für den weltlichen Bereich.

Umsomehr überrascht es, daß Luther in seiner »Ermahnung zum Frieden« auf die Aktionen der schwäbischen Bauern und auf die Zwölf Artikel scheinbar gemäßigt reagierte –[61] formal, weil die Bauern seinen Namen für eine Schiedsrichterrolle benannten, praktisch aber, weil sie sich auf das göttliche Recht und damit auf das Evangelium berufen hatten. In der Reaktion zeigte sich ohne Frage Luthers weiter politischer Sinn. Hier ging es um nicht weniger als um die Vereinnahmung der Reformation durch eine agrarische Aufstandsbewegung. Luther setzte sich in erster Linie mit den theologischen Ansprüchen der Bauern auseinander und wies diese zurück. Er betonte zwar die berechtigten bäuerlichen Anliegen und suchte beide Parteien zu einem Kompromiß zu bewegen: Es klang schon hier ein Verweis auf die schiedlichen und rechtlichen Möglichkeiten an, die im Sinne des modernen Staates die Bauern in Anspruch nehmen konnten – ein durchaus nicht unwirksamer Schutz gegen Übergriffe, da das Recht die bestehenden Positionen verteidigt – die spätere Entwicklung des Alten Reiches sollte dann agrarische Konfliktregelungen in dieser Weise sehen.[62] Luther hat also zweifellos scharfsinnig jene Möglichkeiten erkannt, die die ständische Gesellschaft zur Konfliktregelung bot. Niemals aber war er bereit, das Recht der Obrigkeit preiszugeben, für Ordnung zu sorgen – allein Gott konnte sie zur Rechenschaft ziehen.

Dennoch war der Ton Luthers zunächst überraschend gemäßigt; immerhin waren die bäuerlichen Forderungen zwar radikal, aber doch vielfach noch in den Denkweisen der altständischen Gesellschaft verfangen. Auch scheint Luther die Tragweite der schwäbischen Ereignisse nicht voll gesehen zu haben – die Schrift entstand in den ersten Tagen einer Reise nach Thüringen, wo er mit dem Aufruhr in nächster Nähe konfrontiert war. In die gleiche Richtung wie die »Ermahnung« ging die Herausgabe des Vertragstextes von Weingarten, in dem Luther offensichtlich das Modell der gewünschten friedlichen Regelung zwischen Bauern und Herren sah.

Aber der Eindruck der emporflammenden Revolte auch in Thüringen, im engsten Umkreis sozusagen, führte Luther zu einer radikalen und konsequenten Betonung

---

[61] WA 18, (279) 291–334. – Luther (Anm. 42) III, S. (105) 110–133.

[62] Dazu: WINFRIED SCHULZE, Bäuerlicher Widerstand und feudale Herrschaft in der frühen Neuzeit, Stuttgart–Bad Cannstatt 1980 (Neuzeit im Aufbau 6). – Ders., »Geben Aufruhr und Aufstand Anlaß zu neuen behutsamen Gesetzen?« Beobachtungen über die Wirkung bäuerlichen Widerstands in der frühen Neuzeit, in: ders., Aufstände, Revolten, Prozesse, Stuttgart 1983, S. 261–285. – GÜNTER VOGLER, Bäuerlicher Klassenkampf als Konzept der Forschung, in: ebd. S. 23–40. – PETER BLICKLE/PETER BIERBRAUER/RENATE BLICKLE/CLAUDIA ULBRICH, Aufruhr und Empörung? Studien zum bäuerlichen Widerstand im Alten Reich, München 1980. – VOLKER PRESS, Französische Volkserhebungen und deutsche Agrarkonflikte in der frühen Neuzeit: Beiträge zur historischen Sozialkunde 6 (1977), S. 76–81.

seiner Ablehnung, nachdem der Versuch gescheitert war, durch persönlichen Einsatz den Aufstand zu steuern.[63] In der Schrift »Wider die räuberischen und mörderischen Rotten der andern Bauern«, wohl entstanden aus dem plastischen Eindruck des Aufruhrs, wandte sich Luther in schrillen Tönen gegen die Rebellen.[64] Die Rolle Müntzers und dessen radikale religiösen Töne verschärften noch die Tendenz, die Fürsten zum kompromißlosen Zuschlagen aufzufordern. Immerhin erschien die Schrift in ihrer ersten Auflage gemeinsam mit einer weiteren der Ermahnung zum Frieden; es bleibt aber die Hemmungslosigkeit, mit der sich Luther in der Gefahr an die fürstliche Gewalt wandte.

Die Radikalität seiner Reaktion erregte allenthalben Aufsehen, wurde von altgläubiger Seite gegen Luther verwandt. Aber nicht nur seine Gegner, auch Freunde haben den Weg von der Ermahnung zum Frieden zur gewaltsamen Aktion gegen die Bauern sehr verurteilt – sogar der mansfeldische Kanzler übte deutliche Kritik.[65] Luther sah sich unter dem Eindruck dieser Entwicklungen genötigt, noch einmal zur Feder zu greifen und sein Vorgehen zu rechtfertigen.[66] Mit seiner scharfen Distanzierung von den Bauern hat Luther vor allem auf die Inanspruchnahme des Evangeliums reagiert – er wußte seine und des Evangeliums Sache bei den Fürsten in besseren und sichereren Händen, und deshalb hat er deren radikales Vorgehen gleichsam legitimiert. Es fragt sich allerdings, ob Luther wirklich eine ernstliche Alternative gehabt hätte.[67]

Aber es war nicht primär ein taktisch-politisches Denken, sondern stets seine grundsätzliche Vorstellung von der Obrigkeit und ihrem Amt, die sich hier Bahn brach; eine Theologie von erheblicher und auch überzeugender Konsequenz. Dennoch bleibt der traumatische Einschnitt des Bauernkriegs unverkennbar in Luthers Bewußtsein haften: Er hat es später den Ereignissen von 1525 zugeschrieben, daß ihm der endgültige Erfolg gegen die Papstkirche versagt blieb – der Absturz von einer unangefochten charismatischen Position war wohl auch für Luther damals und für immer fühlbar geworden. Aber zugleich muß betont werden, daß der Reformator dieser Position niemals seine Theologie geopfert hat.

Luthers Angriff auf die Bauern kam wohl nicht aus einer Abneigung gegen den Bauernstand, obgleich er den Landleuten durchweg kritisch gegenüberstand, auch

---

[63] BORNKAMM (Anm. 54), S. 332 f. – WALLMANN (Anm. 60), S. 60–62.
[64] WA 18, S. (344) 357–361. – Luther (Anm. 42) III, S. (140) 142–147.
[66] WA 18, S. (374) 384–401. – Luther (Anm. 42) III, S. (148) 151–169.
[65] Luther (Anm. 42) III, S. 149.
[67] Zu den Täufern, insbesondere zum Täuferreich nahm Martin Luther eine ganz analoge Haltung ein. GÜNTER VOGLER, Martin Luther und das Täuferreich zu Münster, in: ders. (Anm. 2), S. 235–254. – KARL-HEINZ ZUR MÜHLEN, Luthers Tauflehre und seine Stellung zu den Täufern, in: JUNGHANS (Anm. 13), S. 119–138. Allgemein: KARL-HEINZ KIRCHHOFF, Die Täufer in Münster. Untersuchungen zum Umfang und zur Sozialstruktur der Bewegung, Münster 1973 (Geschichtliche Arbeiten zur westfälischen Landesforschung 12). – GERHARD BRENDLER, Das Täuferreich zu Münster 1534/35, Berlin 1966. – GERHARD ZSCHÄBITZ, Zur mitteldeutschen Wiedertäuferbewegung und dem großen Bauernkrieg, Berlin 1958. – RICHARD VAN DÜLMEN, Reformation als Revolution. Soziale Bewegung und religiöser Radikalismus in der deutschen Reformation, München 1977.

wenn gelegentlich positive Töne nicht fehlen.[68] Der Bauernkrieg war für ihn keine Aktion des ganzen Bauernstandes. Er schilderte jedoch wiederholt die bäuerlichen Eigenschaften mit despektierlichem Unterton: Geiz, Starrsinn, Neigung zu Hoffart und protziger Demonstration des Reichtums, Ausnützung einer Marktstellung bei Hungerkrisen. Die Problematik der Christianisierung der Bauern machte ihm zu schaffen. Wir finden bei Luther das typische Bauernbild eines Gelehrten, eines urban geprägten Menschen, der die archaische Welt auf dem Land voller Gefahren für seine Reformation, für sein Anliegen der Christianisierung sah. Man sollte nicht abstreiten, daß Luther hier wohl durchaus richtige Züge erkannt hat: eine erdverbundene Welt, magischen Praktiken nicht ferne, die seinem reformatorischen Drang natürlich ein Greuel waren.[69] Es mag freilich auch sein, daß gerade hier der Betonung des Wortes in der Verkündigung Grenzen gesetzt waren.

Die Position der Bauern in der ständischen Gesellschaft war für ihn klar; als ein erstaunlich menschenfreundlich denkender sächsischer Adeliger die Hörigkeit aufzuheben gedachte, widerriet ihm Luther, der die Gefahr für das ständische Gefüge erkannte.[70] Der Bauer sollte in seinem Stand bleiben.

Aber man kann nicht sagen, daß Luther allein seinen Zorn auf die Bauern richtete. Manches, was er über sie äußerte, war auch auf die im agrarischen Bereich herrschende Gruppe, den Adel, gemünzt.[71] Wie die Bauern war auch der niedere Adel fest in den sächsischen Landesstaat integriert: über Mitsprache in den Ständen war er in gemäßigter Weise an der Landesregierung beteiligt; Adelige, wie etwa der Marschall Johann von Dolzig, standen in der Gruppe der Räte dem Reformator persönlich besonders nahe, zahlreiche Schriften waren Junkern im Umkreis des sächsischen Hofes gewidmet, die Adelsschrift etwa seinem Freund Nikolaus von Amsdorf; es gab immer mehr Adelige mit Universitätsbildung, wie auch die Wittenberger Matrikel deutlich macht. Luther sah den niederen Adel zunächst undramatisch als integralen Teil des kursächsischen Territoriums unter einer stabilen Obrigkeit und schätzte seine politischen Wirkungsmöglichkeiten entsprechend gering ein. In zahlreichen konkreten Situationen hat Luther lange die praktische Situation der Betroffenen wenig in Rechnung gestellt und schob grundsätzliche Argumentationen in den Vordergrund. Stets wurde also der Adelsstand als einer der bestehenden Stände interpretiert: Das Bild Luthers, das jüngst Johannes Herrmann nachzeichnete, ist das des sächsischen adeligen Landsassen. Deutlich wird aber auch hier die konsequente Einordnung in die ständische Gesellschaft.

---

[68] Grundlegend: SIEGFRIED BRÄUER, Luthers Beziehungen zu den Bauern, in: JUNGHANS (Anm. 13), S. 457–472, 875–882. Vgl. auch: WILL-ERICH PEUCKERT, Die große Wende: Das apokalyptische Saeculum und Luther, Geistesgeschichte und Volkskunde, Hamburg 1948, S. 513–595.

[69] Zum Bauernstand: GÜNTHER FRANZ, Geschichte des deutschen Bauernstandes vom frühen Mittelalter bis zum 19. Jahrhundert, Stuttgart 1970.

[70] ELISABETH WERL, Die Familien von Einsiedel auf Gnandstein während der Reformationszeit in ihren Beziehungen zu Luther, Spalatin und Melanchthon: HCh 9 (1973/74), S. 47–63.

[71] JOHANNES HERRMANN, Luthers Beziehungen zu dem niederen Adel: JUNGHANS (Anm. 13), S. 613–626, 943–950. Vgl. auch: BLASCHKE, Sachsen (Anm. 17).

Mit der Kritik an dem Bereicherungswillen von Adeligen im Umkreis Herzog Georgs reihte sich Luther in eine allgemeine Hofkritik ein – er geißelte vor allem den Geiz adeliger Patrone. Der Reformator lehnte unverkennbar – wiederum die Perspektive des entwickelten sächsischen Landesstaates und des gerade etablierten Landfriedens vor Augen – das Fehderecht des Adeligen ab, wie er im Konflikt des Ritters Nikolaus von Minckwitz mit dem Bischof von Lebus unverkennbar äußerte;[72] so wie die bäuerliche Mentalität erschien Luther auch die adelige der Reformation gegenüber reserviert. Daß er ihre Triebkräfte gut kannte, zeigt die Schrift an den christlichen Adel, in der er die Konzession machte, daß dem Adel seine Stifter reserviert bleiben sollten.[73]

Daß er damit ein Kernproblem adeligen Interesses getroffen hatte, sollte Luther noch öfter bemerken. Dies mußte ihm ja auch durch die Biographie seiner Frau deutlich vor Augen stehen. Luther sah mit zunehmender Sorge die Affinität des Reichsadels zur alten Kirche, die vermittelt wurde durch Mentalitäten und Interessen, denen gegen Ende von Luthers Leben Karl V. auch immer bewußter taktisch entgegenzukommen suchte.[74] Die Gefahr einer Koalition des niederen Adels mit dem Kaiser, die im Schmalkaldischen Krieg in der Tat konkret ins Blickfeld rücken sollte, war Luther frühzeitig bewußt: die Tischreden spiegeln hier eine tiefe Einsicht, vielleicht ohne Detailkenntnisse, aber doch mit Gefühl für die sich abzeichnenden Grundkonstellationen, hier witterte Luther zurecht eine Gefahr für das Schicksal der Reformation.

Doch das Mißtrauen gegen adelige Aktionen war nicht nur ein Spätprodukt. Luther hat einzelnen Adeligen sehr vertraut, aber er sah den Ritterstand als Ganzes dem Landesstaat, der fürstlichen Obrigkeit untergeordnet. Dies entsprach den sächsischen Erfahrungen und war darüber hinaus politische Klugheit. Eine romantische Sicht deutscher Geschichte mag es bedauern, daß Luther nicht auf Hutten und Sickingen setzte, beide hingen ihm ja, zwar auf unterschiedliche Weise, aber doch entschieden an.

Hutten war der Propagandist vieler Tendenzen, die Luther begünstigen sollten;[75] Sickingen errichtete frühzeitig in seinen Herrschaften ein evangelisches Kirchenwesen und suchte dem Evangelium durch regionale Pläne eine Öffnung zu verschaffen.[76] Beide warben um Luther, aber Sickingen und Hutten gingen einsam unter, der eine auf Landstuhl, der andere auf der Ufenau im Züricher See. Luther hat weder in Worms 1521 noch danach eine Kombination mit den Kräften der werdenden Reichsritterschaft gesucht – gleichzeitig Ausdruck der politischen Weitsicht und Konsequenz seiner theologischen Haltung.

---

[72] HERRMANN (Anm. 71), S. 615–625 f.

[73] WA 6, S. (381) 404–469. – Luther (Anm. 42) II, S. (89) 96–167.

[74] PRESS, (Anm. 23), S. 53 f.

[75] HAJO HOLBORN, Ulrich von Hutten, Göttingen ²1968. – HEINRICH GRIMM, Ulrich von Hutten, Wille und Schicksal, Göttingen 1971 (Persönlichkeit und Geschichte 60/61). – VOLKER PRESS, Ulrich von Hutten, Reichsritter und Humanist 1488–1523: Nassauische Annalen 85 (1974), S. 71–84. – ERNST SCHUBERT, Ulrich von Hutten (1488–1523): Fränkische Lebensbilder 9, Neustadt/Aisch 1980, S. 93–123.

[76] WALTHER FRIEDENSBURG, Franz von Sickingen: JULIUS v. PFLUGK-HARTTUNG (Hg.), Im Morgenrot der Reformation, Stuttgart ⁵1924, S. 555–666. – HEINRICH ULLMANN, Franz von Sickingen, Leipzig 1872. – VOLKER PRESS, Ein Ritter zwischen Rebellion und Reformation. Franz von Sickingen (1481–1523), BPfKG 50 (1983), S. 151–177.

Natürlich scheint Luther von seiner eigenen Person her in die Nähe von Stadt und Bürgertum gerückt.[77] In den letzten Jahren ist in aller Deutlichkeit herausgearbeitet worden, wie das Medium Stadt für die Verbreitung und Durchsetzung der Reformation wirksam wurde.[78] Hier lagen die intellektuellen Zentren – nicht nur für die Aufnahme von Luthers Werken, sondern auch für ihre Verbreitung. Eike Wolgast hat in einer trefflichen Studie jüngst das Verhältnis Luthers zu den Bürgern charakterisiert.[79]

Es stellt sich die paradoxe Situation heraus, daß Luther zwar der städtischen Welt vor allem nahe stand, aber sich doch auch von ihr distanzierte. Daß er die Stadt und das Bürgertum – anders als Adel und Bauern – nur selten als einheitliche Größen sah, kann indessen keineswegs überraschen. Im Bereich der Stadtgeschichte haben die Sozialhistoriker bis heute die allergrößten Probleme, überzeugende Typologien vorzulegen. Dies ist kein Zufall, denn Stadt und Bürgertum haben wohl im Gefüge der ständischen Gesellschaft auch die stärkste regionale, soziale und funktionale Differenzierung erfahren.[80] Die Praktiken der reichen Bürger, Kaufmannschaft und Zinsnehmen unterlagen bei Luther einer generellen Kritik; Monopolien und Wucher wurden von ihm prinzipiell abgelehnt, übrigens in völliger Übereinstimmung mit den dominierenden Tendenzen der Zeit.[81] Aber die grundsätzliche Ablehnung des Zinsnehmens wurde praktisch durchbrochen von der Wahrung der obrigkeitlichen Rechte gegenüber dem Geldmarkt und der Forderung nach seiner rechtlichen Ordnung, von der Bereitschaft zu praktischen Konzessionen. Im übrigen akzeptierte Luther in der Stadt ebenso wie anderswo die überkommene ständische Ordnung einschließlich der zünftischen Verfassung der Handwerkerschaft – allerdings kritisierte er deren exklusive Tendenzen und deren Monopolstreben.[82]

Es ist kein Zufall, daß Luther bei der Stadt vor allem die Bildungsaufgaben herausgehoben hat. Die Verbreitung des Evangeliums, gerade wie Luther sie verstanden wissen wollte, bedurfte einer Wissensgrundlage bei weiten Schichten – deren Vermittlung war notwendigerweise vor allem in den Städten möglich, auch wenn Luther zugleich die Bildung des Adels propagierte, der ihn dabei freilich ebenso wie die Fürsten ent-

---

[77] Grundlegend: EIKE WOLGAST, Luthers Beziehungen zu den Bürgern, in: JUNGHANS (Anm. 13), S. 601–612. Vgl. auch: HAROLD J. GRIMM, The relations of Luther and Melanchthon with the townsmen, in: Luther und Melanchthon, Referate und Berichte des 2. Internationalen Kongresses für Lutherforschung, Münster 1960, Göttingen 1961, S. 32–48.

[78] BERND MOELLER (Anm. 49). – GERHARD MÜLLER, Reformation und Stadt. Zur Rezeption der evangelischen Verkündigung, Wiesbaden 1981 (AAWLM.G 1981/11).

[79] WOLGAST (Anm. 77).

[80] Gute Bibliographie: HANS-CHRISTOPH RUBLACK, Forschungsbericht, in: BERND MOELLER (Hg.), Stadt und Kirche im 16. Jahrhundert, Gütersloh 1978 (SVRG 190), S. 9–26.

[81] HEINZ REYMANN, Glaube und Wirtschaft bei Luther, Gütersloh 1934. Diss. theol. Leipzig 1932. – HERMANN BARGE, Luther und der Frühkapitalismus, Gütersloh 1951 (SVRG 168). – WERNER ELERT (Anm. 37). – THEODOR STROHM, Luthers Wirtschafts- und Sozialethik: JUNGHANS (Anm. 13), S. 205–223. Vom marxistischen Standpunkt: GUSTAV FABIUNKE, Luther als Nationalökonom, Berlin 1963 (enttäuschend). – HERMANN LEHMANN, Luthers Platz in der Geschichte der politischen Ökonomie: VOGLER (Anm. 2), S. 279–294.

[82] KARL HOLL, Luther und die mittelalterliche Zunftverfassung, in: Ders; Gesammelte Aufsätze zur Kirchengeschichte, Tübingen III (Der Westen), 1928, S. 130–133.

täuschte. Scharfsinnig hat Luther die Kräfte im Sozialgefüge ausgemacht, die die Reformation vor allem transportieren konnten, und sie vornehmlich in der Stadt gefunden. Aber seine Perspektiven gingen weiter: Die Ermöglichung des Studiums für begabte Bürgerkinder wurde von ihm immer wieder gefordert, nicht nur zur Beförderung von Einzelkarrieren. Studien waren eine klar erkannte Voraussetzung für das Wirken einer guten Obrigkeit und dann auch für die Ausbildung eines qualifizierten Pfarrerstandes. So ist es nicht umsonst, daß in Luthers Schreiben an die städtischen Obrigkeiten immer wieder das Problem der kommunalen Schulen eine zentrale Rolle spielte. Auch das ganz praktische und vielfältige Bemühen des Reformators um die städtische Kirchenpolitik, um die Versorgung der Kommunen mit guten Pfarrern spiegelte die Bedeutung der Städte.[83]

Luthers konkretes Bild der Stadt war natürlich an der kursächsischen Landesstadt orientiert, deren Freiraum gegenüber dem Fürsten gering war; ihren Magistraten wollte er keinerlei Obrigkeitscharakter neben dem Landesherrn zubilligen. Der Fürst und seine Räte waren für ihn auch in diesem Bereich stets die berufenen Mittler – sogar gegen das städtische Kirchenpatronat ist Luther angegangen, in Zwickau etwa in einer höchst problematischen Weise;[84] die Frage der Autonomie des Geistlichen verband sich hier konsequent mit seinem Glauben an die landesfürstliche Obrigkeit.

Wie aber stand Luther zur Reformation in den Reichsstädten?[85] Es mag sein, daß das sächsische Modell der Reformation bei Luther vor allem deshalb stets durchschlug, weil Luther der Autonomie der Reichsstädte vom Kaiser einerseits, den Volksbewegungen in ihnen andererseits, aber auch ihrem Pendeln zwischen Zwingli und Karl V. skeptisch

---

[83] KARLHEINZ BLASCHKE, Die Auswirkungen der Reformation auf die städtische Kirchenverfassung in Sachsen, in: B. MOELLER (Anm. 80), S. 162–169.

[84] ERNST FABIAN, Der Streit Luthers mit dem Zwickauer Rate im Jahre 1531: Mitteilungen des Altertumsvereins für Zwickau und Umgegend 8 (1905), S. 71–176. – RUTH GÖTZE, Wie Luther Kirchenzucht übte: Eine kritische Untersuchung von Luthers Bannsprüchen und ihrer exegetischen Grundlegung aus der Sicht unserer Zeit, Berlin–Göttingen 1959, S. 75–92. – WOLGAST (Anm. 77), S. 609–611. – HELMUT BRÄUER, Luther und der Zwickauer Rat (1527–1531): VOGLER (Anm. 2), S. 223–233.

[85] Grundlegend: BERND MOELLER, Reichsstadt und Reformation, Gütersloh 1962 (SVRG 180). – GERHARD MÜLLER (Anm. 78). – ALFRED SCHULTZE, Stadtgemeinde und Reformation, Recht und Staat in Geschichte und Gegenwart, Tübingen 1918. – HANS BARON, Religion and Politics in the German Imperial Cities during the Reformation: EHR 52 (1937), S. 405–427. 614–633. – BERND MOELLER, Die Kirche in den evangelischen freien Städten Oberdeutschlands im Zeitalter der Reformation: ZGO 112 (1964), S. 147–162. – GERHARD PFEIFFER, Das Verhältnis von politischer und kirchlicher Gemeinde in den deutschen Reichsstädten: WALTHER PETER FUCHS, Staat und Kirche im Wandel der Jahrhunderte, Stuttgart 1966, S. 79–99. – BASIL HALL, The Reformation City: BJRL 54 (1971/72), S. 103–148. – STEVEN E. OZMENT, The Reformation in the Cities. The Appeal of Protestantism to Sixteenth-Century Germany and Switzerland, New Haven–London ²1980.

gegenüberstand.[86] Man hat daraus vor allem jüngst ein Mißverstehen der reichsstädtischen Situation erschlossen. In der Tat hat Luther den obrigkeitlichen Charakter der reichsstädtischen Magistrate stets festgehalten und zugleich ihr besonderes Untertanenverhältnis zum Kaiser konstatiert.[87] Die Labilität einer Stadtverfassung, auf die die

---

[86] Es stellt sich heraus, daß Luther die Situation keinesfalls falsch beurteilt hat. Vgl. demnächst: GEORG SCHMIDT, Der Städtetag in der Reichsverfassung. Eine Untersuchung zur korporativen Politik der Freien und Reichsstädte in der ersten Hälfte des 16. Jahrhunderts, Diss. phil. Tübingen 1982; demnächst: VIEG 113. – Dort auch relativiert die These von: MARTIN BRECHT, Die gemeinsame Politik der Reichsstädte und die Reformation: ZSRG.K 63 (1977), S. 181–263. – Vgl. auch: HANS-CHRISTOPH RUBLACK, Die Außenpolitik der Reichsstadt Konstanz während der Reformationszeit, in: BERND MOELLER (Hg.), Der Konstanzer Reformator Ambrosius Blarer 1492–1564, Konstanz 1962, S. 56–80. – Ders., Eine bürgerliche Reformation: Nördlingen, Gütersloh 1982 (QFRG 51). – Ders., Nördlingen zwischen Kaiser und Reformation: ARG 71 (1980), S. 113–133. – FRANZ PETRI, Karl V. und die Städte im Nordwestraum während des Ringens um die politisch-kirchliche Ordnung in Deutschland: JVWKG 71 (1978), S. 7–31. Zur Vorgeschichte: PAUL J. HEINIG, Reichsstädte, Freie Städte und Königtum 1389–1450. Ein Beitrag zur deutschen Verfassungsgeschichte, Wiesbaden 1983 (VIEG 108). – EBERHARD ISENMANN, Zur Frage der Reichsstandschaft der Frei- und Reichsstädte: FRANZ QUARTHAL/WILFRIED SETZLER, Stadtverfassung, Verfassungsstaat, Pressepolitik, FS Eberhard Naujoks, Sigmaringen 1980, S. 91–110. Von exemplarischer Bedeutung: HEINRICH LUTZ, Conrad Peutinger, Augsburg 1958 (Abhandlungen zur Geschichte der Stadt Augsburg). Ich selbst beabsichtige demnächst eine Studie zur Problematik der Stellung der Reichsstädte zwischen Kaiser, Reich und Reformation.

[87] EBERHARD NAUJOKS, Obrigkeitsgedanke, Zunftverfassung und Reformation: Studien zur Verfassungsgeschichte von Ulm, Eßlingen und Schwäbisch Gmünd, Stuttgart 1958 (Veröffentl. d. Komm. für Gesch. Landeskunde in Baden-Württemberg 33). – Ders., Obrigkeit und Zunftverfassung in den südwestdeutschen Reichsstädten: ZWLG 33 (1974), S. 53–93. – HORST RABE, Der Rat der niederschwäbischen Reichsstädte. Rechtsgeschichtliche Untersuchungen über die Ratsverfassung der Reichsstädte Niederschwabens bis zum Ausgang der Zunftbewegungen im Rahmen der oberdeutschen Reichs- und Bischofsstädte, Köln/Graz 1966 (Forschungen zur deutschen Rechtsgeschichte 4). – PETER EITEL, Die oberschwäbischen Reichsstädte im Zeitalter der Zunftherrschaft. Untersuchungen zu ihrer politischen und sozialen Struktur unter besonderer Berücksichtigung der Städte Lindau, Memmingen, Ravensburg und Überlingen, Stuttgart 1970 (Schriften zur südwestdeutschen Landeskunde 8). – WILHELM EBEL, Der Bürgereid als Geltungsgrundlage und Gestaltungsprinzip des deutschen mittelalterlichen Stadtrechts, Weimar 1958. – THOMAS A. BRADY jr., Ruling Class and Reformation and Strasbourg 1520–1555, Leiden 1978 (SMRT 22). – INGRID BÁTORI, Das Patriziat in den deutschen Städten: Zs. f. Stadtgesch., Stadtsoziologie u. Denkmalspflege 2 (1975), S. 1–20. – KERSTEN KRÜGER, Die deutsche Stadt im 16. Jahrhundert: ebd., S. 31–47. – WOLFGANG HERBORN, Verfassungsideal und Verfassungswirklichkeit in Köln während der ersten zwei Jahrhunderte nach Inkrafttreten des Verbundsbriefes von 1316, dargestellt am Beispiel des Bürgermeisteramts: WILFRIED EHBRECHT (Hg.), Städtische Führungsgruppen und Gemeinden in der werdenden Neuzeit, Köln/Wien 1980, S. 25–52. – ERICH MASCHKE, Verfassung und soziale Kräfte in der deutschen Stadt des späten Mittelalters, vornehmlich in Oberdeutschland: VSWG 46 (1959), S. 289–349, 433–476. – Ders., »Obrigkeit« im spätmittelalterlichen Speyer und in anderen Städten: ARG 57 (1966), S. 7–23. – ANTON SCHINDLING, Die Reformation in den Reichsstädten und die Kirchengüter. Straßburg, Nürnberg und Frankfurt im Vergleich: JÜRGEN SYDOW (Hg.), Bürgerschaft und Kirche, Sigmaringen 1980 (Stadt und Geschichte 7), S. 67–88. – HEINZ SCHILLING, Die politischen Eliten norddeutscher Städte in den religiösen Auseinandersetzungen des 16. Jahrhunderts: MOMMSEN (Anm. 49), S. 235–307.

Bürgergemeinde bzw. die städtischen Untertanen Einfluß gewannen, hat Luther wiederholt betont – darin übrigens Karl V. überraschend ähnlich, der auch in den städtischen Räten den sichereren politischen Faktor gegenüber der Bürgergemeinde sah. In Nürnberg ergab sich mit dem Stadtschreiber Lazarus Spengler sogar ein enges persönliches Zusammenspiel, das Luthers Ansichten bestätigt haben mag.[88] Luther sah in der Möglichkeit des Druckes der städtischen Unterschichten auf den Rat eine stete Gefahr auch für die religiöse Entwicklung, er wandte sich dementsprechend gegen eine zu ausgeprägte Kontrolle der städtischen Räte durch die Bürgergemeinden; er erhoffte von diesen keine Verbesserung der Situation. Dies erstaunt um so mehr, als es vielfach der Druck von unten war, der der Reformation in den Reichstädten zum Siege verholfen hatte.[89] Ganz konsequent reiht sich diese Position jedoch erneut in seine Lehre von der Obrigkeit und seine Haltung gegenüber der ständischen Gesellschaft ein.

Natürlich war durch den Einfluß der Schweizer und der oberdeutschen Reformation für Luther die Welt der südwestdeutschen Reichstädte weitgehend entrückt – in Zwingli sah er die Folge der stadtbürgerlichen Unzuverlässigkeit.[90] Aber war Luther

---

[88] HANS VON SCHUBERT, Lazarus Spengler und die Reformation in Nürnberg, hg. u. eingel. von HAJO HOLBORN, Leipzig 1934 (QFR 17). – HAROLD J. GRIMM, Lazarus Spengler. A lay leader of the Reformation, Columbus/Ohio 1978. – BERND HAMM, Lazarus Spengler und die Anziehungskraft der Reformation – ein Beitrag zur Lutherrezeption in den Städten, in: PRESS/ STIEVERMANN (Anm. 27).

[89] Ohne zu berücksichtigen, daß es in der Regel auch eine kräftige Anhängerschaft in den Ratsoligarchien gab, wäre dieses Bild nicht vollständig. FRANZ LAU, Der Bauernkrieg und das angebliche Ende der lutherischen Reformation als spontaner Volksbewegung: LuJ 26 (1959), S. 104–134. – PIUS DIRR, Studien zur Geschichte der Augsburger Zunftverfassung 1368–1548: ZHVS 39 (1913), S. 144–243. – SIGRID JAHNS, Frankfurt, Reformation und Schmalkaldischer Bund. Die Reformations-, Reichs- und Bündnispolitik der Reichsstadt Frankfurt am Main 1525–1536, Frankfurt/Main 1976 (Studien zur Frankfurter Geschichte 9). – BRADY jr. (Anm. 87). – PHILIP BROADHEAD, Popular Pressure for Reform in Augsburg 1524–1534: MOMMSEN (Anm. 49), S. 80–87. – RAINER POSTEL, Bürgerausschüsse und Reformation in Hamburg: EHBRECHT (Anm. 86), S. 369–383. Parallele Probleme treten in den Landstädten auf – die Freiheit in der Religionsentscheidung bildet dabei einen Gradmesser der städtischen Autonomie. HANS-CHRISTOPH RUBLACK, Reformatorische Bewegungen in Würzburg und Bamberg, in: MOELLER (Anm. 80), S. 109–124. – DIETER DEMANDT/HANS-CHRISTOPH RUBLACK (Hg.), Stadt und Kirche in Kitzingen. Darstellungen und Quellen zu Spätmittelalter und Reformation, Stuttgart 1978 (Spätmittelalter und frühe Neuzeit 16). – HEINZ SCHILLING (Anm. 87). Zur Schweizer Entwicklung: LEONHARD VON MURALT, Stadtgemeinde und Reformation in der Schweiz: ZSG 10 (1930), S. 349–384. – WALTER JACOB, Politische Führungsschicht und Reformation. Untersuchungen zur Reformation in Zürich 1519–1528, Zürich 1969 (ZBRG 1).

[90] PAUL WERNLE, Das Verhältnis der schweizerischen zur deutschen Reformation: BZGAK 17 (1918), S. 227–315. – WALTHER KÖHLER, Zwingli und Luther: ihr Streit über das Abendmahl nach seinen politischen und religiösen Beziehungen, Leipzig I–II, 1924, Gütersloh 1953. – Ders., Das Marburger Religionsgespräch. Versuch einer Rekonstruktion, Leipzig 1929. – Ders., Zürcher Ehegericht und Genfer Konsistorium. Leipzig, I–II, 1932/42. – GOTTFRIED LOCHER, Die zwinglische Reformation im Rahmen der europäischen Kirchengeschichte, Göttingen–Zürich 1979. – ULRICH GÄBLER, Luthers Beziehungen zu den Schweizern und Oberdeutschen von 1526 bis 1530/ 31: JUNGHANS (Anm. 13), S. 482–496. – MARTIN BRECHT, Luthers Beziehungen zu den Schweizern und Oberdeutschen von 1530/31 bis 1546, in: ebd., S. 497–517.

wirklich so schlecht informiert, wie es zuletzt öfter betont wurde? Mir scheint, daß heute die Tendenz, die städtischen Bürgerbewegungen gegenüber der Obrigkeit zu betonen, übergroß ist – eine Folge von Bernd Moellers grundlegender Studie,[91] die der Autor in dieser Konsequenz sicher nicht gewollt hat.[92] Die Reformation als städtisches Ereignis,[93] die Betonung der genossenschaftlichen Strukturen, des Druckes von unten, neuerdings von Peter Blickle sogar auf die Dorfgemeinden ausgedehnt und zur »kommunalen Reformation« (»Gemeindereformation«)[94] überhöht, scheint eine wichtige und weiterführende Entdeckung, der freilich heute die Gefahr einer Überbetonung und einer Konstruktion droht – ein wenig scheint es, als ob man dem Obrigkeitsstaat gleichsam nachträglich abschwören wollte.[95]

Das Bild Luthers von der Obrigkeit als handelndem und bestimmendem Faktor in den Reichsstädten war nicht falsch – denn mit den Obrigkeiten und nicht mit den Gemeinden war er in seinen praktischen und politischen Unternehmungen konfrontiert, etwa bei den Verhandlungen über die Wittenberger Konkordie, bei denen sich Luther vielleicht der Welt der oberdeutschen Reichsstädte noch einmal am stärksten genähert hat.[96] Die städtischen Räte hatten das Regiment in der Hand, aber ihre Position war häufig relativ labil und bedurfte der Substitution durch die kaiserliche Autorität.[97] Daß diese labile Gesellschaft durch ein elementares Ereignis wie die Reformation, die überdies Spannungen zum kaiserlichen Schutzherrn erzeugen mußte, in Bewegung gebracht wurde – dies ist nicht überraschend.[98] Aber es bedeutete doch eine Ausnahmesituation, auch wenn sich die Konflikte um den rechten Glauben einreihten in eine

---

[91] MOELLER (Anm. 85).

[92] MOELLER (Anm. 49). Dazu kritisch: THOMAS A. BRADY jr., The »Social History of the Reformation« between »Romantic Idealism and Sociologism:« A Reply, in: MOMMSEN (Anm. 49), S. 40–43.

[93] ARTHUR G. DICKENS, The German nation and Martin Luther, New York – London 1974, S. 182.

[94] Diese Position hat jüngst PETER BLICKLE (Bern) auf der Tagung zur Martin-Luther-Ehrung der DDR in Halle vertreten. Der Beitrag wird im Sammelband erscheinen. Ansätze dazu bei: PETER BLICKLE, Reformation im Reich, Stuttgart 1982 (UTB 1181), S. 94–97.

[95] Widerspruch gegen die hohe Einschätzung der Stadtreformation hat HEIKO OBERMAN angemeldet. HEIKO A. OBERMAN, Stadtreformation und Fürstenreformation: LEWIS W. SPITZ (Hg.), Humanismus und Reformation als kulturelle Kräfte in der deutschen Geschichte, Berlin/New York 1981 (VHK 51), S. 80–103.

[96] Die Position Luthers war natürlich auch durch die persönliche Stellungnahme mit bedingt – so spielte sein Mißtrauen gegen Martin Butzer eine beachtliche Rolle. Vgl. ERNST BIZER, Die Wittenberger Konkordien in Oberdeutschland und in der Schweiz: ARG 35 (1938), S. 203–237. – Ders., Martin Luther und der Abendmahlstreit: ARG 36 (1939), S. 68–87. – Ders., Studien zur Geschichte des Abendmahlstreits im 16. Jahrhundert, Darmstadt ²1962. – BRECHT (Anm. 90), S. 507–514.

[97] PETER MORAW, Reichsstadt, Reich und Königtum im späten Mittelalter: ZHF 6 (1979), S. 385–424. – JAHNS (Anm. 89). – BRADY jr. (Anm. 87). – SCHMIDT (Anm. 86). – Ders., Die Freien und Reichsstädte im Schmalkaldischen Bund, demnächst in: PRESS/STIEVERMANN (Anm. 27). – Für eine katholisch bleibende Reichsstadt: ROBERT W. SCRIBNER, Why was there no Reformation in Cologne? BIHR 49 (1976), S. 217–241. – (Dazu die Kritik von FRANZ PETRI, Einführung, in: ders. (Anm. 32), S. XI.

Kontinuität der städtischen Auseinandersetzung vom Spätmittelalter bis zum Ende des
Alten Reiches.[99] Der Rat hat in allen Fällen das Spiel am Ende beherrscht und sich bei
der Durchführung der Reformation der Bevölkerung bedient und die Gemeinde mani-
puliert. Daß auf der anderen Seite hier ein besonders hohes Maß an Konsens erreicht
wurde, ist auch ein Beleg für das Geschick der Konfliktregelung seitens der Obrigkeit,
aber vor allem für die ungeheure Dynamik der Reformation. Daß die Rücksicht auf den
Kaiser bei den Reichsstädten außerordentlich groß war, hat Luther durchaus richtig
gesehen – trotz des Votums der kursächsischen Räte 1530, die den Reformator für die
Bündnispolitik Philipps von Hessen gewinnen wollten.[100] Georg Schmidt hat jüngst
deutlich gemacht, wie sehr der Kaiser die evangelischen Städte immer noch in seinem
Bann zu halten vermochte.[101]

Mißtrauen gegen Kräfte, die dem Kaiser zu eng verbunden waren, paarte sich im Fall
der Städte erstaunlicherweise mit der festen Meinung, daß diese auch hier dem Kaiser
gehorchen mußten – so hat sich Luther gegenüber dem evangelisch gewordenen Augsburger Rat 1544 geäußert.[102] Übrigens dürfte die theologisch begründete Haltung Lu-

---

[98] GOTTFRIED SEEBASS, Stadt und Kirche in Nürnberg im Zeitalter der Reformation, in: MOEL-
LER (Anm. 80), S. 66–88. – GOTTFRIED SEEBASS, Die Reformation in Nürnberg: Mitteilungen des
Vereins für Gesch. d. Stadt Nürnberg 55 (1967/68), S. 252–268; auch Reformation in Nürnberg –
Umbruch und Bewährung, Nürnberg 1979 (Schriften des Kunstpädagogischen Instituts im Ger-
manischen Nationalmuseum Nürnberg 9), S. 105–112. – Ders., Das reformatorische Werk des
Andreas Osiander, Nürnberg 1967 (EKGB 44). – FRIEDRICH ROTH, Augsburgs Reformationsge-
schichte, München I–IV, 1901/10. – HANS-CHRISTOPH RUBLACK, Die Einführung der Reforma-
tion in Konstanz. Von den Anfängen bis zum Abschluß 1531, Gütersloh/Karlsruhe 1971
(QFRG 40). – Ders., Reformatorische Bewegung und städtische Kirchenpolitik in Eßlingen:
INGRID BÁTORI (Hg.), Städtische Gesellschaft und Reformation, Stuttgart 1980 (Spätmittelalter
und frühe Neuzeit 12), S. 191–220. – Ders., Eine bürgerliche Reformation: Nördlingen, Gütersloh 1982 (QFRG 51). – FRIEDRICH DOBEL, Memmingen im Reformationszeitalter, Teile 1–5,
Memmingen bzw. Augsburg 1877/78. – WOLFGANG SCHLENCK, Die Reichsstadt Memmingen und
die Reformation, Diss. Erlangen 1969. – JOSEF SEUBERT, Untersuchungen zur Geschichte der
Reformation in der ehemaligen freien Reichsstadt Dinkelsbühl, Lübeck–Hamburg 1971
(HS 420). – LEONHARD THEOBALD, Die Reformationsgeschichte der Reichsstadt Regensburg,
2 T., Nürnberg 1936/51 (EKGB 19). – MIRIAM USHER CHRISMAN, Strasbourg and the Reform. A
Study in the Progress of change, New Haven 1967.
[99] Exemplarisch: WILFRIED EHBRECHT, Form und Bedeutung innerstädtischer Kämpfe im
Übergang vom Mittelalter zur Neuzeit: Minden 1405–1535: WILFRIED EHBRECHT (Hg.), Städtische Führungsgruppen und Gemeinden in der werdenden Neuzeit, Köln 1980 (Städteforschung A 9), S. 115–152.
[100] WOLGAST (Anm. 16).
[101] SCHMIDT (Anm. 86).
[102] WOLGAST (Anm. 77), S. 607 f.

thers gegen die Juden[103] nicht vergessen lassen, daß im Hintergrund auch deren besonders enge Beziehungen zu Kaiser Karl V. standen, personalisiert in Josel von Roosheim, dem »Befehlshaber« deutscher Judenheit und Parteigänger des Kaisers.[104]

Zieht man ein Fazit, so erscheint Luther für seine Zeit erstaunlich gut informiert und mit einem ausgeprägten Verständnis für die Strukturen der ständischen Gesellschaft. Fehlende Äußerungen oder unschärfer werdende Sicht, je mehr man sich vom kursächsischen Territorium entfernte, mag man dem Reformator zubilligen – sie ist auch bei fürstlichen, sogar bei den habsburgischen Kanzleien festzustellen. Bei diesen kann man freilich ebenso wie bei Luther einen kontinuierlichen Lernprozeß ausmachen. Geäußert hat sich der Reformator stets da, wo er gefragt und herausgefordert wurde, wo ihn Probleme unmittelbar berührten, wo er Bedeutung für das Schicksal der Reformation witterte – die Erfahrung einer kursächsischen Landesstadt wie Wittenberg kann man wohl stillschweigend voraussetzen. In allem jedoch ist unverkennbar, daß es Luther weder um eine politische noch um eine soziale Analyse ging, sondern um das Schicksal des Wortes Gottes, um das Schicksal der Reformation. Seine Theologie und seine Predigt standen für ihn im Mittelpunkt seines Denkens und Handelns.

Dies wiederum hat Luther in eine Distanz zu *allen* sozialen Kräften der Zeit gebracht; seine Kritik gegenüber allen Gruppen wuchs im Laufe der Jahre; sie kam aus einer seelsorgerlichen Distanz, die er mit einer selbstverständlichen Autorität für sich in Anspruch nahm. Luther scheint zunehmend jene Fehler aller Gruppen der Gesellschaft gesehen zu haben, die die Ausbreitung der Reformation behinderten. Dies war die Perspektive seines zentralen Anliegens, das Wort Gottes zu verbreiten, und diese Perspektive trat mit den Jahren immer deutlicher hervor. Luther erkannte alle als Sünder von Fehlern und Irrtümern behaftet. Eine völlige persönliche Identifikation mit einer Gruppe findet sich nicht – auch die Obrigkeiten und ihren Umkreis, denen er am nächsten stand, bedachte er mit scharfen Worten, nicht nur, wenn sie als altgläubige Gegner der Reformation auftraten, wie die Herzöge Georg der Bärtige von Sachsen-

---

[103] HEIKO A. OBERMAN, Wurzeln des Antisemitismus: Christenangst und Judenklage im Zeitalter von Humanismus und Reformation, Berlin 1981. – Ders., Zwischen Agitation und Reformation, in: KÖHLER (Anm. 51), S. 269–289. – Ders., Luthers Beziehung zu den Juden: Ahnen und Geahndete: JUNGHANS (Anm. 13), S. 519–530. – JOACHIM ROGGE, Luthers Stellung zu den Juden: Luther 40 (1969), S. 13–24. – JOHANNES BROSSEDER, Luthers Stellung zu den Juden im Spiegel seiner Interpreten: Interpretation und Rezeption von Luthers Schriften und Äußerungen im Judentum im 19. und 20. Jahrhundert, vor allem im deutschsprachigen Raum, München 1972 (BÖT 8). – REINHOLD LEWIN, Luthers Stellung während des Reformationszeitalters, Basel 1911. Neudruck Aalen 1973. – SELMA STERN-TAEUBLER, Die Vorstellung vom Juden und dem Judentum in der Ideologie der Reformationszeit: Essays presented to Leo Baeck on the occasion of his eighteeth birthday, London 1954, S. 194–211.

[104] SELMA STERN, Josel von Rosheim: Befehlshaber der Judenschaft im Heiligen Römischen Reich Deutscher Nation, Stuttgart 1959.

Meißen[105] oder Heinrich der Jüngere von Braunschweig-Wolfenbüttel.[106] Die Kritik am Hof und an den Räten fehlten auch im evangelischen Bereich nicht, auch nicht an einzelnen Pfarrern, so sehr Luther immer wieder in aufbrechenden Konflikten die Hand über den neuentstehenden Pfarrerstand hielt, der sich erst seinen Platz im sozialen Gefüge suchen mußte.

Luther hat dennoch im Umkreis von bürgerlichem landesfürstlichem Beamtentum und jungem evangelischem Pfarrerstand seinen Platz, die sich gleichsam im Schnittpunkt der Universität Wittenberg fanden. Gerhard Brendler hat in seiner neuesten Luther-Biographie die soziale Klassifizierung Luthers als eines Intellektuellen außerhalb und über den Gruppierungen versucht, eine interessante und bedenkenswerte neue These.[107] Sie trägt der Autonomie von Luthers Denken und Urteil voll Rechnung, die eine theologische, ethische, ein seelsorgerliche war. Dieser Einordnung gehört die Nähe von Universität, landesfürstlichem Beamtentum und Pfarrerstand, also einer sozialen Gruppierung, deren Aufbruch die Reformation begünstigte und die dann das Gesicht des 16. Jahrhunderts entscheidend prägen sollte.

Hier liegt wohl auch das dynamische Element in Luthers sonst so konstanter Haltung zum sozialen Gefüge der Ständegesellschaft. Umstürzen wollte er diese niemals. Wozu auch, wenn ohnehin das Reich Gottes und das Ende dieser Welt nahe schienen? Luthers Position ist also durchaus einzureihen, sie ist in manchem konventionell, der ständischen Gesellschaft und ihren obrigkeitlichen Strukturen verpflichtet. Ist sie also konservativ?

Luther läßt sich jedoch so nicht einordnen. Er ist im Gefüge der altständischen Gesellschaft gleichsam eine Größe sui generis geworden, die eine einmalige Position zwischen den widerstreitenden Kräften erlangte – eine charismatische Figur, so wenig sie sich schließlich als Katalysator für die Kräfte des Umsturzes eignete. Aber Luthers Position wurzelte stets in seiner Theologie und seiner Ethik; aber durch seine Stellung über allen Gruppen haben seine Forderungen eine weitreichende und wegweisende Wirkung gehabt. Sie haben durchaus dazu beigetragen, die Gesellschaft zu verändern.

Unverkennbar sind seine Spuren für die Ausbildung eines evangelischen Pfarrerstandes, der den alten Klerus verdrängte, begründet in der Lehre vom allgemeinen Priestertum und danach vom landesfürstlichen Beamtentum beeinflußt, das auch hier seine

---

[105] HANS BECKER, Herzog Georg von Sachsen als kirchlicher und theologischer Schriftsteller: ARG 24 (1927), S. 161–269. – OTTO VOSSLER, Georg der Bärtige und seine Ablehnung Luthers: Ders., Geist und Geschchte: von der Reformation bis zur Gegenwart, München 1964, S. 272–291. – INGETRAUT LUDOLPHY, Die Ursachen der Gegnerschaft zwischen Luther und Herzog Georg von Sachsen: LuJ 32 (1965), S. 28–44. – Dies., Der Kampf Herzog Georgs von Sachsen gegen die Einführung der Reformation: FRANZ LAU (Hg.), Das Hochstift Meißen: Aufsätze zur sächsischen Kirchengeschichte, Berlin 1973, S. 165–185. – WARTENBERG (Anm. 21), S. 562–566.
[106] FRIEDRICH KOLDEWEY, Heinz von Wolfenbüttel. Ein Zeitbild aus dem Jahrhundert der Reformation, Halle 1883 (SVRG 2).
[107] GERHARD BRENDLER, Martin Luther. Theologie und Revolution, Berlin 1983. Akzentuiert ders., Revolutionäre Potenzen und Wirkungen in der Theologie Martin Luthers, in: HARTMUT LÖWE/CLAUS-JÜRGEN ROEPKE (Hg.), Luther und die Folgen. Beiträge zur sozialgeschichtlichen Bedeutung der lutherischen Reformation, München 1983, S. 160–180.

ungeheure Wirkungskraft entfaltete. Beamtentum und Pfarrerstand wurden die Träger-
schichten der Reformation, so daß sich schließlich die katholische Erneuerung über
Schulen und Universitäten an diesem Erbe Luthers ein Beispiel nahm. Die Dynamik
der Bewegung zwang auch dem Adel eine veränderte Rolle auf, bis die bürgerliche
Beamtenschicht, nun konfessionell geprägt, sich oligarchisierte, von der ständischen
Gesellschaft, zuweilen sogar vom Adel vollends aufgesogen wurde.[108]

Luther steht freilich auch nicht allein. Er traf mit seinem reformatorischen Anliegen
auf eine Bewegung, die ihn stützte und die ihm zugute kam: die humanistische Bildung,
über die gelehrte Jurisprudenz vom werdenden Landesstaat vereinnahmt, die die Städte
noch einmal zu einem intellektuellen Glanz emporführte und ihre schwindende politische Position überhöhte; die humanistische Bildung, die dem Landesstaat jenes refor-
merische und erneuernde Beamtentum bescherte, das ihm im 16. Jahrhundert eine
grundlegende Verfestigung ermöglichte. Auch wenn Luther in diese Gruppe keineswegs voll einzuordnen oder gar mit ihr zu identifizieren ist, so hat ihn doch ihr Aufstieg
getragen, begünstigt und beeindruckt.

---

[108] PRESS, Soziale Folgen (Anm. 32).

Kurt-Victor Selge

# 5.2 Luther und die gesellschaftlichen Kräfte seiner Zeit. Korreferat

Was sind in Luthers Zeit „gesellschaftliche Kräfte"? Es sind Stände, Ordnungen und Bewegungen aus den alten Ständen heraus oder hinein, Bewegungen auch in Richtung auf die Bildung von so etwas wie neuartigen Ständen, und daneben und darunter Menschen, die sich der Einordnung in Stände ganz entziehen. Für eine exakte Analyse des Ständesystems um die Reformationszeit herum ist der Theologiehistoriker der Reformation nicht der kompetente Mann. Ich begnüge mich mit dem ungefähren Hinweis auf die Existenz von hohem und niederem Adel, Schichten des Bürgertums, Bauern und dem allgegenwärtigen mittelalterlichen Gesellschaftssubstrat der in keine Ordnung mehr eingebundenen Armen, Bettelnden, Unseßhaften.[1] Die Bewegungen, die sich in diesen Ständen und Personenkreisen vollziehen, sind vom Sozialhistoriker für die Erfahrungswelt, in der Luther sich bewegte, namhaft gemacht worden. Luther lebt in der Welt des sich nach innen und außen allmählich ausbildenden fürstlichen Territorialstaats; er verbringt den Großteil seines Lebens in nicht reichsunmittelbaren, landsässigen Städten, von deren einer er durch fürstliche Verleihung auch die Bürgerrechte (ohne die Bürgerpflichten) erhält. Die Welt der freien Reichsstadt Süddeutschlands ist ihm nur in kurzen Besuchen und durch briefliche Kontakte begegnet, aber nicht wirklich vertraut geworden. Das Bauerntum in der Vielfalt seiner sozialen Bedingungen ist ihm nicht unmittelbar bekanntgeworden, wenn er freilich auch in seinem Lebenslauf sowohl seiner Herkunft nach, seinen Begegnungen in der Studienzeit und seiner Funktion als Beichthörer in seinen frühen Jahren in Wittenberg nach eine Menge Anschauung bäuerlichen Lebens und bäuerlicher Mentalitäten gehabt hat.[2] Aber wenn

---

[1] MICHEL MOLLAT, Les Pauvres au Moyen Age, Paris 1978. – Ders. (Hg.), Études sur l'histoire de la pauvreté (Moyen Age – XVI$^e$ siècle), Paris I. II, 1974. BRONISLAW GEREMEK, Les Marginaux parisiens aux XIV$^e$ siècles (aus dem Polnischen), Paris 1976. Für Deutschland stehen Synthese und Vertiefung der Einzelforschungen zur Stadt- und Bauerngeschichte hinsichtlich der Unterschichten der Reformationszeit noch aus. – Mit der Ächtung des Bettels und dem Arbeitsethos wird von der Reformation ein schon älteres stadtbürgerliches ökonomisches Anliegen zugleich christlich befriedigt. Die sozusagen ewige Gottesordnung, daß es »allezeit« Arme geben wird (Mk 14, 7 par.), rechtfertigt nicht mehr die Duldung des Bettels als geradezu frommer Institution.

[2] Der Ausbruch des Ablaßstreits hängt bekanntlich auch mit Luthers Beichterfahrungen – oder auch mit ihm zugegangenen Berichten – aus der Ablaßwirklichkeit in diesem Milieu zusammen. – Allgemein: SIEGFRIED BRÄUER, Luthers Beziehungen zu den Bauern, in: HELMAR JUNGHANS (Hg.), Leben und Werk Martin Luthers von 1526 bis 1546, Berlin (Ost) 1983.

er einmal sagt, er sei ein Bauer und Bauernenkel, so drückt dies übrigens in Abwehr der Astrologie auf die Differenz des von ihm erreichten Standes von seiner Abstammung gemünzte, gelegentliche Wort zwar vielleicht seinen Wunsch nach Bodenständigkeit, ja seine Erdverbundenheit und sein Selbstbewußtsein, im landverwurzelten, naturverbundenen Volk zu stehen, aus, beschreibt aber seine soziale Lebensrealität und Zugehörigkeit doch nicht zutreffend.[3] Eher kann man Luther seinem Elternhaus nach – und zwar ebensosehr oder gar mehr noch von der Seite seiner Mutter und ihrer Familie her – als Sproß des Bürgertums bezeichnen.[4] Fraglich ist es, inwieweit man hierbei das Berg-unternehmertum, in das der Vater hineinwuchs, besonders betonen darf; in seinen Jugendjahren im noch nicht wohlhabenden Elternhaus war der hart arbeitende Vater noch mehr Bergmann als Bergkaufmann;[5] und als er mit großem Aufgebot zur Primiz erschien, lebte Luther schon lange nicht mehr im Elternhaus. Es ist auch vielleicht bezeichnend, daß die bekannte reservierte bis negative Haltung Luthers zur kaufmänni-schen Welt von ihm niemals in Verbindung mit dem Beruf seines Vaters zum Ausdruck gebracht worden ist. Wohl aber ist auf zwei Dinge hinzuweisen: Luther wurde vom Vater ohne Zweifel autoritär-patriarchalisch erzogen, und sein Vater war ein ausge-sprochener sozialer Aufsteiger vom Bauerntum über das städtische Handwerkertum zum unternehmenden Großbürgertum, und er wollte diesen Weg in zeittypischer Weise durch den geplanten Aufstieg des Sohnes über Schulbildung, Jurastudium, Ehe zum Mitglied der bürgerlich-adligen Schicht der gelehrten Räte in Stadt- und Landesre-gierung fortsetzen. Luther selbst, von Anlage und Elternhaus prädestinierter Aufstei-ger, verweigerte sich dem geplanten Aufstieg und riskierte damit den schroffen und ihn zweifellos auch belastenden Konflikt mit der Autorität des Vaters, die sich immerhin auf das göttliche Gebot des Elterngehorsams berief – eben jenes Gebot, das für Luther sein Leben lang unter und neben dem obersten Gebot des Gottes- und Nächstenliebe das wichtigste und am ausführlichsten ausgelegte Gebot geblieben ist.[6]

Luther verweigerte sich dem geplanten Aufstieg, aber auf paradoxe Weise trat er in der Folge dieser Weigerung dann eben doch indirekt in diese neue Schicht der bürger-lich-adligen gelehrten Räte ein, für die er bestimmt war. Er wurde ihr geistlicher Mentor, und sie blieben sein Leben lang mit seine wichtigsten Kontaktpersonen, Ver-trauten, Schützer, Ratgeber und Vermittler seiner Gedanken in die politische Realität –

---

[3] HEINRICH BORNKAMM, Martin Luther in der Mitte seines Lebens, Göttingen 1979, S. 322.

[4] HEIKO A. OBERMAN, Luther – Mensch zwischen Gott und Teufel, Berlin 1982, S. 95ff.

[5] MARTIN BRECHT, Martin Luther. Sein Weg zur Reformation 1483–1521. Stuttgart (1981) ²1983, S. 15ff. GERHARD BRENDLER, Martin Luther. Theologie und Revolution, Berlin 1983, S. 12f.

[6] Vgl. neben dem Widmungsbrief an den Vater zur Schrift von den Mönchsgelübden (1521) alle Dekalogauslegungen bis zu den Katechismen, z. B. den Abschnitt im Sermon von den guten Werken (1520).

auch wohl z. T. seine Kritiker, Verbesserer oder Verschlimmbesserer und Gegner.[7] Luther trat also in diesen Kreis ein, ohne ihm amtlich selbst anzugehören. Das verbindende Element, das beide Sphären – die des Rates und die des Theologen – umgriff, war die moderne humanistische Bildung im weitesten Sinne, als Aufgeschlossenheit für die klassische und später auch moderne Sprache und die ihr angemessene Ausdrucksform, als Aufgeschlossenheit für die Geschichte und Dichtung, als Interesse am politischen Leben der Christenheit und der europäischen Staatenwelt, als Reform- und Wissenschaftsgesinnung, negativ als Reserve oder auch direkte Kritikbereitschaft gegenüber traditionellen Lebensformen, Institutionen und Wissenschaftsausprägungen vor allem im Bereich der Christenheit: also gegenüber den hierarchisch-kanonistisch-scholastischen Positionen der mittelalterlichen Überlieferung, die sich der Entfaltung der polyzentrischen Staatenwelt und der neuen humanistischen Kultur, in der und für die diese Gebildeten lebten, hemmend in den Weg stellten.[8]

Dieser Kreis, der Kleriker und Laien, Theologen und Juristen umgriff, die humanistische Bildungsschicht, entfaltete sich im Laufe des Lebens Luthers weiter in der Weise, daß die Arbeit für eine neue, auf zentrale Aspekte der christlichen Frömmigkeit konzentrierte Theologie, Predigt und Kirchenführung mit zu ihrem Kennzeichen wurde; im Verlauf dieser Entwicklung trat dann freilich angesichts des ein Ja oder Nein fordernden Charakters des neu ans Licht tretenden und den Antichrist enthüllenden Evangeliums auch die konfessionelle Spaltung der bis dahin alle Spielarten und Gesinnungen umgreifenden Schicht ein: die lange nicht von allen zugegebene und anerkannte Spaltung, in deren Verlauf also eine dritte, die Mittelgruppe, um ihr Überleben, um die evolutionäre Reform im Rahmen der alten Einheitschristenheit kämpfte.[9]

In unserem Zusammenhang aber kommt es zunächst nicht so sehr auf die Spaltung an, sondern auf die verbindenden Elemente und die Kontinuität im Rahmen dieses Humanismus im weitesten Sinne etwa zwischen Erasmus, Staupitz, Luther und Melanchthon. Die Evangeliumsbewegung Luthers hörte in seinem Sinne und im Sinne seiner humanistischen Anhänger niemals auf, eine Bildungsbewegung zu sein. Luther war und blieb in diesem weiten, soziokulturellen Sinn des adlig-bürgerlich-gelehrten Reformerkreises, dem er verbunden war und zugehörte, ein »Humanist«, auch wenn ihn die Tiefe der theologischen und anthropologischen Anschauung von Erasmus dia-

---

[7] Vgl. das voranstehende Referat von VOLKER PRESS und die dort angeführte Arbeit von DIETER STIEVERMANN über die sächsischen Räte und Luther. Viel Material bei EIKE WOLGAST, Die Wittenberger Theologie und die Politik der evangelischen Stände. Studien zu Luthers Gutachten in politischen Fragen, Gütersloh 1977 (QFRG 47). Als Verschlimmbesserer und Gegner betrachtete der späte Luther z. B. die Juristen, die in Ehefragen wieder aufs kanonische Recht (des »Antichrist«) zurückgriffen, z. B. Dr. Melchior Kling, einen früheren Tischgast Luthers und Schüler von Hieronymus Schurff. NDB 12, (1980), S. 76ff. (C. RÖMER). Vgl. Luthers Epiphaniaspredigt 1544 (WA 49, 249ff.).

[8] KURT-VICTOR SELGE, Das Autoritätengefüge der westlichen Christenheit im Lutherkonflikt 1517–1521: HZ 223 (1976), S. 591–617, bes. 597ff.

[9] HEINRICH LUTZ, Reformation und Gegenreformation, München–Wien 1979, S. 129f. (Oldenbourg Grundriß der Geschichte 10).

metral trennte. Er war ein Humanist des »servum arbitrium«[10], nicht weniger als später Calvin, freilich ein rustikal-bodenständigerer mit populärer Breiten- und Tiefenwirkung. Immer aber ging es um erneuerte Predigt und Kultivierung zum Evangelium. Vielleicht könnte man von einer »Demokratisierung« des Humanismus bei Luther und in seinem Evangelium reden. Der Gebrauch dieses gewiß anachronistischen und verfremdenden Begriffs soll auf die Ambivalenz hinweisen, die seit je ein schweres Problem der Reformationstheologie und Reformationswirklichkeit darstellt: Die wahren Christen sind immer nur wenige und wohnen fern voneinander;[11] aber die Predigt des Evangeliums und die Bildung zur Predigt und zu ihrem Hören soll dennoch überall erfolgen und muß von der christlichen Obrigkeit, sei es in der Visitation und Kirchenjurisdiktion von den Fürsten als Notbischöfen, sei es in der Erziehung von den städtischen Magistraten als den Trägern christlicher und allgemeinbildender Schulen für Jungen und für Mädchen, für künftige Lehrer, Pfarrer, gelehrte Räte – und »züchtige gelehrte Mütter« (!) gesichert werden.[12] Die Freiheit des Evangeliums muß überall von allen Getauften gelernt und gelehrt werden; die freien Christen sind aber seltene Vögel, indes die Menge sich der wahren christlichen Bildung und humanen Kultivierung verweigert und gleichzeitig um so lauter und unbegründet von ihrer christlichen Freiheit spricht.[13] Der Widerspruch ist logisch und theologisch nicht aufzulösen, sondern nur als Kennzeichen einer geschichtlich und sozial bedingten individuellen Übergangs- und Zwischenposition Luthers zu erklären, die ihre innere Einheit nur in seiner Person und Situation findet: Der Prediger des allgemeinen Priestertums aller Getauften will die Ausübung dieses Priestertums in der Regel nur im Rahmen der bestehenden Ständeordnung zugestehen. Er knüpft seine öffentliche gemeindliche Ausübung an Bildung und Berufung, und er ist von einem tiefen Widerwillen gegen Mißbrauch und Usurpation dieses Rechtes durch den ungehobelten, ungeschliffenen Poffel, den Herrn Omnes, durch Peter Rülze erfüllt, der nicht in klaren Begriffen denken, nicht sorgfältig und gründlich lesen kann, von raschen Affekten beherrscht wird, zur Zusammenrottung unter dem Namen einer falsch verstandenen evangelischen Freiheit neigt und Aufruhr anrichtet, in dem alle natürliche und gottgesetzte Ordnung und Gehorsam gegen die

---

[10] Ob der Humanismus – reformatorisch gewendet und umgeformt – noch Humanismus genannt zu werden verdient, ist freilich fraglich. Aber die Begriffsbestimmung vom Gegensatz her hat zu viele historische Kontinuitäten verdunkelt, so daß sie einmal in Frage gestellt werden muß. Die Reformation führt zu einer auch evolutionär zu betrachtenden Umformung des Humanismus.

[11] Von HEIKO A. OBERMAN (Anm. 4) neuerdings wieder stark betont: S. 283 und passim.

[12] Die verkehrten Teufelsorden der Männer- und Frauenklöster werden durch die rechten heiligen Orden des Priester-, Ehe- und Obrigkeitsamtes und -standes abgelöst; die Klöster werden zu Schulen, da man »feine geschickte Männer« für den Dienst in Kirche und Weltregiment und »feine züchtige gelehrte Weiber«, die hernach christlich haushalten und Kinder großziehen können, ausbildet. – Vom Abendmahl Christi, Bekenntnis (1528). WA 26, 504f.

[13] Wider die himmlischen Propheten (1524/25); WA 18, 93, 13ff.: »Wer aber sagt: Schlag tot, gebet niemand nichts, und seid freie Christen…, das heißen die rechten evangelischen Prediger, die der Braut zu Orlamünde das Hemd, und dem Bräutigam zu Naschhausen die Hosen ausziehen« usw. Letzteres als Beispiel für ungebildete Schriftauslegung unter Karlstadts Einfluß; WA 18, 83f.

Obrigkeit untergeht.[14] Dieser Affekt Luthers ist nicht erst durch die Erfahrung mit Thomas Müntzer und dem Bauernkrieg, auch nicht durch die Zwickauer Propheten oder den Erfurter Pfaffensturm von 1520 entstanden, er läßt sich schon aus seiner Kritik an den Wirkungen des Ablaßwesens beim einfachen, ungebildeten Volk belegen, das anläßlich der Ablaßpredigt zum Ausbrechen aus der heimischen Ordnung und zu tollen, unsinnigen Ausschweifungen veranlaßt wird. Es ist offenbar eine Grunderfahrung Luthers mit der Wirklichkeit des Lebens in den bäuerlichen und städtischen unteren Gesellschaftsschichten, die sich schon in seiner Jugend, in der Erziehung im Elternhaus, im langen Weg durch Schule und Studium als Abneigung und Widerwille gegen das Ungeformte, Ungebildete, Ausschweifende geformt hat. Das Evangelium ist für ihn auch ein Mittel der menschlichen Kultivierung und von dieser Wirkung nicht zu trennen. Rechte Bildung ist in der Praxis Voraussetzung der Ausübung des allgemeinen Priestertums und der Freiheit des Christenmenschen; sie ist zugleich eine Nebenwirkung des Glaubens, der das Wort des Evangeliums als Zuspruch der Vergebung recht hört und vertrauend annimmt. Das Evangelium schiebt dem Ungeordneten, Ungehemmten, Ausschweifenden einen Riegel vor und versetzt den Glaubenden in die Freiheit der Selbstdisziplin und sorgsamen Erfüllung der Christenpflicht im Hören auf die Schrift, im Gebet und in der Berufsausübung in dem Stand, in dem ein jeder von Gott berufen worden ist.

Menschliche, natürliche *Bildung* im Rahmen der bestehenden *Ordnungen* ist also das unerläßliche Komplement zur *Glaubensfreiheit* des Christenmenschen; keines der drei Elemente darf vergessen werden, obwohl alles am Glauben hängt. Aber der Glaube kann in der Regel nicht rechter Glaube sein, wo er nicht eine elementare Bildung mit sich führt und wo er sich über die bestehende Ordnung hinwegsetzt. Die offenkundigen verbalen Widersprüche, die sich bei Luther in der konkreten Anwendung seiner theologischen Grundsätze feststellen lassen, sind natürlich jeweils von der ihm zugänglichen Information über die Situation bedingt, in der das Evangelium Anwendung finden soll. Man kann auch versuchen, seinen Mut zum Widerspruch gegen sich selbst theologisch als evangelische Freiheit auszulegen und mit vollem Recht darauf hinweisen, daß der rechte Unterschied von Gesetz und Evangelium in der Praxis des Lebens schwer zu finden ist. Evangelium und Gesetz sind trotz aller Katechismusbelehrung, trotz allen Zutrauens, daß »ein Kind von 7 Jahren« weiß, was z. B. die Kirche ist[15], in der täglichen Differentialdiagnose nach Glauben und Gewissen neu zu unterscheiden. Dieser Weg der Lutherdeutung ist von Theologiehistorikern in unserem Jahrhundert

---

[14] »Wo Gott etwas heißt die Gemeinde tun und das Volk nennet«, will er's »nicht vom Pofel ohn Oberkeit, sondern durch die Oberkeit mit dem Volk getan haben«. WA 18, 72, 25ff. (Wider die himmlischen Propheten). – Zu dem in Anm. 13 genannten Beispiel unordentlich-populistischer Schriftauslegung bemerkt Luther: »So geht's, wenn man den unordigen Pofel in das Spiel bringt, daß sie vor großer Fülle des Geists auch bürgerliche Zucht und Sitten vergessen.« WA 18, 84, 25ff. – Peter Rülz: ebd. 173, 19ff.; 175, 31: »Lieber Peter, ich bitte euch, setzt die Brille, oder schneutzt euch ein wenig, daß euch das Haupt leichter und das Hirn reiner werde. Sehet mit uns den Text baß an« usw. – Ebenso nennt Luther 1541 Heinrich von Braunschweig-Wolfenbüttel mit seinem Herrn, dem Teufel »die rechten Hans Worst, Tolpel, Knebel und Rültze«. WA 51, 471, 5.

[15] Schmalkaldische Artikel (1538), Artikel »Von der Kirchen«: WA 50, 250, 1.

immer wieder gegangen worden; er ist nach meiner Meinung nicht nur berechtigt, sondern aus theologischer Sicht auch unerläßlich. Die Lutherrenaissance und zumal Karl Holl und seine Schüler haben diesen Gesichtspunkt nachdrücklich vertreten bis zu Heinrich Bornkamms großem nachgelassenen Buch über »Martin Luther in der Mitte seines Lebens«. Es steht für den Christen zuviel auf dem Spiel, wenn man auf diesen Aspekt verzichtet. Wer wollte den Leitstern der »Freiheit des Evangeliums«, die Ermächtigung zu nicht rigide »gesetzlicher«, sondern allein dem Kompaß von Glaube und Gewissen folgender ethischer Entscheidung missen! Auf sehr eindrucksvolle Weise hat jüngst Heiko Oberman diese evangelische Freiheit z. B. gegenüber bürgerlich-moralistischer Gesetzlichkeit und Prüderie herausgestellt, indem er auch Luthers umstrittene Eheratschläge in diesem Licht interpretiert hat.[16]

Aber es bleibt eben doch der offene verbale Widerspruch und die Frage, ob Luther nicht doch in der Anwendung seiner Grundsätze unbewußt – in der Grundstruktur seiner Persönlichkeit – von anderen Motiven als dem Evangelium mitbestimmt gewesen ist, also etwa von den Elementen der Bildung und der ständisch-patriarchalischen Ordnung – beide verstärkt und legitimiert durch seine augustinisch-paulinische und antiockhamistische, aber tief an ockhamistische Denkformen gebundene Theologie, mit dem besonderen und charakteristischen Zug der endzeitlichen, nur aus joachitisch-franziskanischer Tradition abzuleitenden Apokalyptik: also dem Rechnen mit der mit Gottes Willen sich vollziehenden ständigen erfindungsreichen Aktivität des Teufels zur Zerstörung von Schöpfung und Kirche, von Natur, Bildung, Ordnung und Glauben zugleich. Die Einschätzung von Ockhamismus und Apokalyptik im Ganzen der historischen Erscheinung des Denkens Luthers gehört m. E. zu den wesentlichsten und unerledigten Aufgaben der Lutherforschung der Gegenwart. Ist doch die angestrengte, ständige Suche des reformatorischen Luther nach Ordnungen Gottes, nach festen Grundlagen des theologischen und vernünftigen Denkens in »klaren, dürren Sprüchen« ohne den ockhamistischen Hintergrund der Theologie der »ordinatio dei« überhaupt nicht zu begreifen.[17] Aber wie verbindet sich nun diese theologische Ordnungs- und Wort-, ja Wortelehre mit der auffälligen Vorliebe für agrarisch-patriarchalisch-ständische Ordnungen im Rahmen des sich ausbildenden Territorialstaats, der seinen Erfahrungsrahmen bildete?

Und wie ist die Apokalyptik einzuschätzen, die seit einer Reihe von Jahren und neuestens nachdrücklich und in die Breite wirksam von H. Oberman in Erinnerung gebracht worden ist? Ich habe selbst vor acht Jahren auf die Bedeutung der endzeitlichen Geschichtstheologie in der theologisch-kirchlichen Krise von 1518 bis 1521 hinge-

---

[16] (Anm. 4), S. 286ff. 299–303.

[17] Die Ordnung Gottes ist die einzige Grundlage der Glaubensgewißheit. Damit ist ihre entscheidende Bedeutung als oberste Norm vom reformatorischen Durchbruch spätestens 1518 an gleichbleibend bis in die innerevangelischen Auseinandersetzungen hinein gekennzeichnet. Vgl. wiederum die auch hierfür aufschlußreiche Schrift »Wider die himmlischen Propheten«: WA 18, 150, 7ff. (Gewißheit und »helle, dürre Sprüche«); ebd. 136ff. u. ö., (Ordnung Gottes). Die Belege lassen sich durch nahezu alle Streitschriften hindurch finden.

wiesen[18] und erinnere mich noch sehr wohl an den enttäuschten Einwand des damals schon alten und am Ende stehenden Heinrich Bornkamm, er müsse das anders sehen. Hans von Campenhausen sagte im selben Sinne, Luther sei ja doch nun trotz der apokalyptischen Dimension kein Apokalyptiker. Für die Lutherrenaissance war die Sache klar: Es handelt sich um mittelalterliche Ausdruckselemente, durch die hindurch Luthers Eigentliches, Zukunftweisendes sich Bahn bricht. »Wenn Luther Satan sagte, so war das keine wunderliche Mythologie, sondern der Ausdruck dafür, daß die raffinierte Macht des Bösen auf tausenderlei Weisen die Stimme Gottes in der Welt zum Verstummen zu bringen versucht...« Auch die eschatologische Dimension – von Martin Greschat für den Bauernkrieg betont – »erklärt für sich allein Luthers Handeln und Reden nicht. Sie preßte nur das aus ihm heraus, was er mitbrachte als Erkenntnis der Vernunft und des Glaubens, der am rechten Verhältnis von Gesetz und Evangelium den Wegweiser für das Christenleben und das Weltleben gefunden hatte«.[19] Sicher war Luther kein reiner Apokalyptiker, aber sicher war er doch auch kein reiner Vertreter eines überzeitlichen Kompasses von Gesetz und Evangelium für alle Weltprobleme. Die innere Einheit von Satanslehre und Freiheit des Christenmenschen ist noch systematisch wie historisch zu erkunden, und die *eine* mögliche Antwort ist noch nicht endgültig abzuweisen, daß sich eine solche innere Einheit nur historisch dartun läßt, eben in der Person Luthers in seiner Zeit. Damit wird aber jede Heranführung Luthers an die Gegenwart durch direktes Zitieren seiner Worte und Taten ein höchst problematisches Unterfangen – historisch wie auch theologisch. Problematisch ist dann aber eben die theologisch-kirchliche Lutherrenaissance und Lutheraktualisierung.

Gerade am Verhältnis zu städtischen und ländlichen Vorgängen der Rezeption des Evangeliums der Freiheit zeigt sich diese Mitbestimmtheit Luthers durch die anderen Elemente von Ordnung und Bildung im Rahmen des Ständestaats. Eike Wolgast hat in glänzender und materialreicher Darstellung jüngst Luthers Verhältnis zu den Bürgern untersucht.[20] Der Luther, der im gegebenen Fall der Leisniger Gemeinde »Recht und Macht« zugesprochen hatte, »alle Lehre zu urteilen und christliche Prediger zu berufen, ein- und abzusetzen«, schreibt im Gutachten über die 28 Artikel der Gemeinde in Erfurt 1525: »Ist's nicht aufrührerisch, daß die Pfarren wollen selbst Pfarrer wählen und entwählen, unangesehen den Rat, als läge dem Rat, als der Oberkeit, nicht daran, was sie in der Stadt machten?«[21] Dem Zwickauer Rat wiederum verweigerte er 1531 die Anerkennung seiner Befugnisse bei der Anstellung und Absetzung evangelischer Prediger, und der Empfänger der Widmung der deutschen Fassung der »Freiheit eines Christenmenschen« von 1520, Bürgermeister Hermann Mühlpfort, wird in diesem Zusam-

[18] S. o. Anm. 8. Ich habe diesen Vortrag für den Internationalen Historikerkongreß in San Francisco von 1975 am Ende jenes Jahres in Heidelberg in der von uns nach den Studentenunruhen von 1967ff. gegründeten Kirchengeschichtlichen Sozietät vorgetragen. Es war das letzte Mal, daß Heinrich Bornkamm zugegen war, und es ist mir nicht leichtgefallen, von dem ihm am Herzen liegenden Lutherbild abzuweichen.
[19] HEINRICH BORNKAMM (Anm. 3), S. 350, 352.
[20] In: Leben und Werk Martin Luthers (Anm. 2), S. 601–612.
[21] WA 18, 540, 8ff.; WOLGAST, in: Leben und Werk Martin Luthers (Anm. 2), S. 608.

menhang als Haupt der »Muhlphordiana secta« tituliert![22] All diese Fälle sind im einzelnen theologisch wie historisch nicht leicht zu beurteilen; aber es dürfte mit Händen zu greifen sein, daß eine einfache Beurteilung nach gleichbleibenden theologischen Kriterien am jeweils gewandelten und von Luther beurteilten Einzelfall jedenfalls historisch zu kurz greift, selbst wenn man Informationsfehler Luthers als möglich einrechnet. Man muß das Mitwirken der ständisch-patriarchalischen Grundvorstellungen Luthers und eine Verschiebung und Verfälschung der Wirkung seiner theologischen Grundsätze durch diese als weitere Möglichkeit miteinkalkulieren. Das »Volk«, die »Gemeinde«,[23] war für ihn immer das Volk mit der gottgesetzten Oberkeit: die Gemeinde in der Stadt Erfurt mit dem Rat, der Rat in der Stadt Zwickau mit dem Landesherrn.

Für Luthers Beurteilung des Gemeindechristentums Karlstadts in Orlamünde gilt Ähnliches und ebenso für die Forderungen der aufständischen Bauern, denen Peter Blickle in seinem Buch über »Die Reformation im Reich« 1982 ein Verständnis für die Predigt der Reformatoren zuspricht, wobei er freilich mehr an die Ausprägung der Evangeliumspredigt durch Zwingli und Bucer als durch Luther denkt. Aber wenn er schlicht sagt: »Die Reformatoren hatten den gemeinen Mann autonom gemacht« und ihm das Verständnis seiner selbst als des »mündigen Christen« und der Weltordnung nach der »göttlichen Gerechtigkeit« vermittelt,[24] so ist dies doch auch für die schweizerisch-oberdeutschen Reformatoren höchstens die halbe Wahrheit, und die Mehrpoligkeit der theologisch-sozialen Vorstellungen Luthers hat es überhaupt nicht im Blick. Von Luthers Seite aber ist es in der neueren Forschung wohl klar geworden, daß er nach dem genannten Komplex seiner Predigt und Sozialvorstellung, also sowohl nach der Predigt von den beiden Reichen und Regimenten als nach seiner Ständelehre, zu den bäuerlichen Forderungen und der Form ihrer Durchsetzung nur ein radikales und konsequentes Nein sprechen konnte, unbeschadet der Billigkeit einzelner Forderungen für sich genommen und unbeschadet des notwendig negativen Urteils über die Ungerechtigkeit der Herren.[25] Ebenso dürfte anerkannt sein, daß Luther, der den Bauern als Prediger und Theologe gegenüberstand, für eine mögliche politische Dimension des Geschehens angesichts der von ihm wahrgenommenen Bedrohung der Weltordnung kein Gespür aufbrachte. Er war wirklich kein Bauer und sah die Probleme nicht aus der ihm fremden Perspektive; das mag auch das Versagen als sozialpolitischer Ratgeber für die Fürsten und Herren in der Frage der berechtigten Forderungen der Bauern nach der eingetretenen und unvermeidlichen Katastrophe erklären – ein Versagen, das ausdrücklich auch von Heinrich Bornkamm konstatiert wird.[26]

---

[22] WOLGAST, in: Leben und Werk Martin Luthers (Anm. 2), S. 610f.

[23] S. o. Anm. 14.

[24] PETER BLICKLE, Die Reformation im Reich, Stuttgart 1982 (UTB 1182), S. 110.

[25] Letztere größere Behandlung in diesem seit Paul Althaus' Arbeit über Luther und den Bauernkrieg traditionellen Sinn: ROBERT N. CROSSLEY, Luther and the Peasants' War, New York 1974.

[26] (Anm. 3), S. 351.

# VI Öffentliche Podiumsdiskussion

# »Luther und die Folgen«

(Worms, 27.–29. Oktober 1983)

Teilnehmer:

Prof. Dr. Karl Otmar von A r e t i n , Mainz
Prof. D. Georg K r e t s c h m a r , Ottobrunn
Prof. Dr. Heinrich L u t z , Wien
Prof. Dr. Gottfried S e e b a ß , Heidelberg

Moderator:

Prof. Dr. Dr. Harald Z i m m e r m a n n , Tübingen

Z i m m e r m a n n

Herr Landtagspräsident, Herr Minister, Herr Oberbürgermeister, verehrte Kolle-
ginnen und Kollegen, meine Damen und Herren!

Luther-Feiern hat es in diesem Luther-Jahr schon viele gegeben, und vielleicht wird
einmal darüber zusammenfassend in einer gelehrten Dissertation berichtet werden, so
wie über die Luther-Feiern vergangener Zeiten Studien geschrieben worden sind. Wie
man in den ersten drei Jahrhunderten nach der Reformation, bis ins Zeitalter der
Aufklärung und bis in die Romantik hinein, den Reformator und sein Werk gefeiert
hat, wie man über ihn geurteilt hat, darüber gibt es ein Buch von meinem Tübinger
Kollegen Ernst Walter Zeeden. Es wäre wohl nicht allzu schwer, sein Thema bis in
unsere Tage fortzusetzen. Einige Gedenkjahre haben bleibende Spuren hinterlassen
oder sind in lebendiger Erinnerung geblieben. Ich denke an das Reformationsfest 1817
und die Gründung der Union der Evangelischen Kirchen oder an das Gedenkjahr von

Luthers Tod 1946 hier in Deutschland knapp nach dem Krieg mit manch kritischen Stimmen und andererseits voll neuer Hoffnung. Heuer wird Luthers Geburtstages gedacht, den er selbst nie so wichtig nahm, daß er sich das Datum merken wollte.

Daß eine Akademie der Wissenschaften ein Symposion über Luther abhält, wird in der Vergangenheit nicht allzu oft oder sogar nie vorgekommen sein. Daß es unter Beteiligung namhafter Gelehrter nicht nur aus Europa, sondern auch aus Nord-Amerika, Australien und Japan begangen werden darf, ist ganz sicher eine Neuerung. Daß es zum Auftakt einer Synode der Deutschen Evangelischen Kirche unter der Schirmherrschaft eines Politikers stattfindet, der zu den profiliertesten Repräsentanten des deutschen Katholizismus zählt, ist ganz sicher noch nie da gewesen. Und daß dieses Symposion in einer Podiumsdiskussion gipfelt, in der evangelische und katholische Reformationshistoriker ihre Meinungen über »Luther und die Folgen« in aller Öffentlichkeit austauschen, kann schwerlich anders als ein Zeichen der Zeit verstanden werden, ein positives Zeichen wie ich meinen möchte, weil damit an die Religionsgespräche der Reformationszeit angeknüpft wird, denen es noch ganz und gar um die Einheit der Kirche ging.

Ob man das Thema freilich damals so formuliert hätte, wie wir heute: »Luther und die Folgen«? – Es waren die Folgen des Reichstages von 1521, der in dieser Stadt tagte, die Folgen der Verurteilung Luthers und seines reformatorischen Anliegens, die damals vordergründig politisch zur Debatte standen. Es waren die Folgen der Thesen Luthers von 1517, die damals noch immer diskutiert werden mußten; – oder waren es die kirchlichen Mißstände, die sie veranlaßt hatten? Man gerät immer tiefer in die Vergangenheit, wenn man über ein Faktum der Geschichte nachdenkt; und uns geht es nicht anders, aber uns geht es auch um die Zukunft.

Daß der Reformator ein neues Zeitalter heraufgeführt hat, ist heute wohl unbestritten. Als Mittelalter-Historiker, der ich nun einmal in erster Linie bin, klingt mir im Ohr, wie einer meiner bedeutendsten Fachkollegen, Hermann Heimpel in Göttingen, die damalige Zeitenwende charakterisiert hat! Als Luther 1520 vor dem Elstertor von Wittenberg Bannbulle und päpstliche Dekretalien verbrannte, da – so urteilt Heimpel – »verbrannte das Mittelalter«. Wer als Mediävist bewußt gegen das dumme Schlagwort vom finsteren Mittelalter ankämpft, möchte natürlich hoffen und weiß es auch, daß nicht alles vom Mittelalter in Rauch und Flammen aufgegangen sei, nur das, was wohl nicht wert war, einer neuen Zeit tradiert zu werden. Aber vielleicht gehört solche Hoffnung zu jener Besinnung über die Vergangenheit und gehört schon zu unserem Thema, dessen Erörterung ich nicht vorgreifen darf und nicht vorgreifen will, zum Thema »Luther und die Folgen«.

Ich habe aber als Moderator dieser Diskussion die Aufgabe, Ihnen die Diskutanten kurz vorzustellen, und ich tue es gemäß dem Programm in alphabetischer Reihenfolge:

Herr Professor Dr. Karl Otmar Freiherr von Aretin ist einer der Direktoren des »Instituts für europäische Geschichte« in Mainz, eines außeruniversitären Forschungsinstitutes, das gemeinsam mit der Akademie der Wissenschaften und der Literatur zu Mainz – wie Sie gehört haben – dieses Symposion veranstaltet. Mit jenem Institut ist aber der Name von Josef Lortz in jeder Erinnerung untrennbar verbunden, jenes Josef Lortz, der zweifelsohne eine Wende der Luther-Betrachtung und der Reformationsgeschichtsschreibung im Katholizismus und darüber hinaus herbeigeführt hat. Die Aka-

demie der Wissenschaften und der Literatur zu Mainz ist dankbar, mit dem Institut
diese Tagung durchführen zu dürfen.

Herr Dr. theol., Dr. theol. h.c. Georg Kretschmar ist ordentlicher Professor der
Kirchengeschichte und des Neuen Testamentes in München. Sein wissenschaftliches
Streben gehört der Alten Kirche ebenso wie der Reformationsgeschichte, in der er u. a.
über den Kirchenbegriff der Augustana geforscht hat. Diese Kombination ist wohl
geeignet, das Reformatorische der Reformation recht zu würdigen.

Professor Dr. Heinrich Lutz ist Ordinarius für Geschichte der Neuzeit an der Wie-
ner Universität und hat sich vor allem mit der Reformationsgeschichte befaßt. Dabei
bewegt ihn, wie auch der Titel eines seiner bekanntesten Bücher sagt, die »Christianitas
afflicta« – die geängstete Christenheit – durchaus in beiden Konfessionen in jener Zeit
der großen Wandlungen. Es geschieht durchaus in ökumenischer Gesinnung.

Professor Dr. Gottfried Seebaß ist Kirchenhistoriker an der evangelisch-theologi-
schen Fakultät der Universität Heidelberg und hat sich vor allem mit dem in Nürnberg
und in Preußen wirkenden Reformator Andreas Osiander befaßt, aber auch mit anderen Reformatoren und mit dem Täufertum des 16. Jahrhunderts.

Der Thesenanschlag Luthers von 1517, ob er am 31. Oktober oder am 1. November
oder ob er gar nicht stattgefunden hat, wird seit langem diskutiert und ist vielleicht
noch immer nicht ganz ausdiskutiert. Es geht heute aber nicht um 95, sondern nur um
11 Thesen, die Herr Lutz und Herr Seebaß freundlicherweise ausgearbeitet haben. Sie
sind in Ihrer Hand und sollen dieser Diskussion als Grundlage dienen. Ihren Verlauf
stellen wir uns in vier Etappen vor. In der ersten Gesprächsrunde soll es um die
Einordnung Luthers und der Reformation in den Werdeprozeß der Neuzeit gehen.
Darüber handeln die Thesen 1 bis 3 von Herrn Lutz. Eine zweite Thesengruppe befaßt
sich mit der Gestalt der Kirche der lutherischen Reformation. Es handelt sich um die
Thesen 1, 2 und 6 von Herrn Seebaß. In einem dritten Abschnitt der Diskussion geht es
um die Folgen der Reformation primär für die Kultur, aber nicht nur um kulturelle
Folgen. Hier hat Herr Lutz These 4, Herr Seebaß These 3, 4 und 5 aufgestellt. Endlich
werden in einer vierten Gesprächsrunde die heutigen ökumenischen Perspektiven aufgrund der These Nr. 5 von Herrn Lutz diskutiert werden müssen. Besser, als ich es
kann, werden diese Thesen Ihnen nun aber von ihren Autoren noch einmal in kurzen
Hammerschlägen vorgestellt werden, um damit in unser heutiges Thema einzuführen.

## Thesen

### I. Heinrich Lutz

#### 1. Zu Renaissance und Reformation

Schon einige Zeit vor Luther zeigt der Differenzierungsprozeß der europäischen
Gesellschaft eine Dynamik, die in außereuropäischen Hochkulturen nicht in vergleich-
barer Weise zu beobachten ist. Dabei treffen langfristig zwei Haupttendenzen konflikt-
reich aufeinander. *Kulturelle und soziale Emanzipationswellen*, die in der Renaissance
besonders deutlich werden, wirken von unten nach oben: Städtekultur, Laienbildung,

Humanismus, Buchdruck, Frühkapitalismus usw. Dagegen wirken auf der staatlichen und sozialen Ebene langfristige Tendenzen der *Machtkonzentration* von oben nach unten (moderner Staat, Sozialdisziplinierung).

### 2. Zu Luthers Wollen und seinen Bedingungen

Luther und die anderen Reformatoren sind im Rahmen dieser widersprüchlichen Trendlage zu sehen: Freiheit und Individualkultur hier, Disziplinierung dort. Luther ging es einerseits um die freie, mündige Glaubensentscheidung des einzelnen. Andererseits war er – im anscheinend damals nicht überschreitbaren Rahmen der Deckungsgleichheit von Christentum und Gesellschaft – nicht nur mit der Aufgabe einer »Verchristlichung« des öffentlichen Lebens konfrontiert; er geriet mit seinem reformatorischen Wollen in die Tendenzen des frühneuzeitlichen Staates zum Machtausbau von oben nach unten.

### 3. Chancen in Luthers Deutschland

Zur Zeit von Luthers erstem Auftreten eröffnete das Fehlen eines zentralstaatlichen Disziplinierungsprozesses im Reich vorübergehend individuellen Ansätzen zu gesamtheitlichen Veränderungen, zur »Reformation« von Kirche und Gesellschaft, große Hoffnungen und starkes Echo. Die objektiven Chancen für die *gesamtheitliche* Verwirklichung von Luthers Wollen in Deutschland dürften aber erheblich geringer gewesen sein, als dies etwa von Ranke und anderen angenommen wurde. Die Gründe dafür sind nicht nur in der Wirksamkeit konservativer Kräfte (Kaisertum, Papsttum) zu suchen, sondern auch in der tiefen Widersprüchlichkeit jener langfristigen Tendenzen von Individualisierung und Disziplinierung.

### 4. Anthropologische und kulturelle Folgen

Luthers unentwegter Appell an die christliche Freiheit und die personale Entscheidung und Bewährung wirkte über den kirchlichen Bereich weit hinaus. Er wirkte in unterschiedlichen Etappen und Bedingungsfeldern als eine Botschaft personaler Vertiefung; eine neue Dimension der »Umkehr« und Erneuerung in allen Lebensbereichen wird faßbar.

In Deutschland führte die kirchliche Trennung nicht nur zu politischen Parteiungen, sondern auch zu langfristigen Divergenzen der kulturellen Entwicklungen. Auf katholischer Seite setzte unter romanischem Einfluß eine neue Blüte der bildenden Künste ein, die Pflege der deutschen Sprache ging zurück. Auf evangelischer Seite war Blüte und Rückgang spiegelbildlich entgegengesetzt verteilt. Die positiven Möglichkeiten kulturellen Austausches kamen vor allem in der Musik zur Geltung.

### 5. Ökumenische Fragen

Die Chancen für den Zusammenschluß der Christen in *einer* »grundguten« Kirche, wie sie Luther statt der »gleißenden« Kirche wollte, sind seit dem Ende der Zwangs-

konstellationen zwischen Staat und Kirche gestiegen. Da auch die theologische Aufarbeitung der damaligen Streitfragen erstaunliche Fortschritte macht, sind weiterführende
Vorschläge, wie etwa das jüngste Modell von Fries/Rahner, das »Teilkirchen« durch ein
reformiertes Papsttum verbinden will, nachdrücklich zu begrüßen. Angesichts dieses
»gouvernementalen« Modells stellt sich für den Historiker auch die Frage nach inner-
kirchlichen Lern- und Konvergenzprozessen von der Basis her: etwa nach den innerkatholischen Erfahrungen mit Zentralismus und Gemeindestrukturen und einer entsprechenden Rezeption reformationskirchlicher Erfahrungen.

## II. Gottfried S e e b a ß

1. Die Durchsetzung der Reformation bedeutet die Konfessionalisierung der westlichen Christenheit. Aufgrund der politischen Situation wurden die sich bildenden
   evangelischen Kirchen notwendig nationalisiert, territorialisiert oder kommunali-
   siert. Weil aber vor allem die lutherischen Kirchen ihre Einheit in den Bekenntnis-
   sen und Katechismen als gegeben ansahen, gingen von ihnen kaum Anstrengungen
   aus, darüber hinaus der Einheit der Kirche sichtbaren Ausdruck zu geben.
2. Durch die Konzentration auf Christus als das Wort Gottes, das nur im Glauben
   ergriffen werden kann, war mit der Reformation eine tiefgreifende Verlagerung der
   Frömmigkeit vom Sehen auf das Hören verbunden. Holzschnittartig formuliert:
   Man sieht nicht mehr, was heilig ist, sondern man hört, was heilig macht. So
   wurden nicht die darstellenden Künste, Malerei und Plastik, sondern neben der
   Predigt die mit dem Wort verbundene Musik zum eigentlichen Kennzeichen reformatorischen Gottesdienstes. Dieser wurde nicht mehr als Dienst des Menschen für
   Gott, sondern als Gottes Dienst am Menschen verstanden.
3. Selbst wenn Luther nicht als Schöpfer der neuhochdeutschen Sprache bezeichnet
   werden kann, hat er zu deren Ausbildung entscheidend beigetragen. Seine deutsche
   Bibel, die nicht eigentlich eine Übersetzung, sondern geradezu eine Nachschöpfung
   im Deutschen darstellte, sein Katechismus und das Kirchenlied müssen in ihrer
   Bedeutung für die Sprach-, Lese- und Schreibfähigkeit hoch veranschlagt werden.
   Außerdem hat Luther über den Raum der Kirche hinaus zur Durchsetzung der
   Volkssprache beigetragen. Daher bedeutet die Reformation nicht nur in Deutschland, sondern auch in Nord- und Osteuropa einen weitreichenden sprachgeschicht-
   lichen Einschnitt. Zumal in den zuletzt genannten Gebieten hat sie auf diese Weise
   zum Prozeß der Nationalisierung beigetragen.
4. Die Reformation sah nicht mehr im asketisch-kontemplativen das eigentlich christliche Leben. Die Erfüllung des Willens Gottes und die von ihm geforderten guten
   Werke vollziehen sich im alltäglichen Leben. Man könnte das als eine Intensivierung
   des Christlichen bezeichnen. Gleichzeitig aber ergab sich aus der Aufwertung des
   weltlichen Lebens im Beruf eine Verbürgerlichung des Christlichen, die in den
   reformatorischen Kirchen immer wieder Bewegungen hervorrief, die eine demgegenüber radikalisierte Nachfolge verwirklichen wollten.
5. Für Luther mußte sich christliches Handeln stets konkret in den verschiedenen
   Ständen – wir würden heute vielleicht von sozialen Rollen sprechen – verwirklichen.

Weil er solches Handeln als Gabe und Weitergabe der Güte des göttlichen Vaters
vollzogen wissen wollte, konnte eine in diesem Sinn patriarchalisch verstandene
Verantwortung für die übertragenen Aufgaben wachsen. Gleichzeitig ergab sich
daraus aber die Scheu, über den zugewiesenen Verantwortungsbereich hinauszugehen, selbst dort, wo das nötig gewesen wäre. Bei Luther wurzelte das in der Überzeugung, daß Gott selbst das Ganze der Welt, Leben und Heil des Menschen
schützt und garantiert.
6. Die Reformation hob den grundsätzlichen Unterschied von Priestern und Laien auf.
   Damit fiel eine wesentliche Schranke obrigkeitlicher Rechtshoheit. Das bedeutete
   eine Unterstützung ohnehin bestehender Tendenzen. Außerdem aber trat damit an
   die Stelle des die Sakramente verwaltenden Priesters der akademisch gebildete Prediger. Vor allem kirchenleitende Ämter wurden daher weniger an die soziale Herkunft als an theologische Bildung gebunden.


Seebaß

Ich sollte vielleicht zunächst an das Vorherige anschließen, ehe Herr Lutz seine
Thesen erläutert, und etwas zu dem sagen, was Herr Zimmermann in seinen einleiten-
den Worten angesprochen hat. Zweifellos steht ein Luther-Jubiläum in diesem Jahr
unter dem Schatten auch der Jubiläen, die früher in unserem Land zu Luther gehalten
und gefeiert worden sind. Und wenn man das Thema »Luther und die Folgen« hört,
dann hat man in diesem Land die gängigen Thesen zur Hand, die bei uns allemal das
Vorverständnis prägen, wenn man nach den Folgen Luthers fragt. Noch beim Jubiläum
vor 50 Jahren, Im Jahre 1933, hätte man wahrscheinlich mühelos die Linie Luther,
Friedrich II., Bismarck, Hitler gezogen finden können, und man findet diese Linie
gelegentlich auch heute noch. Mag man sie damals positiv und inzwischen negativ
bewerten: Luther als verantwortlich für deutschen Untertanengeist oder Luther als
Fürstenknecht, Luther mit seinen Judenschriften als Beitrag und Hintergrund zum
Holocaust, der in diesem Land stattgefunden hat – das sind Themen, die sich wahrscheinlich unmittelbar jedermann aufdrängen. Es ist möglich, daß wir heute abend im
Verlauf unserer Diskussion auch auf sie zu sprechen kommen, aber sie werden wahrscheinlich nicht im Mittelpunkt stehen; nicht etwa deswegen, weil an dieser Stelle etwas
zu verschweigen oder eine Luther-Apologetik zu betreiben wäre. Was Luther im Bauernkrieg veröffentlicht und was er gegen die Juden geschrieben hat, ist bekannt und
kann gar nicht verschwiegen werden. Aber es bleiben doch zunächst einmal Episoden
in Luthers Leben; und ich werde gelegentlich bei dem Starren auf diese Themen das
Gefühl nicht los, als würde hier eine Form von Vergangenheitsbewältigung betrieben,
die vielleicht doch etwas unangemessen ist. Wenn man nach Schuld oder Sünde der
Väter fragt, dann sollte man vielleicht nicht in der Reformationszeit suchen, sondern
dann doch eher bei den Vätern, Großvätern und Urgroßvätern beginnen. Oder anders
formuliert: Man sollte lernen zu trennen zwischen dem, wofür man Luther vielleicht,
ohne daß er sich dagegen schützen konnte oder geschützt hat, in Anspruch genommen
hat und dem, was man tatsächlich als Folgen Luthers auch als Historiker ansprechen
kann. Tote können sich gegen den Mißbrauch ihrer Worte nicht wehren und auch nicht

gegen den Mißbrauch ihrer Schriften. Auch wir werden uns nicht gegen den Mißbrauch dessen, was wir gesagt und getan haben, wehren können.

Es gibt einen zweiten Grund, warum ich meine, daß diese Dinge nicht im Vordergrund stehen können. Der hängt damit zusammen, daß wir gelernt haben, die Reformationszeit sehr viel umfassender in den Blick zu nehmen, d. h. von einer so stark personenzentrierten und -orientierten Geschichtsschreibung wegzukommen. Wir können die Reformation nicht mehr mit der Person Luthers identifizieren. So sind die Dinge nicht, und selbst in einem Luther-Jahr darf nicht verloren gehen, daß Luther nicht einfach die deutsche Reformation bedeutet und Luther nicht einfach die deutsche Reformationsgeschichte ausmacht. Davon wird zweifellos die Rede sein. Und schließlich, ein letzter Gesichtspunkt, den ich im Blick auf die großen Linien, die gelegentlich gezogen werden, ansprechen möchte, ist dieser: Ich glaube, wir sind vorsichtiger geworden bei der Formulierung so langfristiger Folgen vom Werk oder vom Wort eines Mannes über Jahrhunderte hinweg. Einfach deswegen, weil sich historische Ereignisse, aber auch historische Wirkungen im Laufe der Jahrhunderte immer neu mit anderen Faktoren verbinden, sozusagen in neue Gesamtsituationen einstellen, so daß man, jedenfalls für mein Empfinden, schon im 17. Jahrhundert begründet kaum noch ausmachen kann, was denn nun Wirkung Luthers ist und was nicht. Sicher gibt es immer wieder die Berufung auf Luther, aber doch in einem neuen Gesamtzusammenhang, der soviel neue historische Faktoren enthält, daß man sich hüten muß, die Person Luthers nun einfach für das, was dann geschieht, als verantwortlich für solche Folgen zeichnen zu lassen. Ich meinte, dies, Herr Zimmermann, sollte vorweg, ehe Herr Lutz mit seinen ersten Thesen über die Rahmenbedingungen, in die die Reformation in unserem Land eintrat, etwas sagt, geklärt werden, weil es mir gerade in diesem letzten Jahr zu oft begegnet ist, daß man sehr einseitig mit bestimmten Themen konfrontiert wird und darüber unter Umständen die wirkliche Wirkung Luthers in den Hintergrund tritt.

## Zimmermann

Vielen Dank für diese Introductio. Sie ist noch nicht die Vorstellung der Thesen, die jetzt erst mit dem Komplex der Thesen von Herrn Kollegen Lutz 1 bis 3 beginnen wird.

## Lutz

Also meine erste These, Sie haben sie ja in Händen, betrifft »Renaissance und Reformation«. Es geht dabei aber gar nicht so sehr um eine spezielle Beziehung zwischen den beiden Bewegungen. Es geht mir darum, hier darauf hinzuweisen: Es hat vor Luther schon eine gewaltige Bewegung, ein gewaltiger Veränderungsprozeß in Europa eingesetzt, stärker als er in irgendeiner vergleichbaren Hochkultur, sei es China oder Indien, die wir kennen, jemals dagewesen ist. Und diesen Umwandlungsprozeß kann man vereinfacht zusammengefaßt in zwei Haupttendenzen sehen: Eine Tendenz der sozialen und kulturellen Emanzipation, der kulturellen und sozialen Aufstiegswellen von unten nach oben, mit den Stichworten Städtekultur, Laienbildung, Humanismus, Buchdruck (also neue Kommunikationsformen), und Wandel und Modernisierung der wirtschaftlichen Bedingungen usw.

Die zweite Haupttendenz geht von oben nach unten, das sind auf der politischen und sozialen Ebene die Tendenzen des frühmodernen Staates zur Machtkonzentration, zur Machtmonopolisierung durch die zentrale Regierung, verbunden mit einer Sozialdisziplinierung, die weit in die Gesellschaft eingreift. Diese beiden Tendenzen, das sollte man sich klarmachen, führen aus dem Mittelalter in die Moderne, aber sie wirken nicht gleichläufig, sie geraten untereinander in Konflikt und in Widerspruch. Die Konflikte zwischen diesen Haupttendenzen konnten sehr unterschiedliche Formen annehmen. Sie konnten schöpferisch und innovatorisch, aber auch hemmend, aporetisch oder geradezu tragisch werden.

Meine zweite These geht auf Luther. Man kann und soll, so argumentiere ich, Luther und die anderen Reformatoren, Zwingli, Calvin, jeweils im Rahmen dieser widersprüchlichen Trendlage sehen. Auf der einen Seite tritt Luther ein für Freiheit und individuelle Glaubensentscheidung, auf der anderen Seite ist er konfrontiert mit diesen sehr starken Disziplinierungsmaßnahmen, mit dem Erstarken des Staates von oben nach unten. Das sind objektiv vorgegebene Strukturen und Prozesse; vor allem muß man auch sehen, daß Luther in einer noch nicht pluralistischen Gesellschaft gelebt hat. Er lebte und wirkte in einer Gesellschaft, wo Deckungsgleichheit von Christentum und Staat und Kultur bestand, wo also das Zwangskirchentum vorgegeben war. Es ist offenbar nicht möglich gewesen, diesen Rahmen damals schon zu überschreiten und aus der zwangskirchlichen Situation allgemein herauszukommen. Das ist der widersprüchliche Hintergrund und Horizont von Luthers Wirken. Wir sehen auf der einen Seite sein Eintreten für die individuelle Glaubensentscheidung des mündigen Christen, auf der anderen Seite die Aufgabe: Was tut man, um das öffentliche Leben, alle, die als Christen getauft sind, zu verchristlichen. Und dahinter stehen die starken Machttendenzen des frühmodernen Staates, in die Luther hineingerät, ob er will oder nicht.

Die dritte These betrifft die deutsche Reformationsgeschichte als solche. Es sind da eigentlich zwei Fragen berührt, die beide sehr wichtig sind, auch für uns heute, für unsere Rechenschaft.

Die erste Frage: Warum ging es gerade in Deutschland los mit der Reformation? Warum ist hier ein Luther aufgetreten? Das läßt sich u. a. damit erklären, daß hier im römisch-deutschen Reich kein starkes Kaisertum, keine zentrale Monarchie wie gleichzeitig in Spanien oder England oder Frankreich bestand, und deshalb ein breites Feld für individuelle Ansätze zur Reformation in Kirche und Gesellschaft und große euphorische Hoffnungen und ein breites Echo im Publikum gegeben waren.

Das zweite ist die Frage, ob es in den Anfangsjahren der Reformation – und das ist sehr wichtig für die Folgen – die Chance gegeben hat, ganz Deutschland in einer einheitlichen Weise auf den Weg der Reformation zu führen. Die Forschung im 19. Jahrhundert, vor allem Leopold Ranke, hat diese Frage eher positiv beurteilt; daß es dann anders gekommen ist, daß es in Deutschland zur »Spaltung in der Nation« kam, daß der katholische Widerstand wirksam wurde, hat Ranke auf die Einwirkung auswärtiger Mächte, Papsttum und Kaisertum, zurückgeführt. Wir sehen heute, daß dem anders war. Wir sehen, daß dieses Auseinanderbrechen in kirchlicher Hinsicht im Gefolge der Reformbemühungen Luthers und so vieler anderer nicht nur auf die Einwirkung äußerer Kräfte zurückzuführen ist, sondern auch auf die Widersprüchlichkeit der langfristigen Tendenzen in jener Zeit. Die individuelle Sensibilität der Glaubensentscheidung stößt auf die verstärkte staatliche, im deutschen Fall nun territorialstaatliche, fürstenstaatliche Disziplinierung von oben her. Und dem Pluralismus der deutschen Territorialstaaten entspricht dann eben der Pluralismus der Konfessionen. Das wären also in ganz kurzen Zügen die drei Thesen.

## von Aretin

Heinrich, darf ich mal Zweifel anmelden. Du sagst: ein schwacher Kaiser. Kein Kaiser war seit langem so stark wie Karl V. Im Grunde genommen ist ja doch, wenn ich den Zweifel weiterführen darf, die Tatsache die, daß Luther ja an diesem starken Kaiser scheitert. Er kann den Kaiser nicht gewinnen für sein Bekenntnis, weil der Kaiser ganz wo anders verankert ist, aber nicht weil er schwach ist. Und ist nicht die Tatsache, daß Karl V. sozusagen in seiner europäischen Verankerung war, dasjenige, was Luther dann begünstigt?

## Lutz

Darf ich sofort darauf antworten: Ich sagte: Kein starkes Kaisertum, das ist ein bissl was anderes. Das Kaisertum war schwach unter Maximilian, das sind die entscheidenden Jahre von Luthers Auftreten 1517/18/19/20. Karl V. tritt erst 1521 im Reich auf. Also die entscheidenden Jahre, als Luther drauf und dran war, ein Nationalheld in Deutschland zu werden, waren noch unter dem alten schwachen Kaiser Maximilian bzw. in einem Vakuum, bis der neue Kaiser kam. Der neue Kaiser Karl V. war stark durch seine außerdeutschen Besitzungen. Er erbte Spanien und die amerikanischen Besitzungen (das Silber kommt herüber), die Niederlande, Italien usw. Aber er war nicht stark in seiner Stellung in der Reichsverfassung. Da war das Kaisertum schwach. Die föderative Gruppierung dieser deutschen Fürsten und Städte sichert ihnen eine starke Stellung. In dem Schutz dieser regionalen Autonomie, gegen die der Kaiser sich nicht durchsetzen kann – beim Kurfürsten von Sachsen kann Luther Schutz finden gegen den Kaiser. Und von dort breitet sich die Reformation aus.

## Kretschmar

Herr Lutz, ich würde gern die beiden Stichworte aufgreifen, mit denen Sie die Neuzeit charakterisiert haben: Individualisierung und Disziplinierung. D. h., der Zerfall der überlieferten mittelalterlichen Sozialstrukturen, die Vereinzelung des Menschen und auf der anderen Seite der Weg zum absoluten Staat, wie wir ihn dann im 18. Jahrhundert, ja schon im 17. Jahrhundert deutlich haben. Wenn man die Stellung Luthers zu dieser großen Umwälzung sehen will, würde ich gerne drei Punkte herausheben: Der eine ist, Sie haben mit Recht gesagt, hier waren Umwandlungen in Europa, wie wir das in außereuropäischen Hochkulturen kaum haben. Wir stehen im Entdeckungszeitalter Amerika: und doch sind das alles Vorgänge, von denen Luther eigentlich überhaupt keine Kenntnis nimmt. Seine Gegenspieler, die sind mittendrin; er sitzt in seiner Mönchszelle und später ist er Professor in Wittenberg und doch gewinnt das,

was er höchstpersönlich erlebt, nachher Bedeutung für die gesamte Gesellschaft. Dieser
Widerspruch ist ein ganz eigentümliches Phänomen. Sie geben ein Stück weit eine
Antwort. Ich würde meinen, hinsichtlich der Vereinzelung ist Luther nicht nur einer,
der sie vorantreibt – das tut er vielleicht auch – sondern einer, der Antwort gibt. Denn
das war ja nicht nur seine persönliche Situation, es ist ein Zeitalter, in dem das Gewissen neu entdeckt wird und wo jeder in seinem Gewissen unvertretbar ist. Davon sind
doch alle umgetrieben worden. Luther gibt nun als Antwort, daß dieses Gewissen
Verantwortung vor Gott ist, daß der Mensch mit einem getrösteten Gewissen vor Gott
leben kann und damit frei ist. Ich würde sagen, das ist eine Antwort, die auch durchgehalten werden konnte.

Gegenüber der anderen Tendenz zum werdenden Absolutismus, da empfinde ich
seine Antwort als höchstens rudimentär. Das können wir auch finden, daß er dem
einzelnen Staatsmann, dem Fürsten, ins Gewissen redet, aber hier ist die deutsche
Reformation, wie sie gesagt haben, hineinverflochten.

Sie schreiben, daß er in die Tendenzen des früh-neuzeitlichen Staates zum Machtausbau von oben nach unten hineinkam. Dann muß man ja sich fragen, gab es irgendeine
geistesgeschichtlich relevante oder vor allen Dingen kirchliche Gruppe, die dagegen
geschützt war oder dagegen Munition hatte? Die französische Revolution als die große
Bewegung gegen den Absolutismus ist doch nicht von bestimmten theologischen Kräften primär getragen worden.


Lutz

Es wurde vorher schon hingewiesen auf Zwingli in der Schweiz, auf die genossen-
schaftliche stadtstaatliche Struktur. Weiter ist auf die Hugenotten in Frankreich zu
verweisen, auf calvinische Impulse im Aufstand der Niederlande, bei der Entstehung
einer Republik, wo es vorher nichts dergleichen gegeben hat, auf die englische Revolution, wo doch auch nach dem heutigen Forschungsstand das religiöse Element des
Puritanismus sehr stark war, auch wenn Cromwell keine dauerhafte republikanische
Ordnung schuf, aber das geht weiter. Also diese ganzen Umwandlungen alter fürsten-
staatlicher, obrigkeitlicher Strukturen in andere, mehr genossenschaftlich organisierte
Strukturen können wir, glaube ich, doch mit Wirkungen der Reformation zusammen-
bringen. Nur kommen wir damit eben etwas aus Deutschland heraus.


Kretschmar

… weil das tatsächlich eine Gegenbewegung gegen Absolutismus ist, also ein eigenes
Thema. Ich wäre sehr zurückhaltend.


Zimmermann

Das wären ja auch Vorgänge verschiedenster Art im 16. Jahrhundert in- und außerhalb Deutschlands.

Seebaß

Ja, ich wollte nochmal den Punkt »Verchristlichung« ansprechen, Herr Lutz, Verchristlichung des öffentlichen Lebens. Es hat ja zweifellos Reformatoren gegeben, die gerade an dieser Stelle nun ausgesprochen interessiert waren. Die oberdeutschen Reformatoren z. B., aber eben ganz massiv doch auch die Täufer und die sektenartigen Bewegungen der Reformationszeit. Aber gerade für die Person Luthers würde ich hier nun doch ein gewisses Fragezeichen anbringen, wenn es um die Verchristlichung des öffentlichen Lebens geht. Jedenfalls hat Luther gegen Tendenzen, dies von oben oder auch mit Disziplinierung und mit Gesetzgebung durchzusetzen, ausgesprochene Vorbehalte gehabt. Luther war doch tief davon überzeugt, daß man mit dem Gesetz bestenfalls eine äußerliche Erfüllung der Ordnungen erzwingen könne, aber mehr nicht. Das heißt also, eine Verchristlichung in dem Sinne lag ihm deswegen fern, weil er davon überzeugt war, daß eigentlich nur die Wirkung des Wortes Gottes das Herz des Menschen wandeln und neumachen könne.

Und damit komme ich noch zu einem zweiten Punkt. Man spricht ja gern von den verschiedenen Faktoren als Voraussetzung der Reformation. Ich meine aber, man sollte sehen, daß, wenn auch der Buchdruck z. B. schon vor der Reformation vorhanden ist, hier aber doch eine eigenartige Wechselwirkung besteht, so daß ich geradezu die Gegenthese aufstellen könnte, daß auch der Buchdruck erst durch die Reformation das geworden ist, was er später sein konnte. Er hat nämlich in den Jahren nach 1520 zum ersten Mal in Deutschland so etwas wie eine Öffentlichkeit konstituiert im Zusammenhang mit dem Auftreten Luthers, wie es sie vorher trotz des bestehenden Buchdruckes nie gegeben hat und wie sich das auch nachher jedenfalls nicht ohne weiteres fortsetzt. Dies ist ganz einfach spezifisch mit dem Auftreten Luthers und der vielen städtischen Prediger in der Reformationszeit verbunden. Und es gehen ja auch Druckereien wieder ein, nachdem der große Boom der frühen 20er Jahre vorbei ist.

Ein dritter Punkt schließlich: Zu den Chancen der Durchsetzung in Deutschland. Ich bin mir doch nicht ganz so sicher wie Sie, daß man dafür nicht die Wirksamkeit der zurückdrängenden Kräfte der Fürsten in Rechnung stellen muß.

Lutz

Nicht nur der äußeren Kräfte!

Seebaß

Ich glaube, man muß darauf aufmerksam machen, daß es nun doch so gewesen ist, daß in eigentlich allen deutschen Gebieten zunächst reformatorische Prediger aufgetreten sind, daß man überall versucht hat, die Flugschriften zu handeln, zu verbreiten und daß es tatsächlich obrigkeitlicher Druck und Zwang gewesen ist, der die Dinge an dieser Stelle zurückgedrückt hat. Wir haben keine freie Predigerbewegung und keine freie Predigt in der Gesamtheit der deutschen Länder gehabt.

Zimmermann

Ja, aber doch manche spontanen Äußerungen. Oder würden Sie dies leugnen wollen?


Seebaß

Nein. Spontane Äußerungen, die aber eben in manchen Gebieten von der Obrigkeit
doch sehr massiv unterdrückt wurden. Die Prediger wurden ausgewiesen, der Handel
mit Flugschriften und ähnlichem wurde eingeschränkt usw. usw.


Lutz

Darf ich dazu etwas sagen – so ganz kurz – Herr Kretschmar, zu diesem von mir
verwendeten Kurzausdruck Individualisierung. Ich habe das weniger im negativen
Sinn, als Zerfall alter Ordnungen, sondern in einem positiven Sinn gemeint, daß also
Individualkultur ausgebildet wird, daß immer breitere Kreise der Bevölkerung aus
einem sozusagen vorgeschichtlichen Dasein in einen Kommunikationsprozeß, zu dem
Bewußtsein ihrer selbst gekommen sind. Und da würde ich, genauso wie Sie, den
Luther'schen Gewissensbegriff und auch die Betonung des Wortes anführen, das ist ein
ganz wichtiger Beitrag zur individuellen Ausgestaltung des christlichen Lebens und
liegt genau auf dieser Emanzipationslinie. Herr Seebaß, mit der Verchristlichung, da
hat's natürlich was. Da hat's was, und zwar haben Sie zu Recht unterschieden Zwingli,
die Oberdeutschen und Calvin. Bei denen gibt es ganz eindeutig den Verchristlichungs-
gedanken. Bei Luther ist die Sache viel zögerlicher und gebrochener. Darüber sind wir
uns ganz einig. Dies war deshalb der Fall, weil Luther, der ja am Anfang stand, so
erfüllt war – so würde ich das sehen – von diesem individuellen Appell, und so erfüllt
von der Vorstellung, daß, wenn dem Wort der Weg gebahnt ist, daß dann Gott durch
das Wort hier wirkt. Und er hoffte ja auch ursprünglich auf das spontane Wachsen der
Kirche durch kleine Gemeinden. Und erst als das dann nicht geklappt hat, kommt dann
die Zusammenarbeit mit dem Landesherrn, aber sie kommt dann doch auch bei Luther.
Es ist sehr aufschlußreich, diese Entwicklung zu verfolgen in den liturgischen Schriften
Luthers, etwa in der Einleitung zur »Deutschen Messe«, wo er sagt, für die wenigen
echten Christen bräuchte man das eigentlich nicht. Er macht diese Gottesdienstord-
nung für alle, für alle Getauften. Und damit ist ganz klar, daß er sich der Aufgabe, für
alle, die damals Christen waren, etwas zu tun, stellt, unter welchen Schwierigkeiten
und Brechungen auch immer.


Kretschmar

Ja, ich würde dem ganz zustimmen, ich würde nur eines sagen, daß wir uns hier
hüten müssen den gegenwärtig geläufigen Begriff etwa der Taufscheinchristen einzuführen. Einfach weil für Luther es entscheidende Voraussetzung war, daß er der Taufe
etwas zugetraut hat. Er wußte, sie sind getauft und nur Gott allein weiß, was er daraus
macht. Und deshalb konnte er jedem mündigen, nämlich getauften Christen Mitverant-

wortung geben, obgleich er ganz genau wußte, daß ein Großteil davon die Dinge mißbrauchen würde. Aber er hat ja gar keinen Maßstab dafür, um zu sagen, der machts richtig und der machts falsch, außer in ganz bestimmten konkreten Fällen, wo man natürlich unterscheiden kann. Die wesentliche Frage scheint mir im Zusammenhang dann ihrer dritten These zu liegen, was ist denn nun eigentlich in Deutschland aus diesem ganzen Ansatz geworden? Ich denke, wir müßten wohl uns zumindest darüber verständigen – aber das ist wahrscheinlich nur eine Sprachregelung –, daß schon die Rede von der Reformation etwas schwierig ist. Wir haben verschiedene Reformationen, am Ende des Jahrhunderts haben wir lauter Kirchen, die eine Reformation hinter sich gehabt haben, einschließlich der römisch-katholischen Kirche, die auf dem Tridentinum reformiert worden ist, und nun kommen wir auf die Sondersituation Deutschlands. Sie sagen, ein Gemeinsames, eine gesamtheitliche Verwirklichung in Deutschland war im Grunde doch gar nicht möglich. Und dann können wir uns streiten, weshalb nicht. Aber vielleicht kann man sagen, solche Verwirklichung ist ja zum Teil auch geschehen, jedenfalls sehr viel mehr als man es für möglich hält. Denn es ist das einzige Land Europas, in dem man sich im Augsburger Religionsfrieden darauf verständigen kann, daß die beiden Religionsparteien beieinander bleiben, unter einem Kaiser, in einem sich als christlich verstehenden Reich. Das ist ein – ja ich möchte fast sagen – ein Einüben gewesen im Miteinanderauskommen ganz unterschiedlicher Gruppen – was ich übrigens nicht nur ökumenisch, sondern auch politisch für sehr wichtig halte, denn der »Immerwährende Reichstag« in Regensburg wird gern lächerlich gemacht; aber wenn man eben nicht schießen will, dann muß man reden. Und das haben die Herren in Regensburg eben doch einige Jahrhunderte hindurch praktiziert, wenn man vom Betriebsunfall des 30jährigen Krieges absehen will.

Ja der 30jährige Krieg ist wirklich ein Betriebsunfall gewesen, denn nachher kehrt man zu den Grundlagen zurück und er unterscheidet sich für die Erben der Wittenberger Reformation in einem ganz fundamentalen Punkt von dem, was es an Kriegen vorher gab, das war kein Kreuzzug.


Seebaß

Ich wollte gern an dieser Stelle nochmals nachhaken, weil ich das, was Herr Kretschmar eben gesagt hat, für so wesentlich halte. Es wird ja gelegentlich in Deutschland eine Tradition von Toleranz vermißt, wie sie sich in den westlichen Staaten sehr viel früher begründet hat. Und ich meine, man muß erkennen: Daß Deutschland zunächst zum europäischen Toleranzgedanken so wenig geleistet hat, hängt damit zusammen, daß man sehr früh in diesem Land, wenn auch auf der Basis eines speziell strukturierten deutschen Reiches, in der Lage war, mit zwei verschiedenen Konfessionen nebeneinander zu existieren. Das heißt, dieses Land hat weithin, jedenfalls aufgrund seiner damaligen Struktur, die Möglichkeit eines Nebeneinanders geboten, ohne daß man umfassende Theorien über die Frage der Toleranz und die Frage des Verhältnisses der Konfessionen entwickeln mußte, wie sie in sehr viel stärker geschlossenstrukturierten Staaten, wie sie im Westen vorhanden waren, eben viel notwendiger, und zwar wirklich lebensnotwendiger waren.

Zimmermann

In den letzten Voten ist schon immer wieder der Unterschied zwischen Luthers
Worten und ihren Folgen aufgetaucht; und gerade was Sie, Herr Seebaß, hierzu zuletzt
gesagt haben, läßt mich doch rückfragen, ob es nicht etwa Ihrer ersten These widerspricht, die ja sehr stark auf die Spaltung der Christenheit hinweist. Ich würde meinen,
es wäre zugleich ein guter Grund, zum nächsten, großen Komplex überzugehen, den
wir uns vorgenommen haben, nämlich zur Gestalt der Kirche. Aber man müßte wohl
gemäß Ihrer These nicht nur von der Kirche, sondern auch von der Gesellschaft und
von den politischen Ordnungen reden. Herr Seebaß, vielleicht darf ich Sie bitten, ein
paar einführende Worte zu Ihren Thesen 1, 2 und 6 zu geben.

Seebaß

Ja, ich hatte mir vorgenommen, Thesen zu formulieren, in denen die Bedeutung, und
zwar die wirklich auch langfristige Bedeutung der Reformation und Luthers für die
Kirche bis heute zum Ausdruck kommt, aber eben doch speziell zunächst für die
Kirche. Dabei würde ich gern zu These 1 als Hintergrund wenigstens anmerken: Im
Gegensatz zu unserem landläufigen Verständnis hat man am Beginn der Reformation
zunächst einmal die Einigung einer gespaltenen Kirche erwartet. So unverständlich sich
das zunächst für Sie anhören mag. Man hat nämlich damit gerechnet, daß die Reformation die bestehende Spaltung der Christenheit in römisch-westliche, in griechisch-
orthodoxe und russisch-orthodoxe Kirche würde überwinden können. Die Zurückfüh-
rung auf den Kern des christlichen Glaubens, so hoffte man, würde wirklich aus der
christlichen Kirche auf Erden eine Herde unter einem Hirten machen. Das ist die große
Erwartung, mit der man in der Reformationszeit beginnt. Man kann das in der Klage
Dürers um den angeblichen Tod Luthers, als der auf die Wartburg gebracht wurde,
nachlesen. Demgegenüber entsteht faktisch aus der Reformation die Konfessionalisierung der Christenheit in einer Weise, wie es das vorher nicht gegeben hat, und zwar –
Herr Kretschmar hat schon darauf hingewiesen – auch für die römisch-katholische
Kirche, die im Tridentinum sich eben doch auch anti-evangelisch, anti-protestantisch
als konfessionelle Kirche ausbildet. Daß die lutherischen Kirchen, aber überhaupt die
protestantischen Kirchen, dann notwendig ihre Grenzen finden, national, territorial,
kommunal, das hing mit den Prozessen und mit den Bedingungen zusammen, auf die
Herr Lutz bereits hingewiesen hat. Es liegt mir aber daran, doch auch in dieser These
zum Ausdruck zu bringen, daß die lutherischen Kirchen sich gleichwohl trotz dieser
Trennung durch Stadtgrenzen, Landesgrenzen usw. als eine Einheit gefühlt haben.
Und diese Einheit hat durchaus auch ihren Ausdruck gefunden etwa durch das Studium
an verschiedenen Fakultäten, durch Ordinationen von Pfarrern für die verschiedensten
Kirchengebiete, durch den Wechsel von Pfarrern von einer Landeskirche in die andere,
den es damals viel öfter gab als heute. So stabil wie heute die Pfarrerschaft in einer
Landeskirche bei uns ist, war sie im 16. Jahrhundert nicht. Da wechselten die Leute
noch von Wittenberg nach Braunschweig, von dort nach Württemberg und umgekehrt.

Zimmermann

Manchmal unfreiwillig.

Seebaß

Manchmal auch unfreiwillig.

Meine zweite These nimmt einen für mich sehr tiefgreifenden Wandel der Frömmigkeit in den Blick. Das habe ich in der Mitte der These etwas grob und holzschnittartig
formuliert mit dem Satz: »Man sieht nicht mehr, was heilig ist, sondern man hört, was
heilig macht«. Das scheint mir tatsächlich ein tiefgreifender Umbruch für die Frömmigkeit zu sein, eine Verlagerung der Frömmigkeit vom Sehen aufs Hören, eine völlig
andere Form der Teilnahme am Gottesdienst, die wir uns, glaube ich, in ihrem Gewicht
kaum mehr verdeutlichen können, und zwar selbst auf katholischer Seite nicht mehr
verdeutlichen können, weil wir von diesem Wandel alle schon herkommen, ohne ihn
überhaupt noch zu reflektieren. Und ebenso liegt mir an einem für mich doch – ob man
ihn so scharf wie in meiner These formulieren darf, sei dahingestellt – sehr wesentlichen
Punkt am Ende der These, daß Gottesdienst jetzt in der Reformation verstanden wird
als ein Dienst, den Gott dem Menschen erweist. Was im Gottesdienst durch den
Menschen geschieht, ist eigentlich nichts anderes mehr als eine Antwort auf das, was
Gott getan hat am Menschen. Es ist das Bekenntnis der Schuld, das mir angesichts des
Handelns Gottes aufgedrängt wird, und es ist andererseits das Bekenntnis des Lobes für
das, was Gott getan hat. Gottesdienst also nicht als ein Kult und Dienst des Menschen
an Gott, sondern als ein Handeln Gottes an uns Menschen.

Und schließlich die sechste These, die für mich ebenfalls eine sehr langfristige Bedeutung hervorhebt, auf jeden Fall aber keineswegs nur für die evangelischen Kirchen. Die
Reformation hat den grundsätzlichen Unterschied von Priestern und Laien aufgehoben. Damit ist für jene Tendenz, die vorhin beschrieben wurde, die Tendenz nämlich
zum neuzeitlichen Territorialstaat, natürlich eine ganz wesentliche Schranke gefallen:
Die Kirche bestand nun nicht mehr als ein eigenständiger Rechtsbereich, dem man nur,
sei es widerrechtlich, sei es unter Zahlungen oder mit anderen Mitteln Rechte abringen
konnte, sondern es vollzog sich der Einbezug des gesamten Klerus in die Rechtshoheit
des Landes. Das bedeutet also eine massive Unterstützung dieses sich anbahnenden
neuzeitlichen Staates. Und ich meine, daß man sehen muß, daß durch den theologischen Ansatz der Reformation an die Stelle des Priesters, der die Sakramente verwaltet,
nun der Prediger tritt.

Oder war das eine Tendenz aus diesen vielen Lutherinterpretationen, die man sich ja
immer wieder in jedem Jahrhundert neu zusammenbastelt, daß man die genommen hat,
die jetzt gerade paßte? Aber wie es meistens bei solchen Dingen ist, ein gewisser Kern
ist sicherlich drin gewesen. Und dieser Kern, der würde mich interessieren. Mal sehen,
ob Sie den nochmal etwas herausschälen können.

Lutz

Ich würde bei der ersten, bei der zweiten These im allgemeinen durchaus zustimmen.
Vielleicht sind noch stärker die Austauschprozesse zu betonen. Also die katholische
Kirche wird auch zur Konfessionskirche, das ist klar. Äußerlich und an der Oberfläche
grenzen sich nun diese miteinander konkurrierenden Kirchen sehr stark voneinander
ab. Wenn man aber näher zusieht, finden umfassende Austauschprozesse statt, das

Konzil von Trient wäre überhaupt undenkbar ohne Luther, weil es teilweise – freilich negativ, defensiv – abgrenzt gegen Luther, weil es aber andere Dinge, die von Luther betont wurden, die jetzt aktuell geworden sind, aufnimmt. Die Individualisierung der Seelsorge, die Schule, nicht wahr, die Bedeutung der Wissenschaft, die Bedeutung des Buches, die Bedeutung auch der Universitäten für die Kleriker-Ausbildung, das sind alles Austausch- und Konkurrenzprozesse, die sehr viel tiefer reichen als das in der herkömmlichen Kirchengeschichte im allgemeinen angenommen wird.

Dann aber noch schnell zu der zweiten These. Ich würde das auch so sehen; nur hat das noch andere Aspekte. Von katholischer Seite kommt sehr bald im 16. Jahrhundert die Kritik an dieser Seite. Man sagt, das ist ja inhuman, das ist ja kalt, das ist abstrakt, nicht wahr, wenn die Menschen nicht mehr sehen und nicht mehr sinnenhaft hören dürfen. Und dagegen sagt nun die Katholische Reform bis in den katholischen Barock hinein: Wir sind anders als die inhumanen Protestanten, wir sind human. Wir bieten den Menschen die Sinnenfülle dar »mit Zimbeln und der Lauten-Klang«. Dann setzt diese Entwicklung ein, mit einer Farb- und Formkultur, die natürlich sehr stark von Südeuropa beeinflußt ist. Moralischen Rigorismus, bitte, in der Kunst gibt es den auch auf der katholischen Seite, etwa die Höschenmaler, wo dann bei Michelangelo die nackten Gestalten nachträglich Höschen aufgemalt bekommen usw. Dies soll nicht bestritten werden; es gibt genaue Vorschriften, wieviel Busen auf einem frommen Gemälde zu sehen sein darf. Also der moralische Rigorismus, das war ein anderer Austauschprozeß. Aber im großen und ganzen ist die katholische Seite, das ist ihre Stärke, und ihre Schwäche, doch viel mehr mit der bildenden Kunst verbunden geblieben. Mit der Krise der Barockkultur im 18. Jahrhundert wird diese Bindung zur Schwäche.


Kretschmar

Ich würde gerne an der Stelle einsteigen, aber mir scheint zunächst die Frage der Nationalisierung durch die Reformation noch ein ganz zentrales Thema zu sein, natürlich gerade wenn man es bis ins 19. Jahrhundert ausdehnt. Daß hier vom Ansatz der Reformation her ein Zusammenhang besteht, ist ja unbestreitbar. Es hängt damit zusammen, daß die Verkündigung auf Glauben zielt, und Glauben setzt verstehen voraus. Deshalb muß Verkündigung in der Muttersprache erfolgen, und der Gebrauch der Muttersprache im Gottesdienst zwingt zur Bibelübersetzung und dies zwingt natürlich zu einer Sprachisolierung der verschiedenen Sprachgruppen gegeneinander. Das Eigentümliche ist aber doch, daß die Reformation von Anfang an, das gilt natürlich für die Lutheraner genauso wie für Calvin und seine Schüler, eine übernationale Wirkung gehabt hat. Weit über die Grenzen des deutschen Sprachgebietes hinaus, das war dann die Einleitung auch eines großen Kulturaustausches, gerade die enge Verbindung mit den skandinavischen Kirchen, und daß heute der lutherische Weltbund eben Kontinente umfaßt, ist insofern eine ganz legitime Folge der Reformation. Aber die entscheidende Frage, die sich erst sehr sehr spät stellen konnte, im Grunde erst seit dem 19., ja dem 20. Jahrhundert stellt, ist: Reichen unter diesen Umständen die Institutionen, die Sie in These 1 genannt haben, nämlich Bekenntnis und Katechismen, noch aus, um der Einheit, die gelebt wird, auch angemessenen Ausdruck zu geben? Von daher entstehen dann heute ganz neue Fragen, auf die wir überall treffen, die beispielsweise ja auch zur Entstehung der Evangelischen Kirche in Deutschland geführt haben, die morgen ihre Synode beginnt, am Sonntag. Ich breche an dieser Stelle ab.

## Zimmermann

Ich würde es für richtig halten, wenn wir doch noch einmal darauf zu sprechen kommen, was auch Herr Lutz angedeutet hat, auf den Unterschied nämlich zwischen hören und sehen, weil ich glaube, daß das bis in unsere heutige Zeit irgendwie hinein-wirkt und sowohl die katholische als auch die evangelische Kirche hier einen Wandel durchgemacht hat. Die Positionen der Reformation sind eben nicht mehr ganz so klar wie in der Reformationszeit.

## Seebaß

Ja, ich bin mir nicht ganz sicher, ob man an dieser Stelle die Positionen schon für die Reformationszeit so scharf ziehen kann. Also, ein bißchen überspitzt man ja nun auch in Thesen. Und sicherlich gibt es ja den Zweig des Protestantismus, der an dieser Stelle nun rigoros vorgeht, zweifellos gibt es den. Aber die lutherische Seite ist ja, was gerade die Bilderfrage angeht, keineswegs rigoros vorgegangen, und die lutherischen Kirchen sind nicht gerade mit weiß gekalkten Wänden versehen gewesen im 16. Jh., sondern man hat sehr früh sogar auch eigene Bildprogramme entwickelt. Also, ich finde, man sollte an dieser Stelle die Dinge nicht überspitzen. Aber man darf auf der anderen Seite doch, glaube ich, auch nicht diesen anderen Ansatz verloren gehen lassen, nicht wahr. Daß also nicht die Präsenz Gottes in dem Sakrament und im Heiligen das ist, was zunächst die Frömmigkeit affiziert, sondern daß es das Wort ist, ein Wort, das dem schuldigen Sünder sagt, daß Gott ihn nicht vernichten wird um seiner Schuld willen, sondern ihm sein Leben schenken und erhalten wird und mit diesem Wort den Glauben evoziert und evozieren will, dies, scheint mir nun, sollte man festhalten, selbst wenn man im übrigen die Dinge nicht so scharf gegeneinander stellen kann, daß man die Bilderfülle auf der einen Seite und die glatt gestrichenen weißen Wände auf der anderen betont. Das ist für das Zeitalter des Konfessionalismus möglicherweise tatsächlich wesentlich gewesen. Es mag sein, daß die schärfere Form, in der sich der Calvinismus und die reformierte Kirche von der traditionellen Kirche absetzte, auch die Chance und die stärkere Resonanz bedingt hat, die diese Bewegungen sowohl in der breiten Bevöl-kerung wie in der 2. Hälfte des 16. Jahrhunderts überhaupt gefunden haben, weil in einem Zeitalter, das auf die Trennung der Konfessionen sieht, natürlich das, was bis ins Äußerliche hinein trennend ist, sich sehr viel leichter durchsetzen kann, als das, was, wie etwa das Luthertum, an dieser Stelle eine viel kompliziertere und eigenständigere Position vertritt.

Ich würde aber gerne auf das antworten, Herr von Aretin, was Sie gefragt haben. Ich glaube nämlich tatsächlich, daß bei Luther – man braucht nur an die Schrift »An den christlichen Adel deutscher Nation« zu denken – zu spüren ist, daß auch er in gewisser Weise auf einen anti-römischen Affekt in Deutschland spekuliert hat. Der durchzieht ja nun, das kann man wohl nicht leugnen, die Schrift »An den christlichen Adel deutscher

Nation«. Das hatte freilich seine besonderen Gründe und ganz andere Gründe als der anti-römische Affekt, den es nach 1870 im protestantischen deutschen Kaiserreich, dem sogenannten protestantischen deutschen Kaiserreich, gab. Nur, daß man sich damals natürlich genau auf diese Seite Luthers stützen konnte, diese Seite an ihm in den Vordergrund schieben konnte, das ist tatsächlich richtig. Und an dieser Stelle kann man auch nicht leugnen, daß es eben in Luthers Schriften Ansätze gibt, die sich dafür ausgezeichnet verwerten ließen. Es ist nur die Frage, ob man damit noch das trifft, worum es seinerzeit in der Schrift »An den christlichen Adel« wirklich ging. Das ist so ein klassischer Fall dafür, wie man die Berufung auf Luther in einen neuen Kontext stellt.

### von Aretin

Wir haben in Deutschland das Phänomen, daß das Heilige Römische Reich ein katholisches Reich war, daß das Reich von 1871 ein protestantisches Reich war, ohne daß irgendein Bevölkerungsteil die Konfession gewechselt hätte. Das ist ein erstaunliches Phänomen. Von daher ist der Sprung vom 16. Jahrhundert bis zu Friedrich II. als dem Mann, der das protestantische Deutschland verkörpert, verständlich. Dieses Bild, das ja sicherlich unsinnig ist, wurde im Dritten Reich immer wieder vorgebracht, um dann nach 1945 als eine Anschuldigung hervorgeholt zu werden, was sicher ebenso unsinnig war.

### Zimmermann

Es ist aber doch so, daß man das Wort, Herr von Aretin, das Sie gebraucht haben, vom mißverstandenen Luther nämlich, nicht zu leicht nehmen darf. Der Historiker hat es eben mit beidem zu tun, sowohl Luther recht zu verstehen als auch in Rechnung zu stellen, wie er eventuell mißverstanden worden ist und was daraus geworden ist. Ich würde vorschlagen, daß wir uns dem dritten Komplex zuwenden, der ja noch tiefer in die Folgen hineinführen soll, in die Folgen der Reformation für die Kultur, aber nicht nur für die Kultur. Ich bitte zunächst Herrn Lutz, seine These 4 noch ein wenig zu erläutern und dann gleich anschließend Herrn Seebaß, seine Thesen 3, 4 und 5.

### Lutz

Ganz kurz nur zum ersten Teil meiner These, wo ich anthropologische Folgen anspreche. Das reicht sehr weit in die säkularisierte Moderne hinein und scheint mir außerordentlich wichtig zu sein: daß dieser Appell Luthers an die christliche Freiheit, dieser Einsatz Luthers für personale Entscheidung und Bewährung nicht nur im kirchlichen Bereich auf evangelischer und auf katholischer Seite gewirkt hat, sondern sich auch durchaus im 19. Jahrhundert ausgewirkt hat in einer säkularisierten modernen Kulturwelt. Das bedeutet ein neues Prinzip der Vertiefung, der seelischen und anthropologischen Vertiefung, wenn man das so abgekürzt sagen kann. Für den gegenwärtigen Zusammenhang vielleicht noch wichtiger ist der zweite Teil von These 4, wo ich ausführe, daß diese kirchliche Spaltung in Deutschland nicht nur zu politischen Parteiungen geführt hat, sondern auch zu langfristigen kulturellen Divergenzen. Das hat man lange Zeit nicht deutlich genug gesehen. Bis zum Jahre 1945 hat man häufig den nationalen Einheitswert der Kultur sozusagen wie eine Käseglocke darüber gestülpt. Heute fällt es in der Forschung manchen Richtungen verhältnismäßig schwer, kulturelle Aspekte mit Sozialgeschichte zu vermitteln. Also es ist hier sehr vieles noch zu tun und zu forschen. Die Wege, so muß man sich das klarmachen, führen seit dem 16. Jahrhundert in Deutschland kulturell für Jahrhunderte auseinander. Die katholischen Teile Deutschlands, Süddeutschland und das Rheinland, geraten unter den Einfluß der gegenreformatorischen Kultur Südeuropas, Italiens, Spaniens und Frankreichs, und kommen damit, wie schon vorher berührt, zu einer neuen Blüte der bildenden Künste und auch unter den Einfluß der Literatur aus Italien und Spanien. Eine hochinteressante Sache. Während auf der anderen Seite in den katholischen Gebieten Deutschlands die Pflege der deutschen Sprache zurücktrat beziehungsweise die deutschsprachig-katholische Literatur eigene Wege ging – es gab ja bedeutende katholische Dichter im 17. und 18. Jahrhundert – aber Wege ging, die vom protestantischen Deutschland dann nicht mehr voll anerkannt wurden. Auf der protestantischen Seite verlief sozusagen die Entwicklung spiegelbildlich umgekehrt, wenn wir das mal vereinfachen. Die deutsche Sprache bekommt, darüber wird Herr Seebaß noch sprechen, neue, starke Impulse von Luther her und durch den reformatorischen Gottesdienst. Die bildenden Künste bleiben hinter dem katholischen Bereich zurück. Nun muß man das noch weiter verfolgen bis ins 18./19. Jahrhundert; denn was passiert da? Wie wir vorher schon gehört haben, ist das alles nicht mehr unmittelbar mit Luther, aber doch mittelbar mit Luther verbunden. Im letzten Drittel des 18. Jahrhunderts läuft die katholische Barockkultur aus, sie verliert ihre Stärke und Bedeutung. Und das ist genau in der gleichen Zeit, wo überwiegend in Norddeutschland, wesentlich aus protestantischer Wurzel, wesentlich im Bereich der deutschen Literatur ein neues Nationalbewußtsein, eine neue deutsche Nationalkultur sich formiert. Demgegenüber geraten die katholischen Gebiete Deutschlands ins Hintertreffen und sie holen das dann nur mehr sehr schwer auf. Es gibt Inferioritätsprobleme noch und noch für die katholische Seite, wobei dann auch andere Umstände mitwirken, z.B. daß mit der Französischen Revolution und der anschließenden Umwälzung fast alle katholischen Hochschulen Deutschlands zugrunde gehen, während das protestantische Hochschulwesen blühend ins 19. Jahrhundert eintritt. Die katholische Bildungsinferiorität in Deutschland – ein Problem teilweise bis heute – das hängt mit dieser kulturellen Spaltung der Nation im 16. Jahrhundert zusammen.


Zimmermann

Kann es nicht auch mit der Tatsache zusammenhängen, daß, wie Sie es gesagt haben, im Katholizismus eher ein Import von außen wirksam wird, während im Protestantismus etwas im Lande selbst entstanden ist?

Lutz

Nur Import war es durchaus nicht, wenn Sie z. B. die süddeutsche Barockkultur
anschauen, das ist eine eigenständige, auch eine sehr volkstümliche Kultur, die sich da
entwickelt hat in der Amalgamierung und zwar in einer kreativen Begegnung romani-
scher und eigenständiger bayerischer, schwäbischer, rheinischer Kunst. Das ist schon
eine eigenständige Kraft. Aber es ist eine Entwicklung, die eben ganz anders verläuft als
gleichzeitig die protestantische Wort-Kultur.

Seebaß

Ja, eine meiner Thesen, nämlich die dritte, ist ja im Grunde im Zusammenhang
dessen, was wir vorher besprochen haben, bereits aufgetaucht und auch kurz angesprochen worden: Die Bedeutung, die Luther einfach durch seine Bibelübersetzung, vor
allen Dingen aber durch Katechismus und Kirchenlied, Gebetbuch, Gesangbuch usw.
für die deutsche Sprache erhalten hat und die die Reformation nicht nur für Deutschland bekommen hat, sondern eben auch in einer Fülle von anderen Ländern, in denen
sie sich durchgesetzt hat. In Nordeuropa und vor allem in Osteuropa bedeutet eben
tatsächlich die Reformationszeit einen Einschnitt; vielfach entsteht hier erst eine wirkliche Schriftsprache bei einigen westslawischen und südslawischen Völkern. Man kann
also von daher hier wirklich einen deutlichen Einschnitt aufgrund der Verwendung der
Volkssprache nicht nur in Gottesdienst und Kirche, sondern auch darüber hinaus
sehen. So eine These muß aber eigentlich ein Germanist vertreten und nicht ein Historiker oder Theologe. Mir liegt auch im Grunde mehr an der vierten und fünften These,
weil die nun, meine ich, noch einmal umreißen, worin mir wiederum auf sehr lange
Sicht die Reformationszeit ein tiefer Einschnitt zu sein scheint. Ich habe deswegen
formuliert: Die Reformation sieht nicht mehr im Asketisch-Kontemplativen das eigentlich christliche Leben – so ist es nämlich, kann man sagen, fast tausend Jahre bis zur
Reformation gewesen – sondern für die Reformatoren werden nun im Alltagsleben des
Christen die guten Werke vollzogen an der Stelle, an der jeder lebt und seinen Beruf
ausübt. Und das ist tatsächlich eine gravierende Aufwertung des weltlichen Lebens
durch die Reformation gewesen. Es bedeutet freilich gleichzeitig – und ich habe auf
diese Problematik in der These aufmerksam machen wollen – es bedeutet gleichzeitig,
daß sozusagen der Stachel der radikalen Nachfolge dem Protestantismus genommen
wird. Der Protestantimus ist eigentlich mit seiner These, daß man im bürgerlichen
Leben die guten Werke vollzieht, indem man für den Nächsten da ist, eben auch in
Gefahr, die christliche Nachfolge total zu verbürgerlichen. Dies wiederum sorgt dafür,
daß im Protestantismus immer wieder wellenartige Bewegungen auftreten, denen dies
nun einfach nicht reicht und die von der Bergpredigt und anderen Texten des Neuen
Testaments notwendig zu einer radikalisierten Nachfolge drängen.
Mit der fünften These können wir nun vielleicht auch noch auf das kommen, was
vorhin mit der Frage Bauernkrieg und ähnlichem angesprochen war. Für Luther muß
sich christliches Handeln stets in verschiedenen Ständen – und wir würden heute nicht
mehr von Ständen, sondern viel eher wahrscheinlich von sozialen Rollen sprechen –
verwirklichen. Der Mensch kommt sozusagen für Luther immer nur in einer Beziehung

auf den Mitmenschen in konkreter Situation vor. Ein Vater ist nicht Vater für sich, sondern Vater für seine Kinder; und ein Lehrer ist nicht für sich Lehrer, sondern Lehrer für seine Schüler. So ist jeder schon immer in dieser Welt auf den anderen bezogen, für den er da sein soll. Und ich habe nun in dieser These etwas formuliert, was sich auf den vielberufenen Patriarchalismus Luthers bezieht. Vielleicht gibt es so etwas tatsächlich bei Luther, aber wenn, dann hängt es damit zusammen, daß Luther alle diese Stände als eine Möglichkeit der Weitergabe der väterlichen Güte Gottes versteht. Der Patriarchalismus Luthers hat nichts mit dem Herrschen eines Patriarchen zu tun, sondern er hat zu tun mit der Güte, die man an Gott dem Vater abliest. Für die Weitergabe dieser Güte sollen die Menschen in ihren verschiedenen Beziehungen auf andere verantwortlich sein. Das ist der wirkliche Patriarchalismus, den es bei Luther gibt. Gleichzeitig, meine ich, besteht die Grenze Luthers nun darin, daß es – und das habe ich in der These ebenfalls zum Ausdruck gebracht – eine gewisse Scheu bei ihm gibt, über den zugewiesenen Verantwortungsbereich hinauszugehen, d. h. also, Verantwortung für etwas zu übernehmen, was nicht unmittelbar zu meinen nächsten Aufgaben gehört. Das scheint mir die Grenze, die auch problematische Grenze dieses Ansatzes zu sein bei Luther.

Lassen Sie mich vielleicht in diesem Zusammenhang noch ein Wort zum Bauernkrieg sagen und zu den damit angesprochenen Fragen. Luther war ja, das gehört unmittelbar zu dieser These dazu, durchaus der Meinung, daß die Bauern ihre Klagen vorbringen und Abhilfe in ihrer Lage verlangen sollten, die auch Luther für unerträglich hielt. Luther sah niemanden anders am Bauernkrieg schuldig als die Obrigkeit. Niemand anders trägt die Schuld an einem Aufstand gegen die Obrigkeit als diese selbst. Denn kein Untertan macht einen Aufstand, wenn er es nicht unbedingt nötig hat. Die andere Seite ist aber die, daß Luther von diesem Konzept her natürlich nur dazu kommen kann zu sagen, die Obrigkeit muß das ändern, aber nicht der Untertan, denn dessen Aufgabe ist es nicht. Dafür hat der Untertan kein Amt. Im Amt sitzen dafür die Räte, die Fürsten, die Verwaltung, diejenigen die dafür zuständig sind, haben das zu tun. Und wenn sie es nicht tun, so fragen wir heute, dann muß es doch irgendwo eine Macht geben, die garantiert, daß die Sache geändert wird. Hier unterscheidet sich nun tatsächlich Luther, meine ich, noch einmal gravierend von uns, denn Luther ist an dieser Stelle getragen von dem Vertrauen darauf, daß Gott selbst die Not regiert und daß eine Obrigkeit, die wider Recht und Gesetz mit ihren Untertanen umgeht, keine Chance hat, auf die Dauer zu bestehen. Das muß man einfach zur Kenntnis nehmen, daß Luther nach Garantien und nach dem Widerstand an dieser Stelle deswegen nicht zu fragen braucht, weil er tief davon überzeugt ist, daß hier Gott selbst für das Recht auf Erden eintritt und auch darüber wacht.

Lutz

Kurz, also bei der dritten These bin ich überhaupt einverstanden, bei der vierten These mache ich eine Randbemerkung, etwas mehr zur fünften.

Randbemerkung zur vierten These: Ich finde es außerordentlich bedenkenswert, was Sie hier gesagt haben. Gerade zu der Frage Radikalität der christlichen Verwirklichung

und wie das in immer neuen Ansätzen im Protestantismus wieder durchbricht. Ich halte
das für eine ganz wichtige Perspektive, vor allem, wenn man sie mit der gleichzeitigen
katholischen Entwicklung eng zusammennimmt: Daß hier wirklich eine tiefe Gemeinsamkeit des Anliegens in beiden Konfessionen sichtbar wird, daß, wenn man die Nachfolge Christi ernst nimmt, das nicht aufgehen kann nur in einem bürgerlichen Leben.
Nur der Unterschied war ja, daß man auf katholischer Seite versucht hat, die mittelalterlichen Formen des Mönchtums als gestufte Vollkommenheitsform mit den ganzen
Bedingungen, mit lebenslänglichen Gelübden usw., zu erneuern. Das ergab z. T.
enorme Resultate. Denken Sie an die Gründung der Gesellschaft Jesu durch Ignatius
von Loyola, wo die mittelalterliche Form modernisiert wurde und damit eine asketi-
sche Kraft, und gleichzeitig eine strategische Wirksamkeit nach außen gewonnen hat.
Aber wichtig ist, glaube ich, daß das Anliegen sozusagen von allen Christen gefühlt
wird. Die katholische Seite versucht es mit einer Erneuerung der alten Form, die
evangelische mit immer neuen Ansätzen. Da sind wir uns heute, glaube ich, ziemlich in
der Richtung nahe gekommen.

Die Sache mit dem Patriarchalismus. Also das ist eine ganz zentrale Sache, nicht nur
sozial-anthropologisch, sondern auch politisch – das ist ja schon klar herausgekommen.
Was ist passiert? Ihre Begründung, nicht wahr, wie sie von Luther her ausschaut,
Weitergabe der Güte Gottes – ich glaube, das ist das eine. Das andere sieht man aber,
wenn man real-historisch prüft, was ist da passiert. Es sind zeitbedingte, sehr altertüm-
liche Formen von Familie, von Männerherrschaft, von rigoristischer Kindererziehung,
von Unterdrückung der Frau usw. Diese Formen sind theologisch weitgehend festgeschrieben worden. Ansätze, die vorher da waren, Ansätze zur Frauenbildung, Ansätze
zur Humanisierung der Kindererziehung, alle möglichen sonstigen Ansätze, wie sie im
Humanismus gegeben waren, sind nur teilweise weitergelaufen, sind zum anderen Teil
abgestoppt worden durch dieses patriarchalistische Festschreiben. Auf der katholischen
Seite war es nicht besser, das nur um der Gerechtigkeit halber.

Zur politischen Seite: Das ist also dann der deutsche lutherische Obrigkeitsstaat, der
da entsteht. Ganz ohne Zweifel. Darüber ist sich die Forschung einig. Der Unterschied
in der Bewertung ergibt sich erst, wenn man die andersartigen Verläufe im westeuropäischen Protestantismus sieht, wo der Gedanke des Widerstandsrechtes weiter entwik-
kelt wird, vor allem vom Calvinismus, und wo sich hier ganz andere realhistorische und
ideenpolitische Situationen entwickeln. Und diese Vergleiche zwischen westeuropä-
ischer politischer Aktivierung und Entfaltung von Freiheitskomponenten und dem
deutschen-lutherischen Obrigkeitsstaat, fallen halt immer zuungunsten unserer Seite
aus. Auch hier muß man natürlich um der Gerechtigkeit willen sagen: Auf katholischer
Seite gab es ebenso den Obrigkeitsstaat. Also liegt das nicht einfach an den deutschen
Verhältnissen und eben weniger am Luthertum, sondern an den deutschen Verhältnissen, daß sich hier diese kleinräumigen, altertümlichen Formen von Abhängigkeit so
festgesetzt und so lang gehalten haben?

Das ist kein Versuch, Luther zu entlasten in diesem Punkt. Daß das zusammenhängt,
ist klar. Aber ich meine, man muß sich sehr genau das Verhältnis der Faktoren überle-
gen; wieweit sind das wirklich Faktoren von Luther her, wieweit sind es Faktoren aus
der vorgegebenen gesellschaftlichen Situation?

Zimmermann

Oder auch aus den Mentalitäten, die vielleicht in Mitteleuropa und in deutschen
Landen anders waren als im westeuropäischen Raum.

Kretschmar

Ja, ich glaube, daß das ganz wesentliche Fragen sind, zum Teil auch wesentliche
Beobachtungen, aber zunächst würde ich an einer Stelle ein ganz klein wenig Gegen-
rede halten gegen den Versuch, dies nun so herauszuarbeiten, daß im Einflußbereich
der Reformation und im Einflußbereich der, sagen wir, vom Tridentinum geprägten
Kirche, die Entwicklung so total verschieden verlaufen ist. Das stimmt weitgehend,
aber für mich ist es auch immer wieder ein Phänomen, zu sehen: Wenn man fragt
»Luther und die Folgen«, kann man sich nicht nur auf den Raum der lutherischen
Kirche beschränken, dann sieht man eben, daß nicht nur die Literaturform des Katechismus über die Wittenberger Reformation gemeinchristliches Eigentum geworden
ist, selbst die Orthodoxen haben dies übernommen.

Das Kirchenlied, die ganze Produktion von Kirchenliedern, ja natürlich hatte das
mittelalterliche Vorgänger, aber daß es auch aufblühte im römisch-katholischen Bereich im deutschen Sprachgebiet, ist doch auch Einwirkung der Reformation. Das
heißt, Luther hat vielmehr der ganzen Christenheit gehört, als wir uns vielleicht
zunächst oft klarmachen.

Der zweite Punkt ist und darauf haben Sie, glaube ich, mit Recht soviel Gewicht
gelegt, wir müssen uns sehr genau fragen, woran liegt dies; was sind Triebkräfte der
Reformation und was sind Triebkräfte einer bestimmten allgemeinen gesellschaftlichen
Entwicklung oder der besonderen deutschen Situation. Zum Teil geht es doch offensichtlich darum, daß unterschiedliche Möglichkeiten des christlichen Sich-Verhaltens
ausgebaut werden. Ob ich nun Gott schöne Bilder male, wenn ich sie nicht anbete,
oder ob ich ihn mit Musik preise, beides sind doch Möglichkeiten in der Kirche.
Insofern kann man das sehr wohl komplementär sehen, auch wenn es kulturell in
unterschiedlicher Weise sich entwickelt hat. Bei anderen Dingen ist eben die Ambivalenz so deutlich; darauf hat schon Herr Seebaß hingewiesen. Wie ist das mit dem
bürgerlichen Aspekt, der hier in besonderer Weise herauskommt? Wieweit liegt eine
Folge von Luthers Berufsverständnis vor, wieweit wird dieses Berufsverständnis in
einer werdenden, sich ausprägenden bürgerlichen Gesellschaft nun verinnerlicht und
macht man sich Luther sekundär zu eigen?

Noch zu Ihrer sechsten These: Es ist doch was ganz Eigentümliches, daß das geistliche Amt, das Pfarramt, in den lutherischen Kirchen jetzt ein bürgerlicher Aufstiegsbe-
ruf wird. Emanzipation durch Bildung, das ist die Parole der frühen Neuzeit, und bis
ins 19. Jahrhundert ist deshalb das Pfarrhaus in einem hohen Maße Träger der geistigen
Potenzen im Lande geworden, ja eben, weil es der Beruf war, durch den die Begabten
aus allen Schichten aufgesogen wurden, und hier hatten sie eine Chance, gesellschaftlich
aufzusteigen.

Seebaß

Aber das endet natürlich auch irgendwann, Herr Kretschmar, dann rekrutiert sich
dies Pfarrhaus nur noch aus sich selbst.

Kretschmar

Genau, ich wollte sagen, diese Entwicklung kommt eben zu einem Ende, und man
sollte mal das orthodoxe Pfarrhaus mit einbeziehen, dort ist doch schließlich die Pfarr-
familie seit Tagen der Apostel eine Selbstverständlichkeit gewesen, aber nie, ich möchte
fast sagen, ideologisch so aufgewertet, wie das lutherische Pfarrhaus. Wenn man diesen
Vergleich zieht, kann man sehr interessante Beobachtungen machen und lernt dann
wahrscheinlich dabei, wieviel an dieser Entwicklung geschichtlich völlig in Ordnung
positiv zu werten ist, aber wieviel daran eben auch zeitgebunden ist, und daß die
Zukunft uns auch lehren kann, unbefangen auch die Kehrseite solcher Einwurzelung in
der bürgerlichen Kultur zu sehen, die ja eben in vieler Hinsicht auch an eine Krise
gekommen ist, wenn nicht gar ein Stück Vergangenheit wird.

von Aretin

Eine Bemerkung, die ist nicht aufgegriffen worden. Sie haben da eben eine Nebenbe-
merkung gemacht, daß sozusagen radikale Bewegungen sich aus dem Luthertum heraus
leicht entwickeln konnten. Wenn Sie heute die protestantische Kirche ansehen, dann
würde ich sagen, ist dort der Prozentsatz, der dahin tendiert, größer als der, der sich
sozusagen am lutherischen Obrigkeitsglauben orientiert. Nur würde ich noch ganz
gerne von Ihnen wissen, wo Sie eigentlich diese Radikalität bei Luther ansetzen. Er hat
zwar zunächst den Bauernaufstand durchaus für berechtigt gehalten, aber dann den
Aufstand verurteilt und den Gehorsam gepredigt. Wo ist eigentlich heute noch dieses
protestantische Element bei den Protestanten und wie läßt es sich auf Luther beziehen?

Seebaß

Ihre Frage ist mir im Augenblick noch nicht ganz klar geworden.

von Aretin

Sie haben eine Bemerkung gemacht, daß immer wieder aus dem Luthertum heraus
die Möglichkeit der Radikalisierung gegeben war, und genau diesen Punkt möchte ich
nochmal genauer wissen.

Seebaß

Nein, das habe ich ganz strikt auf die Frage der radikalisierten Nachfolge bezogen.
Daß also das, was christliches Leben ist, sich nicht im bürgerlichen Leben erschöpft.
Ich würde also z. B. den Pietismus durchaus auch als einen solchen Ansatz verstehen.

Es gibt immer wieder solche Ansätze zu einer stärker radikalisierten Nachfolge, die sich mit der ständigen drohenden Verbürgerlichung nicht abfinden. Das habe ich zunächst gemeint.

Ich würde gerne noch ein Wort sagen, Herr Lutz, zu dem, was Sie ausgeführt haben. Denn ich meine, ohne daß ich hier in eine Verteidigung Luthers eintreten müßte: Man kann auch an diesem Punkt, glaube ich, nochmals deutlich sehen, was man sozusagen aus der Zeit heraus verstehen muß, was man aber nicht ohne weiteres, weil die Reformation nun mal mit Luther verbunden ist, auch wiederum mit der Person Luthers verbinden kann. Also, um ein konkretes Beispiel zu bringen: Die rigoristische Kindererziehung des 16. Jahrhunderts können Sie nun weiß Gott nicht bei Luther festmachen. Luther war zwar der Meinung, daß gelegentlich auch die Rute Gutes tun könne, aber Luther hat sich massiv gegen eine rigoristische Kindererziehung geäußert. Man soll in der Erziehung durch die Finger sehen usw. usw. Man könnte eine Fülle von Beispielen anführen. Ebenso etwa in der Frage der Kinderehe, der Ehen der Kinder gegen den Willen der Eltern. Darüber gibt es genügend Ausführungen bei Luther. Er wollte zwar keine Winkelehen der Kinder, hat sich aber massiv dagegen gewehrt, daß Eltern aus eigensüchtigen Motiven die Ehen ihrer Kinder unterbinden und hintertreiben. Im Blick auf die Frauenbildung stimmt, was sie sagen, nur, wenn Sie an die höhere Bildung denken. Im übrigen aber war es Luthers Wunsch, daß, und zwar auf Kosten der Obrigkeit und aus Steuergeldern bezahlt, die Mädchen ebenfalls ihre Ausbildung erhalten sollten. Man könnte noch mehr anführen an dieser Stelle, z. B. etwa auch den Vorschlag öffentlicher Bibliotheken, die alle entsprechend unterhalten werden müssen, ebenfalls wieder auf Kosten der Allgemeinheit. Ich bin mir sicher, daß man solche Dinge mit Luther verbinden kann. Warum sich dagegen rigoristische Kindererziehung in Deutschland im 16. Jahrhundert durchsetzt, das ist eine interessante Fragestellung und der kann man nachgehen. Aber man kann nicht, weil das 16. Jahrhundert und die Reformation mit Luther verknüpft sind, ihn nun auch gleich für die rigoristische Kindererziehung verantwortlich machen.


Lutz

Mein Punkt war etwas anders. Ich versuche, so gut ich kann, ihn in der Eile zu erklären. Ich sehe da ein durchgehendes Phänomen, das ich sozialgeschichtlich immer wieder feststellen kann. Also das ist gar nicht auf das 16. Jahrhundert beschränkt. Wir kommen damit an Grundfragen von Religion und Gesellschaft heran: Daß in bestimmten Situationen, wo starke religiöse Impulse auftreten, wo also eine Art von »Retheologisierung« des Bewußtseins auftritt, daß da immer wieder folgendes passiert: Es werden da und dort vorhandene säkulare, also weltliche Tatbestände, die einfach gerade so sind, nicht wahr, wie sie sind und die nun in die Kombination mit einem religiösen Impuls, mit einer religiösen Bewegung hineingeraten, durch diese Verbindung mit einem religiösen Impuls, mit einer großen religiösen Bewegung, mit einer theologischen Weltauslegung festgeschrieben und bekommen eine überhöhte Bedeutung, die ihnen im normalen Verlauf, in einer normalen Entwicklung nicht zukäme. Dieses theologische Festschreiben von außertheologischen Lebenszuständen, das ist das Problem und das treffen wir immer wieder. Gehen wir auf katholischer Seite etwa herauf bis zum heutigen Papst, dessen Vorstellungen von Familie und vielen anderen Dingen eben sehr stark von der polnischen Gesellschaft, wie er sie erlebt hat, geprägt sind; das ist für ihn eine Einheit. Dies Phänomen meine ich.

## Zimmermann

Es geschieht nicht zum ersten Mal in unserer Debatte, aber es ist jetzt gerade vorher von Ihnen, Herr Kretschmar, neuerlich gesagt worden, daß Luther vielleicht mehr als uns gemeinhin bewußt ist, allen Konfessionen und auch nicht nur den deutschen Landen gehört. Das ist ein gutes Wort, um zu unserem letzten Komplex überzuleiten, nämlich zu den heutigen ökumenischen Perspektiven.

## Seebaß

Erlauben Sie, Herr Zimmermann, daß ich doch noch eine kurze Bemerkung mache, weil ich auf meinen Notizen noch etwas sehe von dem, was Herr Lutz vorhin gesagt hat über die Frage des Zusammenhangs von Luthertum und Obrigkeit, Obrigkeitsstaat und ähnlichem. Darauf würde ich gern noch eingehen. Ich glaube, man sollte doch auch erkennen, daß die lutherischen Kirchen, wo sie sich in einer ähnlichen Situation entwickeln mußten wie der Calvinismus in Westeuropa, durchaus ähnliche Strukturen hervorgebracht haben, von der Gemeinde her aufgebaut, etwa wenn ich an die polnische Situation denke, aber auch an die spätere überseeische Situation. Lutherische Gemeinden haben da durchaus ähnliche Strukturen von Gemeindekirche hervorgebracht wie der Calvinismus. Auch das ist eigentlich ein Beispiel dafür, daß man auf den Wechselbezug zwischen Situation und theologischem Ansatz achten muß. Und es geht nicht so ohne weiteres auf, das Luthertum nun auf eine Landeskirche und auf eine Obrigkeitskirche festzulegen. Das hängt spezifisch mit der Situation zusammen, in der das Luthertum sich in Deutschland durchsetzen konnte. Wenn man daran erinnern darf: Auch die reformierte Kirche hat in der Kurpfalz jedenfalls einen ganz stark obrigkeitlichen und landeskirchlichen Charakter getragen und hat sehr wenig von der Gemeindestruktur der calvinistischen Kirche erhalten.

## Lutz

Wenn ich Ihnen ins Wort fallen darf, der österreichische Protestantismus, der ganz überwiegend vom Luthertum bestimmt war, war durchaus eine Anti-Obrigkeitskirche im 16./17. Jahrhundert, solang er noch nicht ausgetilgt war. Das kann man schon sagen.

## Kretschmar

Wenn Sie mir eine Bemerkung erlauben, im 19. Jahrhundert schauen wir doch nach Ungarn. Die Träger der Revolution von '48, ob das Petöfi, die Dichter oder Kossuth gewesen sind, das sind Lutheraner gewesen. Das hat zwar ganz komplizierte Gründe – wie die Calvinisten dort – dies waren aber gerade Lutheraner. Das ist eben das Merkwürdige, weil sie eine solche verschwindende Minderheit waren. Sie haben die Calvinisten mit sich gerissen. Aber zunächst mal kamen sie von der anderen Seite her.

Zimmermann

Darf ich jetzt bitten, daß wir zu unserem letzten Komplex kommen, nämlich zu den
ökumenischen Perspektiven, und da sind Sie wieder dran, Herr Lutz, ein paar Worte
zur Einführung zu sagen.

Lutz

Ich möchte nicht, daß der Eindruck entsteht, daß ich das monopolisiere, sondern ich
bin hier ganz einig mit den anderen Kollegen, glaube ich, in dem Anliegen als solchem;
die Darlegung selbst ist dann natürlich jeweils eine persönliche.

Ich sage hier eigentlich zweierlei. Ich sag' zuerst etwas zu der Frage, warum sind
ökumenische Bestrebungen in vergangenen Jahrhunderten meistens gescheitert? Es gibt
zwar ostkirchliche Unionen, das ist etwas anderes. Aber zwischen Protestanten und
Katholiken: Großunionen sind eigentlich alle gescheitert; und ich bringe das insgesamt
in Beziehung zu den Verhältnissen zwischen Thron und Altar im Zeitalter eines
Zwangskirchentums. Im Zeitalter des Zwangskirchentums, also bis ins 19. Jahrhundert
hinein, konnte eine Kirchenunion eigentlich immer nur von Staat zu Staat mit Hilfe der
geistlichen Instanzen ausgehandelt werden: das hat die Chancen entsprechend verringert. Ich gebe dieser Überlegung dann eine positive Wendung: Seit dem Ende dieses
Zwangskirchentums, seitdem in einer pluralistischen Gesellschaft die Kirchen andere
Funktionsformen haben und miteinander leben, seitdem sind von den Außenbedingun-
gen her meiner Meinung nach die Chancen gestiegen. Zweiter Punkt, um einen gewissen Optimismus anzumelden: Es sind in der theologischen Aufarbeitung der damaligen
Streitfragen zwischen protestantischen und katholischen Theologen außerordentliche
Fortschritte gemacht worden, die von den Amtsträgern auf beiden Seiten noch nicht
vollständig zur Kenntnis genommen sind. Ich weise darauf hin, daß z. B. die Frage der
Rechtfertigung aus dem Glauben ein kirchentrennendes oder das kirchentrennende
Problem im 16. Jahrhundert war und daß heute in dieser Frage keine Schwierigkeit
mehr zwischen den Theologen hier und dort besteht. Nun, die Hauptsache ist aber,
daß ich hier verweisen möchte auf heutige Bemühungen. Den jüngsten Vorschlag
bringe ich hier als Beispiel, das Buch von Fries und Rahner, das in diesem Jahr erschienen ist. Worum es den beiden katholischen Autoren geht, zeigt der Buchtitel »Einigung
der Kirchen – reale Möglichkeit«; so heißt das Buch, von Heinrich Fries und Karl
Rahner gemeinsam verfaßt. Das ist für die katholische Seite eine ziemlich aufregende
Sache, ein sehr interessanter Vorschlag. Er läuft ungefähr darauf hinaus, daß das Papsttum sich zu ändern hat und daß das Papsttum dann als ein reformiertes Petrusamt die
Instanz ist, die die Einheit zwischen den verschiedenen Konfessionen, die dann aus
Konfessionen Teilkirchen werden, als Einheit von Teilkirchen herstellt. Das ist in ganz
kurzen Worten das Modell von Fries und Rahner, was hinausgeht über alles, was bisher
von ernsthaften Theologen auf dem ökumenischen Markt angeboten wurde. Und wir
wünschen dem eine sehr intensive Diskussion, von allen Seiten her. Dann bringe ich
aber aus der Erfahrung des Historikers und aus einer bestimmten persönlichen Erfahrung, nämlich aus der Mitarbeit in der österreichischen katholischen Gemeindebewe-
gung der letzten zehn Jahre, noch eine Art von Kritik oder von weiterführendem
Hinweis. Ich kennzeichne dieses Wiedervereinigungsmodell von Fries und Rahner als

ein gouvernementales Modell, das sehr stark von oben her gesehen ist. Natürlich ist mit diesem Hinweis die Tragweite dieses Vorschlages nicht im entferntesten ausgeschöpft. Es soll demgegenüber die Bedeutung von Lernprozessen und Konvergenzen von der Basis her betont werden. Ich verweise dabei für meine katholische Seite etwa darauf, daß aufgrund der innerkatholischen Erfahrungen mit dem päpstlichen Zentralismus die Bedeutung, die neue Würdigung, die neuen Erfahrungen mit Gemeindestrukturen außerordentlich wichtig sind für Gegenwart und Zukunft der katholischen Kirche. Weiter: Daß in diesem Zusammenhang die katholische Kirche bei diesem Entwicklungsweg eine entsprechende Rezeption der reformationskirchlichen Erfahrungen von evangelischer Seite her sicher brauchen kann und daß ein solcher Erfahrungsaustausch mir außerordentlich wichtig und weiterführend erscheint. Also ich wiederhole nochmal: Keine Abwertung des Vorschlages von Fries/Rahner, sondern eine Ergänzung durch die Beachtung der Prozesse von unten nach oben.

### Seebaß

Herr Lutz, ich würde gern doch ein paar Bedenken anmelden, zunächst gegen Ihren Ansatz. Den Pluralismus, den würde ich dafür nicht gern verantwortlich gemacht sehen. Es hat z. B. doch in der Weimarer Republik sicherlich zum ersten Mal auch einen Pluralismus gegeben, aber es hat nicht gerade eine sehr starke ökumenische Bewegung damals in Deutschland gegeben. Es scheint mir doch eher so, daß es drei Faktoren sind, die die ökumenischen Beziehungen zwischen den Kirchen in der ersten Hälfte unseres Jahrhunderts und vor allen Dingen dann nach dem Zweiten Weltkrieg massiv vorwärts getrieben haben. Das ist einmal, glaube ich, tatsächlich die Erfahrung querlaufender, quer durch die Konfessionen laufender Gruppierungen im Verhältnis zu totalitären Staaten. Das ist das eine. Eine Entdeckung der Gemeinsamkeit, die quer läuft zu den sonstigen Trennungen der Konfessionen. Das ist übrigens auch eine gemeinsame Leidenserfahrung, die man nicht verschweigen sollte. Das zweite aber, glaube ich, ist die Bevölkerungsverschiebung, die in unserem Land in der Folge des Zweiten Weltkrieges stattgefunden hat. Die kann an dieser Stelle in ihrer Bedeutung wohl kaum überschätzt werden. Wir haben erst nach dem Zweiten Weltkrieg das Aufbrechen von protestantischen und katholischen Gebieten gehabt; damit aber natürlich auch das Problem einer steigenden Zahl von Mischehen und überhaupt ein Kennenlernen des anderen Partners. In dem norddeutschen Dorf, in dem ich aufgewachsen bin, gab es bis Kriegsende fast ausschließlich Protestanten.Und schließlich entstand durch diese Bevölkerungsverschiebung eine Empfindsamkeit für das Ärgernis der Spaltung der Christenheit, deren Notwendigkeit und Hintergründe die Kirchen selbst ihren Gläubigen schon gar nicht mehr in ihrer Relevanz vermitteln können. Das spielt nämlich für mein Empfinden auch eine Rolle, daß die Kirchen selbst gar nicht mehr in der Lage sind, ihre theologischen Unterschiede so zu formulieren, daß sie denn wirklich auch dem Laien als kirchentrennend noch einleuchten. Und schließlich ein Drittes, um den Horizont über die Provinz Deutschland hinauszunehmen. Ich glaube, daß der Export der Kirchenspaltung auf das Gebiet der Dritten Welt durch die Mission für die Mission selbst, aber auch bei der Staatenwerdung in diesem Gebiet ein ganz erhebliches Ärgernis dargestellt hat und auch teilweise noch darstellt, und daß auch von daher ein

ganz massiver Zug zum ökumenischen Gespräch gekommen ist. Man muß auch hier
sehr unterschiedliche Faktoren sehen. Den Pluralismus, den würde ich an dieser Stelle
nicht so hoch ansetzen mögen. Zu der Frage, nach welchem Modell verfahren werden
könne, gibt es ja nun die unterschiedlichsten Vorschläge. Ich würde vielleicht gern noch
an die Adresse meiner eigenen Kirche, also der lutherischen Kirche, gerichtet, sagen:
Ich habe gelegentlich den Eindruck, daß, wenn auch die lutherischen Kirchen immer
wieder verbal darauf bestehen, daß eine Kircheneinheit dort möglich ist, wo das Evangelium rein verkündigt und die Sakramente richtig verwaltet werden, dann aber, wenn
es zum Treffen kommt und man auch bei der Gegenseite eigentlich feststellen muß, daß
dies da geschieht, doch immer noch eine ganze Menge von anderen Vorbehalten da
sind, die gegen eine weitergehende Gemeinschaft ins Feld geführt werden. Wie das bei
anderen Kirchen aussieht, das möchte ich nicht beantworten.

### Kretschmar

Ich bin Ihnen gerade für den Schluß, Herr Seebaß, sehr dankbar, denn hier sind wir
ja beim neuralgischen Punkt. Sie haben jetzt die Brücke hergestellt zwischen »Luther
und die Folgen« und den ökumenischen Fragen der Gegenwart. Wir sind es vielleicht
gewohnt gewesen, unter dem Stichwort Reformation zunächst die Ursache für Kirchenspaltung zu behandeln, jetzt sind wir dabei, in Luther jenen Vater der Ökumene,
der Kircheneinheit zu entdecken. Und das ist sicher ganz richtig. Es ist ja auch nicht
eine ganz neue Entwicklung, es hing sicher mit der deutschen Reichsverfassung zusammen, aber es ist doch auch ein genuines Erbe Luthers; jedenfalls hatten die Lutheraner
in den vergangenen Jahrhunderten darin etwas stärker einen Akzent gesetzt als es um
diese Zeit die Reformierten getan haben. Die Reformierten hatten immer auf innerpro-
testantische Einheit gepocht, Lutheraner dachten an das Modell der Einheit aller Christen. Jedenfalls an eine Einheit, die auch die römischen Katholiken mit einschließt.
Heute sind wir in der Situation, daß die Kircheneinheit zwischen Lutheranern und
Reformierten in Europa erklärt ist, daß wir in unserem Land Kirchengemeinschaft seit
langem, jedenfalls der deutschen Landeskirchen haben, in der Evangelischen Kirche in
Deutschland. Als Erben gerade der Wittenberger Reformation, und im Grunde hätte
Calvin da nur zustimmen können, können wir das nur bejahen, wenn es offen ist für die
Einheit der ganzen Christenheit. Und da ist nun sicher in letzter Zeit etwas geschehen.
Das große Problem – und damit komme ich zum Vorschlag meines Kollegen Fries,
zusammen mit Herrn Rahner – ist natürlich neben manchen anderen kleineren Fragen
letztlich immer die Gestalt des Papsttums. Und hier müßte man ja wohl ganz nüchtern
konstatieren daß die Rückfragen, die hier zu stellen sind, und damit auch die Hoffnung
auf ein reformiertes Papsttum, nicht etwas sind, was nur Lutheraner oder nur evangelische Christen haben, das ist bei den orthodoxen Kirchen natürlich keinen Deut anders.
Und ob es möglich ist, das Papsttum in eine Kirchengemeinschaft der Zukunft so
einzubringen, wie es nach dem Glauben und der Lehre unserer katholischen Brüder
und Freunde, der römisch-katholischen Brüder und Freunde, notwendig ist, das wird
sich sicher für Orthodoxe wie für Erben der Reformation entscheidend klären, ja darin
wird es sich entscheiden, ob es gelingt, ein Papsttum als Modell herauszustellen, das
eben nicht – wie Sie geschrieben haben – »Regierungscharakter« in überliefertem Sinn

hat, nicht nur Herrschaftsform von oben ist, sondern selbst Modell für Einheit sein kann. Daß die geschichtlichen Erfahrungen hier uns noch nicht ermächtigen zu sagen, »soweit ist es«, wird jedenfalls unter den Erben der Reformation eine sehr verbreitete Überzeugung sein. Aber daß die Aufgabe damit richtig beschrieben ist, dem würde ich nicht widersprechen und vor allem würde ich Herrn Seebaß nicht widersprechen, daß auch lutherische Kirchen hier selbst ein wenig mehr tun müßten, als sie es sehr oft bisher getan haben.

## von Aretin

Darf ich Ihnen nur bei dem einen Satz ins Wort fallen. Sie sprechen von Erben der Reformation. Da würde ich gerne uns heutige Katholiken, also nicht nur mich persönlich, sondern den heutigen Katholizismus dazu rechnen, denn er gehört durchaus auch in dem Sinn, wie wir es vorher besprochen haben, zu den Erben der Reformation.

Ich möchte hier aber auch einen Zweifel anmelden. Sie haben, Herr Seebaß, die gemeinsame Leidenserfahrung des Dritten Reiches, die große Sensibilisierung nach 1945 und die Bevölkerungsverschiebung genannt. Das gebe ich alles sofort zu. Aber dieser Zug ist doch abgefahren. Diese Erfahrung kann heute nicht mehr zu einem wirklichen ökumenischen Gespräch führen, denn das ist nicht die Problematik der jetzigen Generation. Die heutige Problematik ist etwas anderes. Wenn ich es jetzt boshaft formulieren will, liegt die Gemeinsamkeit in der Gleichgültigkeit theologischen Problemen gegenüber.

»Was soll diese Sache? Warum, um Gottes willen, sind Katholiken und Evangelische getrennt. Das ist uns völlig wurscht.« Das ist eine interessante Bewegung, die sich sowohl bei Katholikentagen wie bei Evangelischen Kirchentagen zeigt, die einen Riesenzustrom von Jugend haben, die gar nicht darauf wartet, daß jetzt nach einer theologischen Verschiedenheit gesucht wird. Sie kommt wahrscheinlich von einer ganz anderen Basis her. Diese Basis ist nicht die gemeinsame Leidenszeit oder die Zeit nach 1945. Es scheint mir zweifelhaft, ob man heute schon präzise angeben kann, welche Rolle Luther und die konfessionellen Unterschiede dabei wirklich spielen werden. Hier kommt unter Umständen eine Bewegung in Gang, die alte Strukturen aufbrechen und überwinden kann. Aber daß das dann so ist, wie wir es uns hier vorstellen, das möchte ich bezweifeln.

## Zimmermann

Es scheint doch gut, daß das Erbe, das jede Kirche und jeder Angehörige einer Konfessionskirche mit sich trägt, nicht ganz so einfach oder nur dann über Bord geworfen werden kann, wenn man einen gewissen Abstand von der konkret sich repräsentierenden Kirche gewinnt. Ich meine, wir sollten mit dieser Feststellung abschließen.

Meinen Kollegen auf dem Podium danke ich für die Mühe der Vorbereitung und für die Beteiligung an diesem Gespräch. Was bei einem Vortrag, bei einer Diskussion oder bei einem Symposion zur Sprache gekommen ist, kann selten als abgeschlossen gelten, sondern muß weiter durchdacht werden. Ich hoffe, daß auch Sie, meine Damen und Herren im Auditorium, dafür manche Anregung erhalten haben.